［改訂版］

学部生のための

企業分析テキスト

―業界・経営・財務分析の基本―

髙橋　聡・福川裕徳・三浦　敬 ［編著］

岩崎瑛美・鵜池幸雄・小形健介・小沢　浩
窪田嵩哉・田中　勝・中村亮介・溝上達也 ［著］
望月信幸・森口毅彦

創　成　社

はじめに

　企業の活動業績や経営状況を貨幣の側面から理解するために必須とされる財務諸表は，企業活動の結果，利益をどのように儲けたか，どこでどれだけ儲けたかを明らかにするだけではなく，企業のキャッシュ・フローに対する戦略を分析できるという点で，企業分析の基礎である。そして，経営者は，その財務諸表を用い，自社を競合他社と比較することで自らが置かれた業界内での立場を理解するとともに，投資家やアナリストなどの外部利害関係者とのコミュニケーションを図っている。また，企業に直接・間接に関与する外部利害関係者は，財務諸表を利用することで投資や与信などの判断に関する合理的な意思決定を可能にする。そのため，財務諸表を中心とした分析は，企業を知ろうとする学生にとって重要な意義があり，その手法を使いこなせるようになることは，学生が自身で企業を評価する際に必要なスキルとなる。

　しかし，財務諸表を中心にした分析といっても，書店に並ぶ財務諸表分析についての書籍は，分析手法を詳細かつ丁寧に解説し，算出された結果がある水準だと良い，別の水準だと悪いという目安を示したものが多いようである。そのため，経験の少ない初学者が経営戦略などと関連づけて理解できるよう，具体的に説明した書籍は少ないように思われる。ただ，企業経営者は，企業の経営効率を増進させ，企業を維持発展させるための戦略を策定する際，情報を必要に応じて加工するとしても，財務諸表をもとにする。そうであるなら，企業の業界分析と経営分析を，財務分析と絡めたかたちで解説すれば，企業が営む事業が置かれた立ち位置でとる戦略が財務的に可能か否か，その戦略が成功した場合に財務的にはどういうことが期待できるかを，財務分析だけから得られる知見に加えて得られるようになり，広い視野で柔軟な判断ができる学生が育ってくれるのではないか，そういう思いで執筆したのが本書である。

　本書に対する思いを強くしたのは西南学院大学で実施している「教育インキュベートプログラム」を契機とする。それは，学生教育の一層の充実を目的に募集されるプログラムで，ゼミ生教育のために申請し，採択されたのが2014年，2015年度から「財務諸表データを用いた企業価値評価手法に関する研究」を3年間にわたり実施した。当初の目的は，会計基準の国際化の流れを受け，その内容が大幅に変化した財務情報を，会計学の初学者でも読み解けるような方法はないか，就職活動を考えた学生が企業を知る際に自らが考えた方法で貢献できる可能性はないかを模索すべく申請したと記憶している。

　この取組では，ゼミ生が，2年次と3年次において，年2回，他大学のゼミ学生と共同で企業分析に関する成果発表をすることを計画していた。それは，学内・福岡県内の経験だけで，自分を見失ったまま卒業するゼミ生を輩出する事態をできるだけ避けたかったからである。そして，学生生活で何か1つのことを成し遂げたという自信をもって卒業して

いって欲しいという思いから実施することになったプログラムでは，他大学の教員の協力も仰ぎながら，目的達成のために知識を蓄積し，新たに入ってくるゼミ生にそのスキルを引き継いでいった。

しかし，こういう成果をきちんとしたかたちで仕上げるためには，学生のやる気が必要である。翻って，ゼミ生の大半は，ゼミ募集で挫折を味わい，2次募集・3次募集で入ってきた学生で，目的を共有できる意欲ある学生というよりはゼミというものを体験しよう，なるべく省エネでゼミの単位を取得して卒業単位を埋めていこうという学生が多かった。そのため，教員の思い入れとは裏腹に，学生が上げる成果は，学内で報告はできても，外部に公表するものとしては充分とはいえなかった。

プログラムで採択された以上はきちんとした成果をという思いから，焦りを感じつつあったプログラムの2年目に入ってきたゼミ生をみて，書籍出版に関する可能性を考えてみたいと思うようになった。それは，分析手法を教員が解説するだけではなく，課題を出し，ゼミ生が作成した答案をもとに指導をするという体裁で，一般の学生が卒業年度に悩む卒業論文にも役立つ書籍ができないかと考えてのものであった。そして，2年目に入ってきたゼミ生が卒業年度を迎えた2018年，創成社に相談をし，2年あまりの歳月を経てようやく出版にこぎつけた。

本書の作成にあたっては，まず，2018年度に西南学院大学を卒業した横枕鮎美さん，板谷奈泉さん，川口咲さんの協力を得た。創成社より本書の出版をご快諾いただいたときから，教員の原稿の一部を読み，学習をする傍ら，本書資料にある生活雑貨業界・製薬業界の企業分析の基礎原稿を作成した。

翌2019年度は，年度内に出版することを目標に，佐竹真優さんを他大学との調整役とし，ゼミ生全員で学生担当原稿の作成にあたった。本書の課題に対する答案は賀川智子さんにお願いし，卒業後は，現ゼミ生の越智隼さん，日高悠希さん，吉岡巳奈さんの協力のもと，表現内容の大幅修正を行った。なお，課題に対する答案のやりとりは2度行い，本書には，紙幅の関係から，最初の答案を見た後で，教員が行った具体的な指導を抽象化したものを分析のヒント，学生の2度目の答案を本書の答案として掲載し，教員による最終指導と模範解答を示す体裁を採っている。そのため，課題に対する最初の答案は，創成社のホームページ（https://www.books-sosei.com/downloads/）に掲載している。

業界分析原稿の作成にあたっては，本年度，日高義治さん，渡邉大貴さんが調整役となり，昨年度の卒業生から引き継いだデータを用いて，生活雑貨業界は吉永章汰さん，製薬業界は白坂愛弓さんを中心としたチームで分析を継続した。そして，福浦ゼミ所属の大学院生，山田恭輔さん，大坪幸一さんには生活雑貨業界の原稿，八坂祐理子さんには製薬業界の原稿の最終的な確認と体裁の調整をお願いし，表現を修正してもらったことでようやく外部公表に耐え得ると判断できる学生原稿（報告書）ができあがった。

ゼミ生が他大学学生と協力しながら作成する報告書では，ゼミ生全員が同じ方向を向

き，協力していくことが必要である。ただ，通常，この時期の学生は遊びたい盛り，本書の資料作成に協力をし，本文や資料で名前が掲載されたゼミ生（卒業生・学生）は，周囲からの誘惑に耐え，非協力的な環境のなか，よく頑張ったと思っている。

　最後に，昨今の出版事情の厳しいなか，本書の出版に格別なご配慮をいただいた株式会社創成社代表取締役社長塚田尚寛氏および同社出版部西田徹氏に感謝申し上げたい。両氏の寛大なご支援がなければ，本書が日の目を見ることはなかった。ここに改めて心より謝意を述べる次第である。

2020 年 11 月

編著者を代表して

髙橋　聡

改訂にあたって

2020年11月に本書の初版は出版された。本書の企画当時，かつての会計人気はすでに過去のものとなっており，ある出版社からは，会計関連書への需要が下火となっていることを理由に市場性を疑問視され，厳しいアドバイスをいただいたことを覚えている。

ただ，元来，所属学部でゼミ募集をする際に，ゼミでの活動内容の多さ・厳しさから人気ゼミというものを経験したことがなかった私にとっては，そのような時代の流れは知るよしもなく，書籍に掲載するに足る水準の原稿を書ける学生がゼミに集まった時に協力いただける出版社があるならば，出版の可能性を探りたいという思いを強くもっていた。

それは，「企業を分析する」という場合，用いられる分析手法は業界分析・経営分析・財務分析などいくつかあり，それぞれの分野では優れた教材はあっても，すべての分析を網羅した総合的な教材がなかったこと，普通の学生が卒業論文を書くとき，いろいろな側面から企業を分析し，総合的に判断する一助となる教材で，実際に同世代の学生が考えた原稿を示すことができれば，論文作成に苦労する学生の助けとなるのではないかという思いを，常々，抱いていたことに起因する。

しかし，出版が叶っても購入していただける読者がどの程度いるのかは不明であった。とりわけ，学生が執筆した原稿について，その名前を記載したうえで出版書籍に掲載することに，読者からどのような反応があるかが問題となり，その是非については編著者のあいだでも議論があった。そのため，創成社にご協力いただき，本書の初版が出版の運びとなっても，本書を評価していただけるかが不安であった。

ところが，その不安は杞憂であった。出版後3年を待たずに初版の在庫が少なくなり，増刷か改訂かを判断する機会をいただいた。これは，本書出版後，大学の教材として指定いただいた各大学の教員をはじめ，本書に興味をもち，購入いただいた読者の方々のお陰であり，感謝する次第である。

今回の改訂では，課題編の答案の作成を，一部を除き，課題担当者のゼミに所属する学生にお願いした。これは，私のゼミに所属する学生だけでは，原稿を短時間で作成するのが難しく，また，各課題担当者が指導しやすい学生に答案作成をお願いしたほうが，学生の原稿の質も上がり，読者の方々の示唆に富む内容となるのではないかと考えてのことである。残念ながら，本書でも，紙幅の関係から，学生の原稿のすべてを掲載できているわけではない。また，改訂版の検討当初は掲載を予定していたものの，本書に掲載するまでには至らなかった原稿も一部ある。そのため，課題に対する学生のフルペーパーは，資料編の原稿も含め創成社のホームページ（https://www.books-sosei.com/downloads/）に掲載している。

また，資料編の原稿は，西南学院大学の学生だけではなく，沖縄国際大学，九州産業大

学，松山大学，熊本学園大学の学生も加え，Solaseed Air の企業分析を行ったものである。分析にあたっては，私のゼミの卒業生で，現在は，公認会計士・税理士事務所を運営している小菅良助氏に調整役をお願いし，学生の質問に真摯に対応いただいた。当初の予定より出版がずれ込んだことで，当初は本分析の主力として活動していた学生の多くが，就職活動に追われることになったため，本年度は，私のゼミの現2回生・3回生が中心となって，元々あった原稿を再検討し，ブラッシュアップすることで，本書に掲載するレベルの原稿を用意した。無論，本書の原稿は，学生の書いたものであるため，資料の収集方法や分析内容に問題がないわけではない。ただ，学生が本書の解説編を参考に分析をした結果であることを考えた場合には，本分析は，本書に掲載するに足るものと考える。参考資料として活用いただければ幸いである。

　最後に，初版出版時と同様，本書の出版に格別なご配慮をいただいた株式会社創成社代表取締役社長塚田尚寛氏および同社出版部西田徹氏に感謝申し上げたい。両氏の寛大なご支援がなければ，締め切りを引き延ばした本書が日の目を見ることはなかった。ここに改めて心より謝意を述べる次第である。

2024 年 1 月

編著者を代表して

髙橋　聡

目　次

Chapter 1
分析の概要

① 分析対象の選択

みなさんは企業に対する価値評価の正否をどのように判断しますか？

企業の決算公告のほか，新製品の開発，企業結合や経営統合などの情報が公表されると，日本経済新聞や日経産業新聞などの専門紙・業界紙などは，その企業を分析し，企業の評価に役立つ情報を関心のある読者に提供しようとします。しかし，その場合の企業評価に関する情報には，分析主体のバイアスがかかっていることが少なくありません。このようなとき，他者が判断した情報だけではなく，自身が追加で集めた情報も加味して企業を評価し，独自の視点で企業を総合的に判断するのに役立つ手法はないか，本書は，その判断を助けるはじめの一歩となる分析手法を解説し，課題に実際に取り組んでもらうことで，その手法を理解してもらうことを目的としています。具体的な分析手法の解説は，本書 Chapter 1 から Chapter 5，その実践は，本書 Chapter 6 から Chapter 9 に委ねますが，ここでは，まず，分析の概要を説明しておきます。

現在，利益を得ることを目的に活動する企業は，みなさんの生活に必要な商製品（財貨）やサービスを生産・提供するためにさまざまな経済活動を行っています。このとき，同一の商製品（財貨）やサービスを取り扱う同業者（企業）の世界のことを業界といいますが，現在の企業は，通常，1つの事業だけではなく，複数の事業を同時に営んでいますので，その企業がどの業界に属しているのか，明確な線引きをするのは難しいのが実情です。

企業は，定められた期間の経済活動とそれに関連する経済事象を貨幣金額で測定し，それを決算公告すること（すなわち，利害関係者に対して監査済財務諸表を公表すること）で，課された義務・責任を履行していることを証明します。そのため，この場合に提供された情報には，1つの事業にもとづく成果だけではなく，企業が活動したすべての事業成果が集約され，それだけでは，事業単体の評価は困難だといえるかもしれません。しかし，特定の事業を営む企業が，その事業活動を行う市場でどのような立場にあるのかについては，

企業間の社会的な関係性から判断し，企業が有価証券報告書のなかで開示するセグメント情報などを用いて，企業全体の成果からその事業の状況を把握することはできなくもありません。また，企業が営む事業は，通常，成果をいくらあげたか，これから成果をあげる環境にあるかを判断し，選別し，活動をしていますので，企業の活動成果となる利益のなかに，利益の圧迫要因となっている事業が損失を計上し続ける状況を容認する余地はあまりないと考えられます。そのため，その事業が企業活動の中核をなす場合には，企業利益がほぼそのままその事業の利益を表していると考えても良い場合もあるかもしれません。

したがって，分析対象を選ぶ際には，対象とする事業を営む企業が複数存在する事業を選び，分析対象をより明確にするための比較対象を選びやすい業界のなかで，分析を進める準備をすると，より良い分析ができるようになります[1]。業界の概要は，以下に挙げる書籍等が役立つと思います。参考にしてみてください。

【参考図書等】

東洋経済新報社編（2023）『会社四季報 業界地図 2024 年版』東洋経済新報社。

日本経済新聞社編（2023）『日経業界地図 2024 年版』日本経済新聞社。

ビジネスリサーチ・ジャパン著（2023）『図解！業界地図 2024 年版』プレジデント社。

業界動向 SEARCH.COM　https://gyokai-search.com

② 業界分析

業界分析の定義については，諸説あります。しかし，本書は，業界分析・経営分析・財務分析を通して，その企業がどのような状態にあるのかを分析する際の手法のいくつかを

---

1) 分析対象を選ぶ際，企業を前提に分析対象を選択するか，事業を前提に分析対象を選択するかには注意が必要です。

企業を前提とした選択は，みなさんにとってわかりやすい方法です。みなさんが実際に目にする特定の企業で興味・関心がある企業を選択すればよいわけですから，初学者にはこちらの方が分析に入りやすいと思われます。しかし，この方法では，その後の比較対象企業を考慮した場合にピンとこない企業が多く，選択に困ることもあります。企業に焦点を当てすぎていて，事業が見えていないときはなおさらです。そのため，みなさんが分析をする際には，可能な限り，興味をもっている事業を前提とした選択をし，その事業で競合する企業を業界から選んだ方が分析をより詳細にできる可能性が高いといえます。

いずれの選択でも企業名が先に来ることは，ある程度仕方がないと思います。しかし，事業を選択するときは，知っている企業が1つのところより，知っている企業が複数以上属している業界を選択するようにした方がよいはずです。

この観点から，分析対象を選択するようにしてください。

理解してもらうことを目的としています。そのため，本書では，「ある企業が，投資や与信，営業取引，経営管理・コントロール，リストラクチャリングのような，将来の経営に関する意思決定を行う際，その企業が営む事業の現状を，類似した事業の集合内の社会的な関係や，企業をとりまく状況から把握すること」を業界分析と捉えることにします。そして，このとき，みなさんが注意しなければならないのは，一意に定まる業界が前提となった分析があるわけではないということです。

　同一の商製品（財貨）やサービスを取り扱う市場における同業者の世界のことを「業界」と捉えるとした場合，そこで分析すべき対象は，業界に参加し，事業活動を行っている企業です。そして，その企業の経営戦略や業績等を知るなかで，業界内の同業他社と比較する必要が生じた際には，業界全体の今後の方向性に対してどういう戦略が考えられるかとか，同一の業界に属し，競合する企業や，今後，競合する可能性のある企業の経済活動状況はどうなのかなどを検討することになります。

　企業が営む事業は，時々刻々と変化する環境下で展開されていますので，それぞれの局面で，事業の特徴に応じた戦略をとっています。そのため，新製品（やサービス）が開発され，市場が開拓された当初（導入期）の企業は，研究開発に費用を要し，いち早く顧客を確保することに主眼を置いた広告宣伝活動を行いますので，売上高に対する売上総利益は計上できても，営業利益はそれほど大きくないことが想定されます。また，新製品（やサービス）の市場が成長発展する成長期の企業は，導入期の顧客を囲い込み続けることと，新規顧客を獲得することに主眼を置いた活動を行いますので，導入期と同様に広告宣伝活動にともなう費用はある程度要しますが，市場のニーズが急激に伸びている時期でもあるため，売上高もそれに比例して大幅に増加しますし，規模の経済性が働くことでコスト削減もできるため，研究開発に要する費用が導入期ほどかからないことも加味されて，利益の大幅な増加が見込まれます。

　一方，市場のニーズがある程度充足され，一段落する成熟期は，企業の売上高と売上総利益（または営業利益）もピークに達し，成長が鈍化していきますので，業界内の各企業は，それぞれの戦略ポジションを意識して，コスト・リーダーシップ戦略や差別化戦略，ニッチ戦略などをとることで，市場シェアの維持や生き残りをかけることに重点を置くようになります。そして，市場規模が最大化した成熟期の企業は，飽和した市場で価格競争を繰り広げることになる結果，別の新製品（やサービス）が開発され，市場のニーズが変化した衰退期の市場で，売上高と売上総利益（または営業利益）が減少するなか，既存顧客を維持しつつ，市場からの撤退もしくは事業戦略の見直しによる新市場の開拓を考えるようになるはずです。

　企業が事業を営む業界が，現在，導入期・成長期・成熟期・衰退期のどの局面にあるかを分析し，企業のこれからを判断する上記の手法は，マーケット・ライフサイクル分析とよばれますが，その分析には，財務諸表のデータが欠かせません。

　それは，早い段階からその事業で活動する企業の場合，導入期には，研究開発に要した投資費用が利益獲得能力にいかに結びつくかを収益性で分析し，企業が事業展開している対象と競合する可能性のある代替品との関係を評価するときに財務諸表が用いられること，成長期には，導入期の収益性の判断に加え，ニーズが拡大することで，その市場規模が成長する可能性がどの程度あるかを成長性の分析で判断するときにも財務諸表が用いられることからも明らかです。また，業界にあとから参入する企業の場合，新規に参入するときは，収益性・成長性がある市場であっても，資金をどこから調達するかとか，事業の営業キャッシュ・フローで投資キャッシュ・フローのマイナスをまかなえるかなど，資金繰りの側面で倒産のリスクがある場合には，参入の意思決定は下せませんので，財務諸表をもとにした安全性の分析が必要になります[2]。

　安全性の分析は，新興企業が事業展開するときや，既存企業が市場規模の拡大にともなって事業規模を拡大するときの判断でも必要な分析となりますので，いずれの場合も根拠となる財務諸表のデータが重要であることは変わりません。そして，成熟期には，これら代替品の脅威・新規参入企業の脅威のほか，業界内ですでに活動している競合企業が限られた市場シェアを奪い合う競争を激化させることが予想されるため，業界内の各企業は，投資効率を考慮して，安定して売上高と売上総利益（または営業利益）を確保するため，戦略ポジションを意識した活動をすることが求められるようになります。

③ 経営分析—ファイブ・フォース分析とSWOT分析，PPM分析—

　そのため，企業が活動する事業に着目した分析を行う際は，分析をする業界を先に考えるのではなく，まずは，(0) 事業を概観し，(1) 中心に据えて分析してみたいと関心をもった企業を分析するなかで，その企業固有の特徴点を探し出すこと，次に，(2) その特徴点が生かされている事業の業界を分析し，企業をとりまく状況（外部環境・外的要因）から同一業界に属する企業との比較等を実施すること，そして，(3) 企業が有する資源等（内部環境・内的要因）や財務状況から考慮されることを導き出すこと，が本来の適切な方法です。

　ファイブ・フォース分析は，上記 (2) の分析でよく用いられる方法で，マーケット・ライフサイクル分析でも考慮した，新規参入の脅威・代替品の脅威・既存の競合企業の競争に加え，売り手の交渉力・買い手の交渉力を考慮します。このときの売り手の交渉力は，製品等を製造するのに必要な原材料を納入する供給業者との関係から分析することになり，買い手の交渉力は，製品等を利用する顧客との関係から分析することになります。な

2）とりわけ，「規模の経済性」が収益性に影響すると考えられる業界では，必要とされる資金も巨額になることが想定されるため，安全性の分析がより重要になると考えられます。

お，この場合の分析でも，原材料を納入する供給業者が強い場合は，製品を製造する原材料の仕入価格が高くなり，売上原価の削減が困難になる結果，売上総利益（または営業利益）を圧縮することになります。また，販売する製品に競合する製品・代替品が多い場合は，顧客の選択肢が増えることになりますので，企業が販売価格を自由に決めるというよりは，市場が求める価格で製品を作ることになる結果，売上総利益（または営業利益）を圧縮することになります。このように財務諸表のデータには企業をとりまく状況（外部環境・外的要因）の影響が現れることが想定されます。そのため，企業をとりまく状況の分析では，財務諸表のデータから読み取れることを加味すると，より良い分析ができるようになります。

　これに対し，SWOT 分析は，上記（3）の分析でよく用いられる方法で，ファイブ・フォース分析でも分析される企業をとりまく環境から導き出される「脅威（T：Threats）」と「機会（O：Opportunities）」を踏まえ，企業内部の資源等の「弱み（W：Weakness）」と「強み（S：Strength）」を評価する手法です。この分析では，分析をすることで，分析対象企業が保有する内部資源に強みがない場合には，その市場から撤退すべきか（W×T），撤退せず，機会を活かして改善する戦略を段階的にとっていくか（W×O），を，強みがある場合には，競合他社とのあいだに差別化を図り，業界のなかで独特の強さをもつ戦略を採るか（S×T），現状以上の業績を確保するため，機会をより有効に活用する積極策に打って出るか（S×O），を立案することが可能になります。そのため，内部環境の分析では，改革を進めようとする場合に障害となるヒト・モノ・カネ・情報などの経営資源の問題や，競合他社と比較したとき「機会」に活かせる自社の経営資源等の利点から，内部環境が外部環境に対してどれほど力を発揮できるかが評価の重要な要素となります[3]。

　このとき，複数の事業を展開する企業の事業間の連携を考え，限りある資源をどの事業

3）　なお，企業が事業活動を行う世界（業界）では，基本的に，そこで得られるパイを独り占めできることはありません。そのため，その世界（業界）で活動する企業は限られたパイをより多く得られるように，消費者に対して魅力的な商品を作ろうとします。

　そのとき，参考にするのは，その業界に古くからいる企業，その業界のトップに君臨する企業です。通常，業界のトップ企業は，有する市場シェアを維持・拡大しようとします。そのため，場合によっては，万人受けをする商品を展開することに腐心して，少数顧客の要望に応えられなくなることがあります。業界で市場シェアを奪うことができるのはこういうときです。

　業界のトップ企業は，こういう場合，コスト・リーダーシップ戦略をとり，それまでの知名度・ブランド価値をもとに，より大きな市場シェアを確保し続けることに活動の重点をおきます。しかし，それでは，少数顧客の満足度は高められません。そして，その少数顧客の要望は，時として多くの潜在顧客の要望であったりもしますので，業界で市場シェアを少しでも確保しようと思う企業は，その要望に応えるべく，業界大手企業に対する差別化戦略・ニッチ戦略をとることになります。

　このとき，差別化戦略・ニッチ戦略のいずれを企業が選択するかについては，限られた資源の効率的使用方法が関係しますが，この点については，Chapter 2 に詳細な説明がありますので，そちらを参考にしてください。

に投入することが企業の将来的な繁栄を高めることができるのかを検討する場合に利用するひとつの方法が PPM 分析です。PPM 分析では，企業が展開する事業を市場成長率と相対市場シェアを根拠として，金のなる木，スター（花形製品），問題児，負け犬に分類し，投資対象をいかに選ぶかを考えることで，投資をそこまで必要とせずにキャッシュを生み出す金のなる木の事業に育てていくかを考えます。そのため，この場合の意思決定でも，財務諸表のデータ等を根拠にする必要があります。したがって，いずれの分析手法でも，財務諸表が提供する過去の実績データを根拠とし，将来のキャッシュ・フローの状況を予測して，限りある資源の選択と集中を意識した意思決定を行うことが重要であるといえるでしょう。

❹ 非財務情報と財務情報

　これまでの説明では，財務諸表そのものというよりはその前提となる企業の環境面に焦点を当ててきました。そこでの課題は，企業のおかれた状況や外的環境，内部の経営資源の状態を可視化することが中心で，企業が行う事業の結果が，企業の財務的側面のどこに影響するのかについては焦点を当ててきませんでした。しかし，企業の過去の活動とそれに関連する事象については，貨幣価値で認識・測定できる場合，すべて財務諸表に集約されます。そのため，企業活動の成果については，財務諸表に現れた結果をもとに事後的に評価する必要があります。また，将来に向け，企業が何らかの意思決定を行う際には，常に，財務諸表の具体的な会計数値を根拠に判断し，事業の是非を決定することが重要です。

　この場合，財務諸表の会計数値を用いた分析は，財務分析それだけに利用されるわけではなく，ファイブ・フォース分析や SWOT 分析を行う際にも必要です。そして，それは，ヒト・モノ・カネ・情報で構成されている現在の企業の状態を分析し，その現状を明らかにするだけではなく，将来に向けた戦略を策定するには，ヒト・モノについての非財務情報の分析（定性的分析）だけではなく，カネについての財務情報の分析（定量的分析）をしたあとで，総合的に判断しなければならないことを意味します。

　ここで，非財務情報は，有価証券報告書や決算短信，IR 等に含まれる情報のうち，企業会計制度にもとづき計算される会計数値には示されない，企業の経営状況に関する情報です。すでに示した日本経済新聞や日経産業新聞などの専門紙・業界紙と，週刊東洋経済や週刊ダイヤモンド，日経ビジネスなどの週刊経済誌，アナリストレポート等は，おもに，企業をとりまく状況（外部環境・外的要因）と，現時点では，財務的な根拠を示せない企業の不連続な性質面の変化を理解するのに有用な情報を提供します。

　これら定性的情報は，通常，企業独自の分析や判断にもとづいて公表される情報です。具体的には，企業の沿革や関係者，活動内容などの企業の概要を説明することが目的で提

供される情報のほか，財政状態，経営戦略・経営課題，リスク，ガバナンスや，社会・環境問題に関する情報のような，企業固有の情報が含まれます。そのため，たとえば，企業が営む事業を含む業界全体への市場の関心が高くなっているとか，製造される製品に対する顧客満足度が高い，研究開発の状況が良好に推移していると判断し得る情報がある場合には，将来の売上に好影響をもたらす可能性があるのではないかというように，基本的には，企業経営に関する常識にもとづいて判断する領域であるといえそうで，専門性を要する分析手法は，それほど多くないと考えられます。

　これに対し，定量的情報ともいわれる財務情報は，企業の財政状態や経営成績等に関する情報で構成されます。おもに，財務諸表で示されるこの情報は，企業状況を会計数値で表すため，企業会計制度や会計基準の知識が必要となり，財務諸表で示された会計数値と会計数値を加工して算出した比率にもとづき分析する傾向が強くなります[4]。そのため，ここでの分析の結果については，財務諸表で示された会計数値がいかなる意味をもっているか，また，企業が有する資源等（内部環境・内的要因）を戦略的に活用するにはいかにすべきか，ということを考え，判断しなければなりません。

　このとき利用される財務諸表を用いた分析手法には，大きく分けて経営比較（分析）と実数分析・比率分析とがあります。ここでは，それらの手法について，大まかに説明しておきます。

（1）経営比較（分析）

　企業の状況を時系列で比較すること，他企業や標準などと比較することで，その差異を明らかにし，その企業がどのような傾向にあるのか，同業他社や業界のあるべき姿（標準・基準）と比較してどうなのかを分析する際に用いる手法を経営比較（分析）といいます。企業活動の良否を判断する経営比較（分析）の方法には，同一企業の異なる2つの期間の財務情報を比較する場合（期間比較，時系列分析 time series analysis）と同業他社の同一期間の財務情報を比較する場合（相互比較，企業間比較，クロスセクション分析 cross section analysis）とがあります。期間比較は，企業経営者が経営管理目的で財務情報を集め，非

4）　なお，詳細な説明は Chapter 4 に委ねますが，ここでいう分析の例としては，たとえば，新興企業ではない既存企業の場合には，繰越利益剰余金で示される留保利益を順調に増やしている企業は倒産リスクが小さいとか，売上総利益の数値が大きい企業は，企業のブランド・イメージが良く，その利益を研究開発投資に投入することで，次の成長機会を模索している優良企業であることが多いといったことを，財務諸表数値そのものから判断する方法だけではなく，投下資本の回収余剰計算を根拠とする企業の利益獲得能力や，貸借対照表・損益計算書に計上される数値をもとに計算した結果から債務に対する返済能力，財務健全性を評価すること，キャッシュ・フロー計算書を絡め，損益フローとキャッシュ・フローの違いにより焦点をあてた分析から，資金運用の効率性や信用力などを評価することもあるため，会計数値を基礎にした比率等を用いて判断する方法などを考えると良いでしょう。

効率的な部門に対処することで経営成績の向上を図る内部分析で用いられます。一方，相互比較は，株主や債権者，投資家，顧客，取引先，課税当局等，企業の利害関係者がその企業の業績や財政状態を把握する外部分析の手段として用いられます。そのため，一般的には，経営比較（分析）は，相互比較を目的とすることが多いとされます。

（2）実数分析・比率分析

　財務情報にもとづく分析には，もう1つ，財務諸表で示される会計数値をどのようなかたちで利用して企業の経営状況や経営課題を見出すかに主眼をおいた分析手法が存在します。
　実数分析は，財務諸表に示される売上高や営業利益，キャッシュ・フロー等の会計数値そのものを用いて比較分析する方法です。企業規模や業界規模を把握するなど，おもに，会計数値そのものを基礎とした分析に用いられますので，分析対象ごとの数値の大小を基礎とする分析結果がわかりやすいという長所がある一方で，収益性や効率性，安全性などのような企業経営の質を判断することができないという短所ももちあわせます。
　これに対し，比率分析は，財務諸表に示される売上高や営業利益・当期純利益等の会計数値を複数用い，その関係比率・趨勢比率（一定時点の数値を100としたときの他の期の数値の比率）・構成比率（貸借対照表もしくは損益計算書の合計額を100としたときの各項目の比率）から，企業の経営状況を比較分析する方法です。財務分析で用いられる多くの手法は，この方法で，分析対象企業と比較対象企業のそれぞれの比率を財務諸表の会計数値から算出して比較することで，実数分析ではなし得ない企業経営の質の分析のほか，企業規模が異なる同業他社との相互比較を可能にします。

　以上のことから，財務情報を用いた分析では，期間比較は実数分析と，相互比較は比率分析と結びつきやすいと考えられます（図表1－1）。しかし，売上高と総資本の増加率は同一企業内でどうなっているか，自己資本比率はどう変化しているかなど，比率にもとづいた期間比較が行われる場合や，売上高と利益の関係がそれぞれの企業でどうなっている

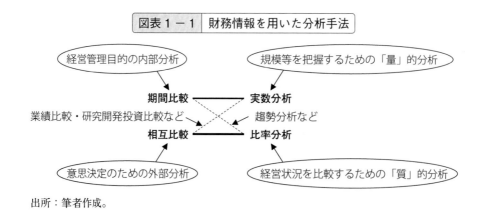

図表1－1　財務情報を用いた分析手法

出所：筆者作成。

か，研究開発活動にそれぞれの企業は，どの程度，力を入れているかなど，実数にもとづいた相互比較が行われる場合もありますので，財務情報の分析の際には，実数分析や比率分析といった分析手法を用いて，期間比較・相互比較をもれなく行うことで，企業の実態を把握することが必要です。

❺ 財務情報の変遷と財務分析

　日本の企業会計制度は，会計基準の国際化を目指し，数多くの会計基準の制定・改廃を繰り返してきました。その主たる内容は，収益費用中心観から資産負債中心観への会計観の移行にあります。この現象は，将来費用のかたまりとしての費用性資産（実物資産）の評価と原価配分という損益計算の視点に，期待される将来キャッシュ・フローを基礎とする資産・負債の価値情報の開示の視点が加味されることを意味しますので，現在の財務諸表で求められる情報の重点は，フロー情報からストック情報へと移ってきている状況にあるといえそうです。

　会計ビッグバンとも称されるこの現象は，財務分析にも影響を及ぼしています。すなわち，従来の収益費用中心観にもとづく会計では，まず，収入・支出にもとづき収益・費用が定義され，そのあとに資産・負債・資本（純資産）が導出される会計観を重視します。収益と費用の差額で利益が計算されるこの会計観では，取得原価を基礎とした資産評価がなされており，個別財務諸表重視の会計制度であったことから，法的に独立した個別企業の収益力を貸借対照表や損益計算書の実数分析・比率分析で評価するのが中心でした。しかし，資産負債中心観にもとづく会計では，企業の経済的資源の財務的表現である資産と，将来他の実体に資源を引き渡す義務の財務的表現である負債を鍵概念に，ある期間の資産の増加および負債の減少を正の利益要素（収益），資産の減少および負債の増加を負の利益要素（費用）とし，資産・負債の測定基礎の変動額で利益計算を行う会計観を重視します。それゆえ，この場合には，資産・負債は実在勘定としての実体を備え，それ自体が独立して認識・測定の対象となり得るものでなくてはならなくなり，その他の財務諸表の構成要素は，資産・負債の定義のあとに導出されることになります。

　実際には，会計観が完全に移行したわけではなく，従来の収益費用中心観に資産負債中心観が加味された会計が制度化されるようになっているわけですが，ほぼ時を同じくして，個別財務諸表から連結財務諸表重視の会計制度に移行したことも受け，財務分析も，法的には独立していても，経済的には支配従属関係にある複数の企業からなる企業集団を単一の組織体とみなした分析が行われるようになりました。そして，それは，収益費用中心観では，現物取引を基礎にした処理にもとづく財務諸表が作成されていましたが，資産負債中心観では，現物取引を基礎にした処理のほか，評価を基礎とした処理も反映した財

務諸表を作成する傾向が顕著になったことを意味します。

　そのため，仮に，それぞれの会計観にもとづいて処理された情報のみで構成される損益計算書が会計情報として情報の利用者に提供されるとした場合には，有価証券評価益などの項目の数値が異なることになるはずですから，現行の企業会計制度で提供される財務諸表の情報は，旧来の会計制度で提供される財務諸表の情報とは同一視できません。また，同じ分析手法を用いた結果，示される数値も，利用される財務諸表の根拠となる会計制度が異なる場合は，異なる結果が示される可能性があります。これらの点を理解して，情報を解釈していくことも重要です。したがって，現行の企業会計制度で提供される財務諸表の情報には，項目ごとに異なる会計観にもとづき認識・測定された数値を基礎に作成される箇所があることを踏まえ，その情報の意味内容に違いが生じていることを知ったうえで分析することが，分析対象となる企業の状況を正確に把握する際には重要になります。

　現在，企業が提供する財務諸表には，投下資本の回収余剰計算を示す処分可能利益計算だけではなく，業績評価利益計算，企業価値に対する投資価値評価計算に役立つことも求められるようになっています。そのため，企業集団の中核として，他の会社を支配している親会社は，その企業集団の状況を総合して，連結貸借対照表や連結損益計算書に加え，連結キャッシュ・フロー計算書等を作成し，利用者の投資意思決定に有用な情報を提供するなど，その情報内容が拡張される事態となっております。

　現行の企業会計制度は，連結財務諸表を中心とした国際的にも遜色のないディスクロージャー制度を構築しようとしていますので，連結子会社がある場合には，個別財務諸表ではなく，連結財務諸表の開示が求められるようになっています。そのため，本書では，財務情報を入手しやすい連結財務諸表を基礎とした分析をしています。ただ，現状では，財務情報の作成根拠に，日本基準や国際基準，米国基準等が併存し，企業ごとに採用する会計基準が異なるなど，やっかいな状況にありますので，本書の分析対象企業は，原則，日本基準に準拠した連結財務諸表を公表している企業に限定していることに注意するようにしてください。

　また，財務分析の手法についても，多くを解説するのではなく，(1) 損益計算書で示される経営成績から，企業の収益力をみる売上収益性分析，(2) 貸借対照表や損益計算書，キャッシュ・フロー計算書の会計数値を用いた，投下資本利益率やキャッシュ・フロー・マージン，資本運用効率から，資本の投資効率をみる資本収益性や効率性の分析，(3) 貸借対照表で示される財務構造とキャッシュ・フロー計算書で示される資金の流れから，企業の支払能力や財務安定性，資金繰りに関する信用力をみる安全性分析，(4) 貸借対照表の総資産や損益計算書の売上高などの会計数値を用い，その金額の推移や将来の成長に向けた投資状況から，企業の成長率を判断する成長性分析を中心に解説するにとどめています。そして，収益性・安全性・成長性の分析結果は，業界分析・経営分析を通じて導き出した企業が目指す将来の方向性を達成するための戦略が，企業の財務分析の結果を踏まえ

た場合，達成できる可能性があるのかについて，総合的に判定する際の資料として利用できることを示しています。

　このようにみてくると，本書では，企業の付加価値を計算する生産性の分析や，費用と収益とが等しくなる売上高を計算する損益分岐点分析の解説をしていませんので，企業の状況について，充分な判断ができないという批判があるかもしれません。しかし，これらの分析は，財務情報以外の情報が別途必要となることや，分析対象企業のすべてが製造業とは限らないことを考慮した場合，公表財務諸表を用いて初めて財務分析をする際には，考慮しなくてもよいのではないかと考えます。また，財務諸表の基本3表にキャッシュ・フロー計算書が含まれるようになったことを踏まえれば，生産性分析や損益分岐点分析をするよりも，まず，キャッシュ・フロー分析をした方がよいように思います。

　本書では，初学者が基本的に知っておくべき分析手法を示しますので，本書第1部（解説編）では，図表1−2に示すフローチャートの流れで，解説をしています[5]。

　財務分析の解説では，収益性の分析，安全性の分析，成長性の分析を示し，企業がおかれている環境がいかにあり，そこで直面している問題や採用している戦略が，企業の公表財務諸表のどの会計数値にあらわれているかを理解できるようになることと，公表財務諸表の会計数値のどこを改善することができれば，企業が直面している問題を解決し，採用している戦略がより生きるのかを，公表財務諸表から導き出せるようになることを意図しています。

　なお，財務分析に関しては，多くの解説書が出版されています。具体例をさわりだけでも学んでみたい場合や，より詳細な分析手法を習得したい場合には，以下の書籍等が参考になるでしょう。有効に活用し，よりよい成果を上げるようにしてください。

【参考図書】

乙政正太著（2019）『財務諸表分析 第3版』同文舘出版。

桜井久勝著（2020）『財務諸表分析 第8版』中央経済社。

川島健司著（2021）『起業ストーリーで学ぶ会計』中央経済社。

日本経済新聞社編（2023）『財務諸表の見方＜第14版＞』日経経済新聞出版社。

松村勝弘・松本敏史・篠田朝也・西山俊一著（2015）『新訂版 財務諸表分析入門— Excel®でわかる企業力—』株式会社ビーケイシー。

村上茂久著（2021）『決算書ナゾトキトレーニング 7つのストーリーで学ぶファイナンス入門』株式会社 PHP 研究所。

矢島雅巳著（2023）『決算書はここだけ読もう 2024年版』弘文堂。

矢部謙介著（2021）『見るだけで「儲かるビジネスモデル」までわかる 決算書の比較図鑑』日本実業出版社。

12 ——◯

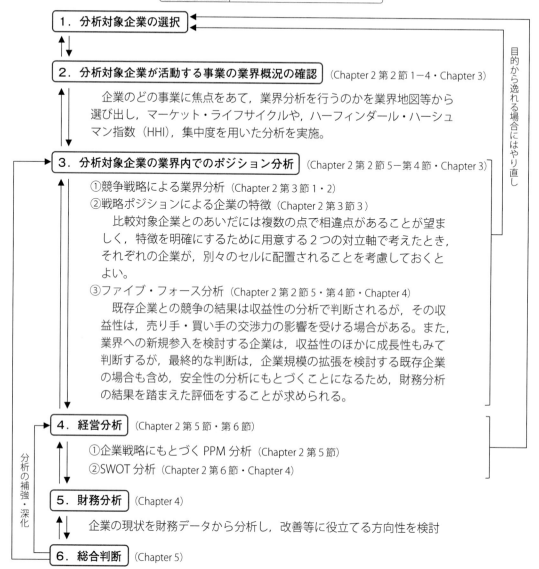

図表1-2 分析手法のフローチャート

1. 分析対象企業の選択

2. 分析対象企業が活動する事業の業界概況の確認 （Chapter 2 第2節1-4・Chapter 3）

　　企業のどの事業に焦点をあて，業界分析を行うのかを業界地図等から選び出し，マーケット・ライフサイクルや，ハーフィンダール・ハーシュマン指数（HHI），集中度を用いた分析を実施。

3. 分析対象企業の業界内でのポジション分析 （Chapter 2 第2節5-第4節・Chapter 3）

　①競争戦略による業界分析 （Chapter 2 第3節1・2）
　②戦略ポジションによる企業の特徴 （Chapter 2 第3節3）
　　比較対象企業とのあいだには複数の点で相違点があることが望ましく，特徴を明確にするために用意する2つの対立軸で考えたとき，それぞれの企業が，別々のセルに配置されることを考慮しておくとよい。
　③ファイブ・フォース分析 （Chapter 2 第2節5・第4節・Chapter 4）
　　既存企業との競争の結果は収益性の分析で判断されるが，その収益性は，売り手・買い手の交渉力の影響を受ける場合がある。また，業界への新規参入を検討する企業は，収益性のほかに成長性もみて判断するが，最終的な判断は，企業規模の拡張を検討する既存企業の場合も含め，安全性の分析にもとづくことになるため，財務分析の結果を踏まえた評価をすることが求められる。

4. 経営分析 （Chapter 2 第5節・第6節）

　①企業戦略にもとづくPPM分析 （Chapter 2 第5節）
　②SWOT分析 （Chapter 2 第6節・Chapter 4）

5. 財務分析 （Chapter 4）

　企業の現状を財務データから分析し，改善等に役立てる方向性を検討

6. 総合判断 （Chapter 5）

出所：筆者作成。

5）なお，本書第1部では，分析手法を可能な限り網羅して解説していますが，第2部では，初学者が企業を分析する際に，知っておいた方がよいと思われる分析手法を考慮して課題を設定しています。そのため，本書では，すべての分析手法を直接問う課題は用意していません。本書の課題では扱っていない分析手法の具体的適用については，本書で示した参考書等で学習していただければと思います。

Chapter 2
業界分析

① はじめに

　本章では，業界分析の方法を説明します。分析とは，「情報を収集して，整理すること」
といい換えることもできます。業界分析は，財務諸表分析とは違って，あらかじめ収集す
るべき情報が決まっているわけではありません。どのような情報が必要で，それがどこに
あるかさえわからないことが多いのです。ですから，必要な情報を自分で考えて，自分で
探さなければなりません。また，「整理する」というのは，単に情報をファイルに綴じた
りすることではありません。データを，分類したり，並べ替えたり，比べたりすることで
す。これにも決められた方法はありません。このように業界分析では，単に手順にしたが
って作業をするだけではなく，自分で考えるべきことがたくさんあります。そのため，は
じめて業界分析を手がけるときには，何から手をつけたらよいのか途方に暮れてしまうこ
とでしょう。そこで，本章では，初心者の手助けとなるように，業界分析のガイドライン
を示しておきます。

　繰り返しになりますが，一貫して心に留めておいて欲しいことは，本章の説明は「ガイ
ドライン」であって，説明どおりに作業すれば正解が得られるわけではないということで
す。良い分析ができるかどうかは，分析者の腕と努力にかかっています。

1　基礎的な用語と「業界分析」の難しさ

　業界分析をはじめると，事業，市場，産業，業界という，よく似た用語に出会います。
なかには，これらの用語の意味の違いが気になる人がいるかもしれません。しかし，実は，
これらに明確な定義はなく，かなり曖昧かつ感覚的に使われているのです。いい換えれば，
これらの用語を使いこなすには，「感覚」を身につける必要があるということでもありま
す。そして，その感覚は，業界分析を上手に行うための感覚にも通じます。そこで，以下
では，基本的な用語の意味を検討しながら，業界分析を上手に行うための感覚や難しいポ

イントを説明します。

（1）事業・市場

　鉄道事業，小売事業，不動産事業などのように，収益（売上）を得るための1つのプロジェクトを「事業」といいます。そして，収益を得るためには需要が必要です。この需要がある場所や区分を「市場」といいます。また，需要とは，何かを欲しいと思う気持ち（欲求）のことです。その気持ちは，特定の地理的な空間に偏って存在することもあれば，特定の世代，特定の職業などに偏って存在することもあります。

　業界分析には難しいポイントがいくつもありますが，その1つ目は，市場の見方です。たとえば，図表2-1の①のようなデータがあったとします。これを「地域」という切り口で欲求の分布（散らばり具合）を見たときには，分布が均一で，地域による差はないことがわかります（図表2-1の②）。「性別」で見たときも同じです（図表2-1の③）。一方，

図表2-1　切り口によって異なる見え方

① 元データ

欲求をもっている人の属性

標本	地域	年代	性別
1	A地域	20代	男
2	A地域	10代	女
3	C地域	30代	男
4	B地域	10代	女
5	B地域	10代	男
6	C地域	10代	女
7	D地域	10代	男
8	B地域	20代	女
9	A地域	10代	男
10	D地域	10代	女
11	C地域	30代	男
12	D地域	10代	女

② 地域を切り口にした整理

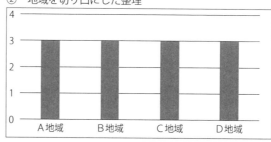

③ 性別を切り口にした整理

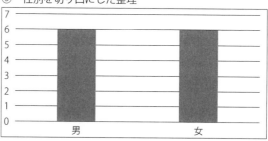

④ 世代を切り口にした整理

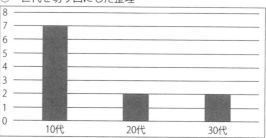

出所：筆者作成。

同じデータを「年代別」に見たときには，10代に偏って欲求が存在していることがわかります（図表2－1の④）。このように，市場の特徴は，切り口によって見えたり，見えなかったりします。そして，どのような「切り口」で見るかは分析者の腕にかかっています。

（2）産業・業種・業界

　世の中にはいろいろな事業があります。その全体，または，似ている事業の集合を「産業」といいます。そして，産業の種類のことを「業種」，各産業内に形成される社会的な関係を「業界」といいます。つまり，私たちが取り組もうとしている「業界分析」とは，「似ている事業の集合内の社会的な関係を明らかにすること」と考えればよいでしょう。

　ここで，「似た事業を集める」ことが業界分析の難しさの2つ目です。まず，図表2－2の①の3つの図形を見てください。仲間はずれはどれでしょうか。色に注目すればaが，大きさに注目すればbが，形に注目すればcが仲間はずれです。このように，注目する属性によって，「似ている」の判断が異なります。次に，図表2－2の②で仲間はずれはどれでしょうか。dだけが圧倒的に大きく，仲間はずれに思えるかもしれません。しかし，図表2－2の①では，bはaやcとは大きさが違うと判断されていたのです。このように，比較対象によっても，「似ている」の判断が異なります。以上の例からわかるように，似たものを集めて業界を決めることは意外と難しいのです。こうした業界の決め方も分析者の腕にかかっています。

図表2－2　仲間はずれを探す

①　属性

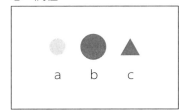

②　比較対象

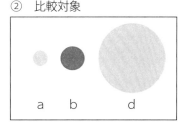

出所：筆者作成。

（3）会社・事業

　「会社」は，人間が集まって作られる組織です。その組織に対して，普通の人間と同じように「契約を結ぶ」などの法的な権利を与えたものが「会社」です。そのため，普通の人間を「自然人」とよぶのに対して，会社を「法人（法的な人格）」とよびます。

　ところで，1つのプロジェクトには複数の人間が関わります。逆に，1人の人間が同時に複数のプロジェクトに関わることもあります。つまり，人間とプロジェクトは1対1で対応するわけではありません。「会社」と「事業」についても同じです。1つの会社が同

時に複数のビジネスを営むことがあり，また，1つの事業に複数の会社が関わることもあります。たとえば，直感的には鉄道業と思われる東急株式会社は，鉄道事業の他に，都市開発事業，小売事業，広告事業，ホテル事業などを営んでいます。逆に，トヨタ自動車株式会社は自動車を開発・製造する会社ですが，その事業は，トヨタ自動車だけでなく，部品製造会社や車両組立会社などを傘下に収めて，複数の会社の集合体によって営まれています。

　業界分析の3つ目の難しさは，ここにあります。業界分析の対象は「事業」ですから，分析には「事業」に関する情報が必要です。しかし，私たちが入手できるデータの多くは，「会社」に関するものです。たとえば，有価証券報告書は会社単位で作成されますし，政府統計などの多くも「会社」を単位にしています。「事業」単位で作成されたデータはほとんどありません。そのため，私たちは，会社単位で作成されたデータから事業に関する情報を読み取らなければなりません。そのためには，会社データで代用したり，会社データから推測したりすることが求められます。もちろん，そのようなデータは正確なものとはいえませんが，ある程度は仕方のないことです。なお，限定的ではありますが，事業所単位で集計された政府統計や，会社が開示しているセグメント情報など，事業の分析に有用な情報源もあります。

2　フレームワーク

　分析に使う基礎的なものの見方のことを「フレームワーク（枠組み）」といいます。カメラマンは写真の構図を決めるときに，両手の親指と人差し指で長方形を作って，そのなかをのぞき込みます。広い風景を漠然と眺めるのではなく，長方形の枠で風景を切り取るのです。これによって，枠の隅々まで注意が行き届き，漠然と見ていては気づかないことに気づくようになります。あるいは，広い砂漠で落とし物を探すことを想像してください。手当たり次第に探すよりも，全体をマス目で区切り，1マスずつ探す方が効果的です。業界分析もこれと同じです。情報を漠然と探すのではなく，業界をいくつかの枠に区切って，それぞれの枠のなかを丁寧に調べていきます。

　ところで，カメラマンが指で作った長方形は，顔に近づけると広い範囲を，顔から遠ざけると狭い範囲だけを枠に収めます。業界分析のフレームワークも同じです。たとえば，「ホテル業界」をフレームに収めた場合と「ビジネスホテル業界」をフレームに収めた場合では，見える風景が違います。このように，フレームを用いるときのスケール感も分析者の腕にかかっています。

　なお，フレームのなかに「何も見えない（情報が存在しない）」こともありますが，それは間違いではありません。「そこには何も見えない」事実を確認することも分析の一部です。また，フレームワークを使って情報を収集・整理しても，業界の様子がわかった気がしないと感じることがあるかもしれません。そのようなときには，無理にそのフレーム

ワークを使う必要はありません。業界分析でどのフレームワークを使うかは自分で決めればよいのです。慣れてくれば，フレームワークを自分流にアレンジしたり，目的に合ったフレームワークを作ったりすることもできるでしょう。

3 推定する

　どこを探しても必要な情報が手に入らないことがあります。そのようなときに，「入手可能な情報だけから判断」したり，「入手可能な情報に合わせて問題設定を変更」したりしてはいけません。必要な情報がない場合には「推定」することも必要です。

　推定の方法としては「フェルミ推定」が有名です。たとえば，「富士山の重さ」や「日本中にある電柱の数」のように，実際に計測できなかったり，データが入手できなかったりする値を推定する方法です。「富士山の重さ」の場合には，地図から富士山の体積を求めて，これに岩石の比重をかけて推定できます。「電柱の数」の場合には，任意の地域の $1km^2$ 当たりの電柱の数を調べて，それに日本の居住エリアの面積をかけて推定します。このような方法によって，「正確ではないが大きく外れない程度」の推定ができます。そして，業界分析においては，この程度の正確さで十分であることも多いのです。「フェルミ推定」については，以下のような図書が出ているので参考にしてください。

【参考図書】

東大ケーススタディ研究会（2009）『現役東大生が書いた 地頭を鍛えるフェルミ推定ノート—「6パターン・5ステップ」でどんな難問もスラスラ解ける！』東洋経済新報社。

細谷 功（2007）『地頭力を鍛える 問題解決に活かす「フェルミ推定」』東洋経済新報社。

ローレンス・ワインシュタイン＆ジョン・A・アダム（2019）『フェルミ推定力養成ドリル』草思社。

---

② 業界の概況を調べる

　以下では，具体的な分析手順を説明します。まず，業種の決め方について説明します。その後，マーケット・ライフサイクル，業界内の競争状況，業界内の企業の戦略ポジションについて説明します。

1 業種を決める

　まず，分析対象とする業界を決めましょう。自動車産業，家電産業，飲食産業，・・・といろいろな業種が頭に浮かぶことと思います。当然，最初は何も知らないわけですから，

「分析の目的」とか「問題意識」などと，具体的なことを難しく考える必要はありません。しかし，「なぜその業界を選んだのか」「どんなところが気になったのか」など，その業界についての漠然とした「思い」をできるだけ明確にしておきましょう。文字にして書き留めておくとよいでしょう（図表2－3）。これが分析の原点です。この先の分析で迷うことがあったら，何度でも原点に立ち返って考え直すようにしましょう。

　ところで，業種を分類する決まった方法はありません。たとえば，東京証券取引所では，「業種」を大きく10種類，細かくは33種類に分類しています。総務省は，統計のために「日本標準産業分類」という分類を設けて，大分類で20種，中分類で99種，小分類ではさらに細かく分類しています。日経NEEDSでは，大分類で15種類，中分類で68種類，小分類ではさらに細かく分類しています。分類の方法はそれぞれ異なり，調査の目的に合わせた独自の分け方をしています。

　また，すでに述べたように，会社と事業は1対1の対応関係にはありません。キヤノンはカメラを作っているので，光学機械器具の産業に属すると考えられますが，プリンターも作っているので，電子部品・デバイスの産業に属するとも考えられます。このようなことがあるので，「キヤノンはどの業界に属するのだろう？」と迷ってしまうのも当然です。

　大切なことは，自分が知りたいことがわかるように業界を設定することです。確かに，分析対象が統計資料の分類と一致すれば，情報収集が容易になります。しかし，それで知りたいことがわからないのでは本末転倒です。統計資料の分類にとらわれず，自分にとって必要な範囲で業界を決めてください。キヤノンのプリンター事業に興味があるのなら，「プリンター業界」という業界を，カメラ事業に興味があるのなら，「カメラ業界」という業界を設定してください。情報の入手可能性については，あとで考えましょう。

図表2－3	分析対象業界とそれを選んだ理由の例

例1　業種：固定通信事業の業界
　　　理由：就職先の企業が所属する業界なので，業界の仕組みや今後の動向を知っておきたい。
　　　　　　また，就職先企業の将来の戦略を考えてみたい。
例2　業種：カーシェア業界
　　　理由：新聞記事などで最近よく見かけるが，実際にはそれほど増えている実感がない。
　　　　　　今後，成長するビジネスかどうか知りたい。
例3　業種：歯磨き粉業界
　　　理由：自分で歯磨き粉を選ぶときに種類が多くて迷った。
　　　　　　どうしてこんなにたくさんの種類があるのか気になった。
　　　　　　こんなにたくさんの種類があって，ビジネスとして成立するのか疑問に思った。

出所：筆者作成。

【演習1】業界の選択

　分析してみたいと思う業界をいくつか書き出しましょう。そして，そのなかから1つを選びましょう。また，図表2－3にならって，その業界を選んだ理由を書き出しましょう。

2　マーケット・ライフサイクルを調べる

　分析対象とする業界が決まったら，その産業がこれまでに辿ってきた経緯を調べましょう。情報源としては，『工業統計調査』『生産動態統計調査』『商業統計』『商業動態統計』『サービス産業動向調査』『特定サービス産業実態調査』などがあります。これらは，政府機関によって継続的にデータが収集されていますので，長期にわたる時系列のデータを入手できます。これらの資料から，その産業が成立してから現在までの売上高（出荷額）の変化を図表2－4のようなグラフにまとめます。業種にもよりますが，その業界ができあがってから現在までのできるだけ長い期間のデータを集めることが理想です。電子機器やソフトウェアのような比較的新しい産業であれば集めるデータも少なくてすみますが，衣類や食品など歴史の古い産業の場合には100年分くらいのデータが必要となることもあります。

　なお，自分で決めた業界の範囲と統計資料の業種分類とが一致しない場合でも，統計資料が役に立たないわけではありません。ここでは，長期にわたる大まかな傾向がわかれば十分ですから，できるだけ近いデータで代用しましょう。

　図表2－4のような曲線をマーケット・ライフサイクルといいます。マーケット・ライフサイクルは，①導入期，②成長期，③成熟期，④衰退期の4つの段階に分けられます。

　①導入期は，ある製品の市場ができはじめたときで，まだ製品が普及していない段階です。②成長期は，製品が世間に広く認知され，出荷額が急激に増加する段階です。③成熟

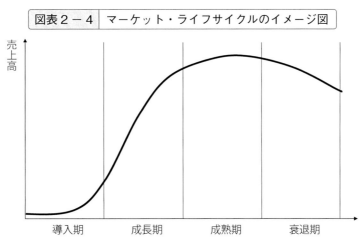

図表2－4　マーケット・ライフサイクルのイメージ図

売上高

導入期　　　成長期　　　成熟期　　　衰退期

出所：筆者作成。

期は，製品が一通り普及したために，新規購入が減り，買替え需要が出荷額の大部分を占めるようになった段階です。この段階では，出荷額の伸びは小さくなります。最後に，④衰退期は，その製品の機能を代替する新製品，たとえばフィルムカメラに対するデジタルカメラ，デジタルカメラに対するスマートフォンのようなものが現れ，その製品の需要が減り，出荷額の伸びがマイナスになる段階です。図表2－4のようなグラフを作って，分析対象の市場が，現在，どの段階にあるのかを調べましょう。

マーケット・ライフサイクルは，以降の節で述べる「競争の激しさ」「戦略ポジション」「プロダクト・ポートフォリオ・マネジメント（PPM）」などとも関係する基礎的かつ重要な情報ですから，この図は必ず作成しましょう。また，これから説明する分析を行うときにも，常にマーケット・ライフサイクルを意識するようにしましょう。

【演習2】マーケット・ライフサイクルを調べる
1. 選んだ産業について，できるだけ長期の売上高（出荷額）の変化を調べましょう。そして，その変化をグラフに表しましょう。
2. 選んだ産業がマーケット・ライフサイクルの①導入期，②成長期，③成熟期，④衰退期のどれに当てはまるかを考えましょう。

3 産業の特質（規模との関係）を調べる

業界を分析するための最も代表的な切り口は「規模」です。一般的には，規模が大きくなるほど収益性が高くなるという「規模の経済性」が仮定されます。このあとに説明する「戦略ポジション」「PPM」でも規模の経済性を仮定します。しかし，必ずしもすべての産業において規模の経済性が働くわけではありません。以下では，このことについて説明します。

（1）アドバンテージ・マトリックス

産業における収益性（ROA：総資産利益率）[1]と規模（市場シェア，売上高，出荷額など）との関係には，図表2－5のように4つのパターンがあるとされています。図表2－5をアドバンテージ・マトリックスといいます。

① **量産業界**：規模の経済性が働く典型的なパターンは，右下の「量産業界」です。規模が最も重要な競争要因で，「規模が大きい（市場シェアが高い）企業ほど収益性が高くなる」という傾向が明確に現れます。いい換えれば，規模以外に競争に影響する要因はほとんどありません。そのため，差別化が困難な産業です。鉄鋼などの素材産業，日本の自動車産業などがこのタイプに分類されます。

---

1) ROA については，本書91頁を参照してください。

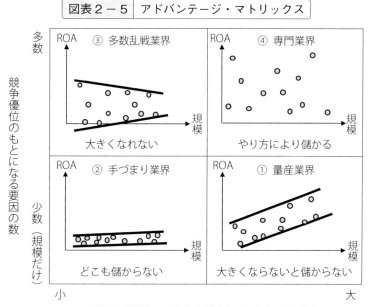

図表2−5　アドバンテージ・マトリックス

要因（規模）の大きさが ROA に寄与する程度

出所：アーカー（1986）をもとに筆者作成。

　②　**手づまり業界**：左下の「手づまり業界」は，規模が大きくなっても収益性が高くならない産業です。その上，規模以外で競争に影響する要因もありません。量産業界で，小規模企業がすべて淘汰され，残った大企業も限界まで規模が拡大してしまった産業に見られる傾向です。コストもほぼ横並びとなり，どの企業も決定的な差別化やコスト優位を実現できません。一部の新規特殊品に特化している企業だけが技術上の優位性を得ることができます。繊維産業，鉱業などがこのタイプに分類されます。

　③　**多数乱戦業界**：左上の「多数乱戦業界」は，構造的に大きくなりにくい産業です。そのため，事実上，大企業が存在しません。このような業界では，事業の成否は現場の経営者やマネージャーの個人的資質など，規模以外の多様な要因に依存します。ラーメン店などの飲食業界に多く見られます。

　④　**専門業界**：右上の「専門業界」は，規模の効果は大きいのですが，規模以外にも多数の競争要因が存在する産業です。市場の細分化を通じて異なる戦略をとることで収益性を高めることができます。分野ごとに強いプレーヤーが存在する計測器業界，医薬品業界，雑誌業界などがこのタイプに分類されます。ヨーロッパの自動車産業は，セグメントごとに棲み分けされているため，このタイプに分類されます。

（2）競争優位をもたらす規模以外の要因

　アドバンテージ・マトリックスは，収益性と規模の関係を表していますが，収益性に影響を及ぼす要因は他にも考えられます。図表2−6は，日本の100のお城について，入場

図表2-6　城の入場者数に影響を及ぼす要因

① 城の見栄え×入場者数

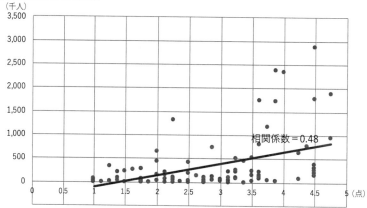

※ 城の見栄えは，何人かの5段階評価による主観的評価を平均したものです。

② 隣接市の人口×入場者数

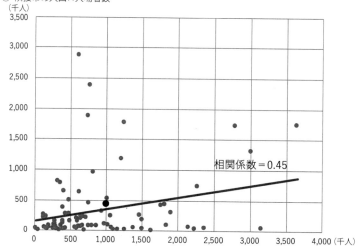

③ 最寄り駅からのアクセス（徒歩：分）×入場者数

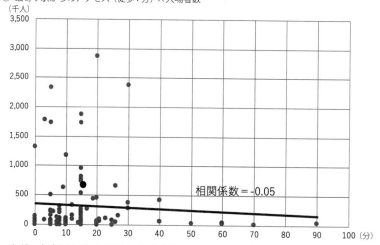

出所：名古屋大学 小沢ゼミ「天下統一プロジェクト」研究発表資料（2016）。

者数に影響を及ぼす要因をいろいろな切り口から調べたものです。城の見栄えや隣接市の人口が影響している反面，駅からのアクセスはそれほど重要ではないことがわかります。このように，どのような要因が業績指標に影響するかを調べてみましょう。

【演習3】競争優位の要因を探す

1. 選んだ業界に含まれる企業を，規模の大きいものから小さいものまで，できるだけたくさん探しましょう。そして，それぞれの企業の規模と収益性（ROA）を調べて，その関係を示すグラフを作成しましょう。
2. 選んだ産業の収益性（ROA）が，規模以外の要因の影響を受けると思われる場合には，どのような要因があるかを想像して，データを集めて確かめましょう。

4　業界内の競争状況を調べる

　続いて，業界内の競争の激しさを調べます。業界分析では，同じ規模の企業がたくさんあるほど競争が激しいと考えます。たとえば，同じ規模の企業が10社ある場合と，巨大な1社と小さな9社がある場合とでは，前者の方が競争が激しいと考えます。こうした考えにもとづいて競争の激しさを数値で表す方法として，「ハーフィンダール・ハーシュマン指数（HHI)」や「集中度」という指標があります。以下では，これらの計算方法を説明します。

　最初に，業界内に企業が何社あるかを調べます。自動車産業や製鉄業のように数社しかない場合もあれば，小さな企業が無数にあって，全部で何社あるか調べきれないという場合もあります。調べきれない場合には，「数十社」「数百社」程度の概数で把握すれば十分です。次に，各企業の規模を調べます。規模は市場シェアで測ります。各企業の市場シェアを調べるには，『日本マーケットシェア事典』『会社四季報業界地図』『日経業界地図』などが役に立ちます（章末の「業界情報のデータベース」参照）。

（1）ハーフィンダール・ハーシュマン指数 （Herfindahl-Hirschman Index：HHI）

　ハーフィンダール・ハーシュマン指数（HHI）というのは，同規模の企業がたくさんある程度を表す指標です。HHIを求めるためには，業界内の各社の市場シェアの二乗和（シェアを二乗したものの合計）を計算します。

$$HHI = \sum_{i=1}^{n} S_i^2$$

　たとえば，業界内に企業が1社しかなければ，その企業のシェアは100%です。このとき，HHI = 100^2 × 1（社）= 10,000となります。もし，シェアが10%の企業が10社あれば，HHI = 10^2 × 10 = 1,000となります。このことからわかるように，同規模の企業がたく

さんある（＝競争が激しい）ほど，数値が小さくなります。

　参考までに，公正取引委員会では HHI を使って競争状態を図表2－7のように類型化しています。大雑把にいうと，シェア 10％の企業が 10 社あると HHI ＝ 1,000 で競争型，シェア 20％の企業が 5 社あると HHI ＝ 2,000 で高位寡占型，その中間が低位寡占型というイメージです。あるいは，シェア 33％の企業が 1 社でもあると HHI ＞ 1,000 で低位寡占型，シェア 43％の企業が 1 社でもあると HHI ＞ 1,800 で高位寡占型というイメージです。

図表2－7 公正取引委員会による類型化
1,800　＜　HHI　≦　10,000・・・高位寡占型
1,000　＜　HHI　≦　　1,800・・・低位寡占型
0　＜　HHI　≦　　1,000・・・競争型

出所：筆者作成。

　ところで，シェアが小さい企業については情報が入手できないことがあります。そのような場合でも，あきらめる必要はありません。たとえば，各社の市場シェアが次のようにわかっているとしましょう。

1 位	A社	30％
2 位	B社	25％
3 位	C社	20％
4 位	D社	10％
5 位	E社	5％
	その他	10％

　この場合，「その他」の 10％に含まれる企業の数と，各社のシェアがわかりません。しかし，5 位の E 社のシェアが 5％であることから，6 位以下の「その他」企業のシェアは，5％より小さいことがわかります。仮に，すべて 5％としましょう。このとき，「その他」企業は，2 社（＝ 10％÷ 5％）です。そして，HHI は，次のように計算されます。

$$HHI = 30^2 + 25^2 + 20^2 + 10^2 + 5^2 + 5^2 + 5^2 = 2,100$$

　「その他」企業のシェアがもっと小さい場合はどうでしょうか。今度は，シェアが限りなくゼロに近い企業が無数にあるとしましょう。限りなくゼロに近い数の 2 乗はゼロです。そして，ゼロを無限個足し合わせてもゼロです。したがって，この場合の HHI は次のように計算されます。

$$HHI = 30^2 + 25^2 + 20^2 + 10^2 + 5^2 + 0^2 + 0^2 + \cdots + 0^2 = 2,050$$

　ここで，「その他」企業のシェアを最大（5%）に見積もった場合と，最小（0%）に見積もった場合の間をとって，「HHIは約2,075」と推定すれば十分です。あるいは，概数で「約2,000」としてしまっても構いません。このように，必要な粗さで数字がわかれば十分です。大切なことは，正確な数字がわからないからといって分析の手を止めたり，無駄な情報収集に時間をかけたりしないことです。

（2）集中度

　集中度というのは，少数の企業がどの程度，市場を占有しているかを測定する指標です。市場シェア上位企業のシェアを合計して計算します。上位3社集中度（CR_3），上位4社集中度（CR_4），上位5社集中度（CR_5）などがよく用いられます。

$$CR_n = S_1 + S_2 + \cdots + S_n$$

　　　（S_n は市場シェアが n 番目の企業のシェア）

　たとえば，市場シェアが次のようであるとしましょう。

1位	A社	30%
2位	B社	25%
3位	C社	20%
4位	D社	10%
5位	E社	5%
	その他	10%

　このとき，上位3社集中度，上位5社集中度は，

$$CR_3 = 30 + 25 + 20 = 75$$
$$CR_5 = 30 + 25 + 20 + 10 + 5 = 90$$

となります。集中度が大きいというのは，少数の企業が市場の大部分を占めていることを表します。一般的に，集中度が小さい方が，競争が激しいとされます。

（3）その他

　HHIや集中度は，市場シェアにもとづいて競争の激しさを評価する方法ですが，その他に，次のような場合にも競争が激しくなると考えられます。

　①　**成熟期・衰退期にある業界**：市場が拡大する成長期には，どの企業も手をつけていないフロンティアの市場が次々に生まれるため，他社のシェアを奪うことなく自社のシェアを拡大することができます。これに対して，成熟期・衰退期には，自社のシェアを拡大するためには他社のシェアを奪わなくてはなりません。したがって，成長期よりも成熟

期・衰退期の方が競争が激しくなると考えられます。

　②　**固定費が大きいにも関わらず供給過剰になっている業界**：固定費が大きいということは，損益分岐点の販売数量が大きいということです。つまり，販売数量が減ると営業利益がマイナスになってしまう可能性が高いのです。特に，成熟期や衰退期にある市場で，需要に対して供給が過剰である場合には，各社は必死で損益分岐点の販売数量を確保しようとします。そのため，市場での競争は激しくなります。

　③　**撤退が難しい業界**：紙・パルプ，製鉄などのように，巨額な設備投資を必要とする業界では，いったん投資をしてしまうと，投資を回収するまでは撤退が難しいことがあります。この場合，市場が成熟・衰退していても，各社はなんとか生き残ろうとして供給を続けます。そのため，競争が激しくなります。

　④　**製品の差別化が難しい業界**：各社がそれぞれに差別化しているときには，ある程度の棲み分けができるので，激しく顧客を奪い合うことはありません。しかし，差別化ができなかったり，差別化してもすぐに模倣されたりする場合には，類似の製品を顧客に売ることになるため，顧客の奪い合いが生じて競争が激しくなります。

【演習４】市場シェアと競争の激しさを調べる
1. 選んだ業界の各企業の市場シェアを調べましょう。
2. 各企業の市場シェアにもとづいて①HHIと②集中度を計算しましょう。
3. マーケット・ライフサイクルやそれ以外の条件から，競争が激しいかどうかを考えましょう。

5　広い意味での競合（代替品と新規参入）の脅威について調べる

　業界の捉え方によって業界内の企業が異なります。そのため，分析対象とした業界のなかだけで競争相手を探していると，重要な競争相手を見落としてしまう恐れがあります。また，業界の「今」だけではなく「将来」も含めて考えるならば，「今は」競争相手ではないけれど，「近い将来に」競争相手になりそうな企業にも目を向けなければなりません。これらの潜在的な競争相手の脅威を「代替品の脅威」「新規参入の脅威」といいます。

　①　**代替品の脅威**：ビジネスホテル業界に対するシティホテルなどのように，分析対象と同じニーズを満たしているので，同じ業界に入れるべきかどうか迷う企業（製品・サービス）があります。このように，業界を狭く捉えると競合にはならないが，広く捉えると競合になるというようなグレーゾーンにいる企業（製品・サービス）は，「代替品」として分析対象に加えます。

　代替品が価格対性能比で既存製品より優れていると，代替品の人気が高まり，既存製品が売れなくなってしまいます。特に，強力な代替品が現れた場合には，その業界から撤退

しなければならないこともあります。そのため，業界内の競合に加えて，脅威になりそうな代替品にも目を向ける必要があります。

　②　**新規参入の脅威**：新規参入というのは，現在は業界の競合でない企業が，新たに業界に進出してくることをいいます。海外企業が国内市場に参入する場合，あるいは，他業種の企業が多角化によって参入する場合などが考えられます。目先の競合ではないけれど，将来的には競合になるかもしれないので注意が必要です。

　新規参入が怖いのは，競争相手が増えるからだけではありません。他国や他業種のビジネスモデルを持ち込んで，それまでの業界ルールを変更してしまうことがあるからです。たとえば，対面販売が主流だった保険業界にインターネット販売を持ち込んだり，製品の販売数を競っている業界にリース制度を持ち込んだりすることです。業界ルールが変更されると，それまでに培ってきた企業の技術，能力，人材などが無力化されてしまうことがあります。そのため，「新規に参入しそうな企業があるかどうか」にも目を向けておく必要があります。

　業界の収益性が高く魅力が高いときには，新規に参入しようとする企業は多くなると考えられます。しかし，新規参入が増えすぎると，競争が激しくなって収益性が低下してしまうので，新規参入は減ると考えられます。また，新規参入の増減は，業界への参入障壁，既存企業からの報復の強さなどによっても決まります。

【演習５】潜在的な競合の脅威について調べる

１．①代替品となる製品・サービス，②新規参入しそうな企業を探しましょう。

２．それらと競合したときに何が起きるかを考えて，①代替品の脅威の大きさ，
　　②新規参入の脅威の大きさを評価しましょう。

【参考図書】

D. A. アーカー（1986）『戦略市場経営─戦略をどう開発し評価し実行するか─』ダイヤモンド社。

M. E. ポーター（1995）『新訂 競争の戦略』ダイヤモンド社。

---

③ 主要な競合企業を戦略ポジションで分ける

　ここまでで，業界内の競争の激しさがわかりました。今度は，各企業が，市場で生き残るためにとっている戦略を調べてみましょう。企業は，競合する他社の戦略を意識しながら，できるだけ他の企業と競合しないように「棲み分け」をして，自分の居場所（ポジシ

ョン）を確保しようとします。これを戦略ポジションといいます。

　たとえば，テレビタレントには，美人系，インテリ系，スポーツ系，お笑い系など，いろいろなジャンルがあり，それぞれに棲み分けをしています。そして，需要が多いジャンルには多くのタレントがいてもよいのですが，需要が少ないジャンルに多くのタレントがいると，「キャラかぶり」が生じて，生き残りが難しくなります。そこで，それぞれのタレントは，自分の特徴を活かすことができて，他のタレントと競合しないようなポジションを見つけようとします。市場における企業も同じです。

　戦略ポジションは，価格競争への態度によって分類する方法と，業界内の力関係によって分類する方法が代表的です。しかし，これらに限らず，いろいろな切り口を工夫してポジションを分類してみましょう。

1　価格競争への態度で分ける

　市場における競争で最も重要な要素は「価格」です。そして，企業が「価格」に向き合う基本的な態度には2通りあります。1つは，価格競争に真正面から挑むという態度です。もう1つは，価格競争を避けるという態度です。企業はどちらの態度をとるかを選ばなければなりません。まずは，この切り口で業界内の企業を分類してみましょう（図表2−8）。

　①　**価格競争に真正面から挑む（コスト・リーダーシップ戦略）**：価格競争に真正面から挑む態度を，コスト・リーダーシップ戦略といいます。事業規模を拡大して規模の経済性を実現し，それによって業界の最低コストを達成することで，価格競争になった場合でも最後まで黒字経営を維持して生き残ろうとする戦略です。

　コスト・リーダーシップ戦略をとろうとしているかどうかを見極めるポイントは，その

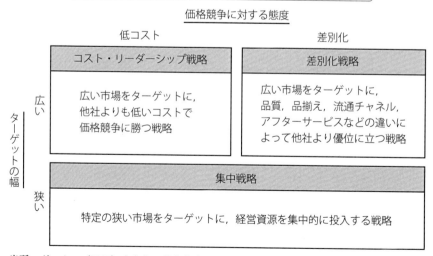

図表2−8　ターゲットの幅とコスト・差別化で分ける

出所：ポーター（1995）をもとに筆者作成。

企業が，特徴のあるデザインや機能を付け加えることなく，大多数の顧客に100点ではなく80点くらいの満足感を与えられるような，標準的な製品やサービスを大量に提供しているかどうかです。

　ところで，低コストと低価格は違います。高く売れる製品を，低コストを実現できるからといって，わざわざ低価格で販売することはありません。他社と同じような価格で製品を売っている企業のなかにも，コスト・リーダーシップ戦略をとっている企業があるかもしれません。

　また，一般的には，この戦略は大量に製造・販売することと，それによる規模の経済性を前提にしています。その場合，市場で一番高いシェアをもっている企業しかこの戦略をとることができません。ですから，市場シェアが1位であるかどうかも，コスト・リーダーシップ戦略をとろうとしている企業を見分けるための目安になります。ただし，すでに説明したように，常に規模の経済性が成り立つわけではありませんし，業界の決め方によって市場シェアは変わりますから，あくまでも目安です。

　②　**価格競争を回避する**（差別化戦略）：価格競争を回避する態度のことを差別化戦略といいます。顧客が重要視する要素（イメージ，技術，サービス，流通チャネルなど）において，他社とは異なる特徴を打ち出すことで，他社製品との単純な比較を困難にして価格競争を回避する戦略です。当然，そのためには，基礎研究，設計，素材，サービスなどに余分なコストがかかりますが，他社より高い付加価値を提供することで，それ以上の高い価格で販売できるようになります。

　差別化戦略をとろうとしているかどうかを見極めるポイントは，いつも新しい価値を提案していたり，それを武器に少し高めの価格設定をしたりしているかどうかです。また，マーケット・ライフサイクルの成長期には，新しい顧客を開拓するために，差別化した製品を次々に提案する傾向があると考えられます。他方で，成熟期・衰退期には，買い替え需要が中心で，顧客は自分の必要な機能や品質がわかってきます。そのため，差別化が難しく価格競争になりやすいと考えられます。

　③　**価格競争は回避しつつ，規模の経済性の恩恵は享受する**（集中戦略）：価格競争で生き残ろうとするコスト・リーダーシップ戦略と，価格競争を回避しようとする差別化戦略は，基本的には両立できません。しかし，特定の狭い市場だけをターゲットとするのであれば，これら2つの戦略を両立させられます。これを集中戦略といいます。

　集中戦略は，市場を，製品種類，顧客のタイプ，顧客の立地，流通チャネルなど，特徴に応じた領域に細分化して，限られた領域に経営資源を集中させる戦略です。狭い領域に市場が限定されているため，この領域における顧客のニーズは，ほぼ均質です。そのため，この市場のすべての顧客に80点の満足感を与えることは，広い市場の顧客を相手にする場合に比べて容易です。そして，残りの20点についても，顧客の要求は，それほど多様ではありません。したがって，低コストの実現に加えて，細かい顧客ニーズに対応するこ

とも可能です。

　集中戦略をとっているかどうかを見分けるポイントは，企業の規模が他社に比べて小さいか，品揃えや販売地域が限られているかどうかです。そして，その領域内では，あらゆる顧客の要求に応えようとしていて，しかも，他社よりも安い価格設定が可能であるかどうかです。ただし，もともとの業界をあまりに広く設定してしまうと，すべての企業が集中戦略をとっているように見えてしまうこともあります。

2　業界内の力関係で分ける

　人間社会に力関係に応じた立場があるように，業界にも企業の力関係に応じた立場があります。企業の力関係は，各企業がもっている経営資源の質と量で考えます。経営資源の質の高低と，経営資源の量の大小から，図表2-9のようなマトリックスができます。そして，そのなかに，①リーダー，②チャレンジャー，③ニッチャー，④フォロワーという4つの区分を設けます。

　①　リーダー：経営資源の量（企業の規模）が大きく，その質（技術力，販売力などのレベル）が高い企業を「リーダー」といいます。リーダーは，すでにコストや差別化によって業界1位の地位を築いているはずです。したがって，基本的には，それまでの強みをさらに強化しながら，市場シェアの拡大と防衛に努めようとします。具体的には，ユーザーの拡大，新規用途の開発，使用頻度の増大などを促進する投資を行います。

　②　チャレンジャー：経営資源の量（企業の規模）ではリーダーと同程度か，やや小さい程度であっても，その質において劣っている企業を「チャレンジャー」といいます。チャレンジャーがリーダーに勝つためには，リーダーよりも低いコストを実現するか，リーダーとの差別化を図らなければなりません。ただし，最大の市場シェアをもっているリーダーは，最も低いコストで生産できる可能性が高いため，チャレンジャーは差別化戦略をとることが多くなります。

　③　ニッチャー：経営資源の量では，リーダーやチャレンジャーより小さいけれど，特

図表2-9　経営資源の質と量で分ける

相対的経営資源の位置		量	
		大	小
質	高	(1) リーダー	(3) ニッチャー
	低	(2) チャレンジャー	(4) フォロワー

出所：嶋口（1985）。

定領域における経営資源の質（技術力や販売力など）では，高いレベルにある企業を「ニッチャー（市場の隙間を狙う企業）」といいます。ニッチャーは，大手が本気で参入しないような小さな市場セグメントを発見して，そこに限られた経営資源を集中させます。そして，高い専門性やブランド力を構築しようとします。したがって，必然的に集中戦略をとることになります。ニッチを分類する軸としては，特定需要特化，特定工程特化，特定顧客特化，特定地域特化，特定製品特化，特定品質特化，価格特化，サービス特化などがあります。

　④　フォロワー：経営資源の量が少なく，その質も高くない企業を「フォロワー」といいます。フォロワーは，競合他社からの報復を招かないように注意しながら，大手企業が本格的に参入しない，あまり魅力のないセグメントを狙います。そして，徹底したコストダウンによって収益性を高めて生き残ろうとします。消極的と思われるかもしれませんが，企業を存続させるためには，競合企業と争って消耗するよりも，このような戦略が合理的な場合もあります。

3　その他の分類

　企業の戦略ポジションを整理する方法は，上記2つの分類の他にもいろいろ考えられます。たとえば，図表2 - 10は，日本にあるたくさんのテーマパークを分類したものです。図表2 - 10の①は，縦軸で「全国の顧客をターゲットにするか（広域）／地域の顧客だけをターゲットにするか（地域）」を分類しています。横軸で「大人が楽しめるテーマパークか／子供向けのテーマパークか」を分類しています。そして，円の大きさで来場者数を表しています。図表2 - 10の②は，縦軸で①と同じ「広域／地域」を分類しています。横軸で「遊園地，プール，ホテルなど複合的な施設を備えているか（複合施設）／遊園地など特定の施設だけのテーマパークか（専門施設）」を分類しています。このように2軸を組み合わせて分類すると，来場者数が多いテーマパークの属性や，強力な競争相手がいる領域などを可視化することができます。

　戦略ポジションは，業界内の他の企業と比較した場合の「相対的な位置づけ」ですから，そのポジションは，業界の定義によって変わります。たとえば，「ホテル業界」を分析するときには，全国の駅前に同じ設計の建物で，同じ内容のサービスを提供し，しかも，出張者にとっての必要最低限のサービスを提供するビジネスホテルは，コスト・リーダーシップ戦略をとっていると考えられるでしょう。一方で，柔らかいベッドと高級なアメニティとおいしい朝食を提供するシティホテルは，差別化戦略をとっていると考えられるでしょう。しかし，業界を「ビジネスホテル業界」に絞ると，ビジネスホテルのなかで，さらに，料金の安さ，朝食の質，駅からの距離などにおける差別化の努力がクローズアップされます。どのようなスケール感で分析対象の業界を設定するかは，分析者の関心とセンスに委ねられています。

| 図表2－10 | テーマパークの戦略ポジション |

① （広域・地域）×（大人向け・子供向け）

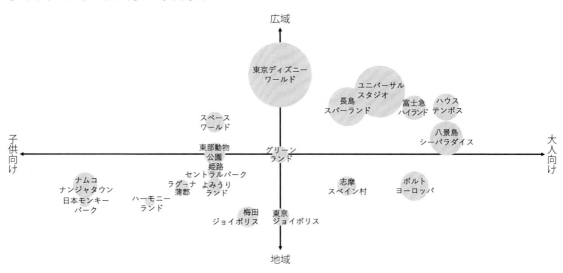

※ 各軸の値は，何人かの5段階評価による主観的評価を平均したものです。

② （広域・地域）×（複合施設・専門施設）

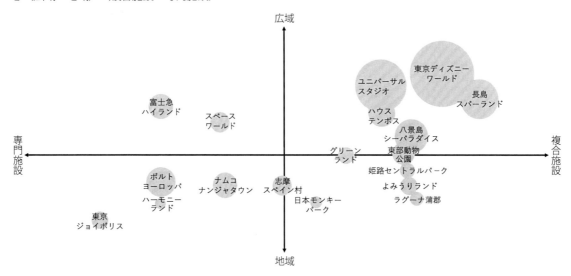

※ 各軸の値は，何人かの5段階評価による主観的評価を平均したものです。

出所：名古屋大学 小沢ゼミ「ラグーナ蒲郡再建案」研究発表資料（2014）。

【演習６】戦略ポジションで分ける

1．選んだ業界の各企業の戦略ポジションを，①コスト・リーダーシップ，②差別化，③集中の３つに分類しましょう。

2．選んだ業界の各企業の戦略ポジションを，①リーダー，②チャレンジャー，③ニッチャー，④フォロワーの４つに分類しましょう。

3．自分で考えた分類軸にしたがって，選んだ業界の各企業の戦略ポジションを図示しましょう。

【参考図書】

M. E. ポーター（1995）『新訂 競争の戦略』ダイヤモンド社。

グローバルタスクフォース（2004）『ポーター教授『競争の戦略』入門』総合法令出版。

嶋口充輝（1986）『統合マーケティング―豊饒時代の市場志向経営―』日本経済新聞出版。

ジョアン・マグレッタ（2012）『〔エッセンシャル版〕マイケル・ポーターの競争戦略』早川書房。

❹　事業の仕組みについて調べる

　業界の概況がわかってきたら，そのなかの企業を１つ選びましょう。そして，その企業の製品が，原材料から製品になり，市場に届けられるまでのプロセスについて調べましょう。プロセスは，いくつかの活動から構成されています。どのような活動が行われているかを調べましょう。また，それぞれの活動に関わっている企業を調べましょう。このような，顧客にとっての価値を生み出す一連の活動（プロセス）を価値連鎖といいます。

1　価値連鎖

　「会社」の構造を図で表すために，図表２－11の①のようなピラミッド型の組織図を描くことがあります。この図の四角は人や部門を表します。四角と四角をつなぐ線は，組織の指揮命令系統，あるいは，情報伝達経路を表します。ところで，すでに述べたように，「会社」と「事業」は異なります。「事業」は，図表２－11の②のように図示されます。五角形の下半分が順序にしたがって行われる活動の流れを，上半分がすべての活動に関わる業務（間接業務）を表しています。このような業務が，会社のなかで，あるいは，複数の会社にまたがって行われます。このように，ときには会社の枠を越えた活動の連なり（価値連鎖）として事業を捉えることで，事業の内部の様子がわかります。

| 図表２－11 | 会社の組織図と価値連鎖 |

① 階層型の組織図

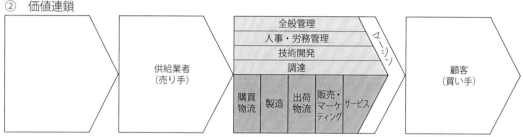

出所：筆者作成。

② 価値連鎖

供給業者
（売り手）

全般管理
人事・労務管理
技術開発
調達
購買物流 製造 出荷物流 販売・マーケティング サービス
マージン

顧客
（買い手）

出所：ポーター（1985）をもとに筆者作成。

2　取引先に対する交渉力を調べる

　価値連鎖のなかでも，直接の取引相手である供給業者（売り手）と顧客（買い手）との関係は，特に重要です。そこで，どのような仕入先と得意先があるのか，また，取引の交渉でどちらが主導権を握っているのかを調べます。

　①　**売り手の交渉力**：パソコンの組立メーカーの収益性は低いけれども，部品やオペレーティング・システム（OS）を供給している企業の収益性は高いといわれます。同じパソコンの製造・販売に関わっているにもかかわらず，このように収益性に差がでるのは，会社の交渉力に差があるからです。売り手（部品や原材料などの供給業者）が強い交渉力をもつ場合には，それを買う側（自社）の収益性は低くなります。

　売り手の集中度が高い，売り手の商品の差別化の程度が大きい，売り手の商品が自社にとって不可欠で，特定の売り手から買わざるを得ないなど，売り手に対する自社の依存度が高い場合には，売り手の交渉力が強くなります。また，売り手にとって自社の取引高比率が低い，売り手が川下統合への姿勢を見せている（自社の事業領域に進出しようとしている）など，売り手の自社に対する依存度が低い場合にも，売り手の交渉力が強くなります。そのほかに，自社が他社の商品に切り替えるためのコストが高い場合には，自社の足下を見た強気の交渉をしてくることがあります。

　②　**買い手の交渉力**：同様に，買い手（顧客やユーザーなど）の力が強いと，売る側（自社）は値引きを要求され，収益が上がらなくなります。

　買い手の集中度が高い，自社にとっての買い手の取引高比率が高いなど，買い手に対す

る自社の依存度が高い場合には，買い手の交渉力が強くなります。また，自社製品の差別化の程度が低い，買い手の切り替えコストが低い，買い手が川上統合への姿勢を見せている（自社の事業領域に進出しようとしている）など，買い手の自社に対する依存度が低い場合にも，買い手の交渉力が強くなります。そのほかに，買い手が自社のコスト情報を知っている場合にも強気の交渉をしてくることがあります。

3　価値連鎖の違いを比べよう

　余裕があれば，1つの企業だけでなく，複数の企業の価値連鎖を調べて比較してみましょう。企業によって，何を自社で生産し，何を他社から購入するかという川上から川下への業務の範囲が異なることに気がつくことと思います。また，最終製品が同じでも，その途中のプロセスが違っていることもあります。そのことが，競争上，どのような影響を及ぼすかを考えてみましょう。

【演習7】ビジネス・プロセスの分析
1．選んだ業界の企業を1つ選び，その企業の価値連鎖を調べて図示しましょう。
2．価値連鎖にもとづいて，どのような「売り手」と「買い手」がいるのかを調べましょう。そして，「売り手」と「買い手」の交渉力の強さについて考えましょう。

4　5つの競争要因

　ここまでに説明した，①業界内の競合他社，②新規参入の脅威，③代替品の脅威，④売り手の交渉力，⑤買い手の交渉力は，「5つの競争要因（ファイブ・フォース）分析」として，図表2 - 12のような図とともに，よく知られている分析フレームワークです。

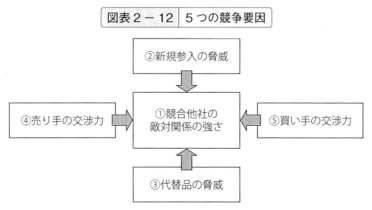

図表2 - 12　5つの競争要因

出所：ポーター（1995）をもとに筆者作成。

【演習8】

　ここまでに調べた情報を，図表2－12のフレームワークに合わせて整理しましょう。

【参考図書】

M. E. ポーター（1985）『競争優位の戦略─いかに好業績を持続させるか─』ダイヤモンド社。
M. E. ポーター（1995）『新訂 競争の戦略』ダイヤモンド社。

⑤ 企業全体のなかにおける事業の位置づけを調べる

　たいていの企業，特に歴史の古い企業は，1つの事業だけではなく複数の事業を営んでいます。分析対象となっている「事業」が，企業全体のなかでどのような位置づけにあるかを調べておくことも大切です。他の事業と共有できる経営資源，技術，ノウハウ，流通経路などがあれば，それらを活用して競争で優位に立つことができるかもしれません。そこで，企業における事業の広がりを調べるために，(1) 企業の事業展開の歴史（経時的分析）と，(2) 現在の各事業の分布（共時的分析）の2つの分析をしましょう。

1　企業の事業展開の歴史を調べる（経時的分析）

　企業の事業拡大を説明するフレームワークとして，「新製品の展開」と「新市場の展開」の2軸で説明する図式（図表2－13）がよく知られています。これによれば，企業は現在の製品を現在の市場に浸透させることが限界に近づいたとき，次の3つの方向のいずれかを選択することになります。

　① **製品開発戦略**：製品開発を行って，既存の市場（顧客）に対して新しい製品を販売することで，事業を拡大しようとします。鉄道事業者が駅からのタクシーやバスを提供するように，補完関係や代替関係にある製品への展開がよく見られます。

　② **市場開発戦略**：既存の製品を海外などの新しい市場で販売する，あるいはお酒を「飲む」だけではなく「調味料として使う」「入浴剤として使う」など，既存製品に新しい使命を与えて，新しい市場を拡大しようとします。

　③ **多角化戦略**：新しい市場に新しい製品を投入しようとします。ただし，新しい分野と既存の分野の間で同じ経営資源が利用できるなど，シナジー効果が働かないと成功しません。他の企業を合併あるいは買収して事業領域を広げることもあります。

　この考え方を用いて，企業が創業されてから現在までの発展の経緯を図示することがで

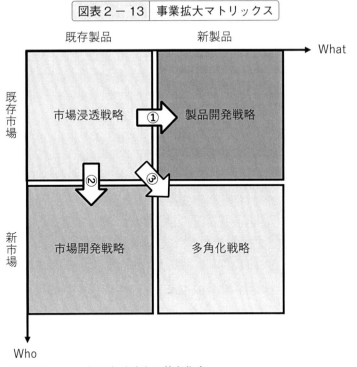

図表2 − 13　事業拡大マトリックス

出所：アーカー（1986）をもとに筆者作成。

きます。紙の左上に四角を１つ描いて，そのなかに創業時の事業を書き入れます。そして
その後，企業が既存市場・新製品へと事業を展開したのであれば右へ，新市場・既存製品
へと展開したのであれば下へ，新市場・新製品へと展開したのであれば右下へと矢印を伸
ばして四角を描き，新しい事業を書き入れます。

　図表2 − 14は，東急グループの事業拡大を表現した図です。右方向に矢印が伸びてい
る場合には，その企業が特定の市場において，強力な流通網をもっている，ブランド力が
強い，固定的な顧客がいるなどの強みをもっていると考えられます。下方向に矢印が伸び
ている場合には，その製品が価格や性能の面で優れているなど，幅広い市場に受け入れら
れる製品であることが考えられます。右下に矢印が伸びている場合には，事業間に，製品
でも市場でもない別のつながりがないか探ってみる必要があります。既存製品で培った
「技術」「ノウハウ」「ブランド」を，新製品・新顧客に向けて応用していることなどが考
えられます。

　こうして創業時は１つだけであった事業が多方面へと展開していく様子を描いてみる
と，企業全体として何を育てようとしてきたのかを振り返ることができます。そして，企
業のなかの分析対象事業の位置づけを知ることができます。

図表2−14 東急グループの事業拡大マトリックス

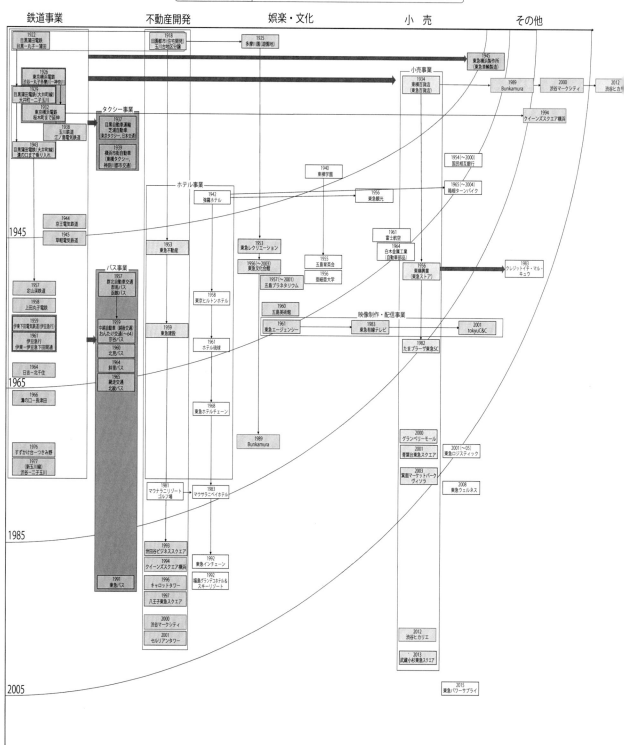

出所：筆者作成。

┌───┐
【演習９】事業拡大マトリックスの作成

　選んだ企業の社史を調べて，創業から現在までにどのような事業を手がけてきた
のかを調べましょう。そして，その展開を，事業拡大マトリックスにしたがって，
系統図として表しましょう。
└───┘

2　現在の各事業の分布（共時的分析）

　企業のなかにある複数の事業と，それぞれの状況を１つの図に表現して，事業間の連携
を考えることをプロダクト・ポートフォリオ・マネジメント（PPM）といいます。事業の
なかには，投資を必要とする事業もあれば，投資は必要なくて，お金を生み出すだけの事
業もあります。投資を必要とする事業ばかりだと資金不足になってしまって困りますが，
逆に，投資を必要とする事業が少ないと企業が成長しなくなってしまいます。そこで，最
適な資金配分ができるように，事業のバランスを考えるのです。以下では，このPPMで
使われるフレームワークについて説明します。

（1）PPMのフレームワークの概要

　まず，縦軸に市場成長率，横軸に相対市場シェアをとったマトリックスを作成します
（図表２-15）。縦軸の「市場成長率」は，市場の魅力度を表します。成長率が高いほど魅
力のある市場ということです。マーケット・ライフサイクルとの関係でいえば，上の方は
成長期，真ん中あたりが成熟期や導入期，下の方が衰退期となります。横軸の「相対市場
シェア」は，業界内における自社の地位を表します。単なる「市場シェア」とは違い，業
界１位の企業と比較してどのぐらいのシェアをもっているかを表します。なお，横軸は左

| 図表２-15 | プロダクト・ポートフォリオ・マネジメント |

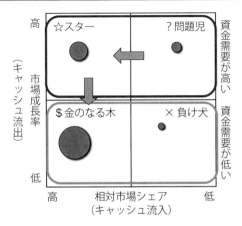

出所：アーカー（1986）をもとに筆者作成。

が「高」，右が「低」となります。通常とは逆ですから注意が必要です。

　この縦軸と横軸で空間が4つのセルに分割されます。それぞれのセルに，左下から時計回りに，「金のなる木」「スター（花形）」「問題児」「負け犬」と名前がついています。ここに，企業のなかのすべての事業をプロットしていきます。このとき，円の大きさで売上規模を表現します。PPM図における4つのセルの意味は，次のとおりです。

　① **金のなる木**：相対市場シェアは高いけれども，成長が鈍化している事業です。あとで説明する計算式で明らかになりますが，このセルに入るのは，業界で1位の市場シェアをもっている事業だけです。業界で最大のシェアをもっているので，規模の経済性が活かされれば，低コストを実現でき，高い利益を得ることができます。しかし，将来の成長が見込めないため，投資はそれほど必要ありません。したがって，「資金を生み出すけれども，資金を必要としない事業」といえます。ここで生み出された資金は，新規事業（問題児）に投資して，将来の「スター（花形）」を育てるために使うべきです。

　② **スター（花形）**：相対市場シェアが高く，市場成長率も高い事業です。市場シェアが高いので，「金のなる木」と同じように，高い利益を得ることができます。しかし，市場の成長率が高いため，運転資金や設備投資など成長のための資金を必要とします。「資金を生み出し，資金を必要とする事業」といえます。いずれ成熟期に入ると成長が鈍化してしまうため，将来，「金のなる木」になるまで，高い市場シェアを維持し続けることが重要です。

　③ **問題児**：相対市場シェアが低く（2位以下），市場成長率が高い事業です。市場シェアが低いために規模の経済性の効果を得られず，収益性も低いことが多いため，いずれ市場が成熟して価格競争になったときには，コスト面で不利になるかもしれません。しかし，市場成長率は高いので，今後，シェアを拡大できる可能性は十分にあり，「スター（花形）」に育つ可能性を秘めています。そして，成長させるためには運転資金や設備投資が必要で，さらに多額の資金を投入しなくてはなりません。つまり，「資金は生み出さないが，資金を必要とする事業」といえます。

　「問題児」の事業を多く抱えすぎると資金不足に陥るため，選択と集中が必要です。もし，相対市場シェアを高められず，「スター（花形）」に育て上げることに失敗すると，やがて市場の成長が鈍化したときに右下のセルに移動して「負け犬」事業となってしまいます。

　④ **負け犬**：相対市場シェアが低く，市場の成長率も低い事業です。市場シェアが低いために収益性も低いことが多いです。さらに，市場の成長率も低いために，投資するのに不向きな事業です。「資金を生み出さないし，資金を必要ともしない事業」といえます。このカテゴリーの事業からは，撤退するのがよいとされています。

（2）相対市場シェアと市場成長率の計算方法
　① **相対市場シェアの計算方法**：横軸の相対市場シェアは，業界1位企業の市場シェア

に対する，分析対象企業の市場シェアの比率です。分析対象企業のシェアが業界2位以下の場合には，次のように計算します。

$$相対市場シェア = \frac{分析対象企業の市場シェア}{業界1位企業の市場シェア}$$

分析対象企業のシェアが業界1位の場合には，自社（1位企業）との比較ではなく，2位企業と比較します。計算式は次のとおりです。

$$相対市場シェア = \frac{分析対象企業の市場シェア}{業界2位企業の市場シェア}$$

ところで，市場シェアについての情報を入手することはとても困難です。しかし，上の式を次のように変形すると，市場シェアがわからなくても，売上高さえわかれば計算できます。業界1位企業の場合も同様です。

$$相対市場シェア = \frac{\dfrac{分析対象企業の売上高}{業界全体の売上高}}{\dfrac{業界1位企業の売上高}{業界全体の売上高}}$$

$$= \frac{分析対象企業の売上高}{業界1位企業の売上高}$$

②　**市場成長率の計算方法**：縦軸は市場成長率を表します。個別の企業の「事業」の成長率と間違えやすいので注意してください。市場成長率の最も簡単な計算式は，次のとおりです。

$$市場成長率 = \frac{当期市場規模 - 前期市場規模}{前期市場規模}$$

単に前年度と比較するだけでは，毎年の偶然的な変動を反映してしまうので，長期的な傾向の分析には向かないことがあります。そこで，もう少し長期（たとえば5年）の年平均成長率を求めたいときには，次のように計算します。なお，5年間の年平均成長率を計算するためには，6年分のデータが必要です。

$$市場成長率 = \sqrt[5]{\frac{当期（5期）の市場規模}{0期の市場規模}} - 1$$

作図で気をつけるべきことは，縦軸と横軸の交点です。縦軸が横軸と交わる点は，相対市場シェア（横軸）の1.0倍の点です。つまり，縦軸より左のセル（金のなる木・スター）

に入るのは業界で1位の市場シェアをもつ事業だけです。2位以下の場合は，縦軸より右（問題児・負け犬）のセルに入ります。

　横軸が縦軸と交わる点は，市場成長率（縦軸）の値が名目GDP成長率と同じになるところです。交点をGDP成長率とするのは，その市場が「実質的に」成長しているかどうかを判別するためです。たとえば，市場Aの成長率が3%でGDP成長率が5%のときには，市場Aは見かけ上は成長しているけれども，その成長は国全体の経済成長より小さく，実質的には成長していない（衰退している）と判断されます。こうしてGDP成長率を境に，実質的に成長している市場と，そうでない市場とを分けるのです。なお，横軸は，必ずしもGDP成長率である必要はなく，分析の目的に合わせて調整して構いません。

　PPMにおいて注意すべきことは，ポートフォリオ上の位置は，収益性を正確に示しているわけではないということです。また，事業や市場の定義によって，相対市場シェアや市場成長率は変わります。したがって，たとえ「負け犬」に分類されても，撤退しか道がないわけではありません。

（3）PPMの変形（フレームワークのアレンジ）

　本来，PPMは複数の事業を営む大企業が，撤退すべき事業を選択するために使われた考え方です。したがって，中小企業のように1つの事業しか行っていない場合には，本来の利用価値がありません。しかし，「事業」を「製品（製品群）」ではなく「地域（国）」とすれば，たとえば，「日本事業は金のなる木であるが，インド事業は問題児である」というように地域（国）ごとに異なる事業のポジションを表現することができます。あるいは，複数の事業のポジションではなく，特定の事業の時間の経過にともなうポジションの変化を，「20○○年には問題児であったが，20××年にはスターに，20△△年には金のなる木になった」というように表現することもできます。慣れてきたら，分析目的に合わせて，アレンジして使ってみましょう。

【演習10】PPM図の作成
　選んだ企業が現在手がけている事業に何があるかを調べましょう。そして，PPMの図を作成して，それぞれの事業が，①金のなる木，②スター（花形），③問題児，④負け犬のどれに当てはまるかを確認しましょう。

【参考図書】

DIAMOND ハーバード・ビジネス・レビュー編集部（2010）『戦略論 1957-1993』ダイヤモンド社。

D. A. アーカー（1986）『戦略市場経営—戦略をどう開発し評価し実行するか—』ダイヤモンド社。

H. イゴール・アンゾフ（2015）『アンゾフ戦略経営論〔新訳〕』中央経済社。

水越　豊（2003）『BCG 戦略コンセプト』ダイヤモンド社。

❻ 分析結果の利用：経営課題の発見と解決策の立案

　ここまでの作業を進めることで，以前よりも業界の様子が明確にイメージできるようになったと思います。Chapter 4 の財務分析の結果を合わせると，そのイメージはより明確になることでしょう。次は，これらの分析結果を使って企業の戦略を描いてみましょう。

　戦略を描くには，次の３つのステップを踏みます。まずは，①企業が直面している問題，あるいは，近い将来に直面するであろう問題を見つけ出します（問題の明確化）。そして，②その問題が解決されたといえるのはどのような状態であるかを具体的に定義します（ゴールの設定）。最後に，③問題の解決策を考えます（戦略の策定）。この３つのステップのうち，①問題の明確化と②ゴールの設定が，全体の８〜９割の重要度を占めるといってもよいほど重要です。問題とゴールが適切に定義されれば，解決策（戦略）は手の届くところにあるものです。

1　問題の種類と目標の設定

　分析結果から，企業が抱える「問題」を見つけ出しましょう。このとき「問題」には２種類あります。１つは，分析対象企業のパフォーマンスが，業界標準など平均的な水準よりも劣っているという種類の問題です。たとえば，他社の成長率よりも自社の成長率が低いとか，市場シェアが他社平均より低いなどです。もう１つは，すでに業界他社より高いパフォーマンスを出しているけれども，より高い理想に向けて頑張りたいという種類の問題です。２種類の問題を区別するために，ここでは前者の問題を「ネガティブな問題」，後者の問題を「ポジティブな問題」とよぶことにしましょう。

　ネガティブな問題における，問題が解決された状態（＝目標）は比較的単純です。たとえば，「他社並のパフォーマンスが達成されること」などです。これに対して，ポジティブな問題の場合には，明確な比較対象が業界内にありませんから，目標の設定が困難です。そこでたとえば，他業種の優れた企業をモデルとして，その企業と同等のパフォーマンスをあげることを目標にしたり，超長期的な究極の目標から逆算して，今後 10 年で達成す

る水準を目標にしたりするなどの方法で目標を設定します。

2　SWOTで分類する

　上述したように，問題には，ネガティブな問題とポジティブな問題の2種類があります。そこで，分析結果も「ポジティブな項目」と「ネガティブな項目」に分けると問題を発見しやすくなります。これまで内部環境と外部環境に分けて分析してきましたから，内部と外部のそれぞれをネガティブとポジティブに分類しましょう。すると，全部で4つに分類されます。そして，内部環境のポジティブな項目を「強み（Strength：S）」，ネガティブな項目を「弱み（Weakness：W）」とよびます。また，外部環境のポジティブな項目を「機会（Opportunities：O）」，ネガティブな項目を「脅威（Threats：T）」とよびます。このような分類を，分類項目の頭文字をとってSWOT分析といいます。

　内部環境におけるS（強み）というのは，競合他社と比較したときに，「機会」に活かせる自社の優れた能力などのことです。W（弱み）は，改革を進めようとする場合に障害となる自社内部の要因や不足している能力などのことです。これらの項目は，主に，価値連鎖の分析や，PPMなど自社内の他事業との関係の分析結果から導かれます。

　外部環境におけるO（機会）は，自社にとって今後の可能性やチャンスをもたらす項目です。T（脅威）は，自社の努力だけではどうすることもできない外部環境のマイナスの項目です。これらの項目は，主に，マーケット・ライフサイクルや戦略ポジションについての分析結果から導かれます。

図表2－16　SWOTの分類	
機会（Opportunities）	脅威（Threats）
強み（Strength）	弱み（Weakness）

出所：筆者作成。

　分類するときには，手もとの分析結果を，図表2－16のような表に書き込みます。機会を考える段階では，それが自社にとって実現可能かどうかを考える必要はなく，「もし，〜ならば，〜は，〜の機会となる」という仮定にもとづいた着想で構いません。アイデアの絞り込みは後回しにして，最初は柔軟に幅広く可能性を発想することが大切です。

　このとき，強みと弱みのどちらに分類するか，機会と脅威のどちらに分類するか迷うことがあります。この「迷い」は，とても重要です。赤塚不二夫さんの「おそ松くん」という漫画にでてくるチビ太に次のようなセリフがあります。「雨が降っても後で濡れるし，財布は先に拾えるし，チビは便利だ。」このセリフでは，通常は弱みとして捉えられがちな「チビ」という性質を強みとして捉え直しています。このように，固定観念や先入観にとらわれず，さまざまな角度から検討することで，創造的な発想ができるのです。なお，1つの情報は1つのセルにしか入れてはいけないわけではありません。迷ったら，強みと弱み，機会と脅威の両方に入れても構いません。

> 【演習11】SWOT による分類
> 　ここまでに調べた情報を，①強み，②弱み，③機会，④脅威に分類しましょう。

3　クロス SWOT で問題を見つけ出す

　S・W・O・T に4分類できたら，各項目の組み合わせから，企業が直面している問題，近い将来に直面するかもしれない問題を見つけ出します。この方法をクロス SWOT とよびます（図表2 – 17）。項目の組み合わせには，次の4つがあります。

　①　S×O：強みと機会を組み合わせて，「自社の強みで取り込むことができる事業機会は何か？」を考えます。この組み合わせからは，主に「ポジティブな問題」が見つけら

図表 2 – 17　SWOT 分析表のイメージ

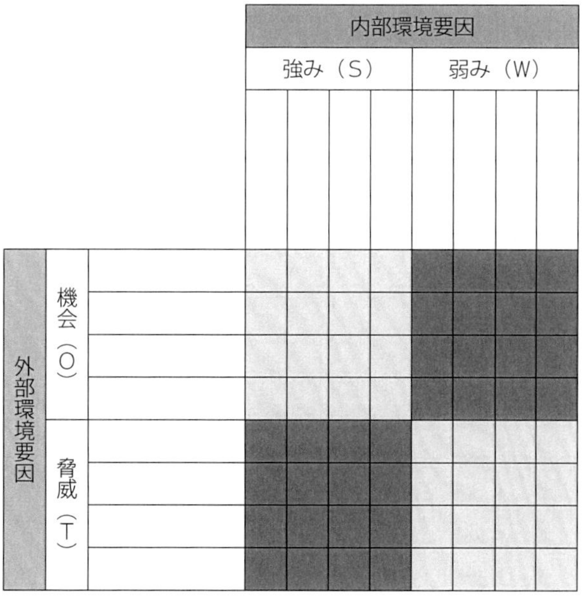

出所：筆者作成。

れます。

② **S×T**：「自社の強みで脅威を回避できないか？」「他社には脅威でも自社の強みで事業機会にできないか？」と強みを脅威の克服に活かす方法を考えます。この組み合わせからは，主に「ネガティブな問題」が見つけられます。

③ **W×O**：機会に乗じて弱みを克服するために「自社の弱みで事業機会を取り逃がさないためには何が必要か？」を考えます。この組み合わせからは，主に「ネガティブな問題」が見つけられます。

④ **W×T**：弱みと脅威が結合することを回避するために，「自社の弱みが脅威と結合するのを回避するためには何が必要か？」を考えます。この組み合わせからは，主に「ネガティブな問題」が見つけられます。

ここで大切なことは，「現状分析にもとづいて対策を考える」ことです。想像力を働かせることは大切ですが，想像力が行き過ぎると，これまでに調べた内容を忘れてしまいがちです。ここまでに丁寧な分析をしていれば，SWOTの各要因に豊富な情報が盛り込まれているはずで，それが問題発見の手助けになるはずです。そして，明確な問題が設定されれば，それを解決する方法は自然と見つかるはずです。逆に，ここまでの分析が表面的なものでしかなければ，提起される問題も，提案される対策も表面的なものになってしまいます。問題が見つからないようであれば，情報の不足を疑ってください。そして，ここまでの手順を最初からもう一度やり直してください。

【演習12】
1．演習11での分類にもとづいて，内部要因と外部要因を組み合わせて，企業が直面する問題を見つけましょう。
2．整理した情報にもとづいて，企業が解決するべき，最も重要な問題を定義しましょう。また，どのようになったら「問題が解決された」といえるのか，目標を設定しましょう。

【参考図書】
嶋田利広（2014）『SWOT分析 コーチング・メソッド』マネジメント社。

❼ まとめ

以上が業界分析の手順です。簡単に振り返ると，①業種を決める，②マーケット・ライ

フサイクルを調べる，③産業の特質（収益性に影響を及ぼす要因）を調べる，④市場に参加している企業数やその規模（市場シェア）などについて調べる，⑤市場における各企業の居場所（ポジション）について考える，⑥分析対象企業を１つ選んで，その企業の価値連鎖，取引先（売り手・買い手）との力関係を調べる，⑦企業がその事業に参入した経緯や，企業全体のなかにおけるその事業の位置づけを調べる，そして最後に，⑧集めた情報を分類して，組み合わせることで問題を発見する，という流れでした。

冒頭で述べたように，これはガイドラインにすぎません。本章の説明だけでは細かい部分がわからなかったり，説明通りにはできなかったりするはずです。分析の目的や対象によって必要なデータや分析の手順は異なります。また，必要なデータが入手できない場合もあるでしょう。各自が，必要な分析方法を設計して，必要なデータを探し，データがない場合には代用データの使用を検討したり，推定したりするなど，汗をかき，知恵を絞ることが必要です。それだけに，できあがった分析結果は，みなさんの努力の程度を忠実に反映したものになるはずです。なお，さらに深く学ぶためには，以下の図書も参考にしてください。

【参考図書】
後　正武（1998）『意思決定のための「分析の技術」—最大の経営成果をあげる問題発見・解決の思考法—』ダイヤモンド社。
坂本雅明（2016）『事業戦略策定ガイドブック』同文舘出版。

業界情報のデータベース

A．業界の基本情報

形態	図書	書名	『業種別審査事典』	発行体	金融財政事情研究会
URL					

業界の特色，動向，業務知識，関連法規，業界団体などを図表とともに掲載している。

形態	Web（無料）	書名	日本標準産業分類	発行体	総務省
URL	https://www.soumu.go.jp/toukei_toukatsu/index/seido/sangyo				

事業所において行われる経済活動（財やサービスの生産・提供など）を分類したもの。

形態	図書	書名	『会社四季報業界地図』	発行体	東洋経済新報社
URL					

主要企業の売上高・生産高・市場シェア，企業間の提携関係などを業種ごとに図示した資料。「オススメ情報源」としてその業界に関する参考図書や Web サイトを掲載している。

形態	図書	書名	『日経業界地図』	発行体	日本経済新聞社
URL					

主要企業の売上高・生産高・市場シェア，企業間の提携関係などを業種ごとに図示した資料。日本経済新聞記者によるデータにもとづく将来予測を業種ごとに掲載している。

形態	Web（無料）	書名	TDB REPORT ONLINE	発行体	帝国データバンク
URL	https://www.tdb-publish.com/				

国内100業界，約200分野を網羅した業界レポート，業界ニュース，業界天気図が利用可能で，最新の動向をつかむことができる。

形態	図書	書名	『日本マーケットシェア事典』	発行体	矢野経済研究所
URL					

37業種，649品目（2021年版の場合）について，市場規模，マーケットの動向，企業の動向，企業別売上高（市場シェア）を掲載している。

形態	図書	書名	白書	発行体	
URL					

各業界に関する国の施策や世界の動き，注目のトピックなどを知ることができる。業界ごとにさまざまな白書が刊行されているため，目的とする業種にどのような白書が存在するかは，『業種別資産事典』やリサーチ・ナビ（http://rnavi.ndl.go.jp/rnavi/）で調べるとよい。

形態	図書・Web	書名	業界団体のWebサイト・資料	発行体	
URL					

業界に属している動向やニュース，統計，業界団体に加盟している企業などを知ることができる。目的とする業界にどのような団体が存在するかは『業種別審査事典』で調べるとよい。

形態	図書	書名	分野別企業名鑑	発行体	
URL					

業界に属している企業のリスト，基本情報や業界動向，統計などを知ることができる。目的とする業界にどのような企業名鑑が存在するかは，リサーチ・ナビ産業情報ガイドの目的の業界のページで調べるとよい。

B．業界統計・レポート
・企業活動に関する官庁統計

形態	図書・Web（無料）	書名	経済センサス	発行体	総務省統計局
URL	https://www.stat.go.jp/data/e-census/				

日本の事業所・企業による経済活動に関する官庁統計。売上高や費用などを産業分類別に調査している。

形態	図書・Web（無料）	書名	企業活動基本調査	発行体	経済産業省
URL	https://www.meti.go.jp/statistics/tyo/kikatu/				

従業者50人以上，資本金または出資金が3,000万円以上の調査対象業種に該当する国内企業について，業績や従業員状況，経営方針，企業活動の実態等を調査している。

形態	図書・Web（無料）	書名	工業統計調査	発行体	経済産業省
URL	https://www.meti.go.jp/statistics/tyo/kougyo/index.html				
日本の工業に関する官庁統計。事業所数，従業者数，製品の出荷額，原材料使用額などを調査している。					

形態	図書・Web（無料）	書名	生産動態統計調査	発行体	経済産業省
URL	https://www.meti.go.jp/statistics/tyo/seidou/index.html				
日本の鉱工業の生産動態に関する官庁統計。生産高，出荷高，在庫高（品目によっては燃料，動力，従業者，機械・設備なども含む）を調査している。					

形態	図書・Web（無料）	書名	商業統計	発行体	経済産業省
URL	https://www.meti.go.jp/statistics/tyo/syougyo/index.html				
日本の商業に関する官庁統計。業種別，従業者規模別，地域別に事業所数，従業者数，年間商品販売などを調査している。					

形態	図書・Web（無料）	書名	商業動態統計	発行体	経済産業省
URL	https://www.meti.go.jp/statistics/tyo/syoudou/index.html				
日本の事業所・企業の販売活動に関する官庁統計。商品の種類別に販売額や従業者数などを調査している。					

形態	図書・Web（無料）	書名	サービス産業動向調査	発行体	総務省統計局
URL	https://www.stat.go.jp/data/mssi/				
日本のサービス産業に関する官庁統計。事業従事者数，月間・年間売上高，需要状況などを調査している。					

形態	図書・Web（無料）	書名	特定サービス産業実態調査	発行体	経済産業省
URL	https://www.meti.go.jp/statistics/tyo/tokusabido/index.html				
日本のサービス産業のうち，行政・経済両面において統計ニーズの高い特定サービス産業に関する官庁統計。従業者数，年間売上高と，それぞれの調査業種の特性により，部門別従業者数，契約高・取扱高，業務種類別売上高，会員数，作品数などを調査している。					

形態	Web（無料）	書名	特定サービス産業動態統計調査	発行体	経済産業省
URL	https://www.meti.go.jp/statistics/tyo/tokusabido/				
特定のサービス産業の経営動向に関する官庁統計。従業者数，月間資料者数または入場者数，業務種類別売上高または契約高などを調査している。					

形態	Web（無料）	書名	経済構造実態調査	発行体	総務省統計局
URL	https://www.stat.go.jp/data/kkj/				
ほぼ全ての産業に属する企業について，経営組織，資本金額，売上・費用の金額，事業内容，事業活動別売上金額，従業者数などを調査している。					

・生活・家計に関する官庁統計

形態	図書・Web（無料）	書名	家計調査	発行体	総務省統計局
URL	https://www.stat.go.jp/data/kakei/				
全国約 9,000 世帯を対象とし，家計の収入・支出，貯蓄・負債などの調査。時系列の変化を追うことを目的としている。					

形態	図書・Web（無料）	書名	全国家計構造調査	発行体	総務省統計局
URL	https://www.stat.go.jp/data/zenkokukakei/2019/				

家計の収入・支出，貯蓄・負債，耐久消費財および住宅・宅地などの家計資産の総合的な調査。家計の構造を総合的に把握することと，地域的差異を明らかにすることを目的としている。

形態	図書・Web（無料）	書名	国民生活基礎調査	発行体	厚生労働省
URL	https://www.mhlw.go.jp/toukei/list/20-21.html				

保険，医療，福祉，年金，所得に関する国民生活の基礎的事項の調査。

形態	図書・Web（無料）	書名	社会生活基本調査	発行体	総務省統計局
URL	https://www.stat.go.jp/data/shakai/2021/				

生活時間の配分や余暇時間における主な活動の状況など，暮らしぶりについて調査。国民の社会生活の実態を明らかにするための基礎資料を得ることを目的としている。

・業界に関するレポート

形態	Web（無料）	書名	調査レポート	発行体	ジェトロ
URL	https://www.jetro.go.jp/world/reports/				

経済・産業・統計などに関する情報がまとめられている。

形態	Web（無料）	書名	データを読む	発行体	東京商工リサーチ
URL	https://www.tsr-net.co.jp/news/analysis/				

企業情報，倒産情報，公開情報などを分析したレポート。

形態	Web（無料）	書名	みずほ銀行産業情報	発行体	みずほ銀行
URL	https://www.mizuhobank.co.jp/corporate/bizinfo/industry/				

各種業界の動向や将来予測に関するレポートを掲載している。

形態	Web（無料）	書名	経済レポート専門ニュース	発行体	ナレッジジャングル
URL	http://www3.keizaireport.com				

インターネット上で見られる業界動向レポートへのリンク集。リンク集なので，利用の際には各レポートの作成機関を確認すること。

形態	Web（無料）	書名	CiNii Research	発行体	国立情報学研究所
URL	https://cir.nii.ac.jp				

日本国内の学術論文や雑誌記事を探すことができる。市場調査レポートや業界雑誌の記事が見つかることもある。

C．企業の基本情報

形態	図書	書名	『帝国データバンク会社年鑑』	発行体	帝国データバンク
URL					

帝国データバンクが選定した一定の信用基準を満たす有力・優良企業を約14万社収録。業種別の総索引がついている。

形態	図書・Web（有料）	書名	『会社四季報』	発行体	東洋経済新報社
URL	https://shikiho.toyokeizai.net				

企業の基本情報がコンパクトに収録されている。四半期ごとに刊行される。

形態	Web（有料）	書名	日経テレコン 企業情報	発行体	日本経済新聞社
URL	https://telecom.nikkei.co.jp/guide/menu/company/				
国内外の大手調査会社が提供する企業データベースを横断的に検索できる。					

形態	Web（無料）	書名	企業の Web サイト	発行体	発行体
URL					
企業自身が公開している公式情報を確認できる。「会社情報」「事業概要」「IR 情報」などのページで有価証券報告書，CSR 報告書，アニュアルレポートなどが入手できる。					

D．有価証券報告書

形態	図書	書名	『有価証券報告書』	発行体	全国官報販売協同組合
URL					
有価証券報告書の縮刷版。収録対象は，東京・大阪・名古屋証券取引所，地方上場会社，店頭登録会社（JASDAQ 上場），上場外国会社。					

形態	Web（無料）	書名	EDINET	発行体	金融庁
URL	https://disclosure2.edinet-fsa.go.jp/				
有価証券報告書の最新 5 年分を検索・ダウンロードできる。					

形態	Web（有料）	書名	eol	発行体	プロネクサス
URL	https://www.pronexus.co.jp/solution/database/eol.html				
総合企業情報データベース。日本の全上場企業の企業属性情報，財務情報，有価証券報告書等を見ることができる。					

E．最近の動向

形態	Web（無料）	書名	CiNii Articles	発行体	国立情報学研究所
URL	https://cir.nii.ac.jp				
日本国内の学術論文や雑誌記事を検索できる。本文へのリンクも充実している。					

形態	Web（有料）	書名	日経 BP 記事検索サービス	発行体	日本経済新聞社
URL	http://bizboard.nikkeibp.co.jp/kijiken/				
日経 BP 社の雑誌約 40 誌の本文データベース。その他，「就活情報を収集する」タブからは，企業や業界の情報をまとめて見ることができる。					

形態	図書・Web（有料）	書名	『週刊ダイヤモンド』	発行体	ダイヤモンド社
URL	https://dw.diamond.ne.jp				
大正 2 年に創刊した一般経済誌。デジタル版もある。					

形態	図書・Web（有料）	書名	『週刊東洋経済』	発行体	東洋経済新報社
URL	https://str.toyokeizai.net/magazine/toyo/				
明治 28 年に創刊した一般経済誌。					

形態	図書・Web（有料）	書名	『週刊エコノミスト』	発行体	毎日新聞出版
URL					

大正 12 年に創刊した一般経済誌。特集記事の一部を Web 上で見ることができる。特集記事全体は毎日新聞のデータベース「毎索（https://mainichi.jp/contents/edu/maisaku/)」からデジタル版をを利用する。

Ｆ．新聞記事

形態	Web（有料）	書名	日経テレコン 21	発行体	日本経済新聞社
URL	https://telecom.nikkei.co.jp				

日経 4 紙（『日本経済新聞』『日経産業新聞』『日経流通新聞 MJ』『日経金融新聞』）の全文記事データベース。

形態	Web（有料）	書名	聞蔵 II ビジュアル	発行体	朝日新聞社
URL	https://database.asahi.com/				

『朝日新聞』の全文記事データベース。『知恵蔵』『週刊朝日』『AERA』なども利用できる。

形態	Web（有料）	書名	ヨミダス歴史館	発行体	読売新聞社
URL	https://database.yomiuri.co.jp/about/rekishikan/				

『読売新聞』の全文記事データベース。『The Japan News』『現代人名録』も利用できる。

形態	Web（有料）	書名	毎索	発行体	毎日新聞社
URL	https://mainichi.jp/contents/edu/maisaku/				

『毎日新聞』の全文記事データベース。『週刊エコノミスト』も利用できる。

形態	Web（有料）	書名	中日新聞・東京新聞記事 DB	発行体	中日新聞社
URL	https://www.chunichi.co.jp/database/				

『中日新聞』『東京新聞』の全文記事データベース。

Ｇ．ランキング
・企業ランキング

形態	図書	書名	『全国企業あれこれランキング』	発行体	帝国データバンク
URL					

企業の売上高・純利益などについて全国 / 都道府県別 / 業種別ランキングを掲載している。

形態	Web（有料）	書名	eol	発行体	プロネクサス
URL	https://www.pronexus.co.jp/solution/database/eol.html				

総合企業情報データベース。「業種分析」からランキングサマリー，ランキング（全件），税務データなど各項目で企業を並べ替えできる。

形態	Web（有料）	書名	日経テレコン 21	発行体	日本経済新聞社
URL	https://t21help.nikkei.co.jp				

日経各紙等に掲載された最新 1 年分のランキング，調査を分野別に見ることができる。過去の調査を調べる際には，調査名等で再検索する必要がある。

形態	Web（無料）	書名	東洋経済オンラインランキングで読む	発行体	東洋経済新報社
URL	https://toyokeizai.net/list/genre/ranking				
東洋経済新報社による企業ランキング。さまざまな種類のランキングがある。上位 300 社，500 社など会社数が多いのが特徴。					

・商品ランキング

形態	図書	書名	『ダイヤモンド・チェーンストア』	発行体	ダイヤモンド・リテイルメディア
URL					
コンビニエンスストア，スーパーマーケット等のチェーンストア業界誌。最新業界動向やランキング，海外のニュース等が掲載されている。					

形態	Web（有料）	書名	日経 POS 情報	発行体	日本経済新聞社
URL	https://nkpos.nikkei.co.jp				
加工食品と生活雑貨について，店頭での売り上げ実績を集計したランキング。毎週更新。					

H．企業の歴史，過去の企業

形態	図書・Web（有料）	書名	『週刊ダイヤモンド』デジタルアーカイブズ	発行体	ダイヤモンド社
URL	https://www.diamond.co.jp/go/digitalarchives/				
大正 2 年に創刊した一般経済誌。					

形態	図書・Web（有料）	書名	『週刊東洋経済』デジタルアーカイブズ	発行体	東洋経済新報社
URL					
明治 28 年に創刊した一般経済誌。					

形態	Web（無料）	書名	国立国会図書館デジタルコレクション	発行体	国立国会図書館
URL	https://dl.ndl.go.jp/ja/				
国立国会図書館で収集・保存しているデジタル資料を検索・閲覧できるサービス					

I．経営者・役員

形態	図書	書名	『役員四季報』	発行体	東洋経済新報社
URL					
会社ごとの役員の一覧。役職，出身校等を調べることができる。					

形態	Web（有料）	書名	日経テレコン 人物・人事情報	発行体	日本経済新聞社
URL	https://telecom.nikkei.co.jp/guide/menu/human/				
企業の役員，公務員，各界著名人等 30 万件のデータを収録している。役職，青年がぴ，社内歴等を調べることができる。					

形態	図書	書名	『日本の創業者：近現代起業家人名辞典』	発行体	日外アソシエーツ
URL					
国内企業 800 社の創業者 865 人を収録した人名辞典。経歴や業績，創業エピソードなどが収録されている。					

形態	図書	書名	『現代物故者事典』	発行体	日外アソシエーツ
URL					

新聞・雑誌等で報じられた訃報をもとに，物故者の没年月日，没年 r 婦負，死因と経歴などをまとめた資料。

J．統計を探すための資料

形態	図書	書名	『民間統計徹底活用ガイド』	発行体	日本能率協会総合研究所 マーケティング・データ・バンク
URL					

業界団体の統計など主要な民間統計の概要をまとめた資料。分野ごとに関連の統計書について調査本牧や図表サンプル等を掲載している。

形態	図書	書名	『データ & Data：ビジネスデータ検索事典』	発行体	日本能率協会総合研究所 マーケティング・データ・バンク
URL					

ある数値を知りたい場合にどのような資料にあたればよいかを紹介する資料。「業界別統計編」では各業界に関するデータの出所を調べることができる。民間の調査資料も多く含む。

形態	図書	書名	『官庁統計徹底活用ガイド』	発行体	日本能率協会総合研究所 マーケティング・データ・バンク
URL					

業界団体が定期的に刊行する統計書等の主要な民間統計の概要をまとめた資料。

形態	図書	書名	『白書統計索引』	発行体	日外アソシエーツ
URL					

白書に掲載されている統計資料の総索引。主題・地域・機関・団体などのキーワードから検索でき，その統計資料が掲載されている白書名，図版番号，掲載頁を確認できる。

形態	図書	書名	『国際比較統計索引』	発行体	日外アソシエーツ
URL					

過去 5 年に国内で刊行された国際統計集・白書に収録された統計表やグラフを国名から探すことができる。統計資料が載っている統計集，白書名，掲載頁を確認できる。

形態	図書	書名	『統計図表レファレンス事典』	発行体	日外アソシエーツ
URL					

調べたいテーマについての統計図表が掲載されている資料やタイトルをキーワードから調べることができる。

形態	Web（無料）	書名	e-Stat 政府統計の総合窓口	発行体	総務省統計局
URL	https://www.e-stat.go.jp				

官公庁が作成する統計のポータルサイト

形態	Web（無料）	書名	総務省統計局 統計データ	発行体	総務省統計局
URL	https://www.stat.go.jp/data/				

総務省統計局が実施する統計の分野別一覧。総合合計書へのリンクなどが用意されている。

形態	Web（無料）	書名	都道府県統計書データベース	発行体	J-DAC
URL					

各都道府県の統計書の画像データベース。検索，サムネイルまで無料公開。統計書本文は国立国会図書館デジタルコレクションで利用可能。

形態	Web（無料）	書名	各種統計データ	発行体	ソフトウェア協会
URL	https://www.saj.or.jp/activity/information/link/statistics.html				

各種業界の統計データへのリンク集。官庁統計・民間統計の両方が掲載されている。

形態	Web（無料）	書名	調査のチカラ	発行体	Itmedia
URL	https://chosa.itmedia.co.jp/				

インターネットに公開されている統計情報を集約したサイト。分野やキーワードから検索できる。

Chapter 3
業界分析・経営分析と財務分析の関連

① はじめに

　Chapter 2 では，競争戦略や戦略ポジションのほか，ファイブ・フォース分析を通じて業界分析を説明しました。また，SWOT 分析や企業戦略にもとづく PPM 分析を通じて経営分析も説明しました。

　業界分析および経営分析を行う際には，企業の財務諸表を参考にすることも多く，その場合には会計の知識が必要になります。そのため，業界分析・経営分析と財務分析とは，それぞれ独立したものではなく相互に関連しています。そこで本章では，Chapter 4 で財務分析を学習するのに先立ち，業界分析・経営分析と財務分析の関連について説明します。

　業界をとりまく環境が大きく変化する際，企業は，特に重要な経営上の判断を求められます。業界の変容を的確に把握することができれば適切な意思決定を行うことが可能になります。業界が大きく変わる状況としては，既存の市場に変化がもたらされるケースと，新しい市場が形成されるケースが考えられます。そこで，本章では，それぞれの場面で，業界分析を行う際に，財務情報が役に立つケースを示していきます。

② 変化する業界の分析と財務情報

　Chapter 2 では，第 2 節 5 で「広い意味での競合（代替品と新規参入）の脅威について調べる」を説明しました。そこでは，業界の捉え方次第で業界内の企業が異なることから，分析対象となる業界のなかだけで競争相手を探すのではなく，近い将来に競争相手となり

そうな潜在的な競争相手の脅威にも目を向ける必要があることを指摘しました。

　新型コロナウィルス感染症の感染拡大は，私たちの生活に大きな影響を与えました。緊急事態宣言の発出やまん延防止等重点措置の適用などで外出の自粛要請が繰り返されたことは，私たちが生活様式を大きく変えるきっかけになりました。私たちの生活は，企業によって提供されるさまざまな商品やサービスを利用することで成り立っていますので，人々の生活様式の変化は企業に影響を及ぼすことになります。とりわけ，コロナ禍において人の移動や人と人との接触が制限されたことは，いくつかの業界に甚大な影響を及ぼしています。

　人の移動が制限されたことによって最も大きな打撃を受けたのは旅行業界です。旅行会社や航空会社の多くは，人々が旅行を控えたことにより売上が激減し，大きな赤字を計上しました。一方で，ステイホームの生活が続いたことにより，プラスの影響を受けた業界もありました。コロナ禍により増えた在宅時間を快適に過ごすことを目的とした需要が拡大し，それらは巣ごもり需要といわれました。巣ごもり需要の拡大により，生活家電，テレビ，ゲーム機などは売上を伸ばすことになりました。

　人と人との接触が制限されたことにより影響を受けたのが，食に関わる企業です。店内でのマスクなしの飲食，会話等が感染拡大を招くおそれがあることから，飲食店に対して時短要請や休業要請が繰り返し出されたことにより，外食業界は大きな打撃を受けました。しかし，食に関わる企業のなかには，コロナ禍の自粛生活で外食から内食・中食へのシフトが進んだ結果，プラスの影響を受けた企業もあります。特に，共働き世帯の増加などで食に手軽さを求める傾向が強まったことから，家庭用冷凍食品に対する需要は大きく伸びました。

　財務情報は企業の経営成績および財政状態を示しています。私たちは財務情報を分析することで，当該企業が属する業界の状況について知ることができます。例えば，食に関する業界で，コロナ禍における家庭用冷凍食品のブームが企業の業績に貢献したかどうかは，その業界に属する企業の利益の推移によって把握できます。また，業界の成長を見込めるかどうかについては，業界に属する企業の売上高の分析が参考になるでしょう。

　この点について，実際の企業の財務情報をいくつか見ることで確認してみましょう。

　人々が外での食事を控えるようになったコロナ禍において，外食業界が苦境に立たされることになったことは，容易に想像できます。ファミリーレストラン業界最大手の株式会社すかいらーくホールディングス（以下，すかいらーくホールディングスと表記します）は，ガスト，バーミヤン，ジョナサンなどのレストランチェーンを運営する会社ですが，この会社の 2019 年 12 月期から 2022 年 12 月期までの 4 年間の売上高と本業における儲けを表す営業利益は，図表 3 − 1 の通りです。

　図表 3 − 1 からは，コロナ禍の影響がなかった 2019 年 12 月期と比べて，2020 年 12 月期は，売上高が 23％減少するとともに，205 億円の営業利益から 230 億円の営業損失へと

| 図表3－1 | すかいらーくホールディングスの売上高と営業利益 |

(単位：百万円)

年度	2019	2020	2021	2022
売上高	375,394	288,434	264,570	303,705
営業利益	20,562	△ 23,031	18,213	△ 5,575

出所：すかいらーくホールディングス（2020-2023）『決算短信』より筆者作成。

業績が悪化していることがわかります。また，2021年12月期においては，営業利益は確保したものの，売上高は前年比で減少しており，依然としてコロナ禍の影響を大きく受けていることが見てとれます。2022年12月期については，「収益認識に関する会計基準」の適用により売上高の認識基準が変更されたため，単純な比較はできませんが，前年に比べて売上高が15％ほど増加しています。コロナ禍の影響が一段落し，回復傾向が見られるものの，コロナ禍前の売上高には遠く及ばない水準となっています。業界の将来の見通しは，主に売上高の推移によって判断されますが，コロナ禍の影響で人々の生活様式が変化するなか，大きく落ち込んだ売上高がどこまで回復するかは不透明であり，業界の先行きを見通すことが難しくなっています。

　次に，コロナ禍による巣ごもり需要により好影響がもたらされることになった家庭用冷凍食品業界について見ていくことにします。冷凍食品の製造および販売を行う企業の多くは，専業ではなく，食品に関するさまざまな事業の1つとしてそれを行っていますので，企業全体の財務情報だけでは冷凍食品業界について正しく理解することができません。そこで，役立つのがセグメント情報です。

　有価証券報告書で開示されるセグメント情報では，企業が行う事業単位（セグメント）ごとの売上高や利益などの財務情報が示されます。また，企業の多角化，国際化が進んだ現在では，1つの企業が多様な事業を行うようになっていますので，企業が行う特定の事業を知るために，セグメント情報を利用する機会が増えています。セグメント情報は，分析対象企業がどの事業に力を注いでいるか，どの事業から主な利益をあげているかなどを把握する際に利用されます。そうした分析では，セグメント情報が重要な情報源となる場合があります。セグメント情報は，主として，有価証券報告書における財務諸表の注記や，同報告書の第2【事業の概況】の3【経営者による財政状態，経営成績及びキャッシュ・フローの状況の分析】などにおいて記載されています。

　それでは，実際の会計情報を見ていくことにします。家庭用冷凍食品の市場シェア上位のマルハニチロ株式会社（以下，マルハニチロと表記します）の有価証券報告書では，水産資源事業，加工事業，物流事業，その他の4つのセグメントに分けられ，セグメントごとの売上高や利益などの情報が開示されています。ここで分析対象とする家庭用冷凍食品は加工事業に属します。加工事業は，家庭用冷凍食品の製造・販売を行う家庭用冷凍食品ユ

ニット，缶詰・フィッシュソーセージ・ちくわ・デザート等の製造・販売を行う家庭用加工食品ユニット，業務用商材の製造・販売を行う業務用食品ユニット，国内外の畜産物を取り扱う畜産ユニット，化成品・調味料・フリーズドライ製品の製造・販売を行う化成ユニットという5つのユニットで構成されます（マルハニチロ（2021）『有価証券報告書』4頁）。

　マルハニチロの加工事業における2020年3月期から2022年3月期までの3年間の売上高と営業利益の推移は次の通りです。

図表3－2｜マルハニチロの加工事業セグメントの売上高と営業利益

（単位：百万円）

年度	2020	2021	2022
売上高	234,328	226,659	295,976
営業利益	6,866	8,002	7,813

出所：マルハニチロ（2021-2023）『有価証券報告書』より筆者作成。

　2021年3月期は，コロナ禍の影響がほとんどなかったと考えられる2020年3月期と比べて，売上高が3.3％減少しています。加工事業セグメントには，家庭用だけでなく業務用の加工食品の販売も含みます。有価証券報告書では，加工事業の売上高が減少した理由として，業務用食品ユニットにおけるコロナ禍にともなう外食向け販売の苦戦を挙げています（マルハニチロ（2021）『有価証券報告書』18頁）。売上高が減少する一方で，営業利益は16.5％増加しています。有価証券報告書では，営業利益の増加の理由を家庭用冷凍食品の主力商品の売上増加としています（マルハニチロ（2021）『有価証券報告書』19頁）。好調な家庭用冷凍食品事業が，コロナ禍における売上減を最小限にとどめ，収益の獲得に貢献していることが見てとれます。

　2022年3月期においては，「収益認識に関する会計基準」の適用により，売上高の認識基準が変更された上，一部の事業について報告セグメントの区分変更が行われたため，前年度の数値との単純な比較はできないものの，引き続き旺盛な巣ごもり需要により，家庭用冷凍食品が好調であることを読み取れます。

　多くの産業がコロナ禍の影響を受けるなかで，マルハニチロの加工事業セグメントにおいては，コロナ前よりも売上高，営業利益ともに増加しています。これらはセグメントに含まれる業務用加工食品の落ち込みを吸収した上でのものなので，家庭用冷凍食品事業が巣ごもり需要の増大の影響を受け，企業の主要な利益の源泉として好調であることが読み取れます。

　ところで，今回取り上げたコロナ禍のように，外部環境の変容が業界に影響を及ぼす例は少なくありません。外部環境の変容で既存の事業が十分な収益をあげることができなくなり，将来回復する見込みが立たない場合，企業には，その事業に梃入れをするか，ある

いはその事業から撤退するかの判断が求められます。逆に，既存の事業の将来見通しが明るい場合には，他の企業の参入が増えることを考えなければなりません。このように，外部環境の変容により，企業は，経営上の戦略の見直しについての判断を迫られます。

　家庭用冷凍食品の業界には，ここ数年，他の業界からの参入が相次ぎました。ファミリーレストラン大手のロイヤルホールディングスやサイゼリヤなど，特にコロナ禍で苦境に陥った外食業界からの参入が目を引きました。外食業界の先行きが不透明ななか，収益の拡大を見込める事業へのシフトが進んでいると見ることができます。また，同じ食を扱う企業なので，ある程度設備投資を抑えることができ，まったく異なる分野から参入する場合に比べて，参入に対するハードルは低いと考えられます。

　本節では，コロナ禍により大きく変容した業界として食に関わる業界を取り上げました。業界に大きな変化が生じた場合には，その業界に属する企業の財務情報に反映されることになりますので，財務情報を分析することによって，業界の大きな動きを把握することができます。紙幅の都合で，ここでは外食業界と冷凍食品業界それぞれの1社しか紹介していません。他の企業については，みなさん自身で財務情報にアクセスして確認してみてください。

③ 新しい市場が形成される業界の分析と財務情報

　Chapter 2では，第2節2「マーケット・ライフサイクルを調べる」で，売上高の推移を基礎に，分析対象となる産業が導入期・成長期・成熟期・衰退期のどの期にあるかを把握する方法を説明しました。また，第2節3「産業の特質（規模との関係）を調べる」や第2節4「業界内の競争状況を調べる」では，業界の競争要因の識別方法や，競争が激しくなる原因を例示し，成熟期・衰退期にある業界や，固定費が大きく供給過剰な業界，差別化が難しい業界などでは競争が激しくなることを説明しました。しかし，その業界が，現在，マーケット・ライフサイクルのどの期に位置づけられるかの判断は，なかなか難しいのが実情です。とりわけ，それが新しく形成された業界であればなおさらです。

　たとえば，近年のデジタル分野では，新たなビジネスが次々に生まれています。IT業界において，クラウドを利用するビジネスは特に大きく成長しています。クラウドビジネスは，インターネットを通じて，サービスを必要な時に必要な分だけ提供するものです。みなさんのなかにも，クラウドを用いたメールサービス（Gmailなど）やストレージサービス（GoogleドライブやiCloudなど）を利用したことがある人は多いでしょう。ところが，こうした業界の歴史は浅く，業界に関する情報が多くありません。そのため，業界の概要を知るには，その業界に属する企業の財務情報を役立てることが必要です。そこで，本節では，クラウドビジネスを例に取り，比較的新しい業界において，その特徴を捉えるのに，

財務情報がどのように役立つかを説明します。

　クラウドビジネスで急成長している企業に，サイボウズ株式会社（以下，サイボウズと表記します）があります。1997年創業の同社は，業務を効率化するグループウェアの開発と提供を本業として，ソフトウェアのライセンス販売を行っていましたが，2011年より，サーバーやセキュリティなどの運用環境を提供するクラウドサービスを開始しました。同社のクラウドビジネスは急速に成長し，2022年12月期には，クラウドサービスの売上が，全売上高の約85％を占めるまで拡大しています（サイボウズ（2022）『2021年12月期決算・事業説明会』(https://cybozu.co.jp/company/ir/meeting/pdf/2112_01.pdf)）。

　図表3-3は，サイボウズの2022年12月期連結損益計算書（一部）です。この資料でまず目を引くのが，売上高に対して売上原価が極めて低い水準にあることです。220億円を超える売上高に対して，売上原価が19億円余りしかありません。売上高に対する売上総利益の割合はおよそ91％と高い数値になっています。また，前年度に比べて売上高が約36億円増加しているのに対し，売上原価は約6億円弱しか増加していないことから，売上高の増加に対して売上原価の増加が極めて小さいことも特徴として挙げられます。

　繰り返しになりますが，クラウドビジネスは，ソフトウェアなどをクラウド上で利用してもらい，料金を徴収するビジネスですから，モノを作って販売するわけではありません。したがって，クラウドビジネスは，売上の増加に対する原価の増加が小さく，売上が大きくなればなるほど，利益が上がるビジネスモデルだといえるでしょう。

　次に，このような特徴のあるクラウドビジネス参入に際し，サイボウズがどのような戦

図表3-3　サイボウズの連結損益計算書（一部抜粋）

連結損益計算書

（単位：百万円）

	前連結会計年度 （自 2021年1月1日 至 2021年12月31日）	当連結会計年度 （自 2022年1月1日 至 2022年12月31日）
売上高	18,489	22,067
売上原価	1,339	1,951
売上総利益	17,150	20,116
返品調整引当金繰入額	0	—
差引売上総利益	17,150	20,116
販売費及び一般管理費		
人件費	6,315	7,854
業務委託費	960	1,000
広告宣伝費	4,907	6,452
研究開発費	266	270
退職給付費用	23	37
その他	3,234	3,889
販売費及び一般管理費合計	15,709	19,505
営業利益	1,441	611

略をとったのかを見ています。Chapter 2 での説明からもわかるように，企業はマーケット・ライフサイクルのそれぞれの局面で，ビジネスの特徴に応じた戦略をとります。そして，企業が取り組んだ経営戦略は財務諸表に反映されます。この点は，サイボウズも例外ではなく，同社が営む事業でとった戦略が財務情報から読み取れるようになっています。

　一般に，新しく形成された市場では，マーケット・ライフサイクルにおける①導入期にいち早く顧客を囲い込むことが重要です。そうすることで，後から参入する企業に対して，参入障壁を構築することが可能になります。また，市場の②成長期において，多くの新規参入が見込まれる場合には，新規顧客獲得と並行して顧客満足度を高め，既存の顧客の解約率を低下させることに努める必要があります。

　クラウドビジネスでは顧客を確保することが特に重要になりますが，それは料金の徴収方法と関連しています。クラウドサービスの多くは，その利用量に対して料金を取る方法ではなく，定額を徴収することにより制限なく利用できる方法をとっています。定額の料金を支払うことで，商品やサービスを一定期間制限なく利用することができるこのようなビジネスモデルはサブスクリプションサービスとよばれ，モノを所有せずにサービスを利用できる点に利用者のメリットがあります。

　サブスクリプションサービスでは，モノを所有する煩わしさから解放され，気軽にサービス利用の恩恵を受けることができるので，購入や維持に手間やコストがかかる商品や一時的に利用したい商品と相性がよい方法です。デジタル領域で広く普及したサブスクリプションサービスは，動画配信や音楽配信など，ダウンロードによって購入する当初の形態から，月額料金を支払うことで制限なく利用できる形態へと移行してきています。さらに，現在では，車，家具，洋服など，アナログ領域の商品でもこうしたサービスが利用できるようになっていますから，みなさんのなかにもこのようなサービスを利用している人は多いでしょう。

　サブスクリプションサービスのように顧客との契約にもとづいて継続的にサービスを提供するビジネスを，売上が継続することから「ストック型ビジネス」といいます[1]。「ストック型ビジネス」では，企業と顧客との関係が継続し，収益が安定することが期待されます。クラウドビジネスは，ストック型ビジネスであるため，市場シェアを拡大し，多くの顧客を確保することが，売上および利益の持続的成長を可能にする上で最も大切なこととされ，それを達成することで将来の見通しが立てやすくなります[2]。

　図表3－4は，サイボウズの2012年度から2022年度までの売上高と営業利益の推移です。
　前に説明したように，サイボウズは，2011年よりストック型ビジネスであるクラウドサービスの提供を行っています。クラウドサービスを開始した当初は，売上高は増加して

1）　これに対して，取引が継続せず毎回完結するビジネスを「フロー型ビジネス」といいます。レストランやコンビニエンスストアなど，普段私たちが利用するサービスの多くは，このフロー型ビジネスになります。

図表3－4　サイボウズの売上高と営業利益の推移

（単位：百万円）

年度	2012	2013	2014	2015	2016	2017	2018	2019	2020	2021	2022
売上高	4,140	5,197	5,965	7,013	8,039	9,502	11,303	13,417	15,674	18,489	22,067
営業利益	494	288	22	△381	515	802	1,103	1,732	2,270	1,441	611

出所：サイボウズ（2013-2023）『決算短信』より筆者作成。

いるものの，営業利益は減少し，2015年12月期には営業損失を計上するなど，業績は悪化しました。しかし，2016年度以降は，増収増益が続いており，特に2018年12月期から2020年12月期までの増益率は目覚ましいものがあります。クラウドビジネスの市場が拡大することを見込んで，参入した当初にマーケティング活動に積極的な投資を行い，いち早く市場シェアを獲得したことが，のちの利益獲得に繋がっているものと考えられます。

　一定の顧客を確保することができたら，先行投資を回収する段階に入ります。売上高は，客単価×顧客数によって決まるので，売上を増加させるもう1つの施策は客単価の向上です。客単価を上げるためには，おもに2つの方法があります。1つは，顧客が契約しているものより上位の商品を販売する方法で，これをアップセルといいます。もう1つは，すでに契約している商品に関連する他の商品を販売する方法で，これをクロスセルといいます。アップセル，クロスセルにより客単価を上げることができれば，顧客数を増やすことなく総売上額を増やすことができ，効率よく利益を増加させることができます。

　ストック型ビジネスを行う企業にとって，特に①導入期および②成長期においては，収益性よりも成長性が重要になります。企業の成長性についての情報は，損益計算書から得られます。具体的には，売上高の伸び率（売上成長率）が重要な指標になります。「販売費及び一般管理費」の金額が大きいことで利益率が低くなっていても，売上高が伸びていれば，将来，継続的な収益を得ることで回収し，より大きな利益をあげることが可能になります。一方，現在高い利益をあげていても，市場シェア獲得のための投資が適切に行われていなければ，将来の成長が見込まれず，収益が頭打ちになってしまう可能性があります。

　ストック型ビジネスを展開する企業の多くは，製品のライフサイクルを通じて最大の利益を獲得するために，中長期の計画にもとづいて経営戦略を立案しています。市場が拡大

2）　このことは，すなわち，仮に，顧客を獲得するためのコストが先行したとしても，大きな市場シェアを獲得できれば，その後長期にわたって継続的に収益をあげ，サービスのライフサイクルを通じて大きな利益を獲得していくことが可能になることを示唆しています。たとえば，2020年に携帯電話の通話料金が値下げされたとき，各社の料金体系が変更になり，各社さまざまなキャンペーンを実施したことを覚えている人も多いのではないでしょうか。この事例のように，とりわけ，新しいビジネスが形成される際に展開されることが多い，採算を度外視したようなキャンペーンは，先行投資を行い，市場シェアを獲得することで，将来，継続的な収益を獲得しようとする戦略のために実施されたものといえます。

している局面では，現在の業績をある程度犠牲にしてでも，将来の収益獲得のための先行投資を行っているケースがあります。企業は，決算報告の際に，中長期の計画やその進捗状況などについて説明を行うことがあります。たとえば，サイボウズは2015年度に営業損失を計上していますが，前年度の決算短信において，次期に赤字になる見通しを次のように説明しています。

　　「次期の通期業績見通しに関しまして，連結売上高は，クラウド関連事業の伸長により，6,700百万円を予想しております。また利益項目については，次期においても引き続き積極的な広告宣伝投資をすることや，オフィス移転，米国市場への投資計画などから，それぞれ800百万円の連結営業損失，連結経常損失，連結当期純損失を予想しております。」（サイボウズ（2015）『決算短信』4頁。）

　これらの記述から，中長期的な視点から売上伸長のために積極的な投資をしており，戦略的に赤字を計上していることがわかります。なお，図表3－4に示されているとおり，2020年12月期以降，売上高は伸び続けているものの，営業利益は減少しています。これについても，クラウド事業の堅調な売上増加を踏まえて，将来の収益力を高めるために，広告宣伝に積極的な投資を行ったことによるものであることが説明されています。
　財務情報において，数値による情報を定量的情報というのに対し，言葉による説明（非財務情報）を定性的情報といいます。みなさんが企業の財務情報を見るとき，会計数値だけでなく定性的情報も参考にすると，多面的な視点で企業の分析を行うことが可能になります。
　最後に，サイボウズ株式会社の財務情報を通じて把握したクラウドビジネスの特徴をまとめると次のとおりです。まず，売上高に対する売上原価の割合が極めて低いことから，売上の増加が利益の増加に直結するビジネスモデルとなっています。したがって，マーケット・ライフサイクルにおける①導入期および②成長期においては新規顧客を獲得するため，また，③成熟期においては顧客満足度を高めて解約を防ぐとともにアップセルおよびクロスセルにより客単価を向上させるため，営業やマーケティングに力を注ぐことが必要になります。これらは，損益計算書の「販売費及び一般管理費」に計上されるものであり，クラウドビジネスを展開する企業では，このカテゴリの費用の金額が大きくなる傾向があります。先に示したサイボウズの2022年12月期の連結損益計算書を見ると，約220億円を超える売上高に対して，「販売費及び一般管理費」が約195億円となっており，売上高に対する「販売費及び一般管理費」の比率が約88％になっています。これは，モノを販売する事業（フロー型ビジネス）を行う企業と比べて極めて高い数値になっています。ストック型ビジネスでは，ビジネスの成否におけるマーケティング活動の重要性が極めて高いことが，この業界の特徴であると考えられます。

　比較的新しいビジネスについては得られる情報が限られるため，その特徴を捉えることが困難な場合があります。その際に，企業の財務情報を読み解くことが業界の特徴を理解するのに役立つことがあります。本章では，財務諸表の数値からわかることを中心に説明するに留めましたが，Chapter 4の財務分析を理解すれば，さらに詳しい分析ができるようになるはずです。

④ まとめ

　本章では，業界分析および経営分析と財務分析との関連について説明しました。業界分析・経営分析と財務分析とは，それぞれ独立したものではなく，相互に関連しています。本章で説明してきたように，業界分析を行う際には，財務諸表などを理解するために会計の知識が必要になります。また，財務分析を行う際に業界のことを十分に理解していなければ，それは単に数値を計算しているだけになってしまいます。

　Chapter 2で強調したように，業界分析や経営分析に決まった方法があるわけではありません。必要な情報を自分で考えて探さなければなりません。業界分析や経営分析において必要となる情報のなかには，企業の財務情報が含まれることもあります。その際に，会計についての深い知識があれば，分析をより豊かなものにできることを最後に強調しておきます。

【参考図書等】

乙政正太（2019）『財務諸表分析　第3版』同文舘。

久我尚子（2022）「データで見るコロナ禍の行動変容（3）―食生活の変容〜外食需要の中食シフト，さらに強まる手軽さ志向」（https://www.nli-research.co.jp/report/detail/id=70449?pno=1&site=nli）（2023年5月12日閲覧）。

桜井久勝（2023）『財務会計講義　第24版』中央経済社。

桜井久勝（2020）『財務諸表分析　第8版』中央経済社。

ニッセイ基礎研究所（2023）「新型コロナによる暮らしの変化に関する調査」（https://www.nli-research.co.jp/report/detail/id=64814?site=nli）（2023年5月12日閲覧）。

新田忠誓他（2020）『実践財務諸表分析　第3版』中央経済社。

M. E. ポーター（1995）『新訂　競争の戦略』ダイヤモンド社。

Chapter 4
財務分析

❶ なぜ財務分析を行うのか

　企業の経済活動は，資本の流れの観点から，図表4−1のようにイメージできます。ま
ず，株式や社債の発行，銀行からの借入れなどを通じて，企業は事業に必要な資本を外部
から調達します。この資本は多くの場合，現金預金という形をとります。次に，その調達
した資本（現金預金）を建物や機械，車両，備品，原材料，労働，通信，交通などの財・サー
ビスに投資し，これを消費し，販売目的の商品の仕入れや，製品やサービスの生産を行い
ます。そして，商品や製品，サービスを顧客に販売することで，リターンとしての現金預
金を回収します。このとき，消費した財・サービスの投資原価を上回るリターンを獲得で

図表4−1　企業の経済活動（投資とリターンのサイクル）

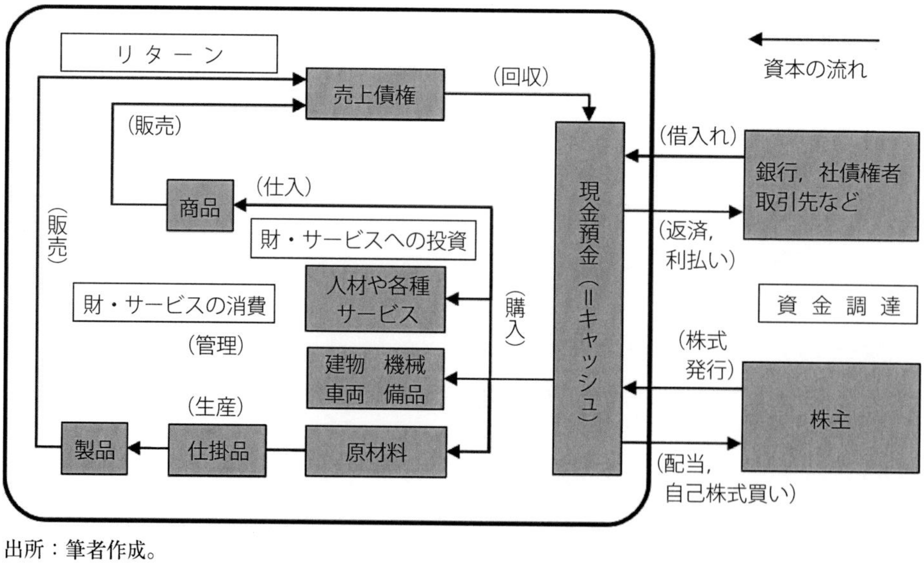

出所：筆者作成。

きれば，その超過分が儲けとなります。この儲けは，企業が事業を通じて新たに創出した資本であり，会計では利益とよばれます。企業は，この利益（資本の増加）を配当として株主に分配しますが，さらなる利益の獲得を狙って既存事業に再投資したり，新規事業の立ち上げに活用したりもします。これらの事業で儲ける仕組みをしっかりと構築できていれば，再投資した資本を超えるリターンが得られます。また，これを繰り返すことで，運用する資本はさらに増加し，企業はますます成長することになります。

　企業の経済活動は投資とリターンのサイクルとして捉えられます。また，その活動の結果や状態を貨幣額（数値）で表現した報告書の集まりは財務諸表とよばれます。ここで，財務諸表とは，貸借対照表や損益計算書，キャッシュ・フロー計算書などさまざまな財務表の総称で，それぞれの財務表は企業の経済活動を固有の視点から描写します。

　図表4－2は，主要な財務諸表とその基本構造を示したものです。詳しいことは後述しますが，貸借対照表は，資本をどこからいくら集め，それをどのような財・サービスに投下しているのか（「財政状態」），損益計算書は，財・サービスをいくら消費して，いくらのリターンを得，いくら儲けたのか（「経営成績」），キャッシュ・フロー計算書は，資金をどのような活動でいくら創出し，どのような活動でいくら使ったのか（「キャッシュ・フローの状況」）を明らかにしてくれます。

　したがって，財務諸表を有効に活用すれば，企業の経済活動の状況を多面的に把握でき，収益性や安全性，成長性といった企業の特性を分析することで，企業が直面する問題点や課題を抽出し，その改善や解決に向けたヒントを得ることもできます。

　本章では，財務諸表を用いて，企業の経済活動の状況，具体的には，企業の財政状態，経営成績，キャッシュ・フローの状況を把握し，企業の収益性や安全性，成長性を分析する方法を解説します。

図表4－2　主要な財務諸表とその基本構造

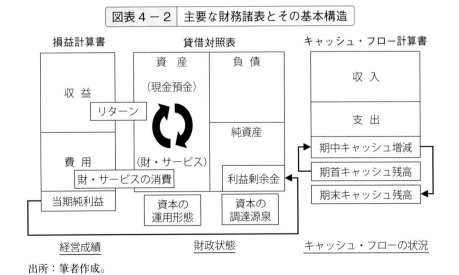

出所：筆者作成。

② 財務諸表を入手する

　Chapter 2で示したように分析対象企業を決定したら，まずは，その企業の財務諸表を入手することから始めます。財務諸表を入手できなければ，そもそも財務分析を行うことができません。したがって，みなさんの分析では，現実的に，財務諸表を入手できる企業のなかから，分析対象企業を選択することになります。

　上場企業であれば，財務諸表を入手することは簡単です。上場企業は，金融商品取引法の規制を受け，決算日から3か月以内に内閣総理大臣に「有価証券報告書」を提出しなければなりません（金融商品取引法24条）。企業は，金融庁が運営する電子開示システム「EDINET」（http://disclosure.edinet-fsa.go.jp）を利用して有価証券報告書を提出します。このEDINETでは，誰もが企業の過去10年分の有価証券報告書を閲覧できます。利用者は閲覧したい企業の有価証券報告書の「経理の状況」を調べれば，財務諸表を確認できます。また，上場企業のWebサイトには，「投資家向け情報」「IR情報」などのページがありますので，そこでも有価証券報告書が閲覧できます。なお，有価証券報告書には，財務諸表以外にも，企業の概況から事業や設備の状況まで多岐にわたる情報が含まれます（図表4－3参照）。「事業の状況」の「経営者による財政状態，経営成績及びキャッシュ・フローの状況の分析」などは，財務諸表を読み解く際に有用ですので，ぜひ活用してください。

　有価証券報告書の公表前に財務諸表を入手したい場合は，「決算短信」が有効です。一般に決算日後30日から45日以内に発表される決算短信は，証券取引所の適時開示の要請により，上場企業が取締役会での決算案の承認後，ただちに決算概要を発表するために作

図表4－3	有価証券報告書の内容（第一部【企業情報】のみ）

第一部　企業情報
　第1　企業の概況
　　　主要な経営指標等の推移，沿革，事業の内容，関係会社の状況，従業員の状況
　第2　事業の状況
　　　経営方針・経営環境及び対処すべき課題等，サステナビリティに関する考え方及び取組
　　　事業等のリスク，経営者による財政状態・経営成績及びキャッシュ・フローの状況の分析
　　　経営上の重要な契約等，研究開発活動
　第3　設備の状況
　　　設備投資等の概要，主要な設備の状況，設備の新設，除却等の計画
　第4　提出会社の状況
　　　株式等の状況，自己株式の取得等の状況，配当政策，コーポレート・ガバナンスの状況等
　第5　経理の状況
　　　連結財務諸表等，財務諸表等
　第6　提出会社の株式事務の概要
　第7　提出会社の参考情報

出所：筆者作成。

成する書類です。その添付資料には連結財務諸表が含まれます。監査法人などによる監査前のものですが，わが国では監査後，有価証券報告書提出までに修正されることがほとんどないため，これを利用することにさほど問題はないでしょう。なお，決算短信は，日本取引所グループが提供する「適時開示情報閲覧サービス（TDNet）」（https://www.release.tdnet.info/index.html）で閲覧可能で，多くの場合，企業の Web サイトにも掲載されます。

　上場企業については，有価証券報告書や決算短信以外に，「株主総会招集通知」からも財務諸表を入手できます。上場企業のような公開会社は，会社法上，定時株主総会の２週間前までに株主に対して招集通知を行わなければなりません。その際，資料として添付されるのが計算書類（会社法での財務諸表等の呼称）です。有価証券報告書の財務諸表は投資家向けの詳細な情報であり，初学者にとってはわかりにくいかもしれません。その場合は，会社法上の計算書類をもっぱら利用し，必要に応じて有価証券報告書を利用すればよいでしょう。なお，株主総会招集通知は，有価証券報告書の添付文書とされているため，過去10年分の計算書類も EDINET を通じて入手できます。

　他方，非上場企業の場合はどうでしょうか。非上場企業は，基本的に金融商品取引法の規制を受けませんので，有価証券報告書の作成義務を負いません。そのため，その財務諸表を EDINET で入手することはできません。また，会社法上，すべての株式会社は定時株主総会の後に遅滞なく決算公告を行うことになっていますが，ほとんどの中小企業は決算公告をしていないのが現状です。決算公告をしていない企業に対して計算書類の開示を請求できる立場にあるのは，企業と直接の利害関係のある株主や債権者（銀行など）だけです。したがって，自発的に財務諸表が公開されている場合を除き，第三者が非上場企業の財務諸表を入手するのは困難です。

③ 財務諸表を見る

　財務諸表を入手したら，そこに記載のさまざまな項目の金額を用いて，企業の収益性や安全性，成長性などの指標（比率など）を計算し，その結果から企業の経済活動の現状と問題点や課題を明らかにします。これを「財務分析」あるいは「財務諸表分析」といいます。

　ただし，財務分析では，いきなり収益性や安全性などを分析するわけではありません。財務諸表には，企業の戦略や経営方針，業界やビジネスの特徴などが反映されています。そこで，まずは，当期（直近）の財務諸表を見て，企業の財政状態，経営成績およびキャッシュ・フローの状況を大まかに把握します。このことを意識しながら財務諸表を見ることで，財務分析は単に指標を計算するだけの数字遊びに終わることなく，企業の実態に即した，より現実的な結論を導くことを可能にします。

　みなさんが分析対象とする企業の多くは，親会社を中心に，子会社・関連会社とともに

グループ経営を行っています。それゆえ，企業の経営実態を的確に把握するには，親会社だけを対象に作成される個別財務諸表ではなく，グループ単位で作成される連結財務諸表を利用しなければなりません（連結財務諸表を作成していない場合は，個別財務諸表を利用します）。そこで，以下では，連結財務諸表を用いて財務分析を行うことを前提に，消費財メーカーであるライオン株式会社（以下，ライオンと表記します）の2017年12月期（同年1月1日から同年12月31日まで）の連結財務諸表（日本会計基準で作成）を事例として取り上げ，財務諸表の基本的な見方について解説します[1]。

1　貸借対照表を見てみよう

　貸借対照表は，ある一時点（例えば，決算日）における企業の「財政状態」を明らかにする財務表です。貸借対照表を見れば，企業がその経済活動で用いる資本をどこからいくら調達し（資本の調達源泉），どのように運用しているのか（資本の運用形態）がわかります。勘定式で示したその基本構造は，図表4-4のとおりです。

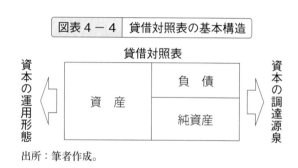

図表4-4　貸借対照表の基本構造

出所：筆者作成。

　勘定式の貸借対照表では，その右側に資本の調達源泉である「負債」と「純資産」を記載します。負債は，株主以外の者（たとえば，銀行や取引先などの債権者）から借りた部分で，返済義務のあるものです。純資産は，株主の出資部分と企業が事業で稼ぎ創出した部分で構成され，返済義務のないものです。この返済義務の有無は重要な違いです。他方，「資産」は，資本の運用形態として，その左側に記載します。資産は，事業で利益を獲得するため

1）　2017年12月27日，ライオンは，「グループの連結財務諸表および連結計算書類等の国際的な比較可能性の向上とグループの経営管理強化を目的に，国際財務報告基準（・・・IFRS・・・）の任意適用を決議」しました（日本経済新聞2017年12月27日付プレスリリース（https://www.nikkei.com/article/DGXLRSP467406_X21C17A2000000/））。その結果，同社は，2018年3月提出の2017年12月期の有価証券報告書までは日本基準で作成した連結財務諸表を開示していましたが，それ以降はIFRS基準で作成した連結財務諸表を開示するようになっています。財務分析の初学者は，まず，日本会計基準で作成された財務諸表の見方とそれを用いた分析方法を学習することが望ましいと考え，本章では，便宜上，2017年12月期までの連結財務諸表を用いて解説します。

に調達した資本が商品や建物，機械などに形を変えたものであり，将来，企業に資産の増加（とそれに対応する資本の増加）をもたらします。調達した資本は何かしらの形で運用されますので，貸借対照表の右側と左側は必ず等しくなります。

　貸借対照表では，さらに，企業の財政状態をより深く分析できるように，次のような工夫がなされています。

（1）資産と負債は，換金または返済されるまでの期間の長短によって，それぞれ「流動資産」と「固定資産」，「流動負債」と「固定負債」に区分します[2]。その判断は，「仕入 → 生産 → 販売 → 回収」という正常な営業循環過程にあるか，決算日の翌日から起算して1年以内に換金または返済されるかで行います。

（2）資産も負債も，通常は，流動性の高いものから順に配列します。なお，流動資産の区分では，換金しやすいものから順に記載します（流動性配列法）[3]。

（3）純資産のうち，株主に直接帰属する部分は，それ以外と区別して「株主資本」に区分します。さらに，株主資本は，その源泉にしたがって，株主が出資した「資本金」「資本剰余金」と，利益の内部留保である「利益剰余金」に区分します。

　なお，貸借対照表の詳細は，図表4 − 5に連結ベースで示しています。

　それでは，ライオンの2017年12月期の連結貸借対照表（株主総会招集通知に掲載されたもの）を例に，貸借対照表の見方を説明しましょう。

　まずは，貸借対照表全体を見て，企業が運用している資本の総額とその資本をどこから調達しているのかを大まかに確認します。

①　資産合計では，企業が運用している資本の総額（企業の規模）がわかります。ライオンの場合，331,751百万円です。

②　負債合計では，企業が運用している資本の総額のうち，返済義務のある源泉から調達している金額がわかります。ライオンの場合，144,736百万円です。負債及び純資産合計（総資本といいます）に占める割合は43.6％（＝負債合計144,736百万円÷総資本331,751

2）　資産には，「流動資産」「固定資産」のほかに「繰延資産」もあります。繰延資産とは，サービスを受け，対価を支払ったにもかかわらず，その効果が将来に及ぶことから，一時的に資産として計上される支出額です。このときの，繰延資産は，その効果が発現するとみなされる将来の期間にわたって費用配分がなされます。繰延資産には，創立費，株式交付費，社債発行費などがあります。これらの支出額は支出時に費用処理するのが原則であり，繰延資産として計上されることは多くはありません。財務分析では，繰延資産を固定資産に準じて取り扱うようにしてください。

3）　固定資産の占める割合がきわめて大きい業種（鉄道・電力・ガス事業など）は，例外的に，固定性配列法の採用が認められています。この方法のもとでは，流動資産と流動負債よりも先に，固定資産と固定負債を記載します。

| 図表４－５ | 連結貸借対照表の区分表示とその内容 |

資　産	負　債
流動資産 営業循環の過程にある資産や，決算日の翌日から1年以内に現金化される資産	**流動負債** 営業循環の過程にある負債や，決算日の翌日から1年以内に返済される負債 例）支払手形，買掛金，電子記録債務，未払金，未払法人税等，短期借入金，リース債務，賞与引当金
① **当座資産**（短期の支払いに充当し得る相対的に換金性の高い資産） 例）現金，預金，受取手形，売掛金，電子記録債権，有価証券	**固定負債** 決算日の翌日から1年を超えて返済される負債 例）社債，長期借入金，リース債務，退職給付引当金，繰延税金負債，資産除去債務
② **棚卸資産**（製造・販売目的で保有する資産，在庫） 例）商品，製品，半製品，仕掛品，原材料，貯蔵品	純　資　産
	株主資本 株主に直接帰属する部分
③ **その他** 例）前渡金，前払費用，未収収益，短期貸付金，未収入金，貸倒引当金（△）	① **資本金**（株式を発行して株主から払い込んでもらった金額） ② **資本剰余金**（株主からの払込金額のうち資本金としなかった部分）
固定資産 長期にわたって利用する資産や，決算日の翌日から1年を超えて現金化される資産	③ **利益剰余金**（企業が払込資本を元手に稼得した利益のうち，株主に分配などをせずに企業内に留保した部分）
	④ **自己株式**（△）（企業が買戻して保有している自社発行の株式）
① **有形固定資産**（長期にわたって事業で利用する目的で保有する形のある資産） 例）建物，機械装置，備品，車両運搬具，リース資産，建設仮勘定，土地	**その他の包括利益累計額** 資産や負債の時価評価で生じる差額で，当期の損益計算書で認識できない項目 例）その他有価証券評価差額金，繰延ヘッジ損益，為替換算調整勘定，退職給付に係る調整累計額
② **無形固定資産**（長期にわたって事業で利用する目的で保有する形のない資産） 例）のれん，特許権，商標権，ソフトウェア	**株式引受権** 所定の条件達成後に報酬として株式を無償で引き受けることができる権利
③ **投資その他の資産**（余剰資金の長期運用，他社支配・関係維持のための投資など） 例）投資有価証券，関係会社株式，長期貸付金，長期前払費用，繰延税金資産，貸倒引当金（△）	**新株予約権** 将来のある期間に決められた価格で新株を購入することができる権利
	非支配株主持分 企業が親会社として支配する子会社の非支配株主（親会社以外の株主）に帰属する部分
総資産	総資本（負債純資産合計）

出所：筆者作成。

百万円× 100）です。

③　純資産合計では，企業が運用している資本の総額のうち，返済義務のない源泉から調達している金額がわかります。ライオンの場合，グループ全体で 187,015 百万円です。総資本に占める割合は 56.4%（＝純資産合計 187,015 百万円÷総資本 331,751 百万円× 100）です。

ライオンの連結貸借対照表（2017 年 12 月 31 日現在）

科　　目	金　　額	科　　目	金　　額
（資 産 の 部）	百万円	（負 債 の 部）	百万円
流　動　資　産	203,495	流　動　負　債	127,225
現 金 及 び 預 金	23,781	支 払 手 形 及 び 買 掛 金	35,247
受 取 手 形 及 び 売 掛 金	64,141	電 子 記 録 債 務	19,127
有　価　証　券	69,211	短 期 借 入 金	3,754
商 品 及 び 製 品	26,317	1 年内返済予定の長期借入金	285
仕　　掛　　品	3,523	未 払 金 及 び 未 払 費 用	50,163
原 材 料 及 び 貯 蔵 品	10,368	未 払 法 人 税 等	4,528
繰 延 税 金 資 産	3,704	賞 与 引 当 金	3,889
そ　　の　　他	2,530	返 品 調 整 引 当 金	382
貸 倒 引 当 金	△　84	販 売 促 進 引 当 金	3,964
固　定　資　産	128,256	役 員 賞 与 引 当 金	289
有 形 固 定 資 産	80,981	そ　　の　　他	5,591
建 物 及 び 構 築 物	24,670	固　定　負　債	17,511
機 械 装 置 及 び 運 搬 具	20,046	長 期 借 入 金	1,569
土　　　　　　地	24,195	繰 延 税 金 負 債	4,336
リ　ー　ス　資　産	157	役 員 退 職 慰 労 引 当 金	273
建 設 仮 勘 定	7,861	株 式 給 付 引 当 金	155
そ　　の　　他	4,050	退 職 給 付 に 係 る 負 債	7,280
無 形 固 定 資 産	1,690	資 産 除 去 債 務	375
の　　れ　　ん	101	そ　　の　　他	3,519
商　　標　　権	40	負　債　合　計	144,736
そ　　の　　他	1,548		
投 資 そ の 他 の 資 産	45,584	（純 資 産 の 部）	
投 資 有 価 証 券	32,464	株　主　資　本	162,104
長 期 貸 付 金	36	資　本　金	34,433
退 職 給 付 に 係 る 資 産	10,302	資 本 剰 余 金	35,319
繰 延 税 金 資 産	1,291	利 益 剰 余 金	97,944
そ　　の　　他	1,575	自　己　株　式	△　5,593
貸 倒 引 当 金	△　84	その他の包括利益累計額	14,455
		その他有価証券評価差額金	12,973
		繰 延 ヘ ッ ジ 損 益	4
		為 替 換 算 調 整 勘 定	1,901
		退職給付に係る調整累計額	△　424
		新 株 予 約 権	210
		非 支 配 株 主 持 分	10,245
		純　資　産　合　計	187,015
資　産　合　計	331,751	負 債 及 び 純 資 産 合 計	331,751

　次に，負債の部と純資産の部の内訳をもう少し詳しく確認します。その際，資産の部の場合にも共通しますが，どの項目の金額が大きいか，業界やビジネスの特徴を反映しているところはないか，などの視点をもって見るようにしてください。

① 　流動負債では，1 年以内に返済義務のある源泉から調達している資本の総額がわかります。ライオンの場合，127,225 百万円です。支払手形及び買掛金や未払金及び未払費用の金額が大きくなっています。

② 　固定負債では，1 年を超えて返済期限が到来する源泉から調達している資本の総額がわかります。ライオンの場合，17,511 百万円です。固定負債のなかでは，退職給付に係

る負債の金額が大きくなっています。

③　株主資本の内訳にある資本金と資本剰余金では，株主が直接出資した金額がわかります。ライオンの場合，69,752百万円（＝資本金34,433百万円＋資本剰余金35,319百万円）です。また，利益剰余金では，企業が過去から現在までに獲得した利益のうち，内部に留保している金額がわかります。ライオンの場合，97,944百万円です。総資本の29.5％（＝利益剰余金97,944百万円÷総資本331,751百万円×100）をこれまでに獲得した利益で賄っています。

そして、最後に、資産の部の内訳を見て、調達した資本をどのように運用しているのか、事業のためにどのような資産に投資しているのかを確認します。

①　流動資産では，1年以内に回収される資産の総額がわかります。ライオンの場合，203,495百万円です。資産合計（総資産といいます）に占める割合は61.3％（＝流動資産203,495百万円÷総資産331,751百万円×100）です。受取手形及び売掛金や有価証券の金額が大きくなっています。商品及び製品，仕掛品，原材料及び貯蔵品などの項目にメーカーとしての特徴が現れています。

②　固定資産では，投下された資本が回収されるまでに長期間を要する資産の総額がわかります。ライオンの場合，128,256百万円です。総資産に占める割合は38.7％（＝固定資産128,256百万円÷総資産331,751百万円×100）です。投資有価証券の金額が大きくなっています。また，メーカーの特徴らしく，工場や機械などの生産設備が多く，建物及び構築物，機械装置及び運搬具，土地の金額も大きくなっています。

2　損益計算書を見てみよう

　損益計算書は，ある一定期間における企業の「経営成績」を明らかにする財務表です。損益計算書を見れば，ある期間に企業がどのような活動でいくらのリターンを得たのか（成果），そのリターンを得るために財・サービスをどれほど消費したのか（努力），その結果，どれだけ儲かったのかがわかります。その基本構造は，図表4−6のとおりです。

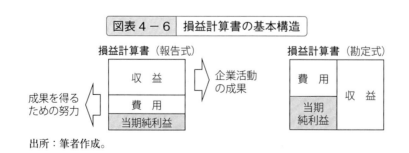

図表4−6　損益計算書の基本構造

出所：筆者作成。

　会計では，投資に対するリターンを「収益」，消費した財・サービスの価値を「費用」といいます。そして，ある期間の収益から費用を差し引いた金額がプラスならば，その期間に儲けが出たことを意味します。このとき，その差額のことを「当期純利益」といいます。なお，マイナスなら「当期純損失」といいます。

　会計のルールでは，経済活動の成果とそのための努力をできるだけ正確に対応させるため，収益は，商品や製品を販売した時点，費用は，その収益獲得のために財・サービスを消費した時点で計上します。収益は資金の流入（収入），費用は資金の流出（支出）をともないますが，必ずしも，そのタイミングは一致しません。たとえば，商品を掛け売りしたとき，収益は計上されますが，資金の流入は代金の回収時に生じます。また，有形固定資産を利用したとき，費用はその取得原価を期間配分する減価償却の手続きで計上しますが，資金の流出はこの固定資産の取得時に生じます。そのため，損益計算書で利益が計上されても，債務の返済に充てる資金が不足し，倒産することもあります。この点は重要ですので覚えておいてください。

　損益計算書では，企業の経営成績をより深く分析できるように，次のような工夫がなされています。

（1）収益と費用は，①営業活動（本業），②財務・金融投資活動，③その他の臨時的な経済活動・事象のいずれで発生したかで，図表4－7のように分類します。
（2）発生源泉に関連づけられた収益と費用は，対応表示することで，性質（情報内容）の異なる利益を段階的に計算します。そのため，この場合の利益は，当期純利益だけではなく，売上高から売上原価や販売費及び一般管理費を差し引いた①売上総利益と②営業

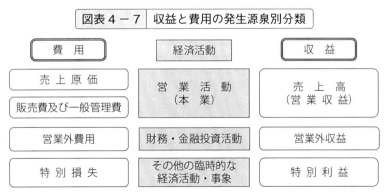

図表4－7　収益と費用の発生源泉別分類

費　用	経済活動	収　益
売 上 原 価	営 業 活 動（本　業）	売 上 高（営 業 収 益）
販売費及び一般管理費		
営業外費用	財務・金融投資活動	営業外収益
特 別 損 失	その他の臨時的な経済活動・事象	特 別 利 益

● 営業活動：仕入，生産，販売，経営管理
● 財務・金融投資活動：資金調達（銀行借入れ，社債発行など）や余剰資金の運用（株式投資，融資など）など
● その他の臨時的な経済活動・事象：固定資産の売却や，長年保有していた有価証券の売却，地震や火災による建物の倒壊・焼失など

出所：筆者作成。

利益や，営業外収益・費用を加減した③経常利益のほか，特別利益・損失を加減した④
税引前当期純利益（連結では，税金等調整前当期純利益）も計算します。そして，最後に，
法人税等などを差し引いた⑤当期純利益（連結では，親会社株主に帰属する当期純利益）を
計算することになりますので，この場合の損益計算書は，売上高から当期純利益に至る
までのプロセスやその内訳がわかるうえ，活動内容ごとに区分表示することで，企業の
活動業績の改善に役立てられます。

　損益計算書の詳細は，図表4−8に連結ベースで示しています。
　それでは，ライオンの2017年12月期の連結損益計算書（株主総会招集通知に掲載された
もの）を例に，損益計算書の見方を説明しましょう。
　基本的には，売上高から親会社株主に帰属する当期純利益に至るまでの「利益の段階的
な計算プロセス」を，大枠で見ていきます。内訳については，金額の大きな項目，業界や
ビジネスの特徴を反映している項目を確認するぐらいでよいでしょう。なお，会社法上の

| 図表4−8 | 連結損益計算書の区分表示とその内容 |

売上高（営業収益）	商品や製品の販売で得た収益
−）売上原価	販売した商品や製品の原価
売上総利益	商品や製品の販売によって稼いだ利益（粗利）
−）販売費及び一般管理費	販売活動や管理活動から生じた費用（略称は販管費） 例）販売手数料，運搬費，広告宣伝費，人件費（給料，賞与，役員報酬，福利厚生費，法定福利費，退職給付費用），旅費交通費，通信費，水道光熱費，消耗品費，租税公課，減価償却費，保険料，不動産賃借料，研究開発費，貸倒引当金繰入額，のれん償却額
営業利益	主たる営業活動（本業）で稼いだ利益
＋）営業外収益	財務・金融投資活動から生じた収益 例）受取利息，有価証券利息，受取配当金，有価証券売却益，有価証券評価益，為替差益，雑収入，持分法による投資利益
−）営業外費用	財務・金融投資活動から生じた費用 例）支払利息，社債利息，有価証券売却損，有価証券評価損，為替差損，雑損失，持分法による投資損失
経常利益	本業・本業外を問わず，経常的な活動で稼いだ利益
＋）特別利益	臨時的な活動や異常な事象から生じた収益 例）固定資産売却益，投資有価証券売却益
−）特別損失	臨時的な活動や異常な事象から生じた費用 例）固定資産売却損，固定資産除却損，投資有価証券売却損，投資有価証券評価損，減損損失，災害による損失
税金等調整前当期純利益	当期のすべての活動によって得た利益
−）法人税等	税法上の課税額に一定の調整を加えた会計上の法人税等の金額
当期純利益	企業集団を構成するすべての企業の株主に帰属する利益
−）非支配株主に帰属する当期純利益	企業が親会社として支配する子会社の当期純利益のうち，非支配株主に帰属する部分
親会社株主に帰属する当期純利益	企業（親会社たる企業）の株主に帰属する利益（最終利益）

出所：筆者作成。

ライオンの連結損益計算書（2017 年 1 月 1 日から 2017 年 12 月 31 日まで）

科　目	金　額	
売　上　高	百万円	410,484 百万円
売　上　原　価		171,209
売　上　総　利　益		239,275
販売費及び一般管理費		212,068
営　業　利　益		27,206
営　業　外　収　益		
受　取　利　息	142	
受　取　配　当　金	579	
受　取　ロ　イ　ヤ　リ　テ　ィ　ー	274	
持　分　法　に　よ　る　投　資　利　益	737	
そ　　　　の　　　　他	883	2,618
営　業　外　費　用		
支　　払　　利　　息	205	
そ　　　　の　　　　他	493	698
経　　常　　利　　益		29,126
特　別　利　益		
固　定　資　産　処　分　益	2,070	
投　資　有　価　証　券　売　却　益	364	2,434
特　別　損　失		
固　定　資　産　処　分　損	317	
減　　損　　損　　失	683	1,001
税　金　等　調　整　前　当　期　純　利　益		30,560
法　人　税, 住　民　税　及　び　事　業　税	7,603	
法　人　税　等　調　整　額	636	8,239
当　　期　　純　　利　　益		22,320
非支配株主に帰属する当期純利益		2,493
親会社株主に帰属する当期純利益		19,827

損益計算書の多くは，「販売費及び一般管理費」の諸科目は一括して記載します。その場合は，有価証券報告書の損益計算書もしくはその注記を見てください。

① 売上高では，商品や製品の販売によって収益をいくら獲得したか（活動規模）がわかります。ライオンの場合，410,484 百万円です。

② 売上原価では，販売した商品や製品の仕入れや生産にどれだけのコストを費やしたかがわかります。ライオンの場合，171,209 百万円です。売上高に対する比率は 41.7%（＝売上原価 171,209 百万円÷売上高 410,484 百万円× 100）です。

③ 売上総利益では，商品や製品そのものの販売で利益をいくら稼いだかがわかります。ライオンの場合，239,275 百万円です。売上高に対する比率は 58.3%（＝売上総利益 239,275 百万円÷売上高 410,484 百万円× 100）です[4]。

4）なお，企業のブランドイメージが良い場合には，一定の原価で付加価値のより高い商品や製品を販売できるようになりますので，売上高に占める売上総利益の割合は高くなります。

ライオンの有価証券報告書に掲載されている連結損益計算書（一部抜粋）

（単位：百万円）

	前連結会計年度 （自 2016 年 1 月 1 日 至 2016 年12月31日）	当連結会計年度 （自 2017 年 1 月 1 日 至 2017 年12月31日）
売上高	395,606	410,484
	（中略）	
販売費及び一般管理費		
販売手数料	8,623	9,012
販売促進引当金繰入額	2,060	2,928
販売促進費	90,107	90,797
運送費及び保管費	17,829	18,653
広告宣伝費	30,976	29,968
給料及び手当	14,721	15,034
役員退職慰労引当金繰入額	30	18
株式給付引当金繰入額	―	155
退職給付費用	2,003	1,877
減価償却費	3,767	2,540
のれん償却額	81	81
研究開発費	10,084	10,474
役員賞与引当金繰入額	380	282
その他	28,444	30,243
販売費及び一般管理費合計	209,110	212,068
営業利益	24,502	27,206

④　販売費及び一般管理費では，商品や製品の販売にともなう活動，企業全体の管理や運営にコストをどれだけ費やしたかがわかります。ライオンの場合，212,068 百万円です。売上高に対する比率は 51.7％（＝販売費及び一般管理費 212,068 百万円÷売上高 410,484 百万円× 100）です。内訳を見ると，販売促進費や広告宣伝費の金額が大きく，この 2 項目で販売費及び一般管理費の半分以上を占めていることがわかります[5]。

⑤　営業利益では，主たる営業活動（本業）で利益をいくら稼いだかがわかります。ライオンの場合，27,206 百万円です。売上高に対する比率は 6.6％（＝営業利益 27,206 百万円÷売上高 410,484 百万円× 100）です。

⑥　営業外収益・費用では，財務・金融投資活動で利益あるいは損失がいくら生じたかがわかります。ライオンの場合，営業外収益 2,618 百万円が営業外費用 698 百万円を上回っており，1,920 百万円の利益が出ています。ライオンの連結貸借対照表の資産の部か

5）　なお，販売費及び一般管理費では，分析対象企業が将来を見据えた戦略をとっているかを研究開発費で判断します。研究開発とは，「新しい発見を目的とした計画的な調査及び探究」をし，「新しい製品・サービス・生産方法…についての計画若しくは設計として，研究の成果その他の知識を具体化すること」をいいます（研究開発費等に係る会計基準一・1）。近年では，研究開発費ランキングが様々な媒体で調査・公表されるなど，企業の持続的成長に向けた投資にも関心が集まるようになっていますので，企業を評価する際の判断材料にするとよいでしょう。

ら，同社は有価証券や投資有価証券を多く保有していることがわかりますので，受取配当金や持分法による投資利益の金額が比較的大きくなっています。

⑦ 経常利益では，企業が経常的な活動で利益をいくら稼いだかがわかります。ライオンの場合，29,126百万円です。財務・金融投資活動でも利益が出ているため，営業利益より大きくなっています。売上高に対する比率は7.1％（＝経常利益29,126百万円÷売上高410,484百万円×100）です。

⑧ 特別利益・損失では，臨時的な経済活動や異常な事象で利益あるいは損失がいくら生じたかがわかります。ライオンの場合，特別利益2,434百万円が特別損失1,001百万円を上回っており，1,433百万円の利益が出ています。固定資産処分益の金額が比較的大きくなっています。

⑨ 税金等調整前当期純利益では，この期間のあらゆる活動や事象によって利益をいくら稼いだかがわかります。ライオンの場合，30,560百万円です。臨時的な経済活動でも利益が出ているため，経常利益よりも大きくなっています。売上高に対する比率は7.4％（＝税金等調整前当期純利益30,560百万円÷売上高410,484百万円×100）です。

⑩ 親会社株主に帰属する当期純利益では，最終的に親会社の株主のために利益をいくら稼いだのかがわかります。ライオンの場合，19,827百万円です。（調整後の）法人税等8,239百万円と非支配株主に帰属する当期純利益2,493百万円を差し引くため，その分，税金等調整前当期純利益より小さくなっています。売上高に対する比率は4.8％（＝親会社株主に帰属する当期純利益19,827百万円÷売上高410,484百万円×100）です。

3　キャッシュ・フロー計算書を見てみよう

　キャッシュ・フロー計算書は，ある一定期間における企業の「キャッシュ・フローの状況」を明らかにする財務表です。貸借対照表や損益計算書だけでは把握できない「資金の流れ」を明らかにします。キャッシュ・フロー計算書を見れば，ある期間に企業がどのようにキャッシュを生み出し，使ったのか，その結果，キャッシュの残高がどれだけ増減したのかがわかります。その基本構造は，図表4－9のとおりです。

　キャッシュ・フロー計算書におけるキャッシュ（資金）の範囲は，即時に支払手段とし

図表4－9	キャッシュ・フロー計算書の基本構造

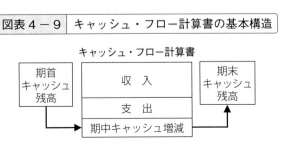

出所：筆者作成。

て利用可能な「現金及び現金同等物」です。手許現金や要求払預金（当座預金や普通預金など）のほか，容易に換金可能で価格変動リスクがほとんどない短期投資（3か月満期の定期預金や公社債投資信託など）が含まれます。貸借対照表に記載される「現金及び預金」とは必ずしも一致しない点に注意してください。

　キャッシュ・フロー計算書では，企業のキャッシュ・フローの状況をより深く分析できるように，次のような工夫がなされています。

（1）収入と支出は，「営業活動によるキャッシュ・フロー」「投資活動によるキャッシュ・フロー」「財務活動によるキャッシュ・フロー」に区分します。ここで，営業活動は本業に関連する諸活動を，投資活動は設備投資や余剰資金の運用に関連する諸活動を，財務活動は資金の調達や返済に関連する諸活動を意味します。ただし，営業活動の区分には，純粋な営業活動による収入と支出だけでなく，利息及び配当金の受取額，利息の支払額，損害賠償金の支払額，法人税等の支払額のように，他の区分には記載できない収入と支出が含まれます。

（2）各活動の区分では，主要な取引ごとに収入と支出が総額で表示されます（直接法）。ただし，営業活動の区分では，利益（収益・費用）と収入・支出のズレに注目して，支出をともなわない減価償却費を利益に加算したり，未収入の売上高があることを意味する売掛金の期中増加額を利益から減算したりするなど，損益計算書の税引前当期純利益（連結では，税金等調整前当期純利益）に必要な調整を加えて，期中のキャッシュ増減額を逆算して表示する方法（間接法）も認められます。実務では，作成に手間がかからないなどの理由で，多くの企業が間接法を採用しますが，主要な取引ごとの総額が表示されず，収入や支出を把握しづらいなどの問題から，国際財務報告基準（IFRS）では直接法が推奨されます。

（3）営業活動の区分では，純粋な営業活動によるキャッシュの増減額を明らかにするために「小計」が表示されます。その後に，他の区分に記載できないことから営業活動の区分に記載せざるを得ない収入と支出を加減します。

　キャッシュ・フロー計算書の詳細は，図表4−10に連結ベースで示しています。

　それでは，ライオンの2017年12月期の連結キャッシュ・フロー計算書（有価証券報告書に掲載されたもの）を例に，キャッシュ・フロー計算書の見方を説明しましょう。なお，キャッシュ・フロー計算書は，金融商品取引法によってのみその作成が義務づけられ（金融商品取引法193条，財務諸表規則1条，連結財務諸表規則1条），株主総会招集通知に添付される会社法上の計算書類には含まれません（会社法435条2項および444条1項，会計計算規則59条1項，61条）。そのため，キャッシュ・フロー計算書を入手できるのは，有価証券報告書を提出している上場企業などに限られます。

図表 4 － 10　連結キャッシュ・フロー計算書の区分表示とその内容

営業活動によるキャッシュ・フロー	
①純粋な営業活動による収入と支出	<情報内容>
直接法：・商品およびサービスの販売による収入 ・商品およびサービスの購入による支出 ・従業員への給与および役員に対する報酬の支出 ・その他の営業支出	企業が外部からの資金調達に頼ることなく，営業能力を維持し，新規投資を行い，借入金返済や配当金支払いなどのために，主たる営業活動でいくら資金を獲得したか（本業の現金創出能力）を示している。
間接法：税金等調整前当期純利益 ＋支出を伴わない費用　例）減価償却費 －収入を伴わない収益　例）貸倒引当金の減少額 ±投資・財務活動に関連する収益・費用　例）受取利息 ±営業上の資産・負債の増減額　例）売上債権の増減額	
小計：純粋な営業活動によるキャッシュの増減額	
②他の区分に記載できない収入と支出 ・利息及び配当金の受取額（→ 別法：投資活動の区分） ・利息の支払額（→ 別法：財務活動の区分） ・災害による保険金収入 ・損害賠償金の支払額 ・法人税等の支払額	
営業活動によるキャッシュ・フロー：キャッシュの増減額（△は減少）（A）	
投資活動によるキャッシュ・フロー	
・有形固定資産および無形固定資産の取得による支出 ・有形固定資産および無形固定資産の売却による収入 ・有価証券および投資有価証券の取得による支出 ・有価証券および投資有価証券の売却による収入 ・貸付けによる支出 ・貸付金の回収による収入 ・連結の範囲の変更を伴う子会社株式の取得による支出 ・連結の範囲の変更を伴う子会社株式の売却による収入	<情報内容> 将来の利益獲得や資金運用のためにいくら資金を投資したか，または設備や株式などを売却していくら資金を回収したかを示している。
投資活動によるキャッシュ・フロー：キャッシュの増減額（△は減少）（B）	
財務活動によるキャッシュ・フロー	
・社債の発行および借入れによる収入 ・社債の償還および借入金の返済による支出 ・株式の発行による収入 ・自己株式の取得による支出 ・配当金の支払額 ・非支配株主への配当金の支払額	<情報内容> 営業活動や投資活動を維持するためにいくら資金を調達したか，または借入金などをいくら返済したかを示している。
財務活動によるキャッシュ・フロー：キャッシュの増減額（△は減少）（C）	
現金及び現金同等物にかかる換算差額（D）	
現金及び現金同等物の増減額（△は減少）（E＝A＋B＋C＋D）	
現金及び現金同等物の期首残高（F）	
現金及び現金同等物の期末残高（G＝E＋F）	

出所：筆者作成。

　まずは，キャッシュの流れを大枠で見ていきます。そのあとで，活動ごとの内訳を見て，キャッシュの増減に大きな影響を及ぼした項目や，企業の重要な取引に関係する項目の状況などを確認します。

①　営業活動によるキャッシュ・フローの合計では，営業活動でキャッシュをいくら増減

ライオンの連結キャッシュ・フロー計算書（2017年1月1日から2017年12月31日まで）

（単位：百万円）

	前連結会計年度 （自 2016年1月1日 至 2016年12月31日）	当連結会計年度 （自 2017年1月1日 至 2017年12月31日）
営業活動によるキャッシュ・フロー		
税金等調整前当期純利益	24,035	30,560
減価償却費	10,244	9,386
減損損失	1,114	683
賞与引当金の増減額（△は減少）	832	30
退職給付に係る資産及び負債の増減額（△は減少）	1,765	1,483
受取利息及び受取配当金	△561	△722
支払利息	276	205
社債利息	9	—
固定資産処分損益（△は益）	542	△1,752
投資有価証券売却損益（△は益）	△31	△364
持分法による投資損益（△は益）	△725	△737
売上債権の増減額（△は増加）	△2,456	△2,721
たな卸資産の増減額（△は増加）	△2,968	137
仕入債務の増減額（△は減少）	1,769	2,847
未払金及び未払費用の増減額（△は減少）	4,527	△4,667
その他の流動負債の増減額（△は減少）	850	1,531
その他の流動資産の増減額（△は増加）	△456	185
その他	549	△71
小計	39,320	36,013
利息及び配当金の受取額	709	831
利息の支払額	△264	△192
法人税等の支払額	△7,495	△8,089
営業活動によるキャッシュ・フロー	32,269	28,562
投資活動によるキャッシュ・フロー		
定期預金の増減額（△は増加）	2,099	△350
有形固定資産の取得による支出	△8,945	△10,814
有形固定資産の売却による収入	51	2,800
無形固定資産の取得による支出	△260	△714
投資有価証券の取得による支出	△146	△247
投資有価証券の売却による収入	81	928
貸付けによる支出	△1	△5
連結の範囲の変更を伴う子会社株式の売却による支出	△183	—
関係会社株式の取得による支出	△483	—
その他	△57	△345
投資活動によるキャッシュ・フロー	△7,845	△8,750
財務活動によるキャッシュ・フロー		
短期借入れによる収入	1,517	5,973
短期借入金の返済による支出	△4,794	△6,646
長期借入金の返済による支出	△214	△268
自己株式の取得による支出	△191	△1,118
自己株式の処分による収入	0	1,088
配当金の支払額	△2,889	△4,359
非支配株主への配当金の支払額	△727	△1,312
その他	△137	△110
財務活動によるキャッシュ・フロー	△7,437	△6,754
現金及び現金同等物に係る換算差額	△526	603
現金及び現金同等物の増減額（△は減少）	16,461	13,661
現金及び現金同等物の期首残高	61,278	77,739
現金及び現金同等物の期末残高	77,739	91,401

させたかがわかります。ライオンの場合，28,562百万円の増加です。なお，ライオンの純粋な営業活動でのキャッシュの増減額は，その小計から，36,013百万円の増加です。

② 投資活動によるキャッシュ・フローの合計では，投資活動でキャッシュをいくら増減させたかがわかります。ライオンの場合，8,750百万円の減少です。

③ 財務活動によるキャッシュ・フローの合計では，財務活動でキャッシュをいくら増減させたかがわかります。ライオンの場合，6,754百万円の減少です。

④ 現金及び現金同等物の増減額では，為替相場の変動を含む，すべての活動によってキャッシュをいくら増減させたかがわかります。ライオンの場合，13,661百万円の増加です。営業活動での28,562百万円の増加，投資活動と財務活動それぞれでの8,750百万円と6,754百万円の減少，換算差額での603百万円の増加からなります。

⑤ 現金及び現金同等物の期末残高では，キャッシュが期末にいくらあるかがわかります。ライオンの場合，91,401百万円です。現金及び現金同等物に係る増減額を見ると，期首の77,739百万円から13,661百万円増加しています[6]。

⑥ 営業活動によるキャッシュ・フローの内訳項目から，直接法で表示されていれば，キャッシュの増減に大きな影響を及ぼした項目がわかります。しかし，ライオンの場合は，間接法を採用していますので，それがわかりません。その代わり，税金等調整前当期純利益30,560百万円と営業活動によるキャッシュ・フローの小計36,013百万円とのズレの原因が，減価償却費，売上債権の増減額，仕入債務の増減額，未払金及び未払費用の増減額などであることがわかります。

⑦ 投資活動によるキャッシュ・フローの内訳項目から，ライオンの場合は，有形固定資産の取得による支出が大きく影響していることがわかります。将来の収益獲得に向けた設備投資に10,814百万円支出しています。

⑧ 財務活動によるキャッシュ・フローの内訳項目から，ライオンの場合は，配当関連の項目が大きく影響していることがわかります。株主への配当金として4,359百万円，非支配株主への配当金として1,312百万円支出しています。短期借入金の返済による支出は大きい金額となっていますが，短期借入れによる収入の金額と合わせて考えると，その影響は大きくありません。

6）財務諸表では，百万円（あるいは千円）未満は切り捨てて表示されるため，各項目の金額を合計したり差し引いたりした結果が，表示されている合計額や差額と一致しないことがよくあります。現金及び現金同等物の期末残高91,401百万円と期首残高77,739百万円との差額が，現金及び現金同等物の増減額と1百万円食い違っているのはそのためです。

❹ 財務分析の流れを理解する

　当期（直近）の財務諸表を見て，企業の財政状態，経営成績およびキャッシュ・フローの状況を把握したら，いよいよ収益性や安全性などの分析に入ります。財務分析では，各種指標を計算し，当期と過去の数値の比較や，企業間での数値の比較を通じて，分析対象企業の現在の状況を判断します。その流れは次のとおりです。

① 　企業は，収益性，生産性，安全性，不確実性，成長性など，さまざまな特性を有しています。本章では，収益性，安全性および成長性の分析を取り上げます。

② 　企業特性ごとに，それを測るための指標は数多くあります。分析指標の選択の際は，なぜその指標を選択するのか，理由を明確にすることが肝要です。必要に応じて取捨選択しましょう。

③ 　分析対象企業の当期を含む過去数期分の財務諸表（財務データ）を用いて，企業特性ごとに，各種指標を数期にわたり計算します。そして，当期の数値を過去の数値と比較して，収益性や安全性などが向上・改善傾向にあるのか低下・悪化傾向にあるのかを判断，評価します（期間比較または時系列分析といいます）。

④ 　比較対象とすべき企業（同業他社など）があれば，分析対象企業の場合と同じ要領で，各種指標を計算します。そして，比較対象企業の数値と比較して，分析対象企業の収益性や安全性などの数値が比較対象企業より優れているのか劣っているのかを判断，評価します（企業間比較またはクロスセクション分析といいます）。

⑤ 　期間比較と企業間比較では，収益性や安全性などの変化や優劣を判断するだけでなく，指標の計算式（計算構造）を手掛かりに，その原因が財務諸表のどの項目に現れているのかを明らかにします。そのうえで，有価証券報告書や決算説明会資料，雑誌や新聞の記事などにあたり，企業の経営戦略や経営活動の状況に照らし合わせて，なぜそうなっているのか，その具体的な原因や背景まで探求します。

⑥ 　以上の分析を総合して，財務的な視点から，分析対象企業の経済活動の現状と問題点や課題をまとめます。財務分析の範囲を超えますが，その問題点や課題に対する改善案や解決策があれば，それも提示しましょう。

　ただし，財務分析を行ううえで，次の点に留意してください。

① 　日本の企業は，日本会計基準，国際財務報告基準（IFRS），修正国際基準（JMIS），米国会計基準のいずれかを適用して財務諸表を作成します。いずれを適用するかで財務諸表の数値は違ってきます。また，同じ基準を適用しても，同一事象について複数の会計

処理方法が認められている場合もあり，どの方法を採用するかで財務諸表の数値は違ってきます。そのため，基準や方法が変更されたり，それらが企業間で異なったりする場合には，比較可能性が担保されません。比較分析が困難なほどに違いが大きい場合には，その違いによる影響部分を調整する必要があります（基準や方法の変更による影響部分は，遡及処理を通じてある程度調整されています）。しかし，この調整が難しい場合には，財務諸表の数値をそのまま利用するしかありません。

② 財務諸表には貨幣額で測定できるものだけが表示されます。しかし，貨幣額で測定できない非財務情報のなかに，企業の競争力の源泉となるものが多々あります。たとえば，経営者の経営手腕，企業の信用力，企業文化，従業員の勤勉さ，製品のブランドイメージ，研究開発力，卓越した生産システム，営業上のノウハウなどはその一例です。したがって，財務分析を通じた定量的判断には限界があるため，企業の評価にあたっては，非財務情報を用いた定性的分析の結果と総合して判断する必要があります。

③ 企業がグループで性質の異なる複数の事業を営む場合，それらを１つにまとめた連結財務諸表の分析では限界があります。有価証券報告書では，連結財務諸表の注記情報として「セグメント情報」（事業別の売上高，営業利益，資産などの情報）が開示されています（例として用いているライオンの 2017 年 12 月期のセグメント情報は下のとおりです）。企業の収益性や成長性をより深く分析する場合には，セグメント情報も利用してください。本章では，セグメント情報を用いた分析までは解説していませんが，分析方法は，後述する連結財務諸表を用いた分析と同じですので，ぜひ挑戦してください。

ライオンのセグメント情報（2017 年 1 月 1 日から 2017 年 12 月 31 日まで）

(単位：百万円)

	報告セグメント			その他	計	調整額	連結財務諸表計上額
	一般用消費財事業	産業用品事業	海外事業				
売上高							
外部顧客への売上高	264,816	33,322	108,248	4,096	410,484	—	410,484
セグメント間の内部売上高又は振替高	26,077	22,441	11,842	26,469	86,830	△86,830	—
計	290,893	55,763	120,091	30,565	497,314	△86,830	410,484
セグメント利益	18,934	2,316	4,413	1,336	27,001	205	27,206
セグメント資産	179,357	46,330	75,789	24,432	325,909	5,842	331,751
その他の項目							
減価償却	6,091	987	1,904	122	9,105	280	9,386
持分法適用会社への投資額	2,924	—	84	2,506	5,516	27	5,543
有形固定資産及び無形固定資産の増加額	9,305	1,475	3,324	23	14,128	763	14,892

④ 企業の経済活動が，世界的な金融危機，感染症のパンデミック，巨大な自然災害，戦争やテロ，原子力事故などの異常事態の発生で大きな影響を受ける場合，財務諸表の数値（財務データ）も異常となり，それを用いた企業の収益性や成長性などの分析は困

難になります。図表4 - 11 は，ホテルや結婚式・レジャー事業を運営する藤田観光の2017 年 12 月期から 2021 年 12 月期の連結損益計算書の一部です。新型コロナ感染症で大打撃を受け，2020 年 12 月期と 2021 年 12 月期には，売上高の激減や，利益の大幅なマイナスなど，異常な数値を示しています。この場合，異常事態に対する企業のレジリエンス（強靭性）の評価が目的でないのであれば，数値が異常でない期間の財務データだけを利用して分析を進めるか，分析対象企業を選択しなおすなどを考えた方がよいかもしれません。

| 図表4 - 11 | 藤田観光の 2017 年 12 月期から 2021 年 12 月期の連結損益計算書（営業利益まで） |

（単位：百万円）

	2017 年 12 月期	2018 年 12 月期	2019 年 12 月期	2020 年 12 月期	2021 年 12 月期
売上高	70,624	69,285	68,960	26,648	28,433
売上原価	63,973	63,540	64,226	44,091	41,631
売上総利益	6,651	5,744	4,733	△ 17,443	△ 13,197
販売費及び一般管理費	4,655	4,645	4,452	3,168	2,625
営業利益	1,995	1,099	280	△ 20,611	△ 15,822

出所：筆者作成。

　次節以降，企業の収益性，安全性および成長性を，各種指標にもとづいて，どのように判断し，評価するかを解説していきます。本章では，初学者が学習しやすいように，前半（第5節から第7節）で貸借対照表と損益計算書を用いた分析を，後半（第8節）でキャッシュ・フロー計算書を用いた分析を取り上げます。前半が基本で，後半がやや応用といった位置づけです。なお，次節以降も消費財メーカーのライオンを例に用いますが，紙幅の関係上，時系列分析だけを行います。実際の財務分析では，時系列分析と同じ要領で，ぜひクロスセクション分析も行ってください。

　図表4 - 12，図表4 - 13，図表4 - 14 は，ライオンの 2013 年 12 月期から 2017 年 12月期の連結財務諸表の要旨です。また，図表4 - 15 は同期間の販売費及び一般管理費の内訳，図表4 - 16 は同期間の営業活動によるキャッシュ・フローの区分です。次節以降の各種指標の計算に必要なデータベースとなりますので，必要に応じて参照してください。

図表 4 － 12	ライオンの 2013 年 12 月期から 2017 年 12 月期の連結貸借対照表（要旨）

（注）単位は百万円

	2013 年 12月期	2014 年 12月期	2015 年 12月期	2016 年 12月期	2017 年 12月期
流動資産	148,150	146,175	166,830	185,469	203,495
現金及び預金	25,559	18,008	18,584	17,879	23,781
売上債権	57,246	59,007	58,655	60,293	64,141
有価証券	25,429	24,448	45,919	61,007	69,211
棚卸資産	35,085	39,364	37,553	39,725	40,208
その他の流動資産	4,828	5,344	6,116	6,562	6,150
固定資産	133,948	137,176	115,603	113,040	128,256
有形固定資産	68,989	79,275	75,060	74,402	80,981
無形固定資産	12,606	9,106	5,921	2,822	1,690
投資その他の資産	52,351	48,794	34,622	35,815	45,584
資産合計（総資産）	282,098	283,352	282,434	298,510	331,751
流動負債	131,656	115,537	121,247	123,440	127,225
固定負債	26,208	40,380	18,455	17,190	17,511
負債合計	157,865	155,918	139,703	140,630	144,736
株主資本	110,588	115,201	131,077	146,642	162,104
資本金	34,433	34,433	34,433	34,433	34,433
資本剰余金	31,499	31,499	34,029	34,508	35,319
利益剰余金	61,410	66,095	69,414	82,479	97,944
自己株式	△16,755	△16,827	△6,800	△4,778	△5,593
その他の包括利益累計額	7,860	5,434	3,375	2,640	14,455
新株予約権	193	910	403	218	210
非支配株主持分	5,590	5,888	7,873	8,377	10,245
純資産合計（自己資本）※	124,232	127,434	142,730	157,879	187,015
負債純資産合計（総資本）	282,098	283,352	282,434	298,510	331,751

※　純資産合計を自己資本としています。

出所：筆者作成。

| 図表 4 − 13 | ライオンの 2013 年 12 月期から 2017 年 12 月期の連結損益計算書（要旨） |

（単位：百万円）

	2013 年12 月期	2014 年12 月期	2015 年12 月期	2016 年12 月期	2017 年12 月期
売上高	352,005	367,396	378,659	395,606	410,484
売上原価	153,336	160,677	162,435	161,993	171,209
売上総利益	198,668	206,718	216,223	233,613	239,275
販売費及び一般管理費	187,849	194,312	199,848	209,110	212,068
営業利益	10,819	12,406	16,374	24,502	27,206
営業外収益	2,357	2,700	2,454	2,286	2,618
営業外費用	876	1,047	729	498	698
経常利益	12,300	14,059	18,099	26,290	29,126
特別利益	1,552	733	7,923	31	2,434
特別損失	2,926	1,706	6,635	2,286	1,001
税金等調整前当期純利益	10,925	13,085	19,387	24,035	30,560
法人税等合計	4,213	5,149	7,382	6,634	8,239
当期純利益	6,712	7,936	12,005	17,400	22,320
非支配株主に帰属する当期純利益	615	567	1,324	1,449	2,493
親会社株主に帰属する当期純利益	6,097	7,368	10,680	15,951	19,827

出所：筆者作成。

| 図表 4 − 14 | ライオンの 2013 年 12 月期から 2017 年 12 月期の連結キャッシュ・フロー計算書（要旨） |

（単位：百万円）

	2013 年12 月期	2014 年12 月期	2015 年12 月期	2016 年12 月期	2017 年12 月期
営業活動によるキャッシュ・フロー	22,910	11,738	35,539	32,269	28,562
投資活動によるキャッシュ・フロー	△ 12,819	△ 16,838	△ 6,974	△ 7,845	△ 8,750
有形固定資産の取得による支出	△ 14,649	△ 13,124	△ 9,334	△ 8,945	△ 10,814
有形固定資産の売却による収入	183	141	787	51	2,800
無形固定資産の取得による支出	△ 112	△ 118	160	△ 260	△ 714
財務活動によるキャッシュ・フロー	△ 2,772	△ 6,520	△ 5,062	△ 7,437	△ 6,754
現金及び現金同等物に係る換算差額	709	829	△ 374	△ 526	603
現金及び現金同等物の増減額（△は減少）	8,027	△ 10,791	23,128	16,461	13,661
現金及び現金同等物の期首残高	40,913	48,941	38,150	61,278	77,739
現金及び現金同等物の期末残高	48,941	38,150	61,278	77,739	91,401

出所：筆者作成。

| 図表4－15 | ライオンの2013年12月期から2017年12月期の販売費及び一般管理費の内訳 |

(単位：百万円)

	2013年 12月期	2014年 12月期	2015年 12月期	2016年 12月期	2017年 12月期
販売費及び一般管理費					
販売手数料	11,960	8,290	8,198	8,623	9,012
販売促進引当金繰入額	742	894	1,618	2,060	2,928
販売促進費	78,384	86,430	87,380	90,107	90,797
運送費及び保管費	15,979	16,723	17,011	17,829	18,653
広告宣伝費	24,273	24,517	26,222	30,976	29,968
給料及び手当	13,665	14,241	14,721	14,721	15,034
役員退職慰労引当金繰入額	7	12	50	30	18
株式給付引当金繰入額	―	―	―	―	155
退職給付費用	3,027	2,587	2,255	2,003	1,877
減価償却費	4,753	4,371	3,875	3,767	2,540
のれん償却額	128	189	81	81	81
研究開発費※	9,618	9,439	9,808	10,084	10,474
役員賞与引当金繰入額	230	251	325	380	282
その他	25,076	26,363	28,300	28,444	30,243
販売費及び一般管理費合計	187,849	194,312	199,848	209,110	212,068

※研究開発費はすべて販売費及び一般管理費に含まれています。
出所：筆者作成。

図表4－16	ライオンの2013年12月期から2017年12月期の営業活動によるキャッシュ・フローの区分				

(単位：百万円)

	2013年12月期	2014年12月期	2015年12月期	2016年12月期	2017年12月期
営業活動によるキャッシュ・フロー					
税金等調整前当期純利益	10,925	13,085	19,387	24,035	30,560
減価償却費	11,227	10,301	11,166	10,244	9,386
減損損失	1,962	833	4,479	1,114	683
賞与引当金の増減額（△は減少）	156	349	339	832	30
退職給付に係る資産及び負債の増減額（△は減少）	△378	△4,789	△4,826	1,765	1,483
退職給付信託設定損益（△は益）	—	—	△6,736	—	—
受取利息及び受取配当金	△772	△770	△824	△561	△722
支払利息	726	621	429	276	205
社債利息	—	85	119	9	—
固定資産処分損益（△は益）	858	676	1,267	542	△1,752
投資有価証券売却損益（△は益）	△1,428	0	△210	△31	△364
投資有価証券評価損益（△は益）	40	72	15	—	—
持分法による投資損益（△は益）	△696	△843	△752	△725	△737
負ののれん発生益	—	△97	—	—	—
段階取得に係る差損益（△は益）	—	△477	178	△2,456	—
売上債権の増減額（△は増加）	△4,167	37	2,302	△2,968	△2,721
たな卸資産の増減額（△は増加）	△2,207	△2,494	2,078	1,769	137
仕入債務の増減額（△は減少）	8,440	△5,239	2,131	4,527	2,847
未払金及び未払費用の増減額（△は減少）	304	3,525	2,111	850	△4,667
その他の流動負債の増減額（△は減少）	293	△21	201	△456	1,531
その他の流動資産の増減額（△は増加）	△281	29	△538	549	185
その他	△209	542	7,204	—	△71
小計	24,793	15,425	39,523	39,320	36,013
利息及び配当金の受取額	1,068	1,386	1,073	709	831
利息の支払額	△711	△775	△436	△264	△192
法人税等の支払額	△2,240	△4,297	△4,620	△7,495	△8,089
営業活動によるキャッシュ・フロー	22,910	11,738	35,539	32,269	28,562

出所：筆者作成。

⑤ 収益性を分析する

　企業の経済活動の目的は，調達した資本を資産に投資して運用し，投資額を超えるリターンを得て，利益を獲得することです。この，企業の利益獲得能力のことを「収益性」といいます。収益性の分析は，財務分析で最も重視される分析です。それは，収益性が企業の業界内での競争結果を反映するだけではなく，売り手や買い手との交渉力を示す指標としての一面をもつからです。収益性の基本的な分析視点は，少ない資本でいかに多くの利益をあげるかにあります。「資本利益率」は，この視点を指標化したもので，その比率

が高いほど，収益性が高いと判断されます[7]。

$$\text{資本利益率（\%）} = \frac{\text{利益}}{\text{資本}} \times 100$$

　資本利益率には，大きく分けて，企業の収益性を「企業全体」の観点から分析する「総資本利益率」と，「株主」の観点から分析する「自己資本利益率」とがあります。以下，これらの資本利益率を用いて，企業の収益性を分析する方法を解説します。

1　企業全体の観点から収益性を分析してみよう

　企業全体の収益性を見たいという立場からすれば，企業が調達している資本の総額すなわち「総資本」を使って，どれだけ多くの利益を生み出したかが重要です。企業の総資本の投資効率を表し，「企業全体」の観点から収益性を評価するための指標が「総資本利益率」です。総資本利益率は，総資本が総資産と等しいことから，「総資産利益率（Return on Assets）」ともよばれ，その英語の頭文字をとって「ROA」とも略称されます。

　総資本と対比すべき利益には，総資本が営業活動と金融投資活動で使用されることから，理論的には，営業利益に金融収益（受取利息・配当金や持分法による投資利益）を加算した「事業利益」を用いることが望ましいとされています。しかし，多くの場合，計算の簡略化のため，企業が経常的な活動で稼いだ「経常利益」を代替的に用います。そこで，本章では，総資本と経常利益を対比させた「総資本経常利益率」を用いることにします。

$$\text{総資本経常利益率（\%）} = \frac{\text{経常利益}}{\text{総資本}} \times 100$$

（1）総資本経常利益率（ROA）を計算する

　まず，分析対象企業や比較対象企業の過去数期分の ROA を計算します。

　ROA の計算で注意すべきは，総資本のような「ある時点の金額（ストック値）」と経常利益のような「ある期間の金額（フロー値）」を対比させる場合には，ストック値を，フロー値に合わせるために期首と期末の平均値とする必要がある点です。ただし，本章では，これ以降，計算の簡略化のため，フロー値と対比させるストック値には，期末の金額を用いることにします。

　ライオンの場合，2017 年 12 月期の ROA は，次のように計算されます。

7）　なお，収益性の分析で，収益性が高いと判断される業界は，新規参入の脅威を考慮する必要が生じます（27 頁）。

$$\left(\begin{array}{l} \text{ライオンの 2017 年 12 月期の} \\ \text{総資本経常利益率（ROA）} \end{array} \right) \quad \frac{29{,}126}{331{,}751} \times 100 \quad = 8.8 \; (\%)$$

　この結果は，100 万円の総資本を運用すれば，年間に 8.8 万円の利益を獲得する能力があることを意味します。ROA では，一般に，8%〜10%を超えると優良といわれます。

　図表 4 - 17 は，2013 年 12 月期から 2017 年 12 月期の ROA を計算した結果です。2017年 12 月期までの 4 年間で ROA が 4.4%から 8.8%へと大きく上昇していることがわかります。つまり，企業全体としての収益性は向上傾向にあるといえます。

図表 4 - 17 ライオンの総資本経常利益率（ROA）（2013年12月期〜2017年12月期）

	2013 年 12 月期	2014 年 12 月期	2015 年 12 月期	2016 年 12 月期	2017 年 12 月期
総資本経常利益率（ROA）（%）	4.4	5.0	6.4	8.8	8.8

出所：筆者作成。

（2）ROA の変化や優劣の原因を探る

　ROA を計算して分析した結果，分析対象企業の ROA が過年度と比較して上昇または低下している，あるいは他社と比較して高いまたは低いことがわかったならば，次に，その原因がどこにあるかを探ります。

　ROA は，その計算式に「売上高／売上高（＝1）」を乗じて分母と分子を入れ替えることで，「売上高経常利益率」と「総資本回転率」に分解されます。

$$\underbrace{\frac{経常利益}{総資本} \times 100}_{総資本経常利益率（\%）} = \underbrace{\frac{経常利益}{売上高} \times 100}_{売上高経常利益率（\%）} \times \underbrace{\frac{売上高}{総資本}}_{総資本回転率（回）}$$

① 売上高経常利益率

　売上高に占める経常利益の割合です。経常的な活動による「利幅」の大きさを表すこの比率は，採算性の高い事業ほど高く，経常的な利益獲得効率が高いことを意味します[8]。

② 総資本回転率

　総資本が売上高を通じて何回回収されるかの倍率です。総資本の何倍の売上高を計上す

8）企業が複数の事業を営む場合，事業の採算性には高低あり，売上高経常利益率はすべての事業の採算性を総合した利益獲得効率を表します。なお，どの事業の採算性が高いのか（低いのか）は，セグメント情報などから事業ごとの売上高利益率を計算するとよいでしょう。

るかを表すこの比率は高いほど，総資本あるいは総資産の利用効率が高いことを意味します。

　では，売上高経常利益率と総資本回転率を計算します。これらの計算結果からは，分析対象企業の ROA が過去と比較して上昇または低下している原因や同業他社と比較して高いまたは低い原因がどこにあるのかがわかります。

　ライオンの場合，2017 年 12 月期の売上高経常利益率と総資本回転率は，次のように計算されます。これらの積は ROA の 8.8％と等しくなります。

$$\left(\begin{array}{l}\text{ライオンの 2017 年 12 月期の}\\\text{売上高経常利益率}\end{array}\right)\quad \frac{29{,}126}{410{,}484}\times 100\ =7.1（\%）$$

$$\left(\begin{array}{l}\text{ライオンの 2017 年 12 月期の}\\\text{総資本回転率}\end{array}\right)\quad \frac{410{,}484}{331{,}751}\ =1.24（回）$$

　図表 4 − 18 は，2013 年 12 月期から 2017 年 12 月期の ROA とその 2 つの構成要素を計算した結果です。総資本回転率がほぼ横ばいのなか，売上高経常利益率は 3.5％から 7.1％へと大きく上昇しています。2017 年 12 月期までの 4 年間で ROA が 4.4％から 8.8％に大幅上昇した原因が，主として，売上高経常利益率の大幅上昇にあることがわかります。

図表 4 − 18　ライオンの総資本経常利益率（ROA）とその構成要素（2013年12月期〜2017年12月期）

	2013 年12 月期	2014 年12 月期	2015 年12 月期	2016 年12 月期	2017 年12 月期
総資本経常利益率（ROA）（%）	4.4	5.0	6.4	8.8	8.8
売上高経常利益率（%）	3.5	3.8	4.8	6.6	7.1
総資本回転率（回）	1.25	1.30	1.34	1.33	1.24

出所：筆者作成。

2　株主の観点から収益性を分析してみよう

　株主はもちろん，株主から資本の管理・運用を任されている企業の経営者にとっても，株主に帰属する「自己資本」から株主にどれだけの利益を生み出したのかは重要です。「自己資本利益率」は，自己資本の投資効率を表し，「株主」の観点から収益性を評価する指標です。自己資本利益率では，自己資本と対比すべき利益に，株主に最終的に帰属する「当期純利益」を用いるため，「自己資本当期純利益率」が正確な表記です。英語では Return on Equity と表記され，その頭文字をとって「ROE」ともよばれます。

　自己資本は，貸借対照表の純資産のうち株主（連結の場合，親会社株主）に帰属する部分をいい，通常は，「株主資本」と「評価・換算差額等」（連結財務諸表の場合，「その他の包括利益累計額」）の合計を指します。株主に帰属しない「株式引受権」や「新株予約権」，「非

支配株主持分」は，純資産の部には含まれますが，自己資本ではありません。しかし，本章では，計算の簡略化のため，純資産の合計額を自己資本として用います。

　また，当期純利益については，連結財務諸表の場合，親会社株主の観点から収益性を評価するため，「親会社株主に帰属する当期純利益」を用いる点に注意してください。

$$自己資本当期純利益率（\%）= \frac{当期純利益}{自己資本} \times 100$$

（1）自己資本当期純利益率（ROE）を計算する

　まず，分析対象企業や比較対象企業の過去数期分の ROE を計算します。

　ライオンの場合，2017 年 12 月期の ROE は，次のように計算されます。

$$\left(\begin{array}{l} ライオンの 2017 年 12 月期の \\ 自己資本当期純利益率（ROE） \end{array} \right) \quad \frac{19,827}{187,015} \times 100 \quad = 10.6 \quad（\%）$$

　図表 4 - 19 は，ライオンの 2013 年 12 月期から 2017 年 12 月期の ROE を計算した結果です。ROE は，一般に，10％〜15％を超えると優良であるとされますので，2017 年 12 月期までの 4 年間で ROE が 4.9％から 10.6％へと大きく上昇している状況は，株主の観点からの収益性が向上傾向にあるといえるでしょう。

図表 4 - 19　ライオンの自己資本当期純利益率（ROE）（2013年12月期〜2017年12月期）

	2013 年 12 月期	2014 年 12 月期	2015 年 12 月期	2016 年 12 月期	2017 年 12 月期
自己資本当期純利益率（ROE）（%）	4.9	5.8	7.5	10.1	10.6

出所：筆者作成。

（2）ROE の変化や優劣の原因を探る

　ROE についても，分析の結果，過年度と比較して上昇または低下している，他社と比較して高いまたは低いことがわかったならば，その原因がどこにあるかを探ります。

　ROE は，その計算式に「総資本／総資本（＝1)」を乗じて分母と分子を入れ替えることで，「総資本当期純利益率」と「財務レバレッジ」に分解されます。また，前者は，用いる利益は異なりますが，ROA であることから，売上高を介して，「売上高当期純利益率」と「総資本回転率」に分解されます。そのため，ROE は「売上高当期純利益率」と「総資本回転率」と「財務レバレッジ」の 3 要素に分解できることになります。

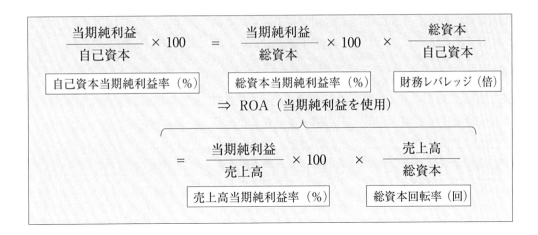

① 売上高当期純利益率

　売上高に占める当期純利益（連結財務諸表の場合，親会社株主に帰属する当期純利益）の割合です。最終的な利幅の大きさを表すこの比率は，高いほど良好で，株主への配当財源となる最終利益の獲得効率が高いことを意味します。

② 総資本回転率

　ROA と共通の構成要素ですので，そちらで確認してください。

③ 財務レバレッジ

　負債を含めた総資本が自己資本の何倍になるかの倍率です。負債の活用で総資本を増やします。財務レバレッジは，ROA またはその構成要素の売上高当期純利益率や総資本回転率の変化や差異を拡大する効果があり，総資本に占める負債の割合が大きくなるほどその拡大効果も大きくなります。

　では，売上高当期純利益率，総資本回転率および財務レバレッジを計算します。これらの計算結果からは，分析対象企業の ROE が上昇または低下している原因や同業他社と比較して高いまたは低い原因が，どこにあるのかがわかります。

　ただし，財務レバレッジは，他の 2 つの要素と異なり，高ければ高いほど望ましいわけではありません。財務レバレッジは，総資本の自己資本に対する倍率ですので，財務レバレッジが高くなると，ROE の変動幅が大きくなります。しかし，このことは，不況時に ROE が極端に悪化するおそれもありますので，財務レバレッジが高すぎて，負債過多の場合には，倒産リスクが高まります。そのため，ROE が高い原因が高い財務レバレッジに起因する場合には，安全性の面から，解釈に注意が必要です。

　ライオンの場合，2017 年 12 月期の売上高当期純利益率，総資本回転率および財務レバ

レッジは，次のように計算されます。なお，これら３つの要素の積はROEの10.6％と等しくなります。

$$\left(\begin{array}{c}\text{ライオンの 2017 年 12 月期の}\\\text{売上高当期純利益率}\end{array}\right) \quad \frac{19,827}{410,484} \times 100 \quad = 4.8 \ (\%)$$

$$\left(\begin{array}{c}\text{ライオンの 2017 年 12 月期の}\\\text{総資本回転率}\end{array}\right) \quad \frac{410,484}{331,751} \quad = 1.24 \ (回)$$

$$\left(\begin{array}{c}\text{ライオンの 2017 年 12 月期の}\\\text{財務レバレッジ}\end{array}\right) \quad \frac{331,751}{187,015} \quad = 1.77 \ (倍)$$

　図表４−20は，ライオンの2013年12月期から2017年12月期のROEとその３つの構成要素を計算した結果です。総資本回転率がほぼ横ばい，財務レバレッジが低下傾向にあるなか，売上高当期純利益率は1.7％から4.8％へと大きく上昇しています。2017年12月期までの４年間でROEが4.9％から10.6％に大幅上昇した原因が，主として，売上高当期純利益率の大幅上昇にあることがわかります。

| 図表４−20 | ライオンの自己資本当期純利益率（ROE）とその構成要素（2013年12月期〜2017年12月期） | | | | |

	2013年 12月期	2014年 12月期	2015年 12月期	2016年 12月期	2017年 12月期
自己資本当期純利益率（ROE）（%）	4.9	5.8	7.5	10.1	10.6
売上高当期純利益率（%）	1.7	2.0	2.8	4.0	4.8
総資本回転率（回）	1.25	1.30	1.34	1.33	1.24
財務レバレッジ（倍）	2.27	2.22	1.98	1.89	1.77

出所：筆者作成。

3　売上高利益率を分析してみよう

　続いて，売上高利益率を分析します。分析対象企業の売上高利益率に過年度からの変化や同業他社との差異がある場合，損益計算書の段階的な利益計算構造から，その変化や差異の原因がどこにあるかを探求します。また，そうした変化や差異がない場合でも，利益獲得効率を見ることでROAやROEのさらなる上昇へのヒントが得られますので，この分析は，企業が収益性を改善する方法を考える際に重要です。

（1）百分率損益計算書を作成する

　百分率損益計算書とは，損益計算書の各項目の金額を売上高の金額で割って，百分率（パーセント）で表現したものです。損益計算書の主要な項目をベースに作成しますが，より詳細な検討を行う場合は，販売費及び一般管理費や営業外損益の内訳項目を含めて作成します。

$$各項目の百分率（\%）= \frac{損益計算書の各項目の金額}{売上高} \times 100$$

　この百分率損益計算書における利益項目の比率が，売上高利益率です。どの段階の利益の比率であるかに応じて，売上高総利益率，売上高営業利益率，売上高経常利益率，売上高当期純利益率とよばれます。なお，費用項目の売上原価，販売費及び一般管理費の比率はそれぞれ，売上原価率，販管費率とよばれます。

　ライオンの2017年12月期の百分率損益計算書は，図表4 − 21のようになります。損益計算書の各項目の百分率は，それぞれの金額を売上高の410,484百万円で割ってパーセントで示したものとなっています。

図表4 − 21　ライオンの損益計算書と百分率損益計算書（2017年12月期）

	金額（百万円）	百分率（%）	比率の名称
売上高	410,484	100.0	
売上原価	171,209	41.7	← 売上原価率
売上総利益	239,275	58.3	← 売上高総利益率
販売費及び一般管理費	212,068	51.7	← 販管費率
営業利益	27,206	6.6	← 売上高営業利益率
営業外収益	2,618	0.6	
営業外費用	698	0.2	
経常利益	29,126	7.1	← 売上高経常利益率
特別利益	2,434	0.6	
特別損失	1,001	0.2	
税金等調整前当期純利益	30,560	7.4	
法人税等合計	8,239	2.0	
当期純利益	22,320	5.4	
非支配株主に帰属する当期純利益	2,493	0.6	
親会社株主に帰属する当期純利益	19,827	4.8	← 売上高当期純利益率

出所：筆者作成。

（2）売上高利益率の変化や差異の原因を探る

　過去数期分の百分率損益計算書の作成後は，損益計算書の計算プロセスに沿って，各原価・費用項目の比率や各利益項目の比率などを時系列的に見たり，同業他社と比較したりして，売上高経常利益率や売上高当期純利益率の変化の原因や同業他社との差異の原因がどこにあるかを検討します。

　図表4 − 22は，ライオンの2013年12月期から2017年12月期の百分率損益計算書（経常利益まで）です。そこには，10億円を超える販管費の内訳項目も含めています。上から見ていくと，2017年12月期までの4年間で，売上原価率が1.9ポイント低下し，同じポ

イントだけ売上高総利益率が上昇しています。商品や製品の利幅が大きくなり，その競争力や採算性が高くなっています。また，販管費率も 1.7 ポイント低下しています。販売活動や管理活動の効率性も高まっています。なお，販管費の内訳では，販売手数料や減価償却費の対売上高比率が大きく低下しており，それぞれ 1.2 ポイント，0.8 ポイント低下しています。その結果，本業での利益獲得効率はさらに高まり，売上高営業利益率は 3.5 ポイントも上昇しています。営業外収益・費用の比率にはほぼ変化がありません。以上の結果，2017 年 12 月期までの 4 年間で売上高経常利益率を大きく上昇させた原因は，売上原価率と販管費率の低下にあることがわかります。さらに，販管費率を低下させた原因が，主として販売手数料や減価償却費の対売上高比率の低下にあることもわかります。

| 図表 4 - 22 | ライオンの百分率損益計算書（2013 年 12 月期〜2017 年 12 月期） |

(単位：%)

	2013 年 12 月期	2014 年 12 月期	2015 年 12 月期	2016 年 12 月期	2017 年 12 月期
売上高	100.0	100.0	100.0	100.0	100.0
売上原価	43.6	43.7	42.9	40.9	41.7
売上総利益	56.4	56.3	57.1	59.1	58.3
販売費及び一般管理費	53.4	52.9	52.8	52.9	51.7
販売手数料	3.4	2.3	2.2	2.2	2.2
販売促進引当金繰入額	0.2	0.2	0.4	0.5	0.7
販売促進費	22.3	23.5	23.1	22.8	22.1
運送費及び保管費	4.5	4.6	4.5	4.5	4.5
広告宣伝費	6.9	6.7	6.9	7.8	7.3
給料及び手当	3.9	3.9	3.9	3.7	3.7
退職給付費用	0.9	0.7	0.6	0.5	0.5
減価償却費	1.4	1.2	1.0	1.0	0.6
研究開発費	2.7	2.6	2.6	2.5	2.6
営業利益	3.1	3.4	4.3	6.2	6.6
営業外収益	0.7	0.7	0.6	0.6	0.6
営業外費用	0.2	0.3	0.2	0.1	0.2
経常利益	3.5	3.8	4.8	6.6	7.1

出所：筆者作成。

4　総資本回転率を分析してみよう

　最後に，総資本回転率を分析します。資本は資産の形態で運用されます。資産全体の効率的な利用でより多くの売上高を生み出せれば，総資本回転率は高くなります。逆に，売上高に結びつかない不良資産や遊休資産を多く抱え込むと，総資本回転率は低下します。

　そこで，分析対象企業の総資本回転率に過年度からの変化または同業他社との差異がある場合には，その原因を探るために，また，そうでない場合でも，ROA や ROE をさらに上昇させるヒントを得るために，どの資産の利用効率にいかなる変化があったのか，あ

Chapter 4　財務分析　◎—— 99

るいは，優劣があるのかを詳細に検討します。具体的には，総資本回転率の計算式の分母の総資本を，主要な資産項目に置き換え[9]，回転率を計算することで，当該資産の利用効率の変化や優劣を判断します。

（1）流動資産回転率と固定資産回転率を計算する

まず，流動資産回転率と固定資産回転率を計算します。これらの計算結果を観察すれば，流動資産と固定資産の全体的な利用効率がどう変化しているのか，同業他社と比較して優れているのか劣っているのかがわかります。

$$流動資産回転率（回）= \frac{売上高}{流動資産}$$

$$固定資産回転率（回）= \frac{売上高}{固定資産}$$

ライオンの場合，2017 年 12 月期の流動資産回転率と固定資産回転率は，次のように計算されます。

$$\left(\begin{array}{l} ライオンの 2017 年 12 月期の \\ 流動資産回転率 \end{array} \right) \quad \frac{410,484}{203,495} = 2.02 （回）$$

$$\left(\begin{array}{l} ライオンの 2017 年 12 月期の \\ 固定資産回転率 \end{array} \right) \quad \frac{410,484}{128,256} = 3.20 （回）$$

（2）流動資産および固定資産の内訳項目の回転率を計算する

続いて，資産項目のうち，一般に総資産に占める割合が高いため重視される手元流動性，売上債権，棚卸資産および有形固定資産の利用効率を計算します[10]。

$$手元流動性回転率（回）= \frac{売上高}{手元流動性}$$

$$売上債権回転率（回）= \frac{売上高}{売上債権}$$

9）　なお，このような分析を行う場合は，91 頁で説明したように，厳密には，ストック値（資産の金額）として用いる数値は期首（前期末）と期末の平均値であるべきですが，本分析では，計算の簡略化のため，期末資産の数値を用いていることに注意してください。

10）　どの資産項目が重要であるかは，企業または企業が属する業界によって違いがあるかもしれません。ここで取り上げている項目以外でも，総資産（資産合計）に占める割合が大きい資産があれば，回転率を計算して，その利用効率を検討しましょう。

$$棚卸資産回転率（回）= \frac{売上高}{棚卸資産}$$

$$有形固定資産回転率（回）= \frac{売上高}{有形固定資産}$$

① 手元流動性回転率

　手元流動性は，手元資金ともよばれ，換金性がきわめて高い資産のことです。現金預金と有価証券を合計して求められる手元流動性の回転率は，低いほど，手元資金が多すぎ，資金を有効活用できていないと解釈されます。ただ，資金繰り悪化や運転資金不足に備え，ある程度の手元資金は必要なので，回転率が高すぎるのも安全性の面からは望ましくありません。

② 売上債権回転率

　売上債権は，受取手形や売掛金，電子記録債権などを合計して求めますが，そこから貸倒引当金を控除するか否かは見解が分かれます。不良債権が多い場合，貸倒引当金を控除すると，売上債権の金額は小さくなり，あたかも売上債権の回収が進んでいるような誤解を与えます。そのため，ここでは，貸倒引当金を控除せず，不良債権を含んだ売上債権の金額を用います。この回転率は高いほど，売上債権が少なく，短期間で売上債権が回収されており，その利用効率が高いと解釈されます。逆に，回転率が低いと，売上債権の回収状況が悪く，売掛金が長期滞留している可能性があります [11]。

③ 棚卸資産回転率

　棚卸資産は，商品・製品，仕掛品，原材料・貯蔵品などを合計して求めます。棚卸資産は取得原価で評価されますので，原価に利益を加算した売上高ではなく，売上原価と対比させる方法もありますが，ここでは，総資本回転率を資産別に分解していますので，売上高を用います。この回転率は高いほど，棚卸資産が少なく，棚卸資産が短期間に消費，販売されており，その利用効率が高いと解釈されます。逆に，回転率が低いと，売れ行きが低調で，過剰在庫や不良在庫の存在が疑われます [12]。

---

11)　1年間の日数を売上債権回転率で割ると（365日÷売上債権回転率），売上債権が1回転するのに必要な「売上債権回転期間」を計算できます。売上債権回転期間は，売上債権を資金として回収するまでにかかる日数です。イメージがしやすいことから，売上債権回転率の代わりに使用されることも多い指標です。資産の利用効率の点では，この日数は短いほど効率的であることになります。

④　有形固定資産回転率

　有形固定資産は，建物，機械装置，土地などから構成されますが，貸借対照表にその合計額が記載されていますので，それをそのまま用います。この回転率は高いほど，有形固定資産の利用効率が高く，良好であると解釈されます。逆に，回転率が低いと，資産の稼働率が悪いか，遊休資産や非効率的な資産が多いと考えられます。ただ，この回転率は，将来の収益獲得に向けて多額の設備投資を行うと一時的に低下しますし，反対に，収益性が悪化したことで固定資産の大幅な減損処理を行った直後は一時的に上昇します。回転率に大きな変化があった場合には，その背後にある原因を慎重に検討しましょう。

　ライオンの場合，2017 年 12 月期の手元流動性，売上債権，棚卸資産および有形固定資産の回転率は，次のように計算されます[13]。

$$\left(\begin{array}{l}\text{ライオンの 2017 年 12 月期の}\\ \text{手元流動性回転率}\end{array}\right) \quad \frac{410{,}484}{(23{,}781 + 69{,}211)} = 4.41 \ （回）$$

$$\left(\begin{array}{l}\text{ライオンの 2017 年 12 月期の}\\ \text{売上債権回転率}\end{array}\right) \quad \frac{410{,}484}{64{,}141} = 6.40 \ （回）$$

$$\left(\begin{array}{l}\text{ライオンの 2017 年 12 月期の}\\ \text{棚卸資産回転率}\end{array}\right) \quad \frac{410{,}484}{40{,}208} = 10.21 \ （回）$$

$$\left(\begin{array}{l}\text{ライオンの 2017 年 12 月期の}\\ \text{有形固定資産回転率}\end{array}\right) \quad \frac{410{,}484}{80{,}981} = 5.07 \ （回）$$

　図表 4 − 23 は，ライオンの 2013 年 12 月期から 2017 年 12 月期の総資本回転率と各資産項目の回転率を計算した結果です。2017 年 12 月期までの 4 年間で，総資本回転率はほぼ横ばいですが，流動資産回転率は 2.38 回から 2.02 回へとやや低下，固定資産回転率は 2.63 回から 3.20 回へと上昇しています。流動資産の利用効率がやや悪化するなか，固定資産の利用効率は改善しており，資産全体の利用効率に大幅な変化はありません。流動資

---

12)　売上債権の場合と同様に，365 日を棚卸資産回転率で割ると（365 日÷棚卸資産回転率），棚卸資産が 1 回転するのに必要な「棚卸資産回転期間」を計算できます。棚卸資産回転期間は，棚卸資産が在庫として滞在する日数です。イメージがしやすいことから，棚卸資産回転率の代わりに使用されることが多い指標です。資産の利用効率の点では，この日数は短いほど効率的であることになります。

13)　資産の回転率の計算式（売上高÷資産）から，総資産（資産合計）に占める当該資産の割合が大きいほど，その回転率の数値は低くなるということがわかります（ただし総資本回転率の数値を下回ることはありません）。そのため，個々の資産どうしで回転率の数値を比較することに意味はありません。くれぐれも，数値が高い資産は利用効率が高く，数値が低い資産は利用効率が低いという誤った判断をしないように注意してください。

産の内訳の回転率を見ると，手元流動性回転率が6.90回から4.41回へと大きく低下していますので，流動資産の利用効率がやや悪化した大きな原因は，手元流動性の利用効率の悪化にあることがわかります。固定資産の利用効率は改善していますが，有形固定資産回転率はほぼ横ばいで，無形固定資産は僅少ですので，投資その他の資産の利用効率が改善した影響が大きいと考えられます[14]。

図表4－23	ライオンの各資産の回転率（2013年12月期～2017年12月期）				
	2013年12月期	2014年12月期	2015年12月期	2016年12月期	2017年12月期
総資本回転率（回）	1.25	1.30	1.34	1.33	1.24
流動資産回転率（回）	2.38	2.51	2.27	2.13	2.02
手元流動性回転率（回）	6.90	8.65	5.87	5.01	4.41
売上債権回転率（回）	6.15	6.23	6.46	6.56	6.40
棚卸資産回転率（回）	10.03	9.33	10.08	9.96	10.21
固定資産回転率（回）	2.63	2.68	3.28	3.50	3.20
有形固定資産回転率（回）	5.10	4.63	5.04	5.32	5.07

出所：筆者作成。

⑥ 安全性を分析する

　企業は日々さまざまな経済活動を行います。なかでも，法的な支払義務（債務といいます）を負う取引は，企業の倒産リスクを考えるうえで，注意する必要があります。企業は，いくら多額の利益を計上していても，資金繰りに行き詰まり，これらの債務の返済を期日までに履行できなければ，信用を失います。最悪の場合，その経済活動の継続は不可能となり，倒産します。逆に，利益を獲得できない期間が連続しても，資金があり債務を返済できれば，企業が倒産することは一般にありません。この，企業の資金的な余裕と，資金不足による債務不履行で企業が倒産するリスクの回避度のことを「安全性」といいます。安全性の分析は，企業の評価に際し，収益性の分析とならんで重要です。

　企業は，債務不履行に陥る危険性が高くなると，それを避けようと資金繰りに追われます。信用リスクも高まり，金融機関から追加で融資を受けることも難しくなります。そう

---

14) 総資産に占める割合が大きく，回転率の数値が低い項目ほど，その数値の変化が資産全体の利用効率の改善や悪化に与える影響は大きくなります。逆に，総資産に占める割合が小さく，回転率の数値が高い項目ほど，その数値の変化が資産全体の利用効率の改善や悪化に与える影響は小さくなります。総資本回転率の変化や差異の原因がどの資産項目にあるかを判断する際には，このことに注意しましょう。

なると，将来の利益獲得に向けた投資を行うことができなくなります。逆に，そのような危険性がなく資金繰りに余裕があれば，将来への投資を行うことができます。そのため，企業の安全性は，収益性の改善や成長性の向上にも大きな影響を及ぼします。

　安全性の分析では，主として，貸借対照表とキャッシュ・フロー計算書を用います。本節では，貸借対照表を用いて企業の安全性を分析する方法を解説します。キャッシュ・フロー計算書を用いて安全性を分析する方法は第8節で取り上げます。

1　貸借対照表を用いて安全性を分析してみよう

　貸借対照表を用いて安全性を分析する場合，短期的な視点と長期的な視点に分けて行います。短期の安全性分析では，短期間で返済期日の到来する流動負債を支払うだけの資金力があるかどうかの観点から，企業の債務返済能力を評価します。他方，長期の安全性分析では，返済の必要のある負債に過度に依存することなく資本を調達できているかどうか，また，固定資産として長期間運用されている資本を返済を要しない自己資本や返済期間の長い固定負債で賄われているかどうかの観点から，企業の財務健全性を評価します。本章では，短期の安全性の指標として，流動比率，当座比率および手元流動性比率を，長期の安全性の指標として，自己資本比率，固定比率および固定長期適合率を取り上げます。

（1）短期の安全性の指標を計算する

　まずは，流動比率，当座比率および手元流動性比率を計算します。これらは，流動負債に対してその支払原資となる資産がどの程度あるかに着目した指標です。流動比率，当座比率，手元流動性比率の順序で，支払原資となる資産の範囲をより換金性の高いものに限定するため，企業の債務返済能力をより厳密に評価できます。

$$流動比率（\%）= \frac{流動資産}{流動負債} \times 100$$

$$当座比率（\%）= \frac{当座資産}{流動負債} \times 100$$

$$手元流動性比率（月）= \frac{手元流動性}{平均月次売上高（＝売上高÷12）}$$

①　流動比率

　短期間に返済すべき流動負債に対する，短期間に資金化される流動資産の倍率です。流動負債を流動資産で賄えるかを評価するこの比率は高いほど，企業の債務返済能力が高いことを意味します。しかし，流動資産には即時に換金できない棚卸資産や支払手段として

利用できない前払費用や仮払金などが含まれます。そのため，資金繰りに余裕をもつには，流動比率が120％〜150％ぐらいは必要で，200％を超えれば理想的だとされています。他方，100％を大きく下回ると，一般には，資金繰りが厳しいと考えられますが，小売業や外食産業のように個人消費者相手の現金商売で日銭が入ってくる業種では，資金不足に陥る危険性は相対的に低いといえますので，数値だけを見て評価するのではなく，業界の特性を考慮することが重要です。

② 当座比率

　当座比率の計算では，流動負債と対比させる資産として当座資産を用います。当座資産とは，流動資産のなかでも特に早期に換金される資産のことです。当座資産は，現金預金，売上債権（受取手形や売掛金など），有価証券を合計して求めます。即時の換金性に劣る棚卸資産は含みません。なお，売上債権に対する貸倒引当金がわかれば，それを控除します。当座資産を用いることで，流動比率よりも厳密に企業の債務返済能力を評価できます。この比率が高いほど債務返済能力が高いことは流動比率の場合と同じです。100％を超えることが望ましいですが，業界の特性を考慮して評価することが重要です。

③ 手元流動性比率

　手元流動性とは，手元資金として即時に支払可能な換金性のきわめて高い資産です。現金預金と有価証券を合計して求められる手元流動性には，資金回収までに数か月かかることもある売上債権は含まれず，損益計算書の売上高を12か月で割った平均月次売上高と対比させることで，手元資金が売上高の何か月分あるか，あるいは月次売上高の何倍あるかがわかります。この比率は高いほど，資金繰りに余裕があり，企業の債務返済能力が高くなります。業種や業態，企業規模によって異なりますが，一般には，1か月〜1.5か月程度あれば安全であるといわれます。ただし，この比率があまりにも高すぎるのは，資金を効率的に活用できていないおそれもあるため，問題とされ，収益性の面からは，バランスが大事だとされます。

　ライオンの場合，2017年12月期の流動比率，当座比率および手元流動性比率は，次のように計算されます。

$$\left(\begin{array}{l}\text{ライオンの2017年12月期の}\\\text{流動比率}\end{array}\right) \quad \frac{203{,}495}{127{,}225} \times 100 = 159.9\ (\%)$$

$$\left(\begin{array}{l}\text{ライオンの2017年12月期の}\\\text{当座比率}\end{array}\right) \quad \frac{(23{,}781\ +\ 64{,}141\ +\ 69{,}211)}{127{,}225} \times 100 = 123.5\ (\%)$$

$$\left(\begin{array}{l}\text{ライオンの 2017 年 12 月期の}\\ \text{手元流動性比率}\end{array}\right) \quad \frac{(23{,}781 \ + \ 69{,}211)}{(410{,}484 \ \div \ 12)} \ = \ 2.7 \ (\text{月})$$

（2）長期の安全性の指標を計算する

続いて，自己資本比率，固定比率および固定長期適合率を計算します。自己資本比率は，資本の調達源泉の負債と自己資本の構成割合に着目した指標です。また，固定比率と固定長期適合率は，長期的に運用される固定資産と資本の調達源泉との関係に着目した指標です。

$$\text{自己資本比率（\%）} = \frac{\text{自己資本}}{\text{総資本}} \times 100$$

$$\text{固定比率（\%）} = \frac{\text{固定資産}}{\text{自己資本}} \times 100$$

$$\text{固定長期適合率（\%）} = \frac{\text{固定資産}}{\text{自己資本＋固定負債}} \times 100$$

① 自己資本比率

総資本に占める自己資本の割合です[15]。自己資本は返済義務がありませんので，この比率が高いほど，企業の財務健全性は高いといえます。また，収益性の高い企業は，留保利益の蓄積で自己資本が増えますので，この比率も高くなります。この比率は，一般に，50％を超えれば良好とされますが，銀行からの借入れに依存しがちな日本では，上場企業でもその平均値は 40％前後です。なお，高成長企業では，借入れによって事業規模を拡大することが多いため，この比率が低くなる傾向にあります。比率が低い場合には，資金繰りに困る可能性がありますので，その原因と背景まで探りましょう。

② 固定比率

固定資産への投資額が自己資本でどの程度賄われているかを表します。固定資産への投資は回収までに長期間を要するので，資金繰りの面からは，返済の必要のない自己資本で調達することが望ましいとされています。したがって，この比率は 100％を下回ることが理想であり，その数値が低いほど，企業の財務健全性は高いといえます。100％を超える

15）自己資本比率は，財務レバレッジ（＝総資本／自己資本）の逆数です。財務レバレッジを高めることは収益性を向上させますが，同時に，自己資本比率を低下させ，長期の安全性を悪化させます。総資本を負債と自己資本でどのように構成するかは，企業財務の大きな課題です。

場合は，固定資産への投資額の一部を負債で賄っていることになりますが，その数値が高いほど，資金繰りが厳しくなる可能性が高くなります。

③　固定長期適合率

　固定資産への投資額が自己資本と固定負債でどの程度賄われているかを表します。この比率が100％を超え，固定資産への投資額を自己資本と返済期間の長い固定負債でも賄いきれず，返済期限の短い流動負債にも依存する場合は，資金繰りが厳しくなります。したがって，この比率は100％を下回ることが絶対条件であり，この数値が低いほど，企業の財務健全性は高くなります。

　ライオンの場合，2017年12月期の自己資本比率，固定比率および固定長期適合率は，次のように計算されます。

$$\left(\begin{array}{l}\text{ライオンの 2017 年 12 月期の}\\\text{自己資本比率}\end{array}\right) \quad \frac{187,015}{331,751} \times 100 \ = \ 56.4 \ (\%)$$

$$\left(\begin{array}{l}\text{ライオンの 2017 年 12 月期の}\\\text{固定比率}\end{array}\right) \quad \frac{128,256}{187,015} \times 100 \ = \ 68.6 \ (\%)$$

$$\left(\begin{array}{l}\text{ライオンの 2017 年 12 月期の}\\\text{固定長期適合率}\end{array}\right) \quad \frac{128,256}{(187,015 \ + \ 17,511)} \times 100 \ = \ 62.7 \ (\%)$$

　図表4－24は，ライオンの2013年12月期から2017年12月期の短期と長期の安全性の指標を計算した結果です。2017年12月期までの4年間で流動比率は112.5％から159.9％へ，当座比率は82.2％から123.5％へ，手元流動性比率は1.7月から2.7月へと大きく上昇しています。また，自己資本比率は44.0％から56.4％へと上昇する一方で，固定比率は107.8％から68.6％へ，固定長期適合率は89.0％から62.7％へと大きく低下しています。

図表4－24　ライオンの安全性分析の各種指標（2013年12月期～2017年12月期）					
	2013 年 12 月期	2014 年 12 月期	2015 年 12 月期	2016 年 12 月期	2017 年 12 月期
流動比率（％）	112.5	126.5	137.6	150.3	159.9
当座比率（％）	82.2	87.8	101.6	112.8	123.5
手元流動性比率（月）	1.7	1.4	2.0	2.4	2.7
自己資本比率（％）	44.0	45.0	50.5	52.9	56.4
固定比率（％）	107.8	107.6	81.0	71.6	68.6
固定長期適合率（％）	89.0	81.7	71.7	64.6	62.7

出所：筆者作成。

短期的な安全性（債務返済能力）も長期的な安全性（財務健全性）も改善していることがわかります。

2　貸借対照表を用いた安全性分析の限界を知っておこう

　企業が倒産しないためには，債務の返済に必要な資金が手元にあるか，期日までに流入することが求められます。このとき，流動比率や当座比率が高ければ，その条件を満たす可能性は高くなりますが，流動資産や当座資産がいくら多くても，滞留在庫が膨らみ，売上債権の回収が滞っているようでは，資金繰りは厳しくなり，必ずしも安全とはいえなくなります。逆に，流動比率や当座比率は低くても，日々の営業活動で資金を継続的に創出し，各種支払いに応じることができていれば，安全性に問題は生じません。

　このように，貸借対照表の資産や負債の残高のみにもとづいて行う安全性の分析には限界があります。それを補完するには，キャッシュ・フロー計算書を用いて，資金の流れをも考慮に入れた分析を行う必要があります。キャッシュ・フロー計算書で安全性を分析する方法については第8節で解説します。

❼ 成長性を分析する

　財務分析で評価の中心となる企業特性は，収益性と安全性です。しかし，現時点でいくら収益性や安全性が高くても，将来の成長が見込めない，あるいは，その成長の度合いが同業他社より劣る場合は，いずれその収益性や安全性は低下します。また，財務健全性の高い企業が収益性の高い事業分野に新規に参入する場合であっても，その成長度合いが相対的に低ければ，新規参入が助長され，厳しい競争に生き残っていくことは難しくなります。このとき，企業の将来における成長の可能性のことを「成長性」といいます。

　企業の成長は，経済社会における当該企業の影響力を大きくし，規模の経済性などによるコスト優位をもたらします。市場や環境の変化に対応し，新規事業に着手するための資金的余力を生み出し，そこで働く従業員の士気を高め，組織を活性化します。企業内外の利害関係者への利益還元を増大して，彼らに満足と安心を与えるので，企業の成長は競争力の向上につながります。

　そこで，企業の実態をより多面的に見るために，成長性も分析しましょう。成長性の分析では，規模の拡大を企業の成長と捉え，企業の活動規模を表す「売上高」と運用資本の規模を表す「総資産」の過去から現在までの推移を時系列で観察し，過去の成長実績で，将来の成長可能性を評価します。ただし，過去の延長線上での評価には限界がありますので，その限界を補完するため，研究開発投資や設備投資など，将来の成長に向けた投資状況も考慮します。以下，過去の成長実績と将来の成長に向けた投資状況の観点から企業の

成長性を分析する方法を解説します。

1　過去の成長実績から成長性を分析してみよう

　企業の成長性分析では，企業規模の代表値である売上高と総資産の過去から現在までの推移を観察することから始めます。しかし，売上高や総資産がいくら増加していても，それが利益や自己資本の増加に結びついていなければ，健全な成長とはいえません。そこで，利益と自己資本の推移も観察します。

　過去の成長実績を測るための指標には，「趨勢比率」と「伸び率」があります。実数の変化でも成長を把握できますが，期間比較や企業間比較を可能とするために，これらの比率を用いるのが一般的です。

$$趨勢比率（\%）= \frac{当年度の金額}{基準年度の金額} \times 100$$

$$伸び率（\%）= \frac{（当年度の金額 - 前年度の金額）}{前年度の金額} \times 100$$

① 趨勢比率

　ある項目の，当年度の金額が，ある年度（基準年度といいます）の金額を100％としたときにどうなるかの割合です。当年度の金額が基準年度の金額より増えていれば100％を超え，減っていれば100％を下回ります。売上高や総資産などの時系列での変化を明らかにし，企業の成長の度合いを長期的な視野で把握するのに役立ちます。

② 伸び率

　ある項目の，当年度の金額が前年度の金額と比較してどのくらい増減しているかを示す比率です。当年度の金額が前年度の金額より増えていればプラスとなり，減っていればマイナスとなります。売上高や総資産などの年単位での増減率を明らかにし，企業の成長の度合いを短期的な視野で把握するのに役立ちます。

　趨勢比率を見て，売上高や総資産などが長期的に増加傾向または減少傾向にあるのかを把握し，伸び率を見て，それらが現在どのぐらいの速度（勢い）で増加または減少しているのかを捉えるのがポイントです。

（1）売上高や総資本などの趨勢比率と伸び率を計算する

　まずは，売上高と利益（本章では，経常利益を取り上げます），総資産と自己資本の趨勢比率と伸び率を数期にわたり計算します。最低でも過去3期分，できれば過去5期分のデー

タを利用しましょう。基準年度や前年度の金額が損失などでマイナスとなっている場合や異常値となっている場合は，趨勢比率も伸び率も計算結果の解釈が難しくなるので，金額が正常である年度を基準として選択するか，それらを計算の対象から外します。

　ライオンの場合，2013年12月期を基準年度とすると，2017年12月期の売上高の趨勢比率と伸び率は，次のように計算されます。ライオンの売上高は2017年12月期までの4年間で16.6％増加しており，2016年12月期からは3.8％増加していることを意味しています。

$$\left(\begin{array}{l}\text{ライオンの2017年12月期の}\\\text{売上高の趨勢比率}\end{array}\right) \quad \frac{410,484}{352,005} \times 100 = 116.6（\%）$$

$$\left(\begin{array}{l}\text{ライオンの2017年12月期の}\\\text{売上高の伸び率}\end{array}\right) \quad \frac{(410,484 - 395,606)}{395,606} \times 100 = 3.8（\%）$$

　図表4-25，図表4-26はそれぞれ，ライオンの2013年12月期から2017年12月期の売上高，経常利益，総資産および自己資本の趨勢比率と伸び率を計算した結果です。

図表4-25	ライオンの売上高, 経常利益, 総資産, 自己資本の趨勢比率 (2013年12月期～2017年12月期)

(単位：％)

	2013年12月期	2014年12月期	2015年12月期	2016年12月期	2017年12月期
売上高	100.0	104.4	107.6	112.4	116.6
経常利益	100.0	114.3	147.1	213.7	236.8
総資産	100.0	100.4	100.1	105.8	117.6
自己資本	100.0	102.6	114.9	127.1	150.5

出所：筆者作成。

図表4-26	ライオンの売上高, 経常利益, 総資産, 自己資本の伸び率 (2013年12月期～2017年12月期)

(単位：％)

	2013年12月期	2014年12月期	2015年12月期	2016年12月期	2017年12月期
売上高	―	4.4	3.1	4.5	3.8
経常利益	―	14.3	28.7	45.3	10.8
総資産	―	0.4	△0.3	5.7	11.1
自己資本	―	2.6	12.0	10.6	18.5

出所：筆者作成。

（2）趨勢比率と伸び率を見て成長性を評価する

　続いて，次のような点に留意しながら，企業の成長性を評価します。

① 売上高や総資産の趨勢比率と伸び率を見て，これらが増加または減少する傾向はどの程度強いのか，どの程度の速度（勢い）で増加または減少しているのかを確認します。売上高や総資産の増加傾向が強く，かつ，その増加の勢いが大きいほど，将来的にも高い成長が期待できます。ただし，売上高と総資産がともに増加傾向にあっても，どちらか一方が大きく上回る場合には，高い成長は期待できません。総資産の増加の割合が売上高のそれを上回れば，資産の利用効率（回転率）は低下していることになります。また，売上高の増加の割合が総資産のそれを上回れば，資産の利用効率は高まりますが，いずれそれも限界に達しますので，売上高は頭打ちになります。両者がバランスよく増加しているかどうかも，高い成長が期待できるかどうかの目安となります。これに対して，売上高や総資産の増加傾向が見られず，横ばいか減少傾向にある場合あるいは増加傾向でもその勢いが衰えているような場合には，衰退か低い成長しか期待できません。

② 経常利益の趨勢比率と伸び率を見て，売上高の増加に応じて利益も増加しているかを確認します。企業の目的は利益の獲得にあります。売上高がいくら増加しても，それに見合う利益の増加がなければ，健全な成長とはいえません。健全な成長かどうかの目安は，売上高の増加と同じかそれ以上の割合で経常利益が増加しているかどうかです。つまり，利益の獲得効率（売上高利益率）を維持または向上させながら，売上高の増加を達成できているかを意識しましょう。

③ 自己資本の趨勢比率と伸び率を見て，総資産の増加に応じた増加が見られるかを確認します。総資産がいくら増加しても，自己資本があまり増加していなければ，負債に過度に依存していることになり，財務的な安全性は低下します。これでは健全な成長とはいえません。健全な成長かどうかは，総資産の増加と同じかそれ以上の割合で自己資本が増加しているかどうかで判断します。つまり，財務上の安全性（自己資本比率）を低下させることなく，総資産の増加を達成できているかが重要です。

ライオンの場合，趨勢比率を見ると，売上高も総資産も長期的に増加傾向にあり，2017年12月期までの4年間で売上高が16.6％，総資産が17.6％増加しています。伸び率を見ると，売上高は毎期3％〜4％台の安定した増加となっていますが，総資産は2015年12月期後の2年間で5.7％，11.1％と急増しています。総資産の増加に売上高の増加が追いつかず，資産の利用効率（回転率）がやや低下しています。経常利益と自己資本は，2017年12月期までの4年間で，それぞれ売上高あるいは総資産よりも高い割合で増加し続けています。売上高と総資産が増加するなか，売上高利益率も自己資本比率も上昇し続けており，健全な成長を実現しています。過去の成長実績からは，資産の利用効率がやや低下しているため，売上高の加速度的な増加は見込めず，高い成長はあまり期待できないともいえそうです。しかし，2017年12月期までの4年間で収益性も安全性も向上し続けており，安定した成長は大いに期待できます。

2　将来の成長に向けた投資状況から成長性を分析してみよう

　過去の成長実績が優れている企業でも，研究開発，設備投資，人材育成，販路拡大・開拓，ブランド構築，他企業の買収など，将来の成長に向けた投資がなければ，いずれその成長は鈍化し，衰退の一途をたどります。逆に，売上高が減少傾向にある企業でも，将来の成長につながる活動を行っていれば，売上高や利益も増加し，高い成長を達成するかもしれません。つまり，過去の成長実績だけから将来の成長可能性を評価するには限界があります。

　そこで，この限界を補完すべく，将来の成長に向けた投資状況の観点からも企業の成長性を分析しましょう。将来の成長のための活動は多々ありますが，本章では，研究開発と設備投資の2つに焦点を当てます。企業の成長にとって新製品や新技術，新規事業の開拓のための研究開発と，生産能力増大のための設備投資は特に重要だからです。

　研究開発や設備投資をどれだけ積極的に行っているかを表す指標として，売上高研究開発費率と有形固定資産増加率があります。前者は，研究開発にどれくらい投資しているかで企業の成長性を評価しようという指標です。後者は，設備投資によってどの程度有形固定資産が増加しているかで企業の成長性を評価しようという指標です[16]。

$$売上高研究開発費率（\%）= \frac{研究開発費}{売上高} \times 100$$

$$有形固定資産増加率（\%）= \frac{（当年度の有形固定資産 - 前年度の有形固定資産）}{前年度の有形固定資産} \times 100$$

①　売上高研究開発費率

　研究開発費は，研究開発に投じた金額を意味し，販売費及び一般管理費だけでなく製造費用にも含まれます。一般的には損益計算書の注記を見ればわかりますが，わからない場合は，有価証券報告書の第2【事業の状況】の【研究開発活動】の項でその金額を確認しましょう。売上高研究開発費率は売上高と比べて研究開発費が多いか少ないかを表します。その数値が高いほど，研究開発を積極的に行っていることを意味します。ただし，研

16）キャッシュ・フロー計算書でも，将来の成長に向けた投資状況を把握することができます。ただし，キャッシュ・フロー計算書の「投資」の範囲は，ここでいう将来の成長に向けた「投資」の範囲よりも狭いことに注意してください。キャッシュ・フロー計算書の「投資活動によるキャッシュ・フロー」の区分には，設備投資は示されますが，研究開発投資は示されません。研究開発は営業活動に含まれるため，直接法で表示されていない限り，「営業活動によるキャッシュ・フロー」の区分を見ても，その投資状況を把握することはできません。

究開発の効果はすぐに現れるものではなく，長期的かつ継続的な活動を通じて，その成果を蓄積していくことが重要です。したがって，この比率については，単年度だけではなく，時系列での推移から，企業の成長性を評価する必要があります。なお，どの程度の数値であれば望ましいかは業種によって異なりますので，業界平均などと比較して判断しましょう。

② 有形固定資産増加率

　有形固定資産増加率は，有形固定資産の帳簿価額（取得原価から減価償却累計額を控除した金額）が前年度から当年度にかけてどの程度増減したかを表します。当年度の減価償却費を上回る設備投資額があった場合，有形固定資産の帳簿価額は増加しますので，この比率はプラスとなり，その数値が高いほど，積極的な設備投資を行っていることになります。逆に，この比率がマイナスの場合，生産規模が縮小していることを意味します。企業の成長には積極的な設備投資が欠かせませんが，有形固定資産を効率的に利用して売上高につなげていなければ過剰投資と判断されます。有形固定資産回転率が低下していないかにも注意を払いましょう。

　ライオンの場合，2017年12月期の売上高研究開発費率と有形固定資産増加率は，次のように計算されます。

$$\left(\begin{array}{l}\text{ライオンの 2017 年 12 月期の}\\\text{売上高研究開発費率}\end{array}\right)\quad \frac{10,474}{410,484}\times 100\ =2.6\ (\%)$$

$$\left(\begin{array}{l}\text{ライオンの 2017 年 12 月期の}\\\text{有形固定資産増加率}\end{array}\right)\quad \frac{(80,981\ -\ 74,402)}{74,402}\times 100\ =8.8\ (\%)$$

　図表4－27は，ライオンの2013年12月期から2017年12月期の売上高研究開発費率と有形固定資産増加率を計算した結果です。5期を通じて，売上高が増加するなかでも，売上高研究開発費率は2.5%～2.7%の間で安定しており，すべての期で同業他7社の単純平均2.1%～2.3%を上回っています[17]。積極的な研究開発投資を継続していることがわかります。また，有形固定資産増加率は2015年12月期以降2期連続でマイナスとなり，設備投資を控えているようでしたが，2017年12月期には前期比8.8%増とプラスに転じ，設備投資に積極的な姿勢を見せています。将来の成長に向けた投資状況は，成長を加速させる期待を抱かせるまでには至りませんが，少なくとも，過去の成長実績による成長性の評価，すなわち，安定した成長が期待できるとした結論を補完するものとなっています。

---

17) 同期間における同業他7社の各期の売上高研究開発費を計算し，単純平均すると，2013年度から2017年度にかけてそれぞれ2.2%，2.2%，2.2%，2.1%，2.3%となります。

| 図表4－27 | ライオンの売上高研究開発費率と有形固定資産増加率（2013年12月期〜2017年12月期） |

	2013 年 12 月期	2014 年 12 月期	2015 年 12 月期	2016 年 12 月期	2017 年 12 月期
売上高研究開発費率（％）	2.7	2.6	2.6	2.5	2.6
有形固定資産増加率（％）	—	14.9	△ 5.3	△ 0.9	8.8

出所：筆者作成。

⑧ キャッシュ・フロー計算書を用いた財務分析

1　キャッシュ・フロー分析の意義を知ろう

　企業活動の成果として計算された利益の獲得状況（フロー）は，損益計算書で表示されます。しかし，損益計算書に計上される利益は，投資や配当などに利用できるキャッシュが回収されたことを必ずしも意味しません。たとえば，損益計算書に計上される費用は，必ずしも同じ期間の支出をともないません。また，棚卸資産のように，支出済であるにもかかわらず，資産として計上され，費用として損益計算書に表れないものもあります。現在では，貸借対照表や損益計算書だけで企業の資金の増減のバランスを把握することが困難になっています。

　損益計算書では，一期間の企業の経済活動の結果として当期純利益が計算されるのに対して，キャッシュ・フロー計算書では，現金及び現金同等物の増減が計算されます。これら2つの財務表は相互に補完する関係にあります。損益計算で認識される経済事象は最終的にキャッシュ・フローを企業にもたらす一方で，その認識のタイミングが異なるため，各年度における2つのフロー計算の結果は必然的に異なります。

　図表4－28は，当期純利益と純キャッシュ・フロー（キャッシュの増減高）を比較したものです。この図表からは，2017年12月期の当期純利益と現金及び現金同等物の増減額を比較すると，当期純利益が8,659百万円多くなっており，企業の諸活動の結果とキャッシュ・フローが異なることがわかります。また，2013年12月期からの5期間を見ると当期純利益の額は増加していますが，「現金及び現金同等物の増減額」は増加や減少を繰り返しており，2015年12月期，2016年12月期，2017年12月期においてはその前年度と比べて増加額が減少しています。この図表からは，認識された収益と費用にもとづいて計算される営業損益と営業活動によるキャッシュ・フローとの差異に加え，投資活動や財務活動によるキャッシュ・フローが加わることによって，このようなズレが生じていることがわかります。

図表4-28	ライオンの当期純利益と純キャッシュ・フロー				

	2013年12月期	2014年12月期	2015年12月期	2016年12月期	2017年12月期
営業損益（百万円）	10,819	12,406	16,374	24,502	27,206
当期純利益（百万円）	6,712	7,936	12,005	17,400	22,320
営業CF（百万円）	22,910	11,738	35,539	32,269	28,562
投資CF（百万円）	△12,819	△16,838	△6,974	△7,845	△8,750
財務CF（百万円）	△2,772	△6,520	△5,062	△7,437	△6,754
現金及び現金同等物に係る換算差額（百万円）	709	829	△374	△526	603
現金及び現金同等物の増減額（△は減少）（百万円）	8,027	△10,791	23,128	16,461	13,661
現金及び現金同等物の期首残高（百万円）	40,913	48,941	38,150	61,278	77,739
現金及び現金同等物の期末残高（百万円）	48,941	38,150	61,278	77,739	91,401

出所：筆者作成。

　キャッシュ・フロー計算書は，一会計期間におけるキャッシュ・フローの状況を一定の活動区分別に表示することで，企業資金の増減のバランスを可視化することを可能にします。その結果，キャッシュ・フロー計算書は，企業活動の資金的な効率性や安定性，成長性を評価する際の材料として利用されます。

2　キャッシュ・フロー計算書の区分とその関係を確認しよう[18]

　キャッシュ・フロー計算書を用いた分析では，現金及び現金同等物の増減額を見たうえで，営業活動によるキャッシュ・フロー（以下，営業CF），投資活動によるキャッシュ・フロー（以下，投資CF），財務活動によるキャッシュ・フロー（以下，財務CF）のそれぞれについて，そのプラス・マイナスと金額を確認します。そして，その大きさの比較から，企業活動で生じた資金の流れを把握し，資金繰りの状況の良否を評価します。

①　企業のすべての活動の結果として計算されたキャッシュの増減を確認します。

　キャッシュの増加は望ましいことですが，現金及び現金同等物の期末残高が企業活動に必要と考えられる金額を保っていれば，キャッシュが減少している場合でも適切な状況であるといえます。ただし，企業内に必要以上のキャッシュがある場合は，資金運用の効率性を妨げることになる点に注意が必要です。

②　営業CFのプラス・マイナスと金額を確認します。

　企業は，究極的に，キャッシュを獲得することを目的に主たる営業活動（本業）を行います。営業CFがプラスであれば，本業でキャッシュを獲得できている状態にあることを

---

18)　なお，キャッシュ・フロー計算書の概要については，すでに本章第3節3でも確認しましたが，ここではより踏み込んで分析するために，その関係性を詳しく見ます。

意味しますので，望ましい状況であると考えられます。これに対し，営業 CF がマイナスの場合は，資金繰りが悪化している可能性がありますので注意が必要です。

損益計算書で損失を計上し，営業 CF が同様にマイナスであれば，業績悪化が常態化していることを疑う必要があるでしょう。これに対し，損益計算書では利益を計上しているにもかかわらず，営業 CF がマイナスという場合には，企業規模が拡大する途上にあり，売上などによるキャッシュ・インフローが生じる前に，人件費や仕入などにともなうキャッシュ・アウトフローが増加している可能性も考えられます。この現象が短期的であれば問題ないかもしれませんが，複数の期間にわたり連続して継続的に生じていると，黒字倒産などにつながる可能性も懸念されます [19]。

営業 CF の表示に直接法が用いられている場合は，営業 CF の各項目と損益計算書の各項目を対比することができます。しかし，営業 CF の表示に間接法が用いられている場合には，その比較ができません。ただし，間接法では，損益計算書の税金等調整前当期純利益からスタートして，(a) 損益計算書には掲示されるが，キャッシュの増減を生じないためキャッシュ・フロー計算書には掲示されない項目，(b) 投資・財務活動に関連する収益・費用，(c)（キャッシュ・フローをともなう）営業上の資産・負債の増減，(d) 投資 CF，財務 CF に含めないキャッシュ・フロー，を補正することによって営業 CF を計算しますので，営業損益と営業 CF が異なる要因を把握することができます。

営業 CF がプラスである場合，本業でキャッシュを獲得していることを意味します。そのため，営業 CF がプラスの場合は，獲得した資金の範囲内でその資金を積極的な投資や資金返済に充てているかどうかとそのバランスを確認することになります。

営業 CF がマイナスである場合，本業でキャッシュを獲得できていないことになりますので，投資 CF や財務 CF で資金を融通できているかどうかを確認します。投資 CF で営業 CF のマイナスを補うには，好ましくはないものの，設備投資などの投資活動を縮小させたり，保有資産を切り売りするなど，投資資金の回収に注力する必要があります。また，財務 CF で営業 CF のマイナスを補うには，借入れや社債・株式の発行などで資金調達することを考えなければなりません。

③　投資 CF のプラス・マイナスと金額を確認します。

将来を見据えた有形・無形固定資産への投資があると，投資 CF はマイナスとなります。このときの投資 CF のマイナスは，企業が拡大・成長期にある場合，将来の持続・成長のために不可欠な固定資産への設備投資や有価証券などへの投資活動にどの程度の資金を回しているかを表します [20]。必要な投資資金を営業 CF のプラスで賄えていれば，特段，問題はありません。しかし，そうでない場合には，本来行うべき投資を抑制するか，外部か

---

19)　ここで，黒字倒産とは，損益計算書では利益が出ているにもかかわらず，手元にキャッシュがないことで，債務を返済できなくなり，企業経営が行き詰まって倒産することをいいます。

ら資金を調達することが必要となります。ただし，投資 CF のマイナスを財務 CF のプラスで補う割合が高くなると，貸借対照表の負債等が増加し，資金繰りが厳しくなります。

　企業が拡大・成長期にある場合は，巨額の投資を必要としますので投資 CF はマイナスとなり，外部資金を調達することで必要な投資資金を賄うことも考えられます。この場合，財務 CF はプラスとなります。しかし，行き過ぎた財務 CF のプラスは，企業の将来的な資金繰りを悪化させるおそれがあります。最悪の場合，投資の縮小や保有資産の切り売りなど，企業にとって好ましくない投資行動をとる必要が生じます。

④　財務 CF のプラス・マイナスと金額を確認します。

　財務 CF がプラスであるということは，外部から資金の融通を受けたことを表します。逆に，財務 CF がマイナスであるということは，調達した資金を返済・返還したことや株主への配当および利息の支払いを行ったことを表します。財務 CF がプラスである限りは，必要な資金が調達されているという意味で，資金繰りの問題はクリアできるかもしれません。しかし，財務 CF がマイナスである場合は注意を要します。

　手元に充分なキャッシュがないにもかかわらず，財務 CF がマイナスの場合や，企業規模が拡大傾向でないにもかかわらず，営業 CF がマイナスで，財務 CF もマイナスの場合は，増資や借入れが困難になっている可能性がありますので，将来的に資金繰りが行き詰まるかもしれません。

　なお，企業がこれまでに投下した資本を回収する段階，すなわち営業 CF がプラスの段階で，積極的な投資戦略を打つ段階にない場合には，財務 CF はマイナスになりますが，調達資金の返済や自己株式の取得などを通じて，企業内部に留保される余剰資本を株主に還元することなどを検討する必要があるかもしれません。

⑤　現金及び現金同等物の換算差額を確認します。

　企業が外国通貨を基準とする取引（外貨建取引）を行っている場合には，統一通貨（日本円）に戻すため，外貨表示の金額を日本円に換算します。取得時だけでなく，決算時や決済時にも行う外貨換算で生じる換算差額は日本円で示されるキャッシュの増減をもたらします。海外との取引が大きい企業では為替換算レートの変動により，換算差額が大きくなることもあります。

　図表 4 - 29 は，ライオンの 2013 年 12 月期から 2017 年 12 月期のキャッシュ・フローの状況を示したものです。ライオンの 2017 年 12 月期のキャッシュ・フローの状況は，全

---

20)　なお，企業が拡大・成長期になく，企業規模の拡大を目指していない場合には，積極的な投資によって投資 CF がマイナスになるのではなく，投下資本を回収することで投資 CF がプラスになることもあります。

| 図表4-29 | ライオンの要約キャッシュ・フロー計算書（2013年12月期〜2017年12月期） |

（注）単位は百万円

	2013年 12月期	2014年 12月期	2015年 12月期	2016年 12月期	2017年 12月期
営業活動によるキャッシュ・フロー	22,910	11,738	35,539	32,269	28,562
投資活動によるキャッシュ・フロー	△12,819	△16,838	△6,974	△7,845	△8,750
財務活動によるキャッシュ・フロー	△2,772	△6,520	△5,062	△7,437	△6,754
現金及び現金同等物に係る換算差額	709	829	△374	△526	603
現金及び現金同等物の増減額（△は減少）	8,027	△10,791	23,128	16,461	13,661
現金及び現金同等物の期首残高	40,913	48,941	38,150	61,278	77,739
現金及び現金同等物の期末残高	48,941	38,150	61,278	77,739	91,401

出所：筆者作成。

体で13,661百万円増加しています。営業CFでは，2016年12月期の32,269百万円から減少してはいるものの28,562百万円を獲得し[21]，投資CFでは，純額で8,750百万円の資金投資を行い，財務CFでは，6,754百万円の調達資金の返済や分配を行っています。営業CFのプラスの範囲内で投資CFと財務CFのマイナスを補い，換算差額を含めて全体的にもキャッシュが増額していますので，健全な資金繰りが行われていることがわかります。

また，2013年12月期から2017年12月期までの5期間を見れば，営業CFは常にプラスで，営業CFが大幅に減少した2014年12月期を除いて，投資CFと財務CFのマイナスは営業CFのプラスの範囲内で賄われているため，キャッシュ残高は毎期増加しています。したがって，5期間を通じたライオンの資金運用の状態は，全体として良好であるといえます。なお，2014年12月期の分析で資金繰りを判断するには，営業CFの減少要因を調べることに加えて，期末残高が企業活動上適切な範囲であったかを貸借対照表上でも確認することが必要です[22]。

2　キャッシュ・フロー計算書を利用して収益性（効率性）を見てみよう
（1）総資本CF比率を計算する
　続いて，キャッシュ・フロー情報を用いて計算される各種指標の分析を行います。
　まず，企業活動の本業での成果としてキャッシュをいくら獲得したかを示す営業CF情

21）　詳細な説明は本章第8節3で行いますが，2017年12月期の営業CFが2016年12月期から減少している原因としては，前年度に比べて売上債権が増加したことでキャッシュ・インフローのタイミングが遅くなったこと，未払金および未払費用の減少にともなってキャッシュ・アウトフローが増加したことが考えられます。

22）　詳細な説明は本章第8節3で行いますが，2014年12月期の営業CFが大きく減少している原因としては，仕入債務の減少でキャッシュ・アウトフローが増加したこと，退職給付に関する会計基準を新たに適用したことにともなってキャッシュ・アウトフローが増加したことが考えられます。

報は, 将来の投資のために自由に用いることができる資金の情報として重要です。しかし, 営業 CF が同じであっても, 資本規模によってその評価は異なります。資本規模が大きい企業が, 小さい企業と同程度の営業 CF しか創出できない場合には, 資本規模の小さい企業の方が, 効率的にキャッシュを獲得できていると判断されます。このとき, 企業がキャッシュを効率的に創出しているかを見るために, 企業の総資本に対する営業 CF の割合を計算し, 企業の総資本に対するキャッシュ創出能力, すなわち効率性を評価します。これを総資本営業 CF 比率といい, 次の式で表します[23]。

$$\text{総資本営業CF比率（\%）} = \frac{\text{営業CF}}{\text{総資本}} \times 100$$

ライオンの場合, 2017 年 12 月期の総資本営業 CF 比率は, 次のように計算されます。

$$\left(\begin{array}{l} \text{ライオンの 2017 年 12 月期の} \\ \text{総資本営業CF比率} \end{array} \right) \quad \frac{28,562}{331,751} \times 100 \quad = 8.6 \text{（\%）}$$

この結果は, 100 万円の資本を使えば, 年間に 8.6 万円のキャッシュを獲得する能力があることを意味します。

図表 4 - 30 は, ライオンの 2013 年 12 月期から 2017 年 12 月期の総資本営業 CF 比率を計算した結果です。前述のように, 2014 年 12 月期の営業 CF の金額は減少していますが, 5 期間を通じた総資本営業 CF 比率がおおむね 8% を超えるものであることを考えると, 投下された資本に対して安定した営業 CF を獲得しているといえます。

図表 4 - 30　ライオンの総資本営業 CF 比率（2013 年 12 月期〜 2017 年 12 月期）

	2013 年 12 月期	2014 年 12 月期	2015 年 12 月期	2016 年 12 月期	2017 年 12 月期
総資本営業 CF 比率（%）	8.1	4.0	12.5	10.8	8.6

出所：筆者作成。

（2）総資本営業 CF 比率の変化や優劣の原因を探る

　総資本営業 CF 比率を計算した結果, この比率が過年度と比較して上昇または低下している, 同業他社と比較して高いまたは低いことがわかったならば, 次に, その原因がどこにあるかを探ります。

　総資本営業 CF 比率は, その計算式に「売上高／売上高（＝ 1）」を乗じて分母と分子を入れ替えることで, 次のように, 「キャッシュ・フロー・マージン」と「総資本回転率」に分解されます。

---

[23]　総資本営業 CF 比率は 15% を超えると望ましいといわれることもありますが, あくまでも目安に過ぎず, 過去の数値や同業他社の数値と比較して評価することが大切です。

$$\underbrace{\frac{\text{営業CF}}{\text{総資本}} \times 100}_{\text{総資本営業CF比率（\%）}} = \underbrace{\frac{\text{営業CF}}{\text{売上高}} \times 100}_{\text{キャッシュ・フロー・マージン（\%）}} \times \underbrace{\frac{\text{売上高}}{\text{総資本}}}_{\text{総資本回転率（回）}}$$

① キャッシュ・フロー・マージン

　売上高に占める営業 CF の割合です。一期間の企業の営業活動における「キャッシュ獲得能力」の大きさを表すこの比率は高いほど企業の売上高でキャッシュを獲得する力が高いことを意味します。

② 総資本回転率

　本章第5節1 (2) ②で説明したとおり，総資本が売上高を通じて何回回収されるかの倍率です。総資本の何倍の売上高を計上するかを表すこの比率は高いほど，総資本あるいは総資産の利用効率が高いことを意味します。

　では，キャッシュ・フロー・マージンと総資本回転率を計算します。これらの計算結果からは，分析対象企業の総資本営業 CF 比率が過去と比較して上昇または低下している原因や同業他社と異なっている原因がどこにあるのかがわかります。

　ライオンの場合，2017 年 12 月期のキャッシュ・フロー・マージンと総資本回転率は，次のように計算されます。これらの積は総資本営業 CF 比率の 8.6％と等しくなります。

$$\left(\begin{array}{l} \text{ライオンの 2017 年 12 月期の} \\ \text{キャッシュ・フロー・マージン} \end{array} \right) \quad \frac{28{,}562}{410{,}484} \times 100 \ = 7.0 \ (\%)$$

$$\left(\begin{array}{l} \text{ライオンの 2017 年 12 月期の} \\ \text{総資本回転率} \end{array} \right) \quad \frac{410{,}484}{331{,}751} \ = 1.24 \ (\text{回})$$

　図表 4 - 31 は，ライオンの 2013 年 12 月期から 2017 年 12 月期の総資本営業 CF 比率とその 2 つの構成要素を計算した結果です。5 期間を通して資本運用の効率性（総資本回転

図表4 - 31	ライオンの総資本営業CF比率とその構成要素（2013年12月期～2017年12月期）				
	2013 年 12 月期	2014 年 12 月期	2015 年 12 月期	2016 年 12 月期	2017 年 12 月期
総資本営業 CF 比率（%）	8.1	4.0	12.5	10.8	8.6
キャッシュ・フロー・マージン（%）	6.5	3.2	9.4	8.2	7.0
総資本回転率（回）	1.25	1.30	1.34	1.33	1.24

出所：筆者作成。

率）はおおむね安定していますので，総資本営業 CF 比率が変動する要因は，おもにキャッシュ・フロー・マージンで示されるキャッシュ獲得能力の変動によることがわかります。

3 キャッシュ・フロー・マージンを分析してみよう

（1）営業 CF の構成比を計算する

　企業のキャッシュがどのような理由で増加・減少したかを把握できるキャッシュ・フロー計算書は，損益計算書からはわからない収益・費用とキャッシュ・フローの計上のタイミングのズレを見ることができる点で損益計算書を補完する役割を担っています。

　キャッシュ・フロー・マージンの計算で用いられる売上高を計上する際の対価は売上債権であることも多く，必ずしも現金収入とは限りません。これに対し，営業 CF は，原則，現金収支にもとづいて計算されます。また，営業 CF は本業と関係する項目で構成されますので，黒字倒産のリスクを回避するという意味でも，損益計算書で収益性を評価するだけではなく，キャッシュ・フロー計算書でキャッシュを増やす力を見て，問題点に対処することが必要です。

　キャッシュ・フロー・マージンに過年度からの変化または同業他社との差異が存在する場合，営業 CF の内訳のどこにその原因があるかを探ることが求められます。それができれば，キャッシュ・フロー・マージンのさらなる上昇へのヒントが得られるかもしれません。そこで，ここでは，本章第 5 節 3（1）の百分率損益計算書を参考に営業 CF の構成比を考えてみます。

　営業 CF の構成比は，営業 CF の各項目の金額を営業 CF の金額で割って，百分率（パーセント）で示したものです。企業が公表するキャッシュ・フロー計算書は，一般的に間接法にもとづくものが多いため，ここでは間接法で作成されたキャッシュ・フロー計算書をもとに作成します。

（2）キャッシュ・フロー・マージンの変化や差異の原因を営業 CF の構成比から探る

　過去数期分の営業 CF の構成比表の作成後は，営業 CF の計算プロセスに沿って，営業 CF の変化の原因や他社との差異がどこにあるかを検討します。

　図表 4 - 32 は，ライオンの 2013 年 12 月期から 2017 年 12 月期までの 5 期分の連結キャッシュ・フロー計算書から営業 CF の区分を抜粋し，営業 CF を基準にした構成比（百分率）を加えたものです。キャッシュ・フロー・マージンは，営業 CF を売上高で除すことで計算されることを考えると，営業 CF 項目における問題点の改善は，キャッシュ・フロー・マージンの改善につながります[24]。

　2017 年 12 月期をみると，営業 CF の増加要因は，税金等調整前当期純利益 107.0％，減価償却費の控除 32.9％，仕入債務の増加 10.0％が大きいこと，減少要因は，売上債権の増加△ 9.5％，未払金及び未払費用の減少△ 16.9％，法人税等の支払額△ 28.3％が大きいこ

図表 4－32　ライオンの営業 CF の構成比表（2013 年 12 月期～2017 年 12 月期）

（注）金額の単位は百万円

連結キャッシュ・フロー計算書	2013 年 12 月期 金額	百分率	2014 年 12 月期 金額	百分率	2015 年 12 月期 金額	百分率	2016 年 12 月期 金額	百分率	2017 年 12 月期 金額	百分率
営業 CF										
税金等調整前当期純利益	10,925	47.7	13,085	111.5	19,387	54.6	24,035	74.5	30,560	107.0
減価償却費	11,227	49.0	10,301	87.8	11,166	31.4	10,244	31.7	9,386	32.9
減損損失	1,962	8.6	833	7.1	4,479	12.6	1,114	3.5	683	2.4
賞与引当金の増減額（△は減少）	156	0.7	349	3.0	339	1.0	832	2.6	30	0.1
退職給付に係る資産及び負債の増減額（△は減少）	△378	△1.6	△4,789	△40.8	△4,826	△13.6	1,765	5.5	1,483	5.2
退職給付信託設定損益（△は益）	—	—	—	—	△6,736	△19.0	—	—	—	—
受取利息及び受取配当金	△772	△3.4	△770	△6.6	△824	△2.3	△561	△1.7	△722	△2.5
支払利息	726	3.2	621	5.3	429	1.2	276	0.9	205	0.7
社債利息	—	—	85	0.7	119	0.3	9	0.0	—	—
固定資産処分損益（△は益）	858	3.7	676	5.8	1,267	3.6	542	1.7	△722	△2.5
投資有価証券売却損益（△は益）	△1,428	△6.2	0	0.0	△210	△0.6	△31	△0.1	△364	△1.3
投資有価証券評価損益（△は益）	40	0.2	72	0.6	15	0.0	—	—	—	—
持分法による投資損益（△は益）	△696	△3.0	△843	△7.2	△752	△2.1	△725	△2.2	△737	△2.6
負ののれん発生益	—	—	△97	△0.8	—	—	—	—	—	—
段階取得に係る差損益（△は益）	—	—	△477	△4.1	178	0.5	△2,456	△7.6	△2,721	△9.5
売上債権の増減額（△は増加）	△4,167	△18.2	37	0.3	2,302	6.5	△2,968	△9.2	137	0.5
たな卸資産の増減額（△は増加）	△2,207	△9.6	△2,494	△21.2	2,078	5.8	1,769	5.5	2,847	10.0
仕入債務の増減額（△は減少）	8,440	36.8	△5,239	△44.6	2,131	6.0	4,527	14.0	△4,667	△16.3
未払金及び未払費用の増減額（△は減少）	304	1.3	3,525	30.0	2,111	5.9	850	2.6	1,531	5.4
その他の流動負債の増減額（△は減少）	293	1.3	△21	△0.2	201	0.6	△456	△1.4	185	0.6
その他の流動資産の増減額（△は増加）	△281	△1.2	29	0.2	△538	△1.5	549	1.7	—	—
その他	△209	△0.9	542	4.6	7,204	20.3	—	—	△71	△0.2
小計	24,793	108.2	15,425	131.4	39,523	111.2	39,320	121.9	36,013	126.1
利息及び配当金の受取額	1,068	4.7	1,386	11.8	1,073	3.0	709	2.2	831	2.9
利息の支払額	△711	△3.1	△775	△6.6	△436	△1.2	△264	△0.8	△192	△0.7
法人税等の支払額	△2,240	△9.8	△4,297	△36.6	△4,620	△13.0	△7,495	△23.2	△8,089	△28.3
営業活動 CF	22,910	100.0	11,738	100.0	35,539	100.0	32,269	100.0	28,562	100.0

出所：筆者作成。

とがわかります。

　また，2014年12月期には，退職給付にかかわる支出や，仕入取引にかかわる棚卸資産の増加，仕入債務の減少が大きいことから，キャッシュ・アウトフローが増えたと推定でき，その結果として，営業 CF の大幅な減少につながったことが見て取れます。

　しかし，2015年12月期，2016年12月期には，間接法による営業 CF 表示で，税金等調整前当期純利益，減価償却費以外の項目でもキャッシュ・フローの改善がみられた結果，キャッシュ・フロー・マージンが改善しています。

　キャッシュ・フロー・マージンは，本業の取引相手の財務状況に左右される部分も大きいため，一概に改善方法を判断できません。しかし，営業 CF と本業との関係性を考慮すると，営業 CF を増やすためには，売上などの営業収入を増やし，コストを削減するほか，売上債権の回収を早める，商製品の在庫を減らす，といった手立てが有効です。

4　キャッシュ・フロー計算書を利用して安全性を見てみよう

　キャッシュ・フローは，企業の短期支払手段が確保されているかをキャッシュの流れから表します。とりわけ，営業 CF は本業で創出された資金による支払能力を示すものですから，これを利用すれば，資金循環の安全性の指標を計算し，評価することができます。そこで，ここでは，営業 CF 対流動負債比率，営業 CF 対長期負債比率，設備投資額対営業 CF 比率を見ていくことにします。

（1）営業 CF 対流動負債比率

　流動負債に対して営業 CF をどれだけ獲得できたか，別の言い方をすれば，財務活動としての資金調達によらずに，営業活動で獲得した資金でどれだけ流動負債を返済できるかという債務返済能力を示す指標です。企業の安全性を分析するとき，通常は，本章第6節1（1）で説明した流動比率や当座比率を用います。しかし，当座資産には売上債権が含まれ，流動資産にはさらに棚卸資産や支払手段に利用できない前払費用や仮払金が含まれます。そのため，たとえば売上債権が増えると，当座比率（や流動比率）は高くなり，債務返済能力は高まったように見えますが，実際に支払いに使える資金が増えたわけではありませんので，キャッシュが不足し，資金ショートを起こす可能性がないとは言い切れません。営業 CF 対流動負債比率は，すでに営業活動で創出した営業 CF を用いますので流動比率や当座比率よりも現実的かつ客観的に支払能力を示します[25]。

24）　営業活動によるキャッシュ・フローの区分で，小計の欄の下に示される「法人税等の支払額」は，法人税法等にもとづき金額が決まりますので，必ずしも営業 CF とは連動しません。そのため，本分析では，「法人税等の支払額」は，営業 CF 項目の増減の要因ではあるものの，キャッシュ・フロー・マージンを改善するために企業が減少させることはできないものとして扱います。

$$営業CF対流動負債比率（％）= \frac{営業CF}{流動負債} \times 100（％）$$

ライオンの場合，2017年12月期の営業CF対流動負債比率は，次のように計算されます。

$$\left(\begin{array}{l}ライオンの2017年12月期の\\流動負債対営業CF比率（％）\end{array}\right) = \frac{28,562}{127,225} = 22.4\%$$

　この結果は，流動負債の22.4%相当の営業CFを獲得したこと，すなわち，流動負債総額の22.4%の返済を営業活動で獲得したキャッシュで賄うことができることを示しています。

（2）営業CF対長期負債比率

　長期負債に対して営業CFをどれだけ獲得できたか，別の言い方をすれば，財務活動としての資金調達によらずに，営業活動で獲得した資金でどれだけ固定負債を返済できるか，長期的な支払能力はあるのかという財務健全性，元本返済能力を示す指標です。実際には流動負債の返済とのバランスを考慮した規則的・計画的な返済が必要となりますが，営業CF対長期負債比率は，営業活動で獲得したキャッシュで，1年以上先に償還期限を迎える長期負債の返済をどれだけ賄うことができるかを示しています。

$$営業CF対長期負債比率（％）= \frac{営業CF}{固定負債} \times 100（％）$$

ライオンの場合，2017年12月期の営業CF対長期負債比率は，次のように計算されます。

$$\left(\begin{array}{l}ライオンの2017年12月期の\\営業CF対長期負債比率（％）\end{array}\right) = \frac{28,562}{17,511} = 163.1\%$$

　この結果は，長期負債の163.1%に相当する営業CFを獲得したこと，すなわち，（流動負債を考慮に入れなければ）固定負債を営業活動で獲得したキャッシュで即座に返済することができることを示しています。

（3）設備投資額対営業CF比率

　企業が行う事業を維持・発展させるため，新たな生産設備の設置や老朽化した生産設備の更新・補強などを行う際に行う投資を設備投資といいます。設備投資は，将来的な利益獲得を目的として行うものですが，そこに投下した資金は，その設備が稼働する期間に創

25）　営業CF対流動負債比率は40%を超えることが望ましいといわれることもありますが，あくまでも目安に過ぎず，過去の数値や同業他社の数値と比較して評価することが大切です。

出された収益で回収され，キャッシュとして還流します。そのため，設備投資を本業で獲得した資金でどの程度賄えているかを表す設備投資額対営業 CF 比率は，企業の財務健全性（安全性）を評価する指標であり，長期にわたる利用を前提とする設備資産への投資額が，企業の営業 CF 創出能力と比べて妥当か否か，過剰投資になっていないかを示します。

設備投資額対営業 CF 比率の計算式の分子の設備投資額は投資 CF の内訳項目である「有形固定資産の取得による支出」から「有形固定資産の売却による収入」を控除して求めます。この金額が低いほど資金繰りに余裕があることを意味しますので，財務健全性が高いといえます。設備投資額対営業 CF 比率は 100％を下回ることが望ましいとされています。100％を超える場合は，投資資金の一部を手元資金の取り崩しや借入金で賄うことになりますので，企業が拡大・成長するために積極投資を行っていると解釈できる場合を除き，過剰投資を疑い，投資の適切性とともに，投資 CF，財務 CF，キャッシュの期末残高にも着目し，キャッシュ運用の適切性を見ることが重要です。

$$設備投資額対営業CF比率（\%）= \frac{設備投資額}{営業CF} \times 100（\%）$$

ライオンの 2017 年 12 月期の設備投資額対営業 CF 比率は，次のように計算されます。

$$\left(\begin{array}{l}ライオンの 2017 年 12 月期の\\設備投資額対営業CF比率\end{array}\right) = \frac{(10,814-2,800)}{28,562} = 28.1\%$$

この結果は，営業 CF の 28.1％相当の設備投資を実施したこと，すなわち，設備投資は営業 CF の範囲内で行っているため過剰投資の可能性は低いことを示しています。

図表 4 - 33 は，ライオンの 2013 年 12 月期から 2017 年 12 月期の営業 CF 対流動負債比率，営業 CF 対長期負債比率，設備投資額対営業 CF 比率を計算した結果です。

営業 CF 対流動負債比率は，すでに説明したように，2014 年 12 月期に大きく下がっています。しかし，その後は営業 CF が改善していますので，流動負債の支払能力が安定してきています。このことは，図表 4 - 33 にあわせて示した，流動比率・当座比率の分析結果を補完します。すなわち，流動負債に対する短期的な支払能力を示す流動比率・当座比率は決算時点の資産（ストック）にもとづき計算しますが，営業 CF 対流動負債比率のような，1 年間のキャッシュ・フロー比率をあわせて考えることで，ストックとフローの両面からの支払能力の推定が可能になります。2017 年 12 月期を見ると，営業 CF 対流動負債比率と当座比率の合計は 100％を超えていますので，ストックとフローで流動負債の安定した返済が可能であることが示されており，短期的な債務返済能力（安全性）が高いことがわかります。

一方，営業 CF 対長期負債比率は，2014 年 12 月期に営業 CF が減少すると同時に固定

負債額が増加したため，営業 CF 対流動負債比率以上に大きく下がっていますが，その後は営業 CF が改善していますので，長期負債に対しても支払能力が安定してきています。そのことは，設備投資額対営業 CF 比率の推移をみてもわかります。2014 年 12 月期は100％を超えていましたが，2015 年 12 月期以降は30％を切るまでに低下し，余裕をもった投資が行われていることを示しています。したがって，このような推移を見る限り，長期的な財務健全性（安全性）も高い水準にあることがわかります。

図表 4 − 33	ライオンの流動比率・当座比率と負債キャッシュ・フロー比率（2013年12月期～2017年12月期）				
	2013 年 12 月期	2014 年 12 月期	2015 年 12 月期	2016 年 12 月期	2017 年 12 月期
営業 CF 対流動負債比率（％）	17.4	10.2	29.3	26.1	22.4
営業 CF 対長期負債比率（％）	87.4	29.1	192.6	187.7	163.1
設備投資額対営業 CF 比率（％）	63.1	110.6	24.0	27.6	28.1
流動比率（％）	112.5	126.5	137.6	150.3	159.9
当座比率（％）	82.2	87.8	101.6	112.8	123.5

出所：筆者作成。

（4）フリー・キャッシュ・フロー

　キャッシュ・フロー計算書を用いた安全性の分析では，主に本業で獲得した営業 CF を起点として，負債の支払能力があるか，事業を維持・発展させるための設備投資を賄っていけるかを見てきました。次に，ここでは，少し視点を変え，企業が自由に使えるキャッシュを獲得できているかを見てみましょう。

　フリー・キャッシュ・フロー（free cash flow）という概念があります。企業が一会計期間で生み出したキャッシュ・フローのうち，自由に使途を選択し使うことのできるキャッシュ（・フロー）で，簡便的にいえば，営業 CF と投資 CF の合計額です。しかし，より厳密には，次の計算式で示すように，企業が営業活動で獲得した営業 CF から，事業を維持・存続させるために必要な設備投資額を差し引いて算出されるキャッシュ・フローとして定義されます。

> フリー・キャッシュ・フロー ＝ 営業CF － 企業存続のために必要な投資

　この計算式で算出されるフリー・キャッシュ・フローは，企業存続のために必要な投資をどのように捉えるかによって計算結果が異なります。そして，営業 CF が間接法で表示されている場合，フリー・キャッシュ・フロー，一般に，営業 CF から投資 CF の部の設備投資額を控除して計算されます。

　また，このときの設備投資額は，有形固定資産の取得による支出から売却による収入を控除し，無形固定資産の取得による支出を加算することで算出されるキャッシュ・フローと考えられます。そのため，ここで計算されるキャッシュ・フローを企業が経営する既存

の事業を維持・継続させるために必要な投資とみなした場合は，次の計算式で算出された金額がフリー・キャッシュ・フローとして計算されます。

フリー・キャッシュ・フロー ＝ 営業CF − （有形固定資産の取得による支出−有形固定資産の売却による収入＋無形固定資産の取得による支出）

ライオンの 2017 年 12 月期のフリー・キャッシュ・フローは次のように計算されます。ここで計算された，フリー・キャッシュ・フローが投資活動や財務活動にどの程度利用され，また期末にキャッシュとしてどの程度残っているかを見ることで，企業の資金運用の結果がわかります。

ライオンの 2017 年 12 月期における フリー・キャッシュ・フロー 28,562 − 〔10,814 − 2,800 ＋ 714〕 ＝ 19,834

図表 4 − 34 は，ライオンの 2013 年 12 月期から 2017 年 12 月期までのフリー・キャッシュ・フローを計算した結果とその計算要素です。

図表 4 − 34　ライオンのフリー・キャッシュ・フロー（2013 年 12 月期〜 2017 年 12 月期）

	2013 年 12 月期	2014 年 12 月期	2015 年 12 月期	2016 年 12 月期	2017 年 12 月期
営業 CF（百万円）	22,910	11,738	35,539	32,269	28,562
フリーキャッシュフロー（百万円）	8,332	△ 1,363	26,832	23,115	19,834
有形固定資産の取得による支出（百万円）	△ 14,649	△ 13,124	△ 9,334	△ 8,945	△ 10,814
有形固定資産の売却による収入（百万円）	183	141	787	51	2,800
無形固定資産の取得による支出（百万円）	△ 112	△ 118	△ 160	△ 260	△ 714

2014 年 12 月期は，営業 CF が大きく減少したために，フリー・キャッシュ・フローも大きく減少しています。しかしながら，2015 年 12 月期からは，営業 CF の増額により，フリー・キャッシュ・フローが増加していることから，企業が自由に使える資金が増加し，資金繰りの面でゆとりが生まれていることがわかります。

⑨ まとめ

本章では，企業の財務諸表の基本的な見方と各種指標を用いて企業を分析する方法を解説しました。最後に，財務分析の手順について簡単にまとめておきましょう。

分析対象企業が決定したら，まずは，その財務諸表を入手します。通常は，期間比較を行うために，過去数期分の財務諸表（あるいは財務データ）を入手します。また，企業間比較も行うため，比較対象企業の財務諸表も入手します。

　次に，分析対象企業の当期（直近）の財務諸表を見て，その財政状態，経営成績および
キャッシュ・フローの状況を大まかに把握します。企業の戦略や経営方針，業界やビジネ
スの特徴が財務諸表に反映されていれば，それらも把握します。

　そして，分析対象企業や比較対象企業の過去数期分の財務データを用いて，収益性，安
全性および成長性を評価するための各種指標を計算し，分析対象企業の数値を時系列で比
較したり，同業他社の数値と比較したりして，収益性や安全性などが向上しているか低下
しているか，他社より優れているか劣っているかを判断します。

　分析対象企業の収益性や安全性などを判断しただけで財務分析は終わりません。なぜそ
のような結果となっているのか，その原因を企業の具体的な行動のなかに探求するところ
まで行う必要があります。各種指標の計算式（計算構造）を手掛かりに，財務諸表のどこ
にその原因が現れているのかを探ります。そして，それを踏まえて，有価証券報告書や決
算説明会資料，雑誌や新聞の記事などにあたり，その原因となる具体的な企業行動を調べ
ます。たとえば，ライオンの場合，収益性の分析で，売上高経常利益率の上昇の原因が売
上原価率や販管費率の低下にあることがわかりましたが，これについてさらに深く調べる
と，高付加価値商品の販売に力を入れるようになったことがわかります。原材料価格は上
昇し，販促費は増加していましたが，高単価品の販売増によってそれを吸収できているの
です。本章では，紙幅の都合上，ライオンについて，そこまでの分析を行っていませんが，
財務分析をする際には必ず行ってください。

　最後に，分析した内容を総合して，財務的な視点から，分析対象企業の経済活動の現
状と問題点や課題をまとめます。とりわけ，損益計算書や貸借対照表にもとづく分析で
は，企業の資金繰りの状況が把握できない場合があります。このような場合には，キャッ
シュ・フロー計算書にもとづく分析を加えることで，多角的な視点からの分析を行うこと
ができ，それまでの分析で直面している問題点や課題をクリアできることが少なくありま
せん。キャッシュ・フロー計算書を用いた分析では，企業の活動区分別のキャッシュ・フ
ローにもとづいて資金繰りや資金運用の良否を見ることができます。また，収益・費用と
キャッシュ・フローという2つのフローを比較することにより，それぞれの質についても
理解できるようになるはずですし，そこから，より詳細な問題点や課題が見えてくるかも
しれません。ぜひ，キャッシュ・フロー計算書を用いた分析も実践し，企業業績の多面的
な評価に挑戦してください。

　上記のような手順で，かつ，本章で解説した方法で財務分析を行えば，初学者でも，分
析対象企業の収益性や安全性などを評価することはさほど難しくないでしょう。しかし，
収益性や安全性などの変化や優劣の原因を企業の具体的な行動から突き止めるのは，やや
難しいかもしれません。しかし，それは，企業が直面する問題点や課題を抽出し，その改
善や解決に向けての示唆を得るためにも避けて通ることはできませんので，実践を重ね，
独自の方法を考えたり，勘を磨いたりするよう努めてください。

　本章の解説は，初学者が財務分析を行う際に最低限知っておいてほしい内容に留めています。財務諸表の理解を深め，財務分析のスキルをさらに高めたい場合には，以下の書籍が参考になるでしょう。本章の内容を出発点に，新たな知識や手法を追加しながら，より充実した財務分析を実践できるようになってください。

【参考図書】

大阪商工会議所編（2023）『ビジネス会計検定試験®公式テキスト3級＜第5版＞』中央経済社。

大阪商工会議所編（2020）『ビジネス会計検定試験®公式テキスト2級＜第5版＞』中央経済社。

大阪商工会議所編（2023）『ビジネス会計検定試験®公式テキスト1級＜第3版＞』中央経済社。

乙政正太（2019）『財務諸表分析＜第3版＞』同文舘。

木村直人（2022）『これならわかる決算書キホン50！＜2023年版＞』中央経済社。

小宮一慶（1998）『図解キャッシュフロー経営』東洋経済新報社。

桜井久勝（2020）『財務諸表分析＜第8版＞』中央経済社。

桜井久勝（2023）『財務会計講義＜第24版＞』中央経済社。

高下淳子（2007）『＜図解＞決算書を読みこなして経営分析ができる本＜最新版＞』日本実業出版社。

冨山和彦（2018）『[図解] IGPI流経営分析のリアル・ノウハウ』PHP研究所。

内藤文雄（2022）『会計学エッセンス＜第5版＞』中央経済社。

新田忠誓その他（2020）『実践財務諸表分析＜第3版＞』中央経済社。

林　聡（1999）『よくわかるキャッシュフロー経営　入門マネジメント＆ストラテジー』日本実業出版社。

三富正博（2010）『目的別7ステップ財務分析法』税務経理協会。

南　伸一（2021）『誰でもわかる　決算書の読み方1年生』西東社。

矢部謙介（2017）『武器としての会計思考力　会社の数字をどのように戦略に活用するか？』日本実業出版社。

山根　節（2015）『「儲かる会社」の財務諸表48の実例で身につく経営力・会計力』光文社新書。

山根　節・太田康広・村上裕太郎（2019）『ビジネス・アカウンティング　財務諸表から経営を読み解く＜第4版＞』中央経済社。

Chapter 5
分析結果を踏まえた考察・総合判断

① 結論を導くにあたっての 6 つの観点

　Chapter 1 から Chapter 4 では，業界分析，経営分析，財務分析の基本的な考え方と方法について説明しました。それぞれの分析で留意すべきことについては，関係する箇所で説明していますが，その分析結果を総合的に解釈し，全体としての結論を導くに当たっては，さらに気をつけるべきことがいくつかあります。

　本章では，個々の分析結果から全体としての結論を導く思考プロセスで留意すべきポイントを，以下の 6 つの観点から説明します。

① 　分析の目的を明確にする
② 　考察の範囲を適切に定める
③ 　相対的に考える
④ 　ミクロの眼とマクロの眼をもつ
⑤ 　何をしていないのかを考える
⑥ 　複数の分析の結果を総合する

　これら 6 つの観点のすべてをいかなる分析においても考慮しなければならないというわけではありません。また，考慮した観点を，必ず分析結果の考察や結論に「明示的に」反映させなければならないわけでもありません。しかし，これらの観点から自らが行った分析を振り返り，評価してみることで，分析の不十分なところに気づいたり，分析結果から不適切な（誤った）結論を導くのを防いだりすることが可能になります。

　上記の 6 つの観点には，これまでの章ですでに指摘したことと内容的に重複することも

含まれますが，全体としての結論を導くプロセスには，個々の分析を評価するという側面もあることから，あらためて説明したいと思います。

② 分析の目的を明確にする

　分析の目的，すなわち何のために分析を行うのかは，本来，分析に取り掛かる前に明確にしておかなければならないことはいうまでもないでしょう。目的が明確になっていなければ，そもそも何をどう分析すればよいのかが決まらないからです。

　初学者に，特定の業界や企業をなぜ分析対象として選択したのか，その理由を問うと，自らが関心をもったから，という答えがしばしば返ってきます。しかし，これは当たり前のことです。関心がなければそもそも分析を行おうとは思わないからです。ここで強調している分析目的の明確化のためには，関心をもったからという答えでは不十分です。その関心の中身を明らかにする必要があるのです。より具体的には，なぜ・誰が・何を・いつ・どのように（いわゆる5W1H）という視点から，関心を問題意識のレベルにまで落とし込まなければなりません。

　分析目的が明確になっているかを確認することは，分析に取り掛かるはじめの段階においても，個々の分析結果にもとづいて結論を導く最後の段階においても重要な意味をもっています。分析に取り掛かる段階でこのことが重要なのは，それが，どのような分析をどの範囲で行うのかを決定するための指針となるからです。逆に，分析目的が明確になっていなければ，何をどこまでやればいいのかが決まらず，あらゆる種類の分析をどこまでやっても何も結論が導けないということになりかねません。

　ここまで取り上げてきた分析の多くは，明確な目的がなくとも行えます。つまり，分析方法自体は多くの場合，無色透明です。その分析結果は，ときには図や表に要約されて，ときには数字の羅列として得られます。しかし，これらの結果は，分析目的という「視点」がなければ意味をもちません。たとえば，体重計にのって，体重が60kgであることがわかったとしましょう。この結果だけにもとづいて，何がいえるでしょうか。60kgという体重について，重いとか，軽いとかといった評価すらできないことに気づくでしょう。以前には70kgあり，ダイエットに取り組んでいた人にとっては，60kgという体重はダイエットの効果が出たという意味で好ましい結果でしょう。一方，先月まで50kgだった人がこの1か月暴飲暴食をしてしまった結果を心配していたのであれば，この結果は身から出たサビを確認することとなったでしょう。また，自身の健康状態に関心がある人にとってみれば，体重を知っただけでは不十分であると思うことでしょう。このように，体重が60kgであることの意味は，その情報が得られたコンテクスト（なぜ体重を知りたいと思ったのか）で異なってくるのです。同じことが業界分析，経営分析，財務分析にも当てはまり

ます。

　分析目的を明確にすることの重要性は，あまりにも当たり前に思えるため，初学者のなかには，どうやってこれを行えばよいのか，かえってわからないという人もいるかもしれません。まずはじめの第一歩としては，自らがその業界や企業に関心をもったのは「なぜ」なのか，「何」（どんな現象）を面白いと感じたのかという問いを投げかけてみてください。それを何度も繰り返すことで，分析目的は徐々に明確になるはずです。分析を進める過程で分析目的が明確になってくることもありますし，それが変わってくることもあります。ですので，分析に取り掛かる前にその目的が十分に明確になっていなかったとしても，それは必ずしも問題ではありません。しかし，個々の分析を終え，その結果を総合して結論を導こうとする際には，そもそもの分析目的が何であったのかを再度確認し，それをはっきりと認識することが必要です。個々の分析結果をどう解釈すればよいか，他にも行うべき必要な分析がなかったか，妥当な結論が導かれているか，といった評価は，分析目的に照らして行われるからです。

③　考察の範囲を適切に定める

　Chapter 2 では「フレームワーク」の考え方を用いることの重要性を指摘しました。カメラマンが写真の構図を決めるのと同じように，業界分析，経営分析，財務分析を行う際にも，何をフレームのなかに収めるかを決めなければなりません。この考察の範囲の決定が「適切に」行われることが重要となります。考察の範囲の適切性は，前節で説明した分析目的に照らして評価することになります。

　たとえば，自動車業界に関心があるとしても，分析目的が日本の自動車業界の歴史的な発展プロセスを明らかにすることにある場合と，現在の日本の自動車業界における競争状況を明らかにすることにある場合とでは，考察の範囲は当然違ってきます。前者の場合であれば，戦後の日本の自動車業界における中心的なプレイヤーであったトヨタ自動車，日産自動車，本田技研工業といった会社を対象として分析を行えば，目的に沿った結論を導くことができるかもしれません。しかし，現在の自動車業界における競争状況を明らかにしたいと考えている場合には，それでは十分ではないかもしれません。電気自動車の開発でしのぎを削っている現在の自動車業界の状況を考えれば，その動力源である車載バッテリーの開発を行っている電機メーカーも考察の範囲に含めなければならないかもしれません。また，自動運転技術での競争を視野に入れるのであれば，自動車メーカーと提携してAIの開発に取り組んでいるベンチャー企業についても調べる必要があるかもしれません。この例から，同じく自動車業界に関心がある場合でも，どこまでを考察の範囲に含めるのかは，分析目的によって変わってくるということがわかるでしょう。

　それでは，考察の範囲が分析目的に照らして「適切に」定められているかどうかはどのように評価すればよいのでしょうか。これに対する答えは簡単ではありません。分析目的がどのように設定されるかで変わってくるからです。しかし，本章で説明している他の5つの観点から自らの分析を評価してみれば，考察の範囲が適切かどうかはある程度，おのずと明らかになってきます。

　考察の範囲が適切に定められているかどうかの評価も，分析に取り掛かる前の段階から結論を導く最終段階までのすべての段階で重要な意味をもちます。その意味で，どこかの段階で一度考えれば終わりという性質のものではなく，常に問い続けることが必要です。ただし，考察の範囲が変われば，具体的に行うべき個々の分析の性質や量は大きく影響を受けます。場合によっては，それまでに行った分析をやり直す必要が出てきます。そのため，可能な限り，分析に取り掛かる前の段階で，考察の範囲について深く考えておくことが，結果的に，後の無駄な作業をなくし，効率的に分析を進めるために重要となります。もちろん，試行錯誤を通じて学ぶこともありますので，無駄なく効率的に分析を行うことが学習上，常に望ましいとはいえません。しかし，それは結果としての話であって，あくまでも分析を行おうとする際には，それに先立って分析目的に照らして適切な考察の範囲が設定されているかどうかを慎重に検討しなければなりません。そして，結論を導く段階で再度そのことを評価することが，自ら設定した問いに対して適切な答えを導くには必要となるのです。

④ 相対的に考える

　ここまでの2つの節では，分析全体の評価に関して重要な観点を説明しました。それに対して，本節以降で取り上げる観点は，個々の分析の評価に関係します。

　まず，個々の分析を評価するに当たっては，その結果が絶対的なものではなく，あくまでも相対的なものであることに注意することが必要です。

　たとえば，Chapter 2 ではプロダクト・ポートフォリオ・マトリックスの考え方を紹介し，事業がスター，金のなる木，問題児，負け犬に分類されることを説明しました。この分類は，相対市場シェアと市場成長率の2つの軸によっています。ここで，相対市場シェアが，競争相手との関係で定義された相対的なものであることは明らかでしょう。つまり，ある企業が絶対的な意味でどれだけうまく事業を行ったとしても，競争相手がそれ以上にうまく事業を行えば，その企業の相対市場シェアは低下することになります。つまり，その企業のパフォーマンスは，他の企業との関係で評価されることになるのです。

　SWOT 分析でも同様のことがいえます。SWOT 分析では，企業内部の要因について強み（Strength）と弱み（Weakness）を識別しますが，ここでの強み（弱み）は，その企業の

絶対的な強み（弱み）ではなく，あくまでも競争相手との比較での強み（弱み）です。つまり，理屈上は，ある企業が非効率な事業を営んでいたとしても，競争相手がそれ以上に非効率であれば，この点はその企業にとっての弱みではなく，場合によっては強みと考えられることになります。

　財務分析に当てはめて考えれば，この点はよりわかりやすいでしょう。Chapter 4 で取り上げられているライオンの分析では，売上高が 2013 年 12 月期から 2017 年 12 月期までの 4 年で 16.6％増加していることが示されています。この結果を絶対的に評価すれば，ライオンは成長しているとポジティブに評価できます。しかし，ライオンに対するこのポジティブな評価は適切ではないばかりでなく，間違っている可能性すらあります。同期間におけるすべての競争相手の売上高成長率が 20％を超えていたらどうでしょうか。ライオンの売上高成長率は相対的には低いということになります。

　個々の企業に着目した分析に没頭していると，つい相対的に考えなければならないことを忘れがちになります。分析結果を解釈する際，および分析結果から何らかの結論を導く際に，良し悪しや優劣などの判断を行うに当たっては，「他社と比べて」という枕詞を暗黙的に入れながら考える癖をつけるとよいでしょう。

⑤　ミクロの眼とマクロの眼をもつ

　分析結果にもとづいて結論を導く際には，ミクロの眼とマクロの眼の両方をもって分析結果を評価すると深みのある考察ができるようになります。ミクロの眼とマクロの眼をもつということは，分析結果を評価する際の「ズーム倍率」を変えるということを意味しています。つまり，ミクロの眼をもつとは，よりズーム倍率を上げて，細かい点を拡大して見ることで深く掘り下げていくことを指しており，マクロの眼をもつとは，より広角の視点に立って，全体を俯瞰することを指しています。

　Chapter 4 で説明されている自己資本当期純利益率を例に取り上げてみましょう。自己資本当期純利益率は，売上高当期純利益率，総資本回転率，財務レバレッジの 3 つの要素に分解されます。ライオンの場合，2013 年 12 月期から 2017 年 12 月期までの期間において，自己資本当期純利益率が 4.9％から 10.6％へと大幅に上がっており，その要因として，売上高当期純利益率の上昇が貢献していることがわかります。この分析自体が，自己資本当期純利益率についての結果をよりミクロに見ていることを意味しています。さらに売上高当期純利益率に着目してミクロに掘り下げていくと，その上昇が，売上原価率の低下（43.6％から 41.7％へ）と販売費および一般管理費比率の低下（53.4％から 51.7％へ）によってもたらされていることがわかります。セグメント情報や販売費及び一般管理費の内訳に関する情報を見ていけば，さらにミクロに掘り下げて分析することが可能となります。この

ように，ミクロの眼をもつということは，ある分析結果の原因を探るために，より細部に入っていくことを志向しています。

　逆に，マクロの眼をもって分析結果を評価することも重要です。ここでも，ライオンの例で説明しましょう。2013年12月期から2017年12月期までの期間において，売上原価率の低下（売上総利益率の上昇）が確認されていましたが，その原因として考えられることとして，たとえば，景気の回復，製品市場の拡大，新製品の発売，セールスミックスの変更，大量生産による規模の経済性，生産方法の改善などが挙げられます。考えられるこれらの要因のうち，ライオンの売上総利益率の上昇をもたらした真の要因は何かを特定するには，財務諸表を見ているだけでは十分ではありません。その企業をとりまく環境を俯瞰的に見る必要があるのです。一般的な経済状況に関する情報やライオンが扱う製品についての情報を，経済紙，業界紙，インターネット等の情報ソースから収集する必要があります。

　このように，ある1つの分析は，それを行って結果が得られれば終わりというものではなく，それを起点として，ミクロとマクロの両方向に拡張することでその分析を深めることができます。そうすることで，多くの場合，より豊かな知見を導くことが可能となります。どこまで深めればよいかについての正しい答えはありません。自らの分析目的（第2節）と考察の範囲（第3節）に照らしながら納得ができるまで探求する姿勢をもつことが重要です。

❻ 何をしていないのかを考える

　本章でここまで取り上げてきた観点とは少し異なる観点をここで取り上げたいと思います。多くの分析は，財務諸表を含めたさまざまな情報にもとづいて行われます。これらの情報の多くは，企業が行ったこと，業界で起こったことについてのものであることに注意が必要です。つまり，企業がしなかったことについての情報はあまり存在しないのです。

　たとえば，財務諸表は企業の活動を描写することを目的とするものであり，企業がしなかったことは財務的な変化をもたらしませんから報告の対象になりません。新聞記事や雑誌記事も同様で，企業が行ったことや業界で起こったことを伝達するのが通常であり，企業がしていないことや起こらなかったことが記事になることは稀といってよいでしょう。

　しかし，業界分析，経営分析，財務分析を行い，業界や企業を理解しようとするとき，企業がしなかったこと（業界で起こらなかったこと）は，企業が行ったこと（業界で起こったこと）と同様に，場合によってはそれ以上に重要な意味をもちます。何をしたのかと何をしなかったのかは表裏の関係にあることが多々あります。あることをしたから別のあることをできなかった（しなかった）という関係です。企業が行ったことの評価をしようとすれば，それを行ったためにできなかった（しなかった）別のこととの対比が必要となる場

合があります。つまり，別のことを行っていればどうなったかという視点で，企業が実際に行ったことを評価することが重要なのです。

　第4節では，相対的に考えることの必要性を指摘しました。相対的に考えることには，競争相手と比べることもあれば，企業が潜在的に行うことができた（実際には行わなかった）ことと比べることも含まれるのです。少し専門的にいえば，機会コストを考えるということでもあります。

　企業が行わなかったことや業界で起こらなかったことについての情報は多くの場合入手できませんので，その評価は簡単ではありません。しかし，この観点を意識するだけでも分析結果の解釈は変わってきます。また，多くはないにしても企業が行わなかったことの情報が得られることもあります。さらに，競争相手が何を行っているかを調べると，分析対象企業が何を行わなかったのかのヒントが得られることが多々あります。個々の分析結果を評価し，結論を導出しようとする際にこの観点を考慮することで，より深みのある考察を行うことができるでしょう。

⑦ 複数の分析の結果を総合する

　最後に，全体的な結論を導く際には，個々の分析結果を独立に検討するのではなく，複数の分析結果を総合することが重要であることを説明します。

　再び，Chapter 4のライオンを例に取り上げましょう。2013年12月期末と2017年12月期末とを比較すると，ライオンの流動比率は112.5％から159.9％へ，当座比率は82.2％から123.5％へと大幅に上昇しています。この分析結果を，他の分析を考慮せず独立的に解釈すれば，ライオンの支払能力は高まり，安全性が改善したといえます。しかし，この解釈は常に妥当なのでしょうか。

　Chapter 2で説明したプロダクト・ポートフォリオ・マトリックスを使ってライオンの事業について分析を行ったとします。その結果として，①ライオンの事業が主に「金のなる木」で構成されており，「スター」も「問題児」も「負け犬」も有していないことがわかったケースと，②ライオンの事業に「金のなる木」だけでなく，「スター」と「問題児」もバランスよく含まれていることがわかったケースとで，上記の流動比率や当座比率についての解釈がどう異なりうるのかを示してみましょう。

　まず②は，「金のなる木」から生み出されるキャッシュを「問題児」に投入し，その相対的な市場シェアを高めようとするとともに，「スター」を「金のなる木」に育てようとしている状況です。このような状況において，流動比率や当座比率が上昇していることは，「問題児」や「スター」に必要とされる以上のキャッシュが「金のなる木」から生み出されていることを意味しており，ポジティブに捉えてよい可能性が高いでしょう。

他方，①の場合には，流動比率や当座比率の上昇をそのようにポジティブには捉えられないかもしれません。「金のなる木」からキャッシュを生み出しているにもかかわらず，「スター」も「問題児」ももっていないという状況は，将来について不安を抱かせます。なぜこのような状況になっているのかを考えなければなりません。経済状況から新規事業に投資するのを経営者がためらっているのかもしれませんし，有望な新規事業の種を見つけられていないのかもしれません。あるいは，経営者がリスク回避的で新規事業への投資をしたがらないのかもしれません。いずれにしてもこれらの状況においては，流動比率や当座比率の上昇はよい結果とはいえなさそうです。この結果は，生み出された資金が行き場を失って企業内に蓄積されている状況を示しているのかもしれないからです。

なお，こうした解釈は，新規の資金調達や返済が行われておらず，外部業者との取引条件にも変化がないことを前提としています。当然のことながら，資金調達・返済が行われたり，取引条件が変わっていたりする場合には，それらを考慮して解釈しなければなりません。それも，ここで説明している複数の分析の結果を総合することのなかに含まれます。

このように，個々の分析の結果，一見するとよいと思える（あるいは逆に悪いと思える）結果が得られたとしても，他の分析結果と併せて考えると，異なる解釈が成り立つ場合があります。ときには，複数の分析から矛盾するように思える結果が得られることもあります。そのような場合には，まだ自分で気づけていない原因が存在している可能性があります。矛盾を矛盾のまま放置するのではなく，それを整合的に説明できる論理（仮説）を考え，それを検証する追加分析を行うことが必要となります。

❽ まとめ

本章では，個々の分析結果を総合的に解釈し，全体としての結論を導く際に留意すべき6つの観点を説明しました。繰り返しになりますが，これら6つの観点すべてを常に適用し，考察や結論に明示的に反映しなければならないわけではありません。しかし，これらの観点を意識し，自ら行った分析の評価に適用することで，そこから得られる知見はより適切で豊かなものとなるでしょう。

Chapter 6
業界分析をやってみよう

① 業界分析

　本節では，Chapter 2 の 2「業界の概況を調べる」に関連した実践課題に取り組みます。まず，業界の概況を調べる際のポイントをまとめてみましょう。

1　業界の概況を調べるとは

　はじめに業種を決め，マーケット・ライフサイクル，業界内の競争状況，業界内の企業の戦略ポジションを調査します。

　業界の概況調査では，分析したいと考えている個別企業の視点に立つのではなく，分析対象業界全体の長期にわたる売上傾向，規模および競争状況を把握することが重要な目的となります。

2　業界の概況を調べる際のステップ

　業界の概況調査は，次の3つのステップで行います。

ステップ1：分析対象業界全体のできる限り長期間の売上高（出荷額）のデータを入手し，
　　　　　　マーケット・ライフサイクルを調べる。

ステップ2：HHI や集中度などの指標を用いて業界内の競争状況を調べる。

ステップ3：業界内の企業にとっての代替品の脅威や新規参入の脅威を調べる。

3　業界の概況調査のポイント

　業界の概況調査をうまく進めるポイントは，次の3点です。

（1）分析対象とする業界を決めた理由をできるだけ明確にしておくこと

　　　はじめから個別の分析やその目的を考えるのではなく，それに先立って，業界を決めた理由を明確にしておきましょう。その後の分析で迷った場合には，何度でも業界

を決めた理由に立ち返り，考え直してみましょう。

（2）マーケット・ライフサイクルの図を作成すること

　　マーケット・ライフサイクルは，競争の激しさ，戦略ポジション，PPM などのその後の分析とも関係する重要な情報ですので，その図を必ず作成しましょう。

（3）目的に合ったフレームワークを選択すること

　　業界のフレームワーク次第で，代替品の脅威や新規参入の脅威になりそうな企業は異なりますので，フレームワークを調整することで，「今」だけでなく「近い将来」の競争相手の脅威を探してみましょう。

② 業界分析の実践課題

　2021 年 6 月 25 日付の日本経済新聞に「アパレル，難路の在庫削減」という記事があります。第 2 部では，この新聞記事をもとに，アパレル業界の企業である株式会社アダストリア（以下，アダストリアという）の分析を行うことにします。

出所：日本経済新聞 2021 年 6 月 25 日付朝刊 12 面。

　それでは，業界分析の【実践課題】に取り組んでみましょう。

【実践課題】

1．アパレル業界について，できるだけ長期の売上高の変化を調査し，現在，マーケット・ライフサイクル（導入期，成長期，成熟期，衰退期）のどの期にあるのかを考えてみよう。

2．アダストリアを中心にアパレル業界の競争状況を調べ，整理してみよう（なお，比較対象には，TSIホールディングス（以下，TSIという）およびオンワードホールディングス（以下，オンワードという）を用いること）[1]。

1）　アダストリアの比較対象企業としてTSIとオンワードを選定したのは，3社ともに連結財務諸表作成において日本基準を採用し，2月決算であったことを考慮しています。また，これらの3社は，2020年度売上規模が同程度（アダストリア1,838億円，TSI1,340億円，オンワード1,743億円）でしたので，アダストリアの特徴をわかりやすく浮き彫りにできると判断しました。アパレル業界の売上高1位のファーストリテイリングと売上高2位のしまむらは，ファーストリテイリングが国際会計基準を採用している8月決算企業であることと，両社がアダストリアと比べて売上規模が大きく異なること（ファーストリテイリング2兆88億円，しまむら5,435億円）から財務分析への影響を考慮して，比較対象企業とはしないことにしました。

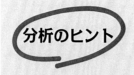

分析のヒント

　業界の概況を調べるには，まず，分析目的に適合する範囲で分析対象業界全体の売上高または出荷額等のデータを入手し，マーケット・ライフサイクル図を作成する必要があります。作成したグラフから，分析対象業界が，現在，どの段階にあるのかを考えましょう。また，業界全体の売上高または出荷額等は景気や世界情勢に左右されます。そのため，各段階におけるそれらの変動の原因を調べ，時系列で検討すると分析対象業界の現在の状況をより適切に把握することができるでしょう。

　業界内の企業の競争状況を調べる際には，分析対象企業の特徴が生かされている事業について，同一業界に属する企業との比較を行わなければなりません。同一業界に属する企業のHHIや集中度等の指標を計算し，その結果から業界内の競争状況を読み取りましょう。そして，このような分析では，業界内の競争状況を説明して終わるのではなく，比較対象企業の事業の特徴を述べたうえで，分析対象企業がその業界においてどのような立場にあるのかを説明できるとよいでしょう。また，各企業の事業内容を調べる際には，有価証券報告書の「事業の状況」や「経理の状況」におけるセグメント情報，アニュアルレポートなどの情報を入手し，しっかりと読んでみましょう。

　Chapter 6 は，みなさんが本書のなかではじめて取り組む実践課題です。この課題をレポートにまとめる際には，分析しようとしている業界について詳しく知らない人にもわかるように説明することを心がけて取り組んでください。

学生レポート

【実践課題】

1. アパレル業界について，できるだけ長期の売上高の変化を調査し，現在，マーケット・ライフサイクル（導入期，成長期，成熟期，衰退期）のどの期にあるのかを考えてみよう。

　図表1に示されているマーケット・ライフサイクルの観点から衣類・身の回り品卸売業の1980年から2021年までの販売額の推移を見ると，現在，アパレル業界は衰退期の段階にあることがわかります。特に厳しさを増しているのは百貨店を主な販路としてきた老舗企業です。オンワードや三陽商会も大量閉店や希望退職の募集などリストラに着手しています（東洋経済新報社　2021，180頁）。

　衰退の主な原因には，個人消費が冷え込み，在庫がたまっていくという供給過多が挙げられます。在庫の問題は，業界において新型コロナウイルスが流行する前から問題視されていました。移り変わりの早い消費者のニーズに応えられるよう在庫を多く見積もる必要があり，大量生産・大量消費を行う企業が多い状況でした。セールを行っても思うように売れない状態で，そこに新型コロナウイルスの影響が追い打ちとなり，在庫削減が追いつかず，在庫回転日数が悪化するという形になりました。

　このような過剰在庫問題に加え，新型コロナウイルスの影響による外出自粛がアパレル不況に拍車をかけたことで，アパレル業界が衰退していると考えられます。

図表1　マーケット・ライフサイクル

出所：経済産業省　商業動態統計調査「業種別商業販売額及び前年（度，同期，同月）比」を参考に作成。

【実践課題】

2．アダストリアを中心にアパレル業界の競争状況を調べ，整理してみよう（なお，比較対象には，TSI およびオンワードを用いること）。

　アパレル業界の競争状況を調べるために，まず初めに業界内の企業の市場シェアを求めます。今回は会社四季報業界地図 2022 年度版の売上高上位 10 社を用いて計算しました。図表 2 は，各社の市場シェアと計算式になります（市場シェアは小数第 1 位を四捨五入）。

図表 2　アパレル業界の企業市場シェア

順位	会社名	売上高	計算式	市場シェア
1	ファーストリテイリング	20,088	20,088 ÷ 37,836 × 100 = 53.0	53
2	しまむら	5,435	5,435 ÷ 37,836 × 100 = 14.3	14
3	アダストリア	1,838	1,838 ÷ 37,836 × 100 = 4.8	5
4	ワールド	1,803	1,803 ÷ 37,836 × 100 = 4.7	5
5	オンワード	1,743	1,743 ÷ 37,836 × 100 = 4.6	5
6	青山商事	1,614	1,614 ÷ 37,836 × 100 = 4.2	4
7	ワコール	1,522	1,522 ÷ 37,836 × 100 = 4.0	4
8	TSI	1,340	1,340 ÷ 37,836 × 100 = 3.5	4
9	グンゼ	1,236	1,236 ÷ 37,836 × 100 = 3.2	3
10	ユナイテッドアローズ	1,217	1,217 ÷ 37,836 × 100 = 3.2	3
	合計	37,836	37,836 ÷ 37,836 × 100 = 100	100

出所：東洋経済新報社『会社四季報業界地図』242 頁から 245 頁をもとに筆者作成。

　この結果からファーストリテイリングがアパレル業界の約半分の市場シェアを占めていることがわかります。ここで分析対象とするアダストリアの市場シェアは 5％，その比較対象とする TSI の市場シェアは 4％，オンワードの市場シェアは 5％で，これらの企業の市場シェアは近いことがわかります。

　HHI は，次のように計算されます。

$$\text{HHI} = 53^2 + 14^2 + 5^2 + 5^2 + 5^2 + 4^2 + 4^2 + 4^2 + 3^2 + 3^2 = 3{,}146$$

　アパレル業界の HHI は「3,146」なので高位寡占型になります。

　集中度は，次のように計算されます。

$$CR_3 = 53 + 14 + 5 = 72$$
$$CR_5 = 53 + 14 + 5 + 5 + 5 = 82$$

　このように，上位 3 社の集中度は 72，上位 5 社の集中度は 82 となります。この結果から，上位 3 社の集中度は高く，少数の企業が市場の大部分を占めているため，上位 3 社の競争は激しくないことが理解できます。また，上位 3 社と上位 5 社の集中度の差は小さく，

上位 4 社以降の競争は激しいことが理解できます。アダストリアは上位 3 社に含まれるため，競争状況が激しくないと考えられます。それに対して，比較対象企業である TSI とオンワードは，上位 4 社以降になるため競争が激しいと考えられます。

　これらの結果から，アパレル業界は少数の企業が市場の大部分を占めており，上位 4 社以降で競争が激しくなっていることがわかります。そのため，アパレル業界では自社だけの強みをもつことで他社との差別化を図っている企業が多くあります。

　アダストリアは 30 を超えるブランドを扱っており，衣・食・住・美・健・遊・学の多岐に渡る商品カテゴリーによって様々な組み合わせを可能とし，マルチブランド[1]を保有するアパレルとして他の企業と差別化を図っています（アダストリア企業 HP）。

　TSI は小売りを中心とするマルチブランドです。アパレル業界の中でも嗜好性を重視し，ブランドごとの個性，癖を出すことで様々な嗜好に合わせたブランド展開を行い，ターゲット層を明確に絞ることで顧客を獲得しようとしています（TSI 企業 HP）。

　オンワードは 90 年以上の歴史をもつ老舗企業であり，顧客のニーズの変化に対応し，高品質のサービス提供を行うことが強みのブランドです（伊藤　2021，オンワード企業 HP）。小規模なブランドの売り上げは厳しい状況にありますが，激しい変化に対応できるスピード感を取り入れ，コストダウンを行うことでリーズナブルな商品提供と収益がともなうブランド作りを目指しています（伊藤　2021）。

参考資料

アダストリア企業 HP　https://www.adastria.co.jp/
伊藤真帆（2021）『「トップに聞く 2021」オンワード HD 保元道宜社長　90 年以上の老舗にとって最大の課題』
　　FASHIONSNAP.COM。https://www.fashionsnap.com/article/top-interview-2021-onward/
オンワード企業 HP　https://www.onward-shoji.co.jp/feature/
経済産業省（2022）
　　https://www.meti.go.jp/committee/kenkyukai/seizou/apparel_supply/pdf/report01_03_00.pdf
経済産業省 HP　「商業動態統計調査　業種別商業販売額及び前年（度，同期，同月）比」
　　https://www.meti.go.jp/statistics/tyo/syoudou/result-2/excel/h2slt11j.xls
東洋経済新報社（2021）『会社四季報業界地図 2022 年度版』東洋経済新報社。
日本経済新聞社（2021）「アパレル，難路の在庫削減」日本経済新聞 2021 年 6 月 25 日朝刊 12 頁。
日本経済新聞社（2022）「オンワード，1300 店ネット商品試着」日本経済新聞 2022 年 2 月 19 日朝刊 1 頁。
日本ネット経済新聞（2022）　https://netkeizai.com
logmi finance　https://finance.logmi.jp/349466
TSI 企業 HP　https://www.TSI-holdings.com/index.html

阿部里沙・大井陽菜・城戸夏音・木下瑞希・原井凛華（松山大学）

---

1)　マルチブランドとは，複数の異なるブランド名を用いて広く市場を押さえようとするブランド展開戦略をいいます。

業界の概況調査についてのコメント

○評価ポイント

　みなさんが行ったアパレル業界の概況調査では，業界概況調査のポイント（2）にしたがい，マーケット・ライフサイクル図を作成した上で分析しており，その結果についても理由を示しながら説明していることから，説得力のある内容となっています。

　また，アダストリア，TSI，オンワード3社の競争状況を述べるだけでなく，この後の分析に繋がるように3社の特徴を説明している点も評価できます。

○修正ポイント

　みなさんの分析には優れた点もありますが，収集したデータと集中度の説明に少し気になる点があります。修正すべき点について，いくつかコメントしていきます。

1．みなさんが作成したマーケット・ライフサイクル図は，経済産業省の「商業動態統計調査　業種別商業販売額及び前年（度，同期，同月）比」の「衣類・身の回り品卸売業」を用いて作成されています。その結果，現在のアパレル業界が衰退期であり，「特に厳しさを増しているのは百貨店を主な販路としてきた老舗企業」であると説明されています。

　しかし，経済産業省の「商業動態統計調査　業種別商業販売額及び前年（度，同期，同月）比」のうち，「衣類・身の回り品卸売業」のみのデータにもとづきマーケット・サイクル図を作成したのであれば，小売業である百貨店の販売額は含まれていないため，百貨店について言及することは適切ではありません。

　また，「衣服・身の回り品卸売業」は，「主として衣服・身の回り品を仕入卸売する事業所が分類される」（総務省HP）ため[2]，「衣類・身の回り品卸売業」のみのデータを用いた場合には，商品の企画から製造，販売までを行う製造小売業（以下，SPAという）などの小売業が除かれており，アパレル業界全体としてのマーケット・ライフサイクルを表すことはできないと考えられます。

　さらに，アパレル業界が衰退期である理由として，新型コロナウイルスの影響による外出自粛を挙げていますが，図表1からは，緊急事態宣言により商業施設の使用制限が行われた2020年の販売額とそれ以前の販売額を比較しても，それほどの影響は読み取れません。

　課題1では，アパレル業界全体のマーケット・ライフサイクルを調べる必要がありますので，経済産業省の「商業動態統計調査　業種別商業販売額及び前年（度，同期，同月）比」

2）　経済産業省の「商業動態統計調査」の業種分類は商業動態統計業種分類ですが，日本標準産業分類と対応していることから，「衣類・身の回り品卸売業」の説明として総務省が公表している日本標準産業分類の説明及び内容例示を用いました。

の「衣類・身の回り品卸売業」ではなく，「各種商品小売業」と「織物・衣類・身の回り品小売業」の販売額を合算しマーケット・ライフサイクル図を作成する必要があるでしょう。

　また，マーケット・ライフサイクル図を正確に作成するのであれば，経済産業省の「商業動態統計調査　業種別商業販売額及び前年（度，同期，同月）比」の「各種商品小売業」には「百貨店・総合スーパー」の食料品の販売額も含まれていることから，「百貨店・スーパー商品別販売額及び前年（度，同期，同月）比」のうち，衣料品に関する販売額のデータのみを収集し，「織物・衣類・身の回り品小売業」の販売額と合算する方法も考えられます。

2．みなさんは業界内の競争状況を調べるにあたり，集中度を用いて上位3社集中度と上位5社集中度を計算していました。その結果から上位3社集中度が72と大きいため，そこに含まれるアダストリアの競争状況は激しくなく，上位4社以降の競争状況は激しいとしています。

　しかし，アダストリアの市場シェアは，国内売上高4位のワールドや5位のオンワードと同程度です。上位2社集中度を計算すると67（$CR_2 = 53 + 14$）となりますので，上位3社集中度72（$CR_3 = 53 + 14 + 5$）との差は小さく，上位3社以降の競争が激しいと解釈できるのではないでしょうか。

　集中度は，上位3社集中度と上位5社集中度を用いることが多いですが，それは少数の企業がどの程度市場を占有しているかを測定する指標だからです。上位3社集中度と上位5社集中度だけを計算しなければならないという決まりはありませんので[3]，分析する業界の状況に応じて集中度を計算すると，業界の実態をより適切に把握することができるでしょう。

3）　公正取引委員会HPでは，上位3社，4社，5社，8社，10社の集中度を公表しています（公正取引委員会HP）。

模範解答

【実践課題】

1．アパレル業界について，できるだけ長期の売上高の変化を調査し，現在，マーケット・ライフサイクル（導入期，成長期，成熟期，衰退期）のどの期にあるのかを考えてみよう。

　課題1は，これまでのアパレル業界全体の売上高を調査し，現在のアパレル業界がマーケット・ライフサイクルのどの期にあるのかを把握するものです。以下の模範解答では，業界概況調査のポイント（2）にしたがい，マーケット・ライフサイクル図を作成したうえで，アパレル業界のマーケット・ライフサイクルを説明します。

　マーケット・ライフサイクル図は，産業や業界の導入期から衰退期までの売上や出荷額の変化を表します。図表6-1は，アパレル業界における1980年から2020年までの販売額の推移を示しています[4]。図表6-1の1980年における販売額は約15兆円であることから，アパレル業界の導入期はそれよりも前であることが予想されます。

　そもそも，男性の洋服の既製服としての製造は，明治初期に始まり明治時代末までに

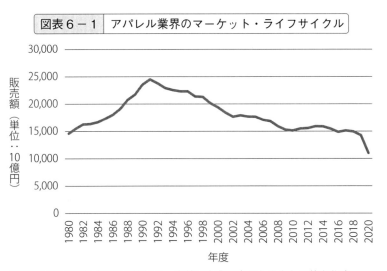

| 図表6-1 | アパレル業界のマーケット・ライフサイクル |

出所：経済産業省「商業動態統計　業種別商業販売額」をもとに筆者作成。

4）　販売額は，商業動態統計「業種別商業販売額及び前年（度，同期，同月）比」の「織物・衣服・身の回り品小売業」と「百貨店・スーパー商品別販売額及び前年（度，同期，同月）比」の「衣料品」を合算した金額としています。これは，「衣服・身の回り品卸売業」が，「主として繊維品及び衣服・身の回り品を仕入卸売する事業所が分類される」（総務省HP）ためであり，ここでの販売額には含めないことにしました。

は相当進んでいましたが（鍛島（2006）20 頁），洋服は上流階級の服装であったため，婦人服が既製服として売られることはありませんでした（鍛島（2006）21 頁）。第二次世界大戦後，洋装化が急速に進展し（鍛島（2006）27 頁），衣料品の購入額は 1960 年代後半に年々増大しました（鍛島（2006）28 頁）。このような洋装化の進展は，図表 6 - 1 の 1980 年から 1991 年の販売額の増加からも見てとれます。したがって，アパレル業界は，明治時代初期から 1960 年代までが導入期，1960 年代後半から 1991 年までは成長期であるといえます。

　バブル崩壊後の 1992 年から 1997 年にかけては，販売額が緩やかに減少していることから成熟期であると考えられます。これは，1990 年代に総合スーパー向けの海外生産が活発化し，安価な衣料品が大量に供給されていたことと重なっています（加藤・奥山（2020）92 頁）。

　その後，1998 年から現在にかけても，販売額は低下し続けています。実際に 2000 年代に入ると SPA などの競合する小売業が台頭し，海外生産による価格競争へと突入しました（加藤・奥山（2020）92 頁）。2008 年以降はさらに販売額が低下しており，リーマンショックを発端とした世界金融危機による経済状況の悪化の影響があったものと推察できます。近年では，高齢化や物の所有ではなく体験を重視したコト消費の台頭に加え，図表 6 - 1 と図表 6 - 2 の 2019 年以降の販売額の減少からもわかるように，新型コロナウイルスの感染拡大による外出機会の減少により市場規模は縮小傾向にあります[5]。

　このように，これまでのアパレル業界の歴史と販売額の推移から，現在のアパレル業界は衰退期であると考えられます。

　ところで，図表 6 - 2 は商品別マーケット・ライフサイクルを示しています。2000 年以降の販売額は，百貨店・スーパー以外で衣服，靴，かばんなどを扱う「織物・衣服・身の回り品小売業」の販売額が最も大きく，次いで，婦人服，子供服，下着，ブラウス，靴下などの「婦人・子供服・洋品（百貨店・スーパー）」，靴，履物，和・洋傘類，かばんなどの「身の回り品（百貨店・スーパー）」，紳士服，下着類，ワイシャツ，ネクタイ，靴下などの「紳士服・洋品（百貨店・スーパー）」，呉服，反物，寝装具類などの「その他の衣料品（百貨店・スーパー）」となっています。

　「身の回り品（百貨店・スーパー）」以外の販売額は，図表 6 - 1 と同様にバブル崩壊後に減少し続けており，海外生産や小売業の台頭による低価格化，コト消費の拡大による販

5）　2018 年 4 月 1 日以降に開始した事業年度から「収益認識に関する会計基準」の任意適用が開始されました。しかし，アパレル業界の国内売上高上位 10 社（図表 6 - 3 参照）のうち，最も早く同基準を適用したのがオンワードの 2021 年 3 月であることから（オンワード（2022）58 頁），2019 年から 2020 年にかけての販売額の減少は会計方針の変更によるものではないと考えられます。なお，アパレル業界の国内売上高上位 10 社以外の企業の適用時期は調査していませんが，その他の企業の規模は小さいため，販売額への影響は軽微であると考えます。

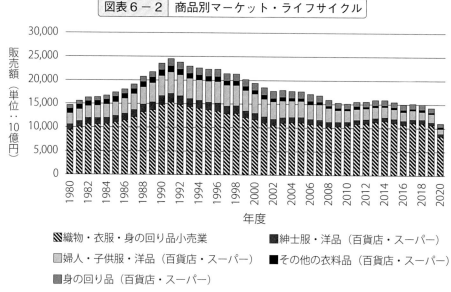

図表6-2 商品別マーケット・ライフサイクル

出所：経済産業省「商業動態統計　業種別商業販売額及び百貨店・スーパー商品別販売額」を
もとに筆者作成。

売数量の減少による影響が示唆されます。なお，靴，履物，和・洋傘類，かばんなどの「身
の回り品（百貨店・スーパー）」の販売額については，高価なブランド品を多く扱う百貨店
の販売額が含まれているため低価格化の影響が小さくなっていることが予想されます。

【実践課題】
　2．アダストリアを中心にアパレル業界の競争状況を調べ，整理してみよう（なお，
　　　比較対象には，TSI およびオンワードを用いること）。

　課題2では，アパレル業界内の競争状況を HHI や集中度などの指標を用いて調べ，そ
の結果からアダストリア，TSI，オンワードの競争状況を把握します。
　業界内の競争状況を調べるには，HHI や集中度などの指標を用います。これらの指標
を計算するために，『会社四季報業界地図』を利用して業界内の企業数を調べたところ，
上場企業が20社ありました。今回の分析では，図表6-3に示すように，国内売上高1
位から10位までの企業それぞれの市場シェアを計算するとともに，11位から20位まで
の企業の売上高の合計は「その他」として市場シェアを計算しました。なお，市場シェア
は，各社の売上高をアパレル業界全体の売上高44,421億円で除し，小数点以下を四捨五入
したものです。
　HHI は，業界内の企業各社の市場シェアの二乗和によって計算します。以下では，(1)

<figure>

図表６－３ アパレル業界の競争状況

売上順位	国内企業名	売上高 (億円)	市場シェア (%)	集中度
1位	ファーストリテイリング	20,088	45	CR₂：57
2位	しまむら	5,435	12	
3位	アダストリア	1,838	4	CR₃：61
4位	ワールド	1,803	4	CR₅：69
5位	オンワード	1,743	4	
6位	青山商事	1,614	4	CR₈：79
7位	ワコール	1,522	3	
8位	TSI	1,340	3	
9位	グンゼ	1,236	3	CR₁₀：85
10位	ユナイテッドアローズ	1,217	3	
	その他	6,585	15	
	合　計	44,421	100	

</figure>

出所：東洋経済新報社（2021）242頁から245頁をもとに筆者作成。

「その他」に含まれる企業の市場シェアをすべて3%とした場合[6]と（2）「その他」に含まれる企業の市場シェアを0%とした場合をそれぞれ計算しました。

（1）「その他」に含まれる企業の市場シェアをすべて3%とした場合

$$\text{HHI} = 45^2 + 12^2 + 4^2 + 4^2 + 4^2 + 4^2 + 3^2 + 3^2 + 3^2 + 3^2 + 3^2 + 3^2 + 3^2 + 3^2 + 3^2$$
$$= 2,314$$

（2）「その他」に含まれる企業の市場シェアを0%とした場合

$$\text{HHI} = 45^2 + 12^2 + 4^2 + 4^2 + 4^2 + 4^2 + 3^2 + 3^2 + 3^2 + 3^2 + 0^2 + \cdots + 0^2 = 2,269$$

　HHIは，いずれの方法で計算した場合でも1,800超10,000以下の範囲内であることから，アパレル業界は高位寡占型となります。アパレル業界内に市場シェア45%のファーストリテイリングが存在しているため，業界全体では同規模の企業が数多く存在するとはいえず，業界内の競争は激しくないと解釈できます。
　集中度は，少数の企業がどの程度市場を占有しているかを測定する指標です。上位2社

<hr>

6）10位ユナイテッドアローズの市場シェアが3%であることから，11位以下の「その他」に含まれる市場シェアは3%より小さくなると予想されます。このとき，「その他」の企業の市場シェアがすべて3%であるとすると，「その他」に含まれる企業は5社（＝15%÷3%）となります。

集中度は 57，上位 3 社集中度は 61，上位 5 社集中度は 69，上位 8 社集中度は 79，上位 10 社集中度は 85 となります。上位 2 社だけで業界シェアの半分を超えており，集中度が高く，業界内の競争は激しくないといえます。

　次に，アダストリア，TSI，オンワードの現在の状況を理解するために，3 社の特徴を比較します。

　アダストリアは，商品の企画から生産，物流，販売まで一貫して自社で行うビジネスモデルを採用しており，ショッピングセンターを中心に「GLOBAL WORK」，「niko and …」，「LOWRYS FARM」などのブランドを展開しています（アダストリア企業 HP）。アパレル以外にもカフェやコスメ，スポーツ，アウトドア，インテリア雑貨などのさまざまなカテゴリーでファッションを軸としたアイテムやサービスを提供しています（アダストリア企業 HP）。現在は，1 万人以上の会員を有している EC サイトのさらなる強化や中国での「niko and …」の出店，香港の不採算店の整理を行い，成長市場であるアジアへの展開を目指しています（アダストリア企業 HP）。

　TSI は主に衣料品を製造販売するアパレル関連事業を行っており，ショッピングセンターを中心に「ナノ・ユニバース」，「ナチュラルビューティーベーシック」，「マーガレット・ハウエル」などのブランドを展開しています（TSI（2021））。現在は，2021 年春夏商品で仕入れを前年比 2 割減らすほか，定価販売の割合を 8 割程度引き上げることにより収益改善に取り組み（日本経済新聞社 2021 年 2 月 11 日付朝刊 13 面），EC 事業への積極的かつ効果的な投資を行うことで成長を加速させようとしています（TSI（2021））。さらに，円安や現地の人件費上昇による海外コスト負担の増加やコロナ禍での物流混乱に対応すべく，国内の自社工場での生産拡大も検討しています（日本経済新聞社 2021 年 12 月 15 日付朝刊 1 面）。

　オンワードは商品の企画から生産，販売までを自社で行うビジネスモデルを採用しており，百貨店とショッピングセンターを中心に「23 区」，「組曲」，「ICB」，「五大陸」などのブランドを展開しています（オンワード企業 HP）。紳士服，婦人服，ユニフォームなどのアパレル事業が売上の 8 割を占めていますが，ダンスウェア，ペットファッション，カタログギフトなどのライフスタイル事業の領域においても商品やサービスを展開しています（オンワード企業 HP）。現在は，EC 事業のさらなる強化（オンワード企業 HP）や不採算事業・店舗からの撤退，仕入れ商品の削減，在庫管理の徹底による値引き販売の抑制，人件費等の販管費の削減により収益改善に取り組んでいます（日本経済新聞社 2022 年 1 月 14 日付朝刊 16 面）。

　このように，アダストリアはさまざまなカテゴリーのブランドの開発・商品展開を行っており，アパレル関連事業を主とする TSI やオンワードとは異なる特徴をもっています。販路については，アダストリアと TSI がショッピングセンターを中心としているのに対して，オンワードは高品質・高付加価値の衣料品を強みとしていることから百貨店での販売も行っています。各社のビジネスモデルや商品販路は異なりますが，3 社とも EC サイ

トを利用した販売促進や不採算事業からの撤退，値引き販売の抑制により収益改善を図っていることが明らかになりました。

　アパレル業界各社の市場シェアに着目すると，ファーストリテイリングとしまむら以外の企業の市場シェアは同程度であり，アダストリアは4％，オンワードは4％，TSIは3％となっています。現在，アパレル業界は衰退期であり，自社の市場シェアを拡大するためには他社の市場シェアを奪わなければならない状況であることやアパレル業界で取り扱われる衣料品は差別化してもすぐに模倣されやすいことから，アダストリア，オンワード，TSIの3社間の競争状況は比較的激しいと考えられます。これら3社は，ビジネスモデルや商品販路が異なっており，他社の戦略を意識し，できるだけ他社と競合しないように棲み分けをすることにより，競争状況の激しいアパレル業界での生き残りを図っています。

　以上の結果から，市場シェアにもとづいてHHIと集中度を求めた場合には，アパレル業界におけるファーストリテイリングとしまむらの市場シェアが高いためアパレル業界全体としての競争は激しくないが，アダストリア，TSI，オンワードの3社に注目した場合には，これら3社は競争関係にあると考えられます。

[参考資料]

アダストリア（2021）『有価証券報告書』。
アダストリア企業HP（2022）https://www.adastria.co.jp/aboutus/business/
オンワード（2021）『有価証券報告書』。
オンワード（2022）『有価証券報告書』。
オンワード企業HP（2022）https://www.onward-hd.co.jp
鍛島康子（2006）『アパレル業界の成立－その要因と企業経営の分析』東京図書出版会。
加藤秀雄・奥山雅之（2020）『繊維・アパレルの構造変化と地域産業－海外生産と国内産地の行方』文眞堂。
経済産業省HP「商業動態統計　業種別商業販売額及び百貨店・スーパー商品別販売額」。
公正取引委員会HP「統計データ」。https://www.jftc.go.jp/soshiki/kyotsukoukai/ruiseki/index.html
総務省HP「日本標準産業分類　大分類I―卸売業，小売業」。https://www.soumu.go.jp/main_content/000290728.pdf
東洋経済新報社（2021）『会社四季報業界地図2022年度版』東洋経済新報社。
日本経済新聞社2021年2月11日付朝刊13面「アパレル仕入れ，ライトオンが4割減」。
日本経済新聞社2021年6月25日朝刊12面「アパレル，難路の在庫削減」。
日本経済新聞社2021年12月15日付朝刊1面「アパレル，国内生産回帰」。
日本経済新聞社2022年1月14日付朝刊16面「オンワード，赤字幅縮小」。
TSI（2021）『有価証券報告書』。

Chapter 7
経営分析をやってみよう

① 戦略ポジション分析

　本節では，Chapter 2の3「主要な競合企業を戦略ポジションで分ける」に関連した実践課題に取り組みます。まず戦略ポジションの分析のポイントをまとめてみましょう。

1　戦略ポジションとは
　企業は，市場のなかで他の企業と競合しない自分の居場所（ポジション）を確保しようとします。戦略ポジションは，おもに価格競争への態度と，業界内の力関係で分類します。
　実践課題では，業界内の力関係による分類を取り上げます。この分類では，企業を①リーダー，②チャレンジャー，③ニッチャー，④フォロワー，の4種類に分け，それぞれのポジションで有効な戦略を検討します。

2　戦略ポジション分析のステップ
　戦略ポジションの分析は，次の4つのステップで行います（Chapter 2の図表2−9のフォーマットも活用してください）。
ステップ1：分析対象企業の市場シェアにもとづいて戦略ポジションを考えます。なお，市場シェアは分析対象企業の売上高を市場全体の売上高で除して求めます。
ステップ2：分析対象企業の経営資源について分析します。経営資源の量に関する情報と，質に関する情報の両方を集めましょう。
ステップ3：分析対象企業が①リーダー，②チャレンジャー，③ニッチャー，④フォロワーのどれに当てはまるか検討します。
ステップ4：分析対象企業がとる戦略について検討します。

3　戦略ポジション分析のポイント

　戦略ポジションの分析をうまく進める際のポイントは，以下の２点です。

（１）分析しようとする業界を明確にする

　　業界の捉え方は，分析対象企業がどのポジションに分類されるかを左右します。業界を広く設定するとニッチャーに見える企業であっても，業界を狭く設定するとリーダーになるかもしれません。

（２）さまざまな情報源を利用する

　　企業は，ネガティブな情報よりもポジティブな情報をより積極的により多く公表すると考えられます。したがって，経営資源の質を分析する際，企業が公表する情報をそのまま受け取ると，すべての企業が質の高い経営資源をもっているかのように考えられるかもしれません。しかし，現実には，そうではない場合もあり得ます。新聞や業界紙など，分析対象企業ではない第三者によって公表された情報も参照することが必要です。

4　戦略ポジション分析の実践課題

　それでは，戦略ポジション分析の【実践課題】に取り組んでみましょう。

【実践課題】

1．業界内の力関係を考慮して，アダストリア，TSI，オンワードの３社それぞれのポジションを分析し，アダストリアの特徴点を検討してみましょう。

2．１の分析結果を踏まえて，アダストリアは自社の市場地位からどのような戦略を採用しているか，TSI およびオンワードなどの競合他社との違いがわかる事例を導き出し，アダストリアの戦略ポジションとの関係性を分析してみましょう。

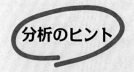
分析のヒント

　戦略ポジション分析は，ある企業が市場のなかで他の企業と競合しないように定めた居場所（ポジション）を検討するものです。戦略ポジションにはいろいろな切り口が考えられますが，今回の実践課題では業界内の力関係による分類を取り上げます。

　業界内の力関係で企業の戦略ポジションを分析するとき，その判断材料には「市場シェア」や「経営資源の量と質」が考えられます。そして，市場シェアを用いる場合は，分析しようとする業界の範囲をよく検討することが，経営資源の量と質を用いる場合は，分析対象企業の事業において重要な経営資源は何かをよく検討することが重要です。

　市場シェアは，各社の売上高を市場全体の売上高で除して求めます。したがって，どの企業を分析対象の市場に含めるかで，分析結果が変わります。前章の業界分析で，ファーストリテイリングとしまむらの売上規模は，分析対象のアダストリアのそれと比べて非常に大きいことから，財務分析での影響を考慮し，分析対象から外しましたが，ファーストリテイリングを分析対象に含めるかどうかは，アダストリアをはじめとするファーストリテイリング以外の企業の市場シェアを大きく変動させ，分析結果に影響を与えることが予想されます。

　他方，経営資源の量と質の分析では，各企業が営む事業で，重要な経営資源が異なることを考慮しなければなりません。経営資源の量は，セールスパーソンの数，営業・流通拠点数，生産能力，資金力などによって測ります。そのため，たとえば，製造業の場合に重要な経営資源と位置づけられる生産能力は，製品を生み出すことを想定しない小売業の場合には重要な資源とはならなくなります。教科書で示されている経営資源の具体例はあくまで一般例にすぎません。そのため，分析対象企業がその事業にどのような経営資源を投入しているか，経営資源のうち特に重要な資源はなにか，といった視点が重要です。

　また，経営資源の質は，さまざまな情報から判断します。しかし，各企業が公表するプレスリリースや有価証券報告書，株主総会での資料のなかには，各社が自社にとってポジティブな情報を強調して報告しているものもあります。そのため，これらの情報の判断には，新聞や業界紙といった，分析対象企業ではない第三者が作成した情報，たとえば，日本経済新聞社の発行する「日本経済新聞」や「日経MJ（流通新聞）」などを活用することを検討します。今回の分析では，繊研新聞社（せんけんしんぶんしゃ）がアパレル業界に焦点をあてた「繊研新聞」を発行していますので，それらの情報も活用すると良いでしょう。

　読者のみなさんが大学生であれば，大学の図書館に所蔵されているか確認してみてください。特に各新聞の電子版が利用可能であれば，データベースから記事を検索することが可能です。新聞を一部ずつ確認して記事を探すのは非常に手間ですが，データベースを利用すれば社名などのキーワードで素早く新聞記事をリストアップできるようになるはずです。それでは，以上の点を考慮して，戦略ポジション分析に取り組みましょう。

学生レポート

・・・

【実践課題】
1．業界内の力関係を考慮して，アダストリア，TSI，オンワードの3社それぞれ
　のポジションを分析し，アダストリアの特徴点を検討してみましょう。

　このレポートでは，アダストリア・TSI・オンワードの3社が，アパレル業界において
ニッチャーであることを示します。そのために，各社の市場シェアを用いた分析と経営資
源の量と質に関する分析を行います。

　まず，日本経済新聞社（2021）と東洋経済新報社（2021）をもとにアパレル業界におけ
る各社の市場シェアを計算します。計算の結果，株式会社ファーストリテイリング（以下，
ファーストリテイリング）が市場シェアの半分（52.30%）を占めていることがわかりました。
また，分析対象の3社を含む3位以下の企業の市場シェアはおおむね4%で，大きな違い
がないことがわかりました。そのため市場シェアからは，ファーストリテイリングが業界
のリーダーであることが推察されますが，その他の企業についての分析は困難です。そこ
で，経営資源の量と質によって，各社の市場地位を分析します。なお，ここでは業界のリー
ダーと思われるファーストリテイリングをベンチマークとして使用します。

　まず，経営資源の量（企業の規模）をヒト・モノ・カネの量で考えます。加護野・吉村
（2021）によれば，経営資源とは経営のために必要な資源や能力のことで，ヒト・モノ・
カネ・情報の4種類があります。今回，情報は量として測ることが難しいと考え，ヒト・
モノ・カネの3種類に絞って検討します。まずヒトの量として，従業員数をその指標とし
ます。次にモノの量として，店舗数をその指標とします。最後にカネの量として，現金及
び現金同等物の期末残高をその指標とします。

　次に，経営資源の質として販売力のレベルを検討します。ここで販売力は，①棚卸資産
回転率，②従業員一人当たり売上高，③従業員の平均勤続年数，④SNSのフォロワー数
で考えます。

　表1は，上記の指標についてまとめたものです。表から，経営資源の量については，ファ
ーストリテイリングが非常に大きく，分析対象の3社は小さいといえます。他方で経営
資源の質については，分析対象の3社もリーダーであるファーストリテイリングとそれほ
ど違いがありません。特にアダストリアとTSIは棚卸資産回転率が高いことがわかります。
また分析対象の3社の従業員平均勤続年数はいずれもファーストリテイリングより長くな
っています。

　以上の議論から，分析対象の3社はアパレル業界におけるニッチャーだと考えられま
す。それぞれの企業は，経営資源の量の点でリーダーに及びませんが，質ではそれほど差

表 1　各社の分析指標[1]

	指標	アダストリア	TSI	オンワード	ファーストリテイリング
量	従業員数	5,701 名	5,172 名	7,498 名	57,727 名
	店舗数	1,400 店	924 店	およそ 1,500 店	3,630 店
	現金及び現金同等物	24,082 百万円	49,761 百万円	21,270 百万円	1,177,736 百万円
質	棚卸資産回転率	12.0 回	6.7 回	4.5 回	4.9 回
	従業員一人当たり売上高	32,252 千円	25,923 千円	23,249 千円	34,799 千円
	従業員平均勤続年数	6 年 6 カ月	5 年 0 カ月	19 年 8 カ月	4 年 3 カ月
	Instagram のフォロワー数	65.2 万人	14.1 万人	6.2 万人	234.8 万人

がないため，ニッチャーとして活動していると考えられます。なかでもアダストリアは，経営資源の質が高いといえます。販売力の指標として取り上げた棚卸資産回転率は，アダストリアが抜きんでています。またインスタグラムのフォロワー数も，ファーストリテイリングには及びませんが，TSI とオンワードに比べて非常に多く，SNS を広告活動にうまく活用できていると考えられます。従業員の勤続年数は平均的ですが，SNS を活用し，効率的な販売を実践しているのがアダストリアの特徴と考えます。ただ，今回の分析では業界を広く設定したため，ファーストリテイリングが圧倒的なリーダーとなり，他の企業がニッチャーに見えやすくなった可能性があります。今後の分析では業界の設定を工夫することも必要と考えられます。

参考文献

LOWRYS FARM Instagram アカウント
　https://www.instagram.com/lowrysfarm_official/　2022 年 4 月 26 日アクセス確認
NANO universe Instagram アカウント
　https://www.instagram.com/nanouniverse_official/　2022 年 4 月 26 日アクセス確認
uncrave Instagram アカウント　https://www.instagram.com/uncrave_official/　2022 年 4 月 26 日アクセス確認
UNIQLO Global Instagram アカウント　https://www.instagram.com/uniqlo/　2022 年 4 月 26 日アクセス確認
加護野忠男・吉村典久編著（2021）『1 からの経営学［第 3 版］』中央経済社。
株式会社 TSI ホールディングス（2022）「2022 年 2 月期　決算説明会資料」。
株式会社 TSI ホールディングス（2021）「有価証券報告書」。
株式会社アダストリア（2021）「有価証券報告書」。
株式会社オンワードホールディングス（2021）「有価証券報告書」。
株式会社ファーストリテイリング（2020）「有価証券報告書」。

---

1)　各社の従業員数は，日本経済新聞社（2021，180 頁）を参照しています。店舗数は東洋経済新報社（2021，242 頁）からアダストリアとファーストリテイリングの情報を，決算説明会資料から TSI の情報を，本橋（2020）からオンワードの情報を得ています。Instagram のフォロワー数は，各社の抱えるブランドのなかで最も多くのフォロワー数をもつ Instagram アカウントのフォロワー数を調べています（数値は 2022 年 4 月 26 日現在）。その他の指標は各社の有価証券報告書を参照しています。

東洋経済新報社（2021）『会社四季報業界地図 2022 年度版』東洋経済新報社。

日本経済新聞社（2021）『日経業界地図 2022 年版』日本経済新聞出版。

本橋涼介（2020）「オンワード HD が前期・今期で約 1400 店舗を閉鎖　コロナ危機でデジタルシフトを加速」 WWD JAPAN 2020 年 4 月 13 日

　https://www.wwdjapan.com/articles/1069628　2022 年 4 月 26 日アクセス確認

> 【実践課題】
> 　2．1 の分析結果を踏まえて，アダストリアは自社の市場地位からどのような戦略を採用しているか，TSI およびオンワードなどの競合他社との違いがわかる事例を導き出し，アダストリアの戦略ポジションとの関係性を分析してみましょう。

　前問から，アダストリアはアパレル業界においてニッチャーだとわかりました。ニッチャーは小さなセグメントを見つけ，そこで高い専門性やブランド力を構築しようとします。このレポートではアダストリアが特定の市場においてさまざまな製品を投入していることに着目して，同社の戦略について検討します。

　前問で検討したように，アパレル業界のリーダーはファーストリテイリングです。ファーストリテイリングは「ユニクロ」をはじめとする 6 つのブランドを展開しています（株式会社ファーストリテイリング公式 HP）。他方でアダストリアは，「LOWRYS FARM」をはじめとして 30 以上のブランドを展開し，その多くを狭い市場（CORE MARKET）に向けたものとしています（株式会社アダストリア公式 HP）。

　またアダストリアは自社ブランドのなかでも特に「niko and …」や「LAKOLE」において，衣料品以外にも化粧品や食器，雑貨などを展開しています。このような活動によって各ブランドの顧客の生活に多様な製品を提供し，ブランド力を高めようとしていると考えられます。近年ではアダストリアはハワイアンカフェ「アロハテーブル（ALOHA TABLE）」を運営するゼットンを買収しました（五十君 2021b）。現在展開している衣料品・化粧品・食器・雑貨に加え，今後は飲食業を含んだ「衣・食・住」を既存のブランドのなかで展開することが期待できると考えられます。

　アダストリアと同様，TSI も比較的小さな市場に経営資源を集中的に投下しています。日経 MJ（2022）によれば，TSI はこれまでレーベル[2] が 1 つだった「nano universe」を 7 レーベルとし，各レーベルで価格帯の異なる商品を販売する予定です。さらに一部の実店舗は特定のレーベルを取り扱うこととし，狭い市場への専門化を目指しています。そのほか TSI は，株式会社 VANISH STANDARD による「STAFF START AD」を導入し，スタッフ主導のネット広告を EC サイトに打ち出す（中村 2022），低収益店舗を撤退する，といっ

　2）ここでのレーベルは，「nano universe」というブランドのなかに存在する複数の製品ラインナップのカテゴリー分けを指す言葉と考えられます。

た形で EC に販路をシフトしています。

　他方で，オンワードはオンラインと実店舗を融合した OMO（Online Mergers with Offline）店舗の展開に力を入れています。OMO 型店舗ではオンラインストアにある商品を店舗に取り寄せて試着することが可能です。OMO 店舗はアダストリアも展開を開始しています（五十君 2021a）。しかし，オンワードの OMO 店舗はオンライン上でスタイリストの接客を受けられるサービスや，オンワード以外の製品の直しを行うサービスなど，独自のサービスを提供しています。新型コロナウィルスの拡大を受け EC 需要が高まるなかで，オンラインと実店舗の良い点を両方もっている OMO 店舗は，今後有力な店舗形態だと考えます。

　最後に，各社の戦略について改めてまとめます。アダストリアは，多様な趣味嗜好に合わせたたくさんのブランド展開が特徴です。TSI は，主力ブランドへの集中的な資源投資を通じて，より小さな市場へのアプローチを目指し，さらに EC への販路のシフトを進めています。最後にオンワードは，OMO 店舗の拡大を目指しています。OMO 店舗をはじめとする EC 事業への注力は新型コロナウィルスの拡大を受けて各社において実施されています。そのため，今後は業界内において EC を中心とした競争が行われていくと考えられます。

【参考文献】

五十君花実（2021a）「自社 EC 会員 1200 万人のアダストリアが「情緒的な」OMO 店舗を出店　撮影スタジオも併設」「WWD JAPAN」2021 年 5 月 19 日
　　https://www.wwdjapan.com/articles/1215345　2022 年 4 月 27 日アクセス確認
五十君花実（2021b）「アダストリア，「アロハテーブル」運営の飲食企業ゼットンを 28 億円で子会社化」「WWD JAPAN」2021 年 12 月 15 日 https://www.wwdjapan.com/articles/1299417　2022 年 4 月 27 日アクセス確認
株式会社アダストリア公式 HP　https://www.adastria.co.jp/　2023 年 3 月 6 日アクセス確認
株式会社ファーストリテイリング公式 HP　https://www.fastretailing.com/jp/　2022 年 4 月 27 日アクセス確認
中村勇介（2022）「アパレル店員投稿のコーデ写真，そのままネット広告に」日経速報ニュースアーカイブ。
日経 MJ　2022 年 2 月 7 日 5 頁「「ナノ・ユニバース」7 レーベルに」。

児玉柊平・内海萌音・八島莉音・菅野隼輔
池田一真・髙野杏奈・千田奈々
（東北学院大学）

戦略ポジション分析についてのコメント

○評価ポイント

　みなさんが行ったアパレル企業の戦略ポジションの分析では，戦略ポジション分析のポイント（2）にしたがい，経営資源の量と質を判断するための指標を考え，データを集計しています。それを通じて，分析対象3社は経営資源の量ではリーダー企業に劣るものの，経営資源の質ではリーダー企業に対しても劣っていないことを説得力のあるかたちで示すことができています。さらにアダストリアの特徴として，分析した3社のなかで特にインスタグラムのフォロワー数が多いことに触れ，同社はSNSを活用した広告宣伝が実施できているという自分たちの考えを展開できています。

　またアダストリアが採用している戦略の特徴として，①ターゲットとする顧客にあわせて多くのブランドを展開していること，②特定のブランドでは衣料品以外の商品も展開していること，を指摘できていますので，1つのブランドで大きな市場をカバーしようとするファーストリテイリングとの対比がわかりやすくまとめられている点も評価できます。

○修正ポイント

　みなさんの分析には優れた点もありますが，以下の点をブラッシュアップするとよりよい分析になると思います。

1．みなさんが作成した実践課題1のレポートでは，日本経済新聞社（2021）と東洋経済新報社（2021）をもとに，小売業を営むアパレル業界全体を対象とする分析が行われています。そのためレポートでは，分析対象業界にファーストリテイリング（およびしまむら）が含まれるかたちになっており，分析した3社がニッチャー以外に見える可能性がなくなっています。

　しかし，国内アパレル業界における競争状況を調べたChapter 6実践課題の模範解答では，ファーストリテイリングとしまむらが非常に大きな市場シェアを獲得していることを踏まえ，これらの2社を除いた市場シェアの近い企業に焦点を当て，分析を行うことでより詳細な分析ができる可能性を示唆しました。加えて実践課題1では，アダストリアの特徴点を記述することが求められています。したがってこのレポートでは，アダストリアを中心に分析することを念頭に，ファーストリテイリングやしまむらの影響を受けすぎないよう，これらの2社を除いた業界の分析を考えるなど，設定を工夫するとよりよかったのではないかと思います。

　また実践課題1のレポートでは，分析した企業の経営資源の量と質をいくつかの指標から検討しています。しかし，みなさんがその指標を選択した理由がわかりません。自身の分析に対する姿勢を明確にする意味でも，その指標を選んだ理由ははっきりと書くように

してください。ただし，みなさんが選んだモノの量の指標，店舗数は，実践課題2のレポートで，オンワードやTSIがEC事業に注力していることを考えるならば指標として適切であるかを慎重に判断する必要がありました。なぜなら，各社がEC事業にシフトしているならば，実店舗の重要性は下がり，経営資源の指標として店舗数は適切ではないおそれがあるからです。分析のヒントでも述べたように，経営資源の分析に際しては，経営資源のうち特に重要な資源はなにか，といった視点が重要です。各社がEC事業に注力してもなお，店舗数がモノの量を表す指標として適切であるかどうかを，レポートのなかで検討したうえで，指標として利用するとよいと思います。

2．みなさんが作成した実践課題2のレポートでは，分析した3社の特徴として，アダストリアについては多様なブランドの展開とブランド内での多角化，TSIについては既存レーベルの細分化とECへの販路の変更，オンワードについてはOMO店舗の展開を挙げています。これは各企業の試みを調査した結果にもとづいて評価すべきことですが，結果を示すだけで十分な比較をするまでにはいたっていません。すなわち，企業によって注目した点が異なるために調査が広い範囲に及ばず，他の企業も実施していることを，ある企業独自の戦略のように記述してしまっているといえそうです。実際，オンラインでの接客は，オンワードだけではなくTSIも実施しています。また実践課題2では実践課題1を踏まえてアダストリアと他の2社（TSI・オンワード）との違いを記述することが求められています。実践課題1ではアダストリアの特徴点としてSNSの活用や販売効率の良さが指摘されていました。今回のレポートでは，それを受けて特にSNSを活用しているブランドの活動を掘り下げるなど，アダストリアの戦略を深く考察できるとなおよかったのではないかと思います。

模範解答

【実践課題】
1. 業界内の力関係を考慮して，アダストリア，TSI，オンワードの3社それぞれのポジションを分析し，アダストリアの特徴点を検討してみましょう。

　課題1では，ファーストリテイリングとしまむらが非常に大きな市場シェアを獲得していることを踏まえ，これらの2社を除いた国内アパレル業界を前提に戦略ポジションを把握します。以下の模範解答では，戦略ポジション分析のポイント（1）および（2）にしたがい，戦略ポジションを確定したうえで，アダストリアの特徴点を検討します。

　コトラーとケラーは仮想の市場構造を示し，市場シェアの大きい順にリーダー（市場シェア40%）・チャレンジャー（市場シェア30%）・フォロワー（市場シェア20%）・ニッチャー（市場シェア10%）と規定しました（Kotler and Keller（2006），恩藏（2014）434頁）。そこでまずアダストリアとともにTSI，オンワードの市場シェアを計算し，それぞれの戦略ポジションを考えてみます。東洋経済新報社（2021）を用いて，分析対象業界の各社の市場シェアを計算・集計したものが図表7－1になります。図表7－1は上場・非上場を問わず，業界地図から収集可能なデータを利用し，作成しました。

　この図表7－1からは，今回分析した3社の市場シェアはコトラーとケラーが示したニッチャーの水準に近いことがわかります。ただし，その市場シェアは最大でもアダストリアの8.7%で，すぐ下に市場シェア8.6%のワールドが迫っています。そのため，分析対象業界には多くの企業が存在し，コトラーとケラーが示した基準で戦略ポジションを分析するのは難しいと思われます。

　このように多数の企業が市場シェアを分け合う業界では，コトラーとケラーが示した基準によらず，市場シェアの順位で企業のポジションを検討することがあります[1]。すると，図表7－1からは2位のワールドとの差はわずかですが，アダストリアがリーダーだといえそうです。しかしながら，図表7－1の売上高は新型コロナウィルスのまん延がアパレル業界に大きな影響を与えた期間のものです（日本経済新聞社2020年10月10日付朝刊13面）。そこで平時の市場シェアも検討の対象とするため，図表7－1の売上高上位6社について，過去5年間の市場シェアの順位を図表7－2に集計しました。

　図表7－2からは，アダストリアが1位となったのは直近の1期（2021年度）のみで

---

[1] たとえば，松下（2015，26頁）では，国内の生命保険市場において日本生命保険相互会社が最も大きな市場シェアを確保しているためリーダーであるとしていますが，その市場シェアは12.5%です。また山本（2012，34頁）や池尾ほか（2010，270頁）でも，企業のポジションを市場シェアの大きさではなく，その順位によって説明しています。

| 図表7－1 | 売上高上位2社を除いた国内アパレル業界の売上高と市場シェア |

売上順位	企業名	売上高（億円）	市場シェア（%）
1位	アダストリア	1,838	8.7
2位	ワールド	1,803	8.6
3位	オンワード	1,743	8.3
4位	青山商事	1,614	7.7
5位	ワコールホールディングス	1,522	7.2
6位	TSI	1,340	6.4
7位	グンゼ	1,236	5.9
8位	ユナイテッドアローズ	1,217	5.8
9位	パルグループホールディングス	1,085	5.1
10位	ワークマン	1,058	5.0
	その他（13社）	6,629	31.4
	合計	21,085	100.0

出所：東洋経済新報社（2021）242頁から243頁をもとに筆者作成。

| 図表7－2 | 過去5年間における6社の市場シェア順位 |

	2017	2018	2019	2020	2021
アダストリア	4位	4位	4位	4位	1位
ワールド	2位	2位	2位	2位	2位
オンワード	3位	3位	3位	1位	3位
青山	1位	1位	1位	3位	4位
ワコール	5位	5位	5位	5位	5位
TSI	6位	6位	6位	6位	6位

出所：各社の有価証券報告書をもとに筆者作成。

あることと，分析対象業界における市場シェアの順位は，新型コロナウィルス感染症（COVID-19）によるパンデミックが本格化した2020年度から，入れ替わりが激しくなっていることが読み取れます。ただし，この市場シェアに関する競争は上位4社の話であり，ワコールとTSIは，それぞれ5位，6位が定位置となっています。その結果，分析対象業界では，絶対的なリーダーは存在せず，売上高の上位4社が，今回の分析では除外したファーストリテイリングやしまむらに次ぐ業界内3位の座を争っていると考えられます。したがって，この分析だけで，アダストリアを中心とする3社の戦略ポジションを判断するのは難しいといえそうです。

　そこでChapter 2の解説にしたがい，各企業がもつ経営資源の量と質で各企業のポジションを考えます。ここで，経営資源とはヒト・モノ・カネ・ノウハウ・技術に代表される，企業が経営を行うための力のことです（嶋口（1986）95頁）。そして，経営資源の量は，セールスパーソンの数，営業・流通拠点数，生産能力，資金力などによって，また，経営資源の質は，マーケティング力，イメージ，ブランド・ロイヤリティ，流通チャネル力，

研究開発技術の高低で考えます（嶋口（1986）99頁）[2]。

　近年，アパレル業界では店舗に依存しない顧客との接点づくりとして，EC（Electronic Commerce）の活用が求められるようになっています（日本経済新聞社（2021）180頁）。それは，このコロナ禍でますます重視されるようになり，アダストリアは，自社ECサイト「.st（ドットエスティ）」の売上高を右肩上がりに上昇させてきた結果，EC事業の売上増が実店舗での売上減を補填することで，2021年度の6社の市場シェア順位で初めて1位となりました（アダストリア（2021b）12頁）。しかし，経済産業省の調査では，衣類・服装雑貨等の売上高に占めるEC化率は，前年度からは伸びたものの，まだ19.44％しかありません（経済産業省（2021）3頁）。また，市場規模の伸びに比して，EC化率の伸びが大きいのは，コロナ禍の影響もあると考えられます。したがって，衣類・服装雑貨等では，パンデミックを契機として，顧客の購入方法の1つにECが考えられるようになった結果，EC化が進みつつあるとはいっても，いまだにその多くが実店舗での販売に依存していると判断できそうです。

　このように見てくると，衣類・服装雑貨等では，店舗を多くもてば，それだけ多くの販路を確保できるという点で，実店舗の重要性が完全には損なわれていないということになりますので，アパレル企業は各店舗で働く人を適切に配置する必要が生じます。このとき，必要な経営資源は，各社が雇用する従業員と実店舗です[3]。そこで，ここでは，まず，経営資源の量としての従業員数と店舗数を考えます。なお，従業員数のデータは，各社の有価証券報告書から，また，店舗数のデータは，アダストリアについては東洋経済新報社（2021，242頁）から，TSIホールディングスについては決算説明会資料（株式会社TSIホールディングス（2022）29頁）から，最後にオンワードについては本橋（2020）から収集し，入手しています。今回は，アパレル業界における各社の相対的な位置づけを探るため，アダストリアを中心とする3社に加え，図表7－1でデータを収集した23社のうち売上高順位が中位（12位）のAOKIホールディングスと下位（21位）のマックハウスを対象に含めて検討します[4]。

　図表7－3は集計したデータをまとめたものです。図表7－3から，アダストリアの経営資源の量は分析した企業のなかで従業員数が最多（次点はオンワード），店舗数がオンワードに次ぐ2番手となっていることがわかります。そのため，経営資源の量ではオンワードと拮抗しているといえそうです。他方でTSIは，市場シェアの分析でも首位争い

2）　ここで挙げた指標は一般例です。そのため，分析では分析対象企業の経営資源を量と質の側面から重要度を判断し，合理的に選択することで現在の地位の維持や向上を図る必要があります。

3）　なお，アパレル業界では，相当数の臨時雇用者を活用している企業が少なくないため，今回の分析には，臨時雇用者を従業員数のなかに含めています。

4）　23位のTOKYO BASE，22位のシップスは非上場のため，データの取得可能性の観点からマックハウスを下位の企業として取り上げています。なお，AOKIとマックハウスの従業員数は有価証券報告書から，店舗数は東洋経済新報社（2021）から収集しています。

| 図表7－3 | 経営資源の量（従業員数・店舗数） |

	従業員数（人）	店舗数（店）
アダストリア	10,786	1,400
オンワード	9,968	約1,500[5]
TSI	6,366	924
AOKI[6]	3,526	628
マックハウス	1,217	336

出所：従業員数については有価証券報告書，店舗数については東洋経済新報社（2021，242頁），
株式会社TSIホールディングス（2022，29頁），本橋（2020）をもとに筆者作成。

に入れなかったことに加え，経営資源の量においてもアダストリアとオンワードに比べて
やや少なくなっています。ただし，そのTSIもAOKIやマックハウスと比べれば，それ
なりの経営資源を有していますので，実店舗の販売に売上高が相関する衣類・服装雑貨等
では，経営資源の量も売上高と関係する，旧来の関係性が引き継がれているといえそうで
す。したがって，経営資源の量に関する分析からは，①分析した企業のなかに圧倒的な
リーダーがいないこと，②アダストリアとオンワードは分析した企業のなかでは，経営資
源の量が比較的多いこと，③TSIの経営資源の量は多いとはいえないが売上高に見合う
それなりの資源量を保有していること，がわかります。

　では，経営資源の質についてはどうでしょうか。「経営資源独自性」ともよばれる経営
資源の質は，限られた競争の場で勝ち，パイをより多く獲得するため，競合他社の力量を
知り，選択する対抗策のことをいいます（嶋口（1986）99頁）。この分析尺度は，相対的な
ものであることから，数値等にもとづく客観的な分析は難しいと考えられます。しかし，
比較対象企業の現状から，自社がとるべき戦略を検討できれば，分析対象企業が競争に打
ち勝つために力を入れるべき対抗策が見えてきます。

　今回の分析対象であるアダストリアがもつ独自性のある経営資源としては，「変わる力」
が考えられます。1953年に設立した株式会社福田屋洋服店を起源とするアダストリアは，
これまでに4回，ビジネスモデルを変えてきました（アダストリア公式HP）。現在（2015
年以降）のアダストリアはSPA（製造小売業）に分類される企業ですが，その前の同社は
ODM（Original Design Manufacturing：委託者のブランドで受託者が製品の開発・設計・製造を
行う形態）やOEM（Original Equipment Manufacturing：委託者自身が行った製品の開発・設計
にもとづき用意された組立図等から製品を製造する形態）を主たる事業活動とする企業でした。
そして，同社が大幅な方針転換を決めたのは，生産によって過去最高益を出した2010年

5）　なお，オンワードの店舗数は，オンワードホールディングスのデータからは正確な店舗数の情
　報が収集できなかったため，「約3000あった店舗数はほぼ半減」させたと述べている本橋（2020）
　の記述を根拠に「約1,500」としています。
6）　AOKIについてはファッション事業のデータから収集しています。

だとされています（冨岡（2016））。また，同社は，2017年に飲食事業を手掛ける子会社を設立，2021年に同業界の株式会社ゼットンを買収することで，アパレル以外の業種にも事業領域を拡大していることからもわかるように（日経MJ（流通新聞）2021年12月17日付5面），自分たちのビジネスを変え，新しい価値を創造することに優れた企業といえそうです。

　アダストリアの積極的な事業展開の結果は，同社のマルチカテゴリーにも表れています。アダストリアは先に挙げた飲食だけではなく，家具や雑貨，コスメ，スポーツなどさまざまな分野に進出しています（アダストリア公式HP）。マルチカテゴリーの運営は，カフェを併設したアパレル店舗で「アパレルと飲食の枠を超えた『もっと楽しい"場"』の創出を目指す」ことで（アダストリア（2022）28頁），「一人ひとりが"自分らしさ"をたくさんの選択肢の中から選べるいま，…お客様一人ひとりの感性と創造的な暮らしに，多彩なブランド展開で」応えようとするものです（アダストリア公式HP）。これは，別の見方をすれば，時間・空間を提供し，衣類・服装雑貨等の購入のためだけに来た客層から，時間・空間を楽しむ新たな客層にまで来客層を広げ，顧客の滞在時間を延ばすといった，従来とは異なるアパレル店舗の提案を可能にしていると考えられます（日経MJ（流通新聞）2021年12月17日付5面）。

　したがって，ここまでの分析から，アダストリアは分析対象業界におけるチャレンジャーといえるでしょう。リーダーといえるほど突出していないものの，売上高や経営資源の量は業界の上位グループに属しています。また，自社のビジネスを変革する力を通じてさまざまな事業に取り組み，従来とは異なるアパレル店舗の在り方を提案し，差別化しようとしています。このことは，同社が2017年に公表した決算説明会資料で「2,000億円企業から次のステージに向けて」と題し，さらなる売上の増大を掲げるなど，同規模の競合他社から抜きんでようとする姿勢からも明らかです（アダストリア（2017）19頁）。

　オンワードは，そのアニュアルレポートで，自社の強みとして「高品質な商品を提供する力」を挙げています（オンワード（2021）2頁）。アダストリアと同様，チャレンジャーに位置づけられる同社は，高品質・高付加価値にこだわった製品を百貨店を中心に販売した結果，百貨店を主たる販路とする企業のなかでは最大の売上を獲得しました（東洋経済新報社（2021b）242頁）。

　しかし，オンワードが主たる販路としてきた百貨店における衣料品の売上は，近年右肩下がりです（日本百貨店協会（2022））。そのためオンワードは，実店舗の大量閉店やECへのチャネル変更に取り組み，採算の維持改善に力を注いでいます（日経MJ（流通新聞）2020年6月3日付1面）。したがってオンワードは，現状チャレンジャーとしての地位にいるものの，その強みを活かす販路の衰退に直面しており，困難な状況を乗り越えることに集中している状態だと考えられます。

　一方，若者向けのセレクトショップである「nano-universe」を主力ブランドとしてき

たTSIは，2022年2月期決算でゴルフ・アスレジャー事業が営業利益に大きく貢献していることから（TSI（2022）），「機能的かつおしゃれなゴルフウエアを提供する力」に注力している模様です。TSIのゴルフウエアブランド「パーリーゲイツ」は機能性とファッション性を両立したブランドとして，顧客全体の26％が年間に3回以上来店し20万円以上購入するなど，人気を集めるようになりました（日経産業新聞2021年5月4日付3面）。また，TSIは主力ブランドであるnano-universeのなかで，ゴルフウエアのレーベル「bpm」を立ち上げました（日経MJ（流通新聞）2022年2月7日付5面）。そのため，TSIは，売上や経営資源の量で，チャレンジャーのアダストリアやオンワードなどの上位グループにやや遅れをとっているといえますが，その事業では，スポーツのなかでもゴルフという絞り込んだ市場に力を入れ，サプライヤーと密に連携し，質の高い事業を展開していますので，ニッチャーに位置づけられると考えられます。

　したがって，ここまでの分析で，ファーストリテイリングとしまむらの売上高上位2社を除いた国内アパレル業界の市場には絶対的なリーダーが存在しないことがわかりました。そして，アダストリアはそこから一歩抜き出ることを目指しています。

　アダストリアがさらに成長するための原動力となる独自の経営資源は，そのビジネスを変革していく力と考えられます。同社は過去にODM・OEM生産からSPAへと生産システムを大幅に変更してきました。近年では，アパレル以外の業種へと事業領域を拡大し，カフェ併設型のアパレル店舗という新たな価値を市場に提供しています。アダストリアは，店舗数こそオンワードほど多くはありませんが，従業員を多く抱え，ECサイト「.st（ドットエスティ）」を有効に活用した結果，売上高と市場シェアで，アパレル業界の上位2社を除いたときには，分析対象業界1位となっています。これは，アダストリアの「変わる力」が合理的に展開できた結果であると考えられ，この力を追求することができれば，アダストリアが，売上高上位2社を除いた国内アパレル業界の企業から抜け出せる可能性があるのかもしれません。

【参考文献】

青山商事（2021）「有価証券報告書」。

アダストリア（2017）「2017年2月期　通期決算補足資料」。

アダストリア（2021a）「有価証券報告書」。

アダストリア（2021b）「2021年2月期　通期決算補足資料」。

アダストリア（2022）「2023年2月期〜2026年2月期　中期経営計画—グッドコミュニティの共創をめざして」。

アダストリア公式HP　https://www.adastria.co.jp/

池尾恭一・青木幸弘・南千惠子・井上哲浩（2010）『マーケティング』有斐閣。

オンワードホールディングス（2021a）「有価証券報告書」。

オンワードホールディングス（2021b）「ANNUAL REPORT 2021（日本語版）」。

経済産業省（2021）「令和2年度電子商取引に関する市場調査　公開資料（令和3年7月30日）」。

嶋口充輝（1986）『統合マーケティング　豊穣時代の市場志向的経営』日本経済新聞社。

東洋経済新報社（2021）『会社四季報業界地図2022年度版』東洋経済新報社。

冨岡　耕（2016）「ユニクロの次はここ？アダストリアの快進撃　複数ブランドでグローバル展開へ」東洋経済
　　ONLINE 2016 年 4 月 7 日。
　　https://toyokeizai.net/articles/-/112707　2022 年 6 月 18 日アクセス確認。
日経 MJ（流通新聞）2020 年 6 月 3 日 1 頁「苦境アパレル，出口見えるか─三陽商会大江伸治社長，TSIHD 上
　　田谷真一社長，オンワード HD 保元道宣社長」。
日経 MJ（流通新聞）2021 年 12 月 17 日 5 頁「アダストリア，ゼットンを買収，28 億円で，非アパレル拡大へ」。
日経 MJ（流通新聞）2022 年 2 月 7 日 5 頁「「ナノ・ユニバース」7 レーベルに」。
日経産業新聞 2021 年 5 月 4 日 3 頁「翔けるスポーツテック（中）TSI，機能×デザイン進化─ゴルフウエア，
　　愛好家離さず，素材多様，加工で光る」。
日本経済新聞社 2020 年 10 月 10 日付朝刊 13 頁「アパレル，業績に明暗，オンワード，都市部の百貨店苦戦，し
　　まむら，外出自粛で郊外好調」。
日本経済新聞社（2021）『日経業界地図 2022 年版』日本経済新聞出版。
日本百貨店協会（2022）「最近の百貨店売上高の推移【2022/05/27 更新】第 2 表　商品別売り上げ」
　　https://www.depart.or.jp/store_sale/　2022 年 6 月 18 日アクセス確認。
松下光司（2015）「第 2 章　競争戦略　ライフネット生命」（青木幸弘編『ケースに学ぶマーケティング』有斐閣
　　ブックス：21-40 頁）。
本橋涼介（2020）「オンワード HD が前期・今期で約 1400 店舗を閉鎖　コロナ危機でデジタルシフトを加速」
　　WWD JAPAN 2020 年 4 月 13 日。
　　https://www.wwdjapan.com/articles/1069628　2022 年 6 月 18 日アクセス確認。
山本　晶（2012）『コア・テキスト　マーケティング』新世社。
ワコールホールディングス（2021）「有価証券報告書」。
ワールド（2021）「有価証券報告書」。
AOKI ホールディングス（2021）「有価証券報告書」。
Kotler, P. and K. L. Keller（2006）*Marketing Management 12*[th] *edition.* Peason Education, Inc.（恩藏直人監修
　　（2014）『コトラー＆ケラーのマーケティング・マネジメント第 12 版』丸善）。
TSI ホールディングス（2021）「有価証券報告書」。
TSI ホールディングス（2022）「2022 年 2 月期　通期決算説明会資料　日本語」。

【実践課題】
　2．1 の分析結果を踏まえて，アダストリアは自社の市場地位からどのような戦略
　　を採用しているか，TSI およびオンワードなどの競合他社との違いがわかる事例を
　　導き出し，アダストリアの戦略ポジションとの関係性を分析してみましょう。

　課題 1 の分析で，アダストリアは，売上高上位 2 社を除いた国内アパレル業界でチャレ
ンジャーに位置づけられ，「変わる力」をもとに，これまで生産プロセスの変革や事業領
域の多様化に取り組んでいることがわかりました。
　Chapter 2 にあるように，チャレンジャーは差別化戦略を採用します。そこで，課題 2
では，アダストリアがマルチカテゴリーの運営を通じてどのように差別化を図っているか
を検討します。繰り返しになりますが，アダストリアは 2017 年に飲食事業を手掛ける子
会社を設立し，2021 年には株式会社ゼットンを買収することで，飲食業へ進出しました

（日経 MJ（流通新聞）2021 年 12 月 17 日付 5 面）。また飲食以外にも家具や雑貨，コスメ，スポーツなどさまざまな分野に進出しています。同社はこの多様な事業構成をマルチカテゴリーとよんでいます（アダストリア公式 HP）。

　なお，アパレル以外の事業に進出すること自体は，アダストリアに特有のことではありません。たとえば TSI は，2019 年をもって撤退しましたが，2014 年から米国企業との共同出資でドーナツ店「ドミニクアンセルベーカリー」を運営したことがあります（繊研新聞 2014 年 9 月 18 日付 2 面）。またオンワードはアパレル以外にもコスメやギフトカタログの販売に加え，食料品の通販サイトの運営を行っています（オンワード（2021）10 頁）。

　アダストリアがマルチカテゴリーで行う差別化には，特定のブランドにおけるカテゴリーの多様化と複合店の運営が挙げられます。

　まず，前者について，アダストリアは多くのブランドを保有していますが，「GLOBAL WORK」と「niko and …」は，同社の売上高構成比 1 位，2 位のブランドです（アダストリア（2021））。そして，グローバルワークでは，2014 年にカフェ併設店である「GLOBAL WORK CAFE」を出店しました（日経 MJ（流通新聞）2017 年 6 月 11 日付 7 面）。同様の傾向は niko and … においてより顕著に見られます。niko and … では，コスメや食器・テーブルウエアを販売するほか，家具の取り扱いも開始し（アダストリア（2016）），今では，カフェ併設店の niko and … COFFEE，レストラン併設店の niko and … KITCHEN を展開するにいたっています（繊研新聞社（2019））。ここで特徴的なのは，新事業であるカフェやキッチンがアダストリアの特定ブランド内で展開されているということで，それぞれが特定の衣料品や雑貨・家具のブランドとしてではなく，飲食業も手掛けるブランドとして多様化させ，独自の戦略をとろうとしていることがわかります。

　したがって，このように見てくると，アダストリアはさまざまな事業に取り組み，さらにそれらを GLOBAL WORK や niko and … といった既存ブランドのなかで展開し，競合他社との違いを明確にした差別化を図ろうとしているといえそうです（例：niko and … COFFEE（カフェ）や niko and … FURNITURE & SUPPLY（家具）など）。無論，他の事業への展開については，前述の通り，TSI やオンワードでも確認できます。しかし，それらの事業はアパレルと関わることなく運営されていますので，たとえばオンワードでは，23 区や組曲などのアパレルブランドで，飲食事業やコスメ事業を展開することはなく，単一のブランドでは単一の事業を行うかたちをとっています。その結果，アダストリアと他の 2 社との違いは以下の図表 7 − 4 のようにあらわすことができるでしょう。

　アダストリアが，単一ブランドで複数カテゴリーの商品やサービスを取り扱う意図は，顧客層の拡大です（日経 MJ（流通新聞）2013 年 11 月 29 日付 6 面）。たとえば，niko and … で服は買わないけれどコーヒーは飲む，といった顧客を意識し，ブランドの間口を広げることで，単なるアパレルブランドではなくさまざまな商品やサービスを提供するブランドとして他社との差別化を図っています。

図表7－4　アダストリアと TSI・オンワードとの事業展開の比較

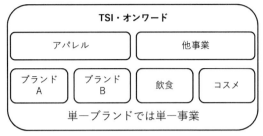

出所：筆者作成。

　後者の複合店の運営についても，前者の戦略が関係します。繰り返しになりますが，アダストリアは，新事業を既存ブランドのなかで展開し，各事業の商品やサービスを1カ所で提供する複合店を運営する形態をとっています。上記で挙げた GLOBAL WORK CAFE は，カフェとアパレルの複合店です。

　niko and … は2007年のブランド立ち上げ時から，競合他社に先駆けてアパレルと生活雑貨の同時提供を行ってきたブランドで（日経 MJ（流通新聞）2020年9月4日付7面），近年ではさらに，レストランやカフェを併設する店舗を展開しています。niko and … は，より進んだ複合店舗の運営を行っていますが，このなかでも特記すべきは，レストランで使用されている家具・照明・食器の一部は併設の店舗で購入可能で，顧客は実際の使用感を確かめて購入できるようになっていることです（繊研新聞社（2019）；アダストリア（2019））。

　アダストリアによる複合店運営も，他社との差別化を意識したものと考えられます。カフェに併設された店舗では，コーヒーを売り場に持ち込むことが可能です。休憩目的でカフェに立ち寄った顧客が，ついでに店に寄っていくことも意図されています（日経 MJ（流通新聞）2013年11月29日付6面）。また前述の通りレストランでは使用されている家具・照明・食器の一部が併設の店舗で購入可能となっており，顧客は実際の使用感を確かめてから購入を検討できるようになっています（繊研新聞社（2019）；アダストリア（2019））。TSI やオンワードが提供していない体験をアダストリアは提供しており，同社がチャレンジャーとして差別化を図っていることがわかります。

　今回の分析をまとめると，以下のようになるでしょう。まず，アダストリアは，アパレルだけではなく多様な事業に進出し，飲食や家具といった新事業を既存ブランドのなかで展開しています。たとえば，「niko and …」ブランドでは，niko and … COFFEE が展開されています。また，同社は多様な事業をもつブランドで，カフェ併設店やキッチン併設店といった複合店を運営しています。そこで顧客はさまざまな商品やサービスを同時に楽しむことができ，実際に使用した家具や食器を購入することも可能です。アダストリアによる差別化は，①主要ブランドを単なるアパレルブランドから多様な商品やサービスを扱うブランドに変えていくこと，②複合店の運営を通じて顧客の生活におけるさまざまなシー

ンにワンストップで関わり，他社にはない体験を提供すること，の2点にまとめることができます。今回の分析で，チャレンジャーとしてのアダストリアは，業界での差別化を顧客の実体験による価値の確認に置き，コラボレーションを通じた認知度の向上を重視しているように見えました。これが成功であったか否かは，事業を立ち上げたあとしばらくの時間を経てからの判断になるものと考えます。しかし，現状では，アダストリアのECサイト「.st（ドットエスティ）」の有効活用とともに，この差別化の方法が，アダストリアの市場シェアの向上に一役買っていると思われますので，アダストリアが取り組もうとしているこれらの戦略は，現段階では間違っていないと考えられます。

参考文献

アダストリア（2016）「ニコアンドより，インテリアブランド『niko and … FURNITURE & SUPPLY』が本格デビュー！」。
　https://www.adastria.co.jp/system/news/pdf/?id=2562&lang=ja　2022年6月18日アクセス確認。
アダストリア（2019）「niko and … 初の洋食レストラン「niko and … KITCHEN（ニコアンドキッチン）」を4月5日（金）に横浜ベイクォーターにオープン」。
　https://prtimes.jp/main/html/rd/p/000000772.000001304.html　2022年6月18日アクセス確認。
アダストリア（2021）「有価証券報告書」。
アダストリア公式HP　https://www.adastria.co.jp/
オンワードホールディングス（2021）「ANNUAL REPORT 2021（日本語版）」。
繊研新聞2014年9月8日2頁「飲食事業に本格参入　TSIホールディングス　ドーナツ店を出店」。
繊研新聞社（2019）「「ニコアンド」初のレストラン　内装や食器にこだわり」2019年4月5日。
　https://senken.co.jp/posts/nikoand-nikoandkitchen-190405　2022年6月18日アクセス確認。
日経MJ（流通新聞）2013年11月29日6頁「ニコアンド（アダストリアHD）─カフェ併設，休憩客も囲う（ブランド深化論）」。
日経MJ（流通新聞）2017年6月11日7頁「アダストリア「グローバルワーク」，浜松にカフェ併設店，初のコラボ業態」。
日経MJ（流通新聞）2020年9月4日7頁「アダストリア「ニコアンド」─ライフスタイル，大型店で発信（ブランドVIEWS）」。
日経MJ（流通新聞）2021年12月17日5頁「アダストリア，ゼットンを買収，28億円で，非アパレル拡大へ」。

② ファイブ・フォース分析

　本節では，Chapter 2の2「業界の概況を調べる」および4「事業の仕組みについて調べる」に関連した実践課題に取り組みます。まず，ファイブ・フォース分析を行う際のポイントをまとめてみましょう。

1　ファイブ・フォース分析とは

　企業をとりまく環境を，「業界内の競争状況」「代替品の脅威」「新規参入の脅威」「売り手の交渉力」「買い手の交渉力」という5つの力（Force）の観点から整理し，企業の状況を把握するとともに戦略を考えるための手法です。

　ファイブ・フォース分析では，業界全体を捉えるだけではなく，個別企業の視点に立ち，その企業がどのような状況に置かれているのかを多面的に把握することで，状況に応じた事業戦略を考えることが主な目的となります。

2　ファイブ・フォース分析を行う際のステップ

　ファイブ・フォース分析は，次の3つのステップで行われます。

ステップ1：その業界に属する企業を識別します。

ステップ2：その業界に新規参入しやすいかどうか，また代替品としてどのようなものが考えられるかを把握します。

ステップ3：分析対象企業と売り手（材料などの仕入先）との関係，また買い手（完成品の販売先）との関係を整理します。

3　ファイブ・フォース分析のポイント

　ファイブ・フォース分析をうまく進めるためのポイントは次の3点です。

（1）立ち位置を明確にすること

　　分析対象企業からその業界はどのように見えるのか，また，業界内での分析対象企業の位置づけはどうなっているのかを意識して分析することにより，事業戦略を考えるうえで有用な情報を獲得することができます。

（2）業界範囲の捉え方を考えること

　　分析する業界の範囲を狭く捉えると，競合他社ではなく代替品を扱う企業として認識されることがある一方，広く捉えると代替品ではなく競合他社として認識されることがあります。分析したいことに合わせて適切な範囲を設定することが重要です。

（3）交渉力を取引先ごとに検討すること

　　分析対象企業の取引先は通常，複数存在しています。こうした取引先に対する交渉

力を考える際には，できるだけ個々の関係を見るようにしましょう。また，交渉力は分析対象企業がサプライ・チェーンのなかでどのポジションに位置するかによっても変わってくるので注意が必要です。

4　ファイブ・フォース分析の実践課題

それでは，ファイブ・フォース分析の【実践課題】に取り組んでみましょう。

【実践課題】

1. アパレル業界について，アダストリアを中心に，ファイブ・フォース（業界内の競争状況／新規参入の脅威／代替品の脅威／売り手の交渉力／買い手の交渉力）を分析してみよう。
2. 1の分析結果を踏まえて，アダストリアが置かれている状況や関連する企業との力関係などについて考えてみよう。

分析のヒント

　ファイブ・フォース分析では，分析する業界をとりまく状況を理解し，業界の魅力度や今後の方向性を把握することで，SWOT 分析につながる分析をしていきます。そのため，ファイブ・フォース分析では，分析する業界の範囲をあらかじめ明確にしておく必要があります。たとえば，今回の分析対象であるアパレル業界を取り上げるとき，その範囲は，衣服や服飾雑貨も含む業界全体で捉える場合もあれば，婦人服や子供服などといった特定の種類やターゲット層に焦点を当てる場合もあります。範囲の設定次第で分析結果も大きく異なりますので，分析を行う際には分析対象企業が取り扱う製品の種類などを参考に対象範囲を適切に設定し，その範囲を常に意識した考察を行う必要があります。

　具体的な分析では，なぜそのような分析結果になったのかを示すことが重要です。たとえばファイブ・フォース分析の事例のなかには，近年，「業界内の競争」で，「新型コロナウイルスの影響で競争が激しくなった」と分析されることがあります。しかし，この場合，なぜ新型コロナウイルスの影響で競争が激しくなったのかも考察しなければ，分析として十分とはいえません。ファイブ・フォース分析は，分析する業界をとりまく現在の環境がいかにあり，各企業が生き残りをかけた戦略の策定でどのような方向に進むべきかを，SWOT 分析を用いて考察する際の重要な基礎資料となります。そのため，現在の状況をただの結果として示すのではなく，どのような経緯でそのような結果がもたらされたのかについても明らかにすることで，深みのある分析をすることができると思われます。

　アパレル業界でいえば，新型コロナウイルスにともなう外出自粛の影響により，外出用の衣類に対する需要が減少し，右肩下がりとなっています。ファイブ・フォース分析は，その事実を 5 つの視点からそれぞれ捉え，たとえば「代替品の脅威」の視点では，具体的にどのような商品が代替品となるかを把握することで，分析する業界内の企業が提供する衣類の需要が減少していることを明らかにすることができるでしょう。さらに，「買い手の交渉力」の視点では，単に買い手である消費者が衣類を購入しなくなったと分析するのではなく，消費者がどのような理由で衣類を購入しなくなったのかを分析することができるでしょう。一方，「競合他社」の視点からは，競合する企業の数や競争の激しさだけを分析するのではなく，そのなかで競合他社がどのようなアプローチによって顧客を確保しようとしているのかという点にも目を向けることができればよりよい分析となるはずです。ファイブ・フォース分析では，業界をとりまく状況が「なぜ」そのようになっているのかを分析することで，分析が表面的なものではなく，奥に潜む根本的な要因を捉えたものになり，次の SWOT 分析につながる分析ができるようになります。

　以上の点を考慮して，まずはファイブ・フォース分析に取り組みましょう。最初から完全な分析を行うことは難しいかもしれません。しかし，段階を踏みながら「なぜそうなるのか」について一歩立ち止まって考えることで，分析力を高めることができるようになるでしょう。

学生レポート

●●●

【実践課題】

1. アパレル業界について，アダストリアを中心に，ファイブ・フォース（業界内の競争状況／新規参入の脅威／代替品の脅威／売り手の交渉力／買い手の交渉力）を分析してみよう。

アパレル業界のファイブ・フォース分析は次のように示されます。

① 業界内の競争状況

　アパレル業界では，上位 2 社であるファーストリテイリングとしまむらが業界シェアの過半を占めており，その観点からはアパレル業界全体での競争は激しいとはいえません。しかし，業界内の市場シェアを見ると 3 位以下の企業の市場シェアは同程度であり，業界 3 位で分析対象でもあるアダストリア，比較対象企業の TSI，オンワードの 3 社間での競争は激しいといえます。

　近年は人口の減少もあり，競争の激化が顕著になっています。また，3 社が展開するブランドには同じような系統のブランドがあり，同じ顧客層をターゲットにしています。差別化が難しい衣料品では，差別化に成功したとしてもすぐに模倣されるため顧客の奪い合いが起こり，競争は激しくなってしまいます。

② 新規参入の脅威

　アパレル業界では，衣類レンタルや衣服のサブスクリプションサービスの登場により，洋服を買う以外の選択肢が生まれています。そのため，必ずしもアパレル業界内の企業でなくとも参入する機会があります。また，現在は，EC サイトを活用することで，既製品を仕入れて売る業態で参入することも可能になっているようです。

　しかし，人口減少などの影響からアパレル業界の市場規模は縮小傾向にあり，既存の企業による競争が激しくなっているといえます。差別化の難しさもあることから，新規参入の障壁は低くとも，すでに勢力を拡大している企業に対抗していくためには，巨額の設備投資や広告費が必要になると考えられ，後発の企業は不利な競争を強いられる可能性が高いです。

③ 代替品の脅威

　服飾品の代替品としては，サブスクリプションサービスなどのレンタル品が考えられます。これらの代替品としての脅威は高いと判断できます。

　レンタル品は手軽に利用できることから，近年では若年層を中心に利用者が増えてはいますが，認知度のわりに利用までには至らないというケースが多いようです。レンタル品の利用が進まないのは，近年気にされている衛生面の問題を完全にはクリアできていないことが原因と考えられます（Vogue Japan）。

　しかし，環境負荷などを意識した消費者の考えに合致していることから，レンタル品は今後代替品としての脅威が高まってくると予想します。

④　売り手の交渉力

　売り手の交渉力は弱いと判断します。まず，服飾品の生地はウールや綿，化学繊維といったさまざまな材料で作ることができ，これらは，量を買う前提であれば安く仕入れることができます。製造の際の人件費も，賃金が安い国で製造することで，低く抑えることができます。輸送費についても，素材の重量は軽く，圧縮することもできることから，大きなものでも壊れやすいものでもないと考えられ，一度に大量に運ぶことができます。また，精密機器などのように高価な保険料や慎重な輸送が求められるわけでもないことから，調達に関わるコストを低く抑えることができます。

　しかし，環境問題などへの影響に対する消費者の意識が高まってきたことにより，企業にはサプライチェーン全体を通じて人権や環境に配慮した調達や社会貢献を目指した調達が求められるようになっていることから，今後はいずれの費用も高くなってくる可能性が考えられます。

⑤　買い手の交渉力

　ライバル企業の多さや製品種類の豊富さから消費者には多くの選択肢があることや，特定の企業の商品にこだわらず価格などで商品を決める消費者が多種多様に存在することなどから，買い手の交渉力は高いと考えます。近年，根強い「低価格志向」や「カジュアルトレンド」の継続により，消費者の嗜好はアパレルメーカーから商品を仕入れて販売する百貨店での購入から，商品の企画・生産・販売を自社で行い低価格を実現している SPA（Speciality Store Retailer of Private Label Apparel）企業からの購入に遷移しています。また，フリーマーケットアプリでの販売を考え，質の高い衣類を買う傾向も高まるなど，消費者の嗜好・ニーズは多様化しています。

　さらに，アパレル業界では，商品の差別化が難しく，スイッチングコストもかからないため，消費者は，より低価格，より高品質，よりオシャレなデザインなど，さまざまなブランドの商品を自由に選択することができるようになっています。

【実践課題】

2．1の分析結果を踏まえて，アダストリアが置かれている状況や関連する企業との力関係などについて考えてみよう。

　国内アパレル市場は縮小傾向にあります。その理由は，消費者の志向が変化してきていることと，少子高齢化にあるといえます。アパレル業界は，全体として，原材料・エネルギー価格の高騰による販売価格への影響，サプライチェーンにおける人権リスクの課題，コロナ禍以前からの過剰在庫問題など，多くの問題を抱えています（東洋経済新報社（2021）243 頁；日本経済新聞社（2021）180 頁）。業界全体で従来の商習慣を改善するとともに，持続可能な生産・販売活動を行う必要があります。

　一方で，EC は業界内で成長分野といえます。販売の主戦場が実店舗から EC に移行すると考えられていましたが，新型コロナによる影響でその流れがさらに加速しています（経済産業省商務情報政策局情報経済課（2021）61 頁）。衣類・服飾雑貨などのネット通販の市場規模は年々伸び続けており，EC サイトの強化と差別化は今後のカギになるといえます。他社との差別化を図るには EC サイトを使ったネット販売に力を入れることがポイントです。海外展開する際にも，すでに海外展開しているファーストリテイリングとは違う方法である EC サイトを活用するとよいと考えます。

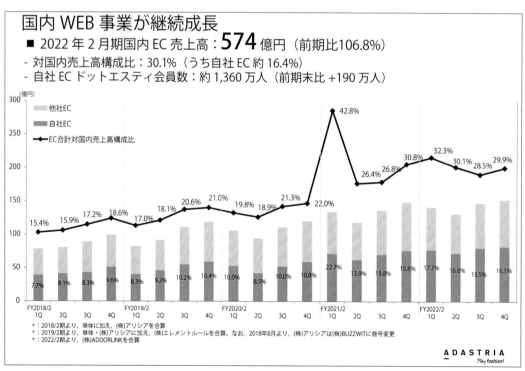

出所：株式会社アダストリア 2022 年 2 月期通期決算説明会資料。

　2022 年 1 月には，アダストリアは自社 EC サイトを他社にも開放し，カテゴリーを広げ，顧客接点拡大を目指しています。今後も EC を活用し顧客獲得を進める戦略を立てる必要があると思います。

参考資料

東洋経済新報社編（2021）『会社四季報 業界地図 2022 年版』東洋経済新報社。

日本経済新聞社編（2021）『日経業界地図 2022 年版』日経 BP。

業界動向サーチ「アパレル業界」（https://gyokai-search.com/4-apparel-uriage.htm）。

経済産業省商務情報政策局情報経済課（2021）「令和 2 年度産業経済研究委託事業（電子商取引に関する市場調査）報告書」

　（https://www.meti.go.jp/policy/it_policy/statistics/outlook/210730_new_hokokusho.pdf）。

株式会社アダストリア 企業 HP（https://www.adastria.co.jp/）。

株式会社オンワードホールディングス 企業 HP（https://www.onward-hd.co.jp/）。

株式会社 TSI ホールディングス 企業 HP（https://www.tsi-holdings.com/）。

日本経済新聞 2022 年 3 月 9 日付「アパレルにも値上げの波 ユニクロ，一部で 5 割」

　（https://www.nikkei.com/article/DGKKZO58912020Y2A300C2TB1000/）。

アパレルウェブ：アパレル・ファッション業界情報サイト「ファッションレンタル，コロナ禍でもサービスが進化」

　（https://apparel-web.com/news/tsuhanshinbun/276872）。

集客・広告戦略メディア「キャククル」「ファイブフォース分析でユニクロの戦略に触れる」

　（https://www.shopowner-support.net/glossary/fiveforce/fiveforce-uniqlo/）。

MMD 研究所「洋服月額レンタルサービスの現状と今後の動向」

　（https;//mmdlabo.jp/column/detail_2074.html）。

Vogue Japan「レンタルファッションのゆくえ。ポストコロナは「買う」から「借りる」の時代になるのか？」

　（https://www.vogue.co.jp/fashion/article/will-we-still-rent-clothes-after-covid-19-cnihub）。

WWD JAPAN「アダストリア新中計，26 年 2 月期に売上高 2800 億円へ　自社 EC を他社にも開放，M&A 積極化」

　（https://www.wwdjapan.com/articles/1352201）（2022 年 5 月 27 日）。

市原光稀・川本　恋・木村彩華・前田空大

（熊本県立大学）

ファイブ・フォース分析についてのコメント

○評価ポイント

　実践課題１については，たとえば買い手の交渉力であれば買い手である消費者ニーズを反映した形での考察が，また新規参入の脅威であれば参入に対する障壁と市場としての魅力といった複数の側面からの考察がなされており，５つの視点それぞれで，アパレル業界の現状を多面的に分析しています。

　実践課題２については，現在のアパレル業界が直面している状況や抱えている課題にも触れながら，アダストリアと他社との力関係について検討がなされており，今後アダストリアがとるべき戦略についてわかりやすくまとめられているといえるでしょう。

○修正ポイント

　みなさんの分析をさらに優れたものとするためには，以下のような点をブラッシュアップするとよりよくなると思います。

１．具体的な統計データや参考記事の提示

　実践課題のなかで，アパレル業界の現状を反映した分析は行われていますが，数字やグラフなど，データを用いた説明や裏付けが弱いように感じます。読み手の理解を促進する統計データや参考記事は参考文献として挙げるだけではなく，具体的に文中で提示することでさらに説得力をもった説明となります。

２．分析対象範囲について

　実践課題１のなかで，アパレル業界を対象範囲としたファイブ・フォース分析が行われていますが，これまでの分析を前提とした場合，代替品として検討すべき対象が少し異なる気がします。みなさんが代替品とした古着は，フリーマーケットでの活況を踏まえ，想定したものだと思います。しかし，今回の分析では，アパレル業界の顧客への販売実績を根拠に，売上高上位２社を除いた分析をしています。この場合，フリーマーケットは，これまで分析してきたアパレル業界の市場とは性質を異にします。また，みなさんの分析では，特定のブランドを好む顧客を想定した分析を根拠にしたと思われる箇所も見受けられます。特定のブランドが今回の分析対象であるアパレル業界に属しているなら，その商製品を好む顧客の行動を考えた分析も必要です。しかし，それが行き過ぎると，分析対象全体の分析結果という意味では適切とはいえません。今回の分析対象企業のアダストリアも，さまざまなブランドを展開しています。そのため，アパレル業界の分析とはいうものの，その分析で焦点が偏ってしまうのは仕方がない部分もあります。しかし，アダストリアという企業を分析するために対象範囲を限定した分析をこれまでに行ってきたことを考

えると，ファイブ・フォース分析でその対象範囲がずれることは好ましくありません。このように考えると，今回の分析では，特定のブランド以外のブランドの衣服を購入する顧客も幅広く含めた分析をする必要があったと思います。また，分析を行う前に，分析対象とする範囲をどのように捉えるかを明確にしておくと，立ち位置や分析の結果がよりわかりやすくなったと思います。

　実践課題2では，アダストリアと比較対象企業との力関係を今後のアパレル業界の動向を交えた分析をもとに説明がなされています。みなさんの分析では，競合他社との関係を中心に議論が展開されていますが，ファイブ・フォース分析では競合他社だけではなく売り手や買い手など，少なくともサプライ・チェーンのなかで関わる企業や，代替品に関する企業も考慮に入れる必要があるでしょう。そこで，ファイブ・フォース分析における5つの視点それぞれに関係企業が存在していることを意識しながら，アダストリアと関連する企業との力関係やどのような共存の仕方が考えられるかの考察が行われると，ファイブ・フォース分析の結果をさらに活かした形での検討ができ，よりよいものになると思います。

模範解答

> **【実践課題】**
> 1. アパレル業界について，アダストリアを中心に，ファイブ・フォース（業界内の競争状況／新規参入の脅威／代替品の脅威／売り手の交渉力／買い手の交渉力）を分析してみよう。

　課題1は，アパレル業界とりまく環境について，アダストリアの視点からファイブ・フォース分析を用いて把握するものです。以下では，まず現状を把握するために業界内における他社との競争状況を，次に業界への新規参入の可能性および代替品による脅威を，最後に繊維業や紡績業といったアダストリアに対する売り手と，最終消費者などのアダストリアに対する買い手の交渉力を説明します。

① 業界内の競争状況

　アダストリアが属するアパレル業界の概況を Chapter 6 で分析したとき，明らかになったのは，市場シェアの約45％を業界1位のファーストリテイリングが占めており，業界2位のしまむらと合わせると約57％を上位2社でカバーしていることでした（図表6－3参照）。そのため，ファーストリテイリングとしまむらを含めたままの分析では，業界3位のアダストリアであってもニッチャーになってしまい，アダストリアを中心とした分析が難しくなってしまうことから，本書の分析では，大きな市場シェアを有している上位2社を除いた残りの企業を分析対象範囲としています。そこで，本節でもそれを踏まえた分析を行います。

　まず，業界内の競争状況の分析を行います。図表7－5は，総務省統計局による家計調査結果の一部です。この調査結果から，被服および履物に対する年間支出金額は年々減少傾向にあることが確認できます。

　次に国内のアパレル市場を見てみると，消費者が多様なニーズをもっていることから，差別化が有効に機能しやすい反面，国内企業が多いだけでなく海外企業の国内市場進出も数多く見られるため，市場は飽和状態です。またデザインによる差別化を図っても類似のデザインが他社からすぐに販売されるなど，差別化が長く続かないことも多く見られます。こうした状況から，業界内の競争は激しいと考えられます。ただし，繰り返しになりますが，アパレル業界の競争状況はファーストリテイリングが全体の約45％の市場シェアを占めており，2位のしまむらも合わせると上位2社で全体の57％となっています。したがって，アパレル業界の競争は実質的には上位2社を除いた企業間で激しいといえます。

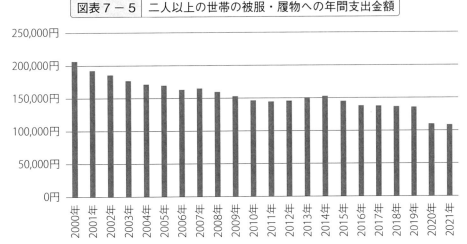

図表7－5 二人以上の世帯の被服・履物への年間支出金額

出所：総務省統計局「家計調査（家計収支編）調査結果」に基づき筆者作成。

② 新規参入の脅威

　アパレル業界には，アダストリアのように自社で製造から販売までを一貫して行う企業だけではなく，しまむらのように他社が製造した製品を仕入れて販売する企業もあります。他社製造の製品を仕入れて販売するしまむらのような企業の場合は，初期投資をそれほど必要とはしませんので，物理的な参入障壁は低いと考えられます。一方，製造から販売までを自社で一貫して行う場合には，製品を大量に製造するための大規模な工場や設備が必要となり，固定資産を増加させて生産能力を高めるため，設備投資用資金や材料費などの運転資金といった，多くの資金が企業にとって必要となります。さらに製品の差別化を図ろうとするのであれば，高い技術力や企画力なども必要になることが考えられます。

　アパレル業界に新規参入するとした場合，制度的な参入障壁はありませんので，新規参入の脅威は高いといえそうです。しかし，新規参入企業が，商製品の差別化を図りながら業界内で生き残る，あるいは企業規模を大きくし，製造から販売まで一貫して事業展開することを考えるのであれば，技術面や資金面などの制約を考慮しなければならなくなります。そのため，この場合には，新規参入企業に対する参入障壁は高くなりますので，新規参入企業が容易に参入することは難しい業界ともいえそうです。また，多額の固定資産を抱えた場合，事業から撤退することが難しいことを考えると，参入障壁は総じて高いと考える必要がでてきます。

　Chapter 6のマーケット・ライフサイクル分析から，アパレル市場はすでに衰退期に入っており，今後大きな需要の波が押し寄せるとは考えにくい状況です。にもかかわらず，競合他社は数多く存在し，日々競争していることを考えると，新規参入できたとしても企業にとってそれほど魅力的な業界とはいえないのが実情です。したがって，このように見た場合には，アパレル業界における新規参入の脅威は総じて低いと考えられます。

③　代替品の脅威

　アパレル業界にとって，代替品となるものにはデザインによる差別化を図っていない同種の製品やレンタル品などが考えられます。今回，分析の対象範囲から除外したアパレル業界上位2社のうち，ファーストリテイリングは，販売する製品の機能性を重視し，オーソドックスでシンプルなデザインの衣服に特化することで業界内に確固たる地位を築きました。またしまむらは，ファーストリテイリングに対し価格面での差別化を図ろうとしている点や，サイズ違いはあるものの同じデザインの製品を同一の地域では1つしか置かない点で，販売戦略の面における特徴はありますが，デザインを中心に差別化を図ろうとしているアダストリアやその競合他社ほど特徴的なデザインの商品を取り扱ってはいません。

　上位2社を除くアパレル業界では，各社とも販売する商品にブランド独自の特徴を設け，さまざまなブランドを展開することで消費者を獲得しようとしています。アパレル業界は，販売する商品のデザインなどの模倣がしやすく，差別化を図り難いため，本来であれば，類似の商品であったとしても品質面で勝負できる状況を作り出せることが理想です。しかし，すでに業界に属する企業間の競争が激しい上，それぞれの商品で，強い競争力をもつ企業が存在することを考えると，品質面の競争だけでは代替品に太刀打ちできない状況です。

　近年，問題視されるようになった環境負荷の問題に対し，衣料品を回収して再利用することでその負荷を軽減しようとする傾向[7]は，サブスクリプションに新たな試みを生み出しました。そして，このサブスクリプションは，商品を一定期間借りるレンタルにも，再度，注目を集める機会を提供しています。ここで，サブスクリプションとは，定額の利用料金を消費者から定期的に徴収し，サービスを提供するビジネスモデル（経済産業省商務情報政策局情報経済課（2021）38頁）です。情報などのサービスを，一定期間，購入することがメインであったサブスクリプションは，長期的に繰り返して利用したい利用者のため，継続的に借りることができるプランを用意することで，レンタルと類似のサービスを提供するようになりました。今では，バッグなどの装飾品はもちろんですが，洋服についても月額制のレンタルを行っている企業があり，これらの形態はますます規模を拡大していく傾向が見られます（内閣府（2020）191頁）。それゆえ，アパレル業界にとっては今回の分析に含まれていないファーストリテイリングやしまむらの商製品のように，広く普及する商製品はもちろんですが，レンタルやサブスクリプションのサービスも代替品としての脅威がかなり高いと考えられます。

7）　たとえば，イオンリテールでは全国の280店舗に（『日経MJ』2022年6月3日付5面），日本空港ビルデングのグループ会社の羽田未来総合研究所は羽田空港に，伊藤忠商事はアパレル大手のサザビーリーグが運営する店舗「エストネーションセントラル」に，それぞれ衣料品の回収ボックスを（一部期間限定で）設置し，古着として再利用する道を模索しています（『日経MJ』2022年6月3日付9面）。

④　売り手の交渉力

　製造から販売までを一貫して行うアダストリアにとって，売り手とは原材料を購入する繊維業界を指します。近年の円安進行や材料コストの高騰による影響を考慮すると，調達コストや物流コストは上昇傾向にあるはずです。そのため，この場合には，売り手の交渉力は低いとはいいがたい状況にあると推測されます。サプライ・チェーンを念頭に置いた経営が主流である現在では，売り手である原材料メーカーにコストアップのすべての負担を強いるのは現実的ではありません。そして，それは，円安や材料費の高騰など，調達に関わるコスト面の上昇分の少なくとも一部をアパレル企業が負担せざるを得ないことを意味します。そのため，このような認識にしたがえば，売り手の交渉力は高いと考えた方がよさそうです。

　また，近年のアパレル業界で他社と競争するうえで考慮すべき点として，サステナビリティ（持続可能性）があります。大量生産のうえ，売れなければ廃棄するという姿勢では，環境問題をこれまで以上に意識するようになった消費者に受け入れられなくなったいま，サステナビリティは，企業がもつべき目標を評価する際の判断尺度になりつつあります。

　伊藤忠商事は，使用済み衣料や生産過程で発生する端切れなどを使ったリサイクルポリエステルの自社ブランド「RENU（レニュー）」を2019年に立ち上げました。再生素材を取り入れる動きが追い風となり，同製品は，今では，アダストリアを含む国内外企業の約80ブランドに導入され（『日経MJ』2022年6月3日付9面），さらなる広がりを見せています[8]。

　このことは，たとえば，H&Mジャパンが，不良品となった衣料を店舗の備品にリサイクルした「PANECO（パネコ）」の例や，ストライプインターナショナルが，衣服につける洗濯表示やブランド名などを記したタグにはリサイクルポリエステル糸，下げ札には環境に配慮した木材由来の紙を使用するなど，サステナブル素材に切り替えている例からも明らかです（『日経MJ』2022年5月6日付4面）。また，古着や在庫品などを集めて，生地を染め直したりつなぎ合わせたりする「アップサイクル」にも注目が集まっています。ファストファッションとは異なり，他にはない1点物がサステナブルに生み出されることに，Z世代の若者たちが新しい価値を見出していることに目をつけた無印良品では，一度販売した衣料品を店頭で回収し，状態に合わせて，「染めなおした服」（黒や藍に染め直す），「洗いなおした服」（状態の良い服を洗いにかけそのまま販売する），「つながる服」（複数のシャツを解体して，1枚のシャツにつなぎ合わせて作る）として再生する取り組みを行っています（『日

8）　たとえば，ワークマンは2031年をめどに衣料品の3割を「RENU（レニュー）」などの再生素材にする計画です。再生素材の調達コストは通常の生地の1〜3割ほど高くなりますが，数シーズン分まとめて大量発注することで調達コストを抑えられるうえ（『日経MJ』2022年4月1日付5面），持続可能性は企業の広告宣伝にも利用価値がありますので，戦略的に利用する企業も増えることが予想されます。

経 MJ』2022 年 5 月 6 日付 7 面)。

　近年では，国内の繊維関連企業が，素材そのものに対するサステナビリティへの関心に応えるべく，石油由来の化学繊維を植物由来のものに代替したり，化学染料を天然染料に置き換えたりするなど，培った技術を進化させることで商機に結びつけようとしています（『日経 MJ』2022 年 2 月 9 日付記事）。

　一方で，アダストリアは主体的に素材開発に乗り出しており（『日経 MJ』2022 年 2 月 9 日付記事），現在，アパレル商品の約 20％で使用しているサステナブル素材（オーガニックコットンや再生ポリエステル，自社開発のウールの代替素材など）を 2030 年までに 50％に引き上げる方針としています（『日経 MJ』2022 年 5 月 6 日付 4 面）。製品のデザインによる差別化が難しく，また環境負荷などの価格以外の要素が商品の売れ行きに影響を与えることも多くなっているアパレル業界にとって，素材による差別化が今後進んでいく可能性はかなり高く，今後は技術力のある売り手の素材開発の成果が，業界に大きな影響を与えることになるはずです。その意味では，今後，売り手の交渉力はさらに高まっていくと考えられ，売り手の交渉力を少しでも低くするために，アダストリアのように自社で素材を開発したり素材メーカーと共同開発したりするケースが増加する可能性があります。

⑤　買い手の交渉力

　アダストリアにとって，買い手とは最終的な消費者を指します。前述のように，アパレル業界では商製品の差別化が図りにくく，デザインで差別化を図ってもすぐに同じような商製品が他社から販売されることも多いため，価格に左右される消費者や，ブランドにこだわりのない消費者に対しては強い交渉力をもつとはいえないでしょう。

　また，売り手の交渉力でも述べたように，近年では環境に配慮した商製品かどうかで消費者の購買活動が変化するケースも見られます。たとえばウイグル自治区に対する人権問題への消費者の関心度の高さもあり（日本経済新聞 2021 年 5 月 21 日付記事），アダストリアをはじめ複数の企業が，製品完成までのプロセスを開示して透明性を確保することで，消費者の購買行動によい影響を与えようとしています。価格やデザインだけではなく，環境や人権などの社会問題に対する消費者の関心の高さによって，商品の売れ行きが大きく左右されるという点では，買い手の交渉力はかなり高いと考えられます。

　図表 7－6 は，ここでの分析の結果をポーターの示すファイブ・フォース分析の図に当てはめたものです。全体としては市場の魅力の減退，競合他社の多さ，売り手や買い手の交渉力の高さ，代替品の脅威の高まりを考えると，アパレル業界をとりまく環境としては厳しいものになってきているといえます。

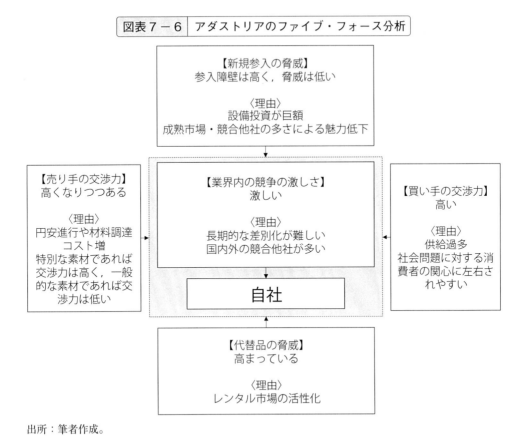

図表7－6　アダストリアのファイブ・フォース分析

【新規参入の脅威】
参入障壁は高く，脅威は低い

〈理由〉
設備投資が巨額
成熟市場・競合他社の多さによる魅力低下

【売り手の交渉力】
高くなりつつある

〈理由〉
円安進行や材料調達
コスト増
特別な素材であれば
交渉力は高く，一般
的な素材であれば交
渉力は低い

【業界内の競争の激しさ】
激しい

〈理由〉
長期的な差別化が難しい
国内外の競合他社が多い

自社

【買い手の交渉力】
高い

〈理由〉
供給過多
社会問題に対する消
費者の関心に左右さ
れやすい

【代替品の脅威】
高まっている

〈理由〉
レンタル市場の活性化

出所：筆者作成。

【実践課題】
2．1の分析結果を踏まえて，アダストリアが置かれている状況や関連する企業と
　の力関係などについて考えてみよう。

　アダストリアの現在置かれている状況と関連する企業との力関係は，次のように考えら
れます。

《現状：厳しい》

　アパレル業界をとりまく環境を考慮すると，アダストリアの現在置かれている状況は
楽観視できるものではありません。もともとアダストリアは EC（electronic commerce）を
活用した商品販売を行っており，現在でも売上に占める EC の割合が 30％ ほどとなって
います。今後は EC がさらに進んでいくものと考えられますので，どのように EC を有効
活用するか，また店舗販売との連携をどのように図っていくかが鍵となりそうです（日経
MJ，2022 年 1 月 28 日付記事）。

　また，アダストリアでは，たとえば在庫管理を徹底することにより不必要な在庫を抱えないように努めています。その結果，値引き販売を抑制し，採算が改善したことで，2022年2月期の連結最終損益は黒字となりました（『日経MJ』2022年3月25日付記事）。それだけではなく，EC専業で子供服を販売するオープンアンドナチュラルを子会社化し，手薄だった子供服の拡充とEC販売の強化を進めています（『日経MJ』2022年3月25日付記事）。

　さらに，アダストリアは外食中堅企業であるゼットンを買収し，新事業への拡大を行っています（『日経MJ』2021年12月17日付記事）。2017年から飲食事業に参入しているアダストリアとしては，新型コロナウイルスの影響で厳しいアパレル業界内での事業展開だけではなく，衣食住のすべてを新しい形で楽しめる時間や空間の創出を目的とした事業展開を目指しており，その一環としてゼットンを子会社化したようです。

《関連企業との力関係：ECの活用や素材開発による差別化》

　アダストリアでは，早くからECに向けた取り組みを行っていたため，バーチャルを利用した試着やインターネットを利用した接客，AI技術やSNSの利用など，代金決済以外での新たな技術を有効に活用し，ECに抵抗のない新たな消費者を獲得することが求められるようになっています。たとえばアダストリアの新型店である.st（ドットエスティ）ストアでは，顧客の購買行動データを分析することで消費者のニーズを満たすような品揃えを行うなど，販売予測や消費者の行動分析にECやAI技術を駆使しています（『日経MJ』2021年8月13日付記事）。また，環境に配慮した素材の開発によって他社との差別化を図るだけではなく，他社とのコラボ商品を発売することで新しい商品展開を考えるなど（『日経MJ』2021年8月2日付記事），事業の多角化によってリスク分散を図ろうとしています。したがって，アダストリアは，店舗販売を中心に，流行をいち早くデザインに取り込むなどで差別化を図っていた従来のビジネスモデルからいち早く脱却し，環境が大きく変化しているアパレル業界の変化の波にうまく乗り，業績をあげることを目指すとともに，製品そのものや販売手法の新たな方向性を見いだすことで経営の安定化を目指しているといえそうです。

参考資料

総務省統計局「2020年経済構造実態調査（甲調査）」
　https://www.e-stat.go.jp/stat-search/files?page=1&toukei=00200555&tstat=000001146707
　2022年5月25日閲覧。
総務省統計局「家計調査（家計収支編）調査結果」
　https://www.stat.go.jp/data/kakei/longtime/index.html　2022年5月25日閲覧。
内閣府（2020）「令和2年度年次経済財政報告（経済財政政策担当大臣報告）─コロナ危機：日本経済変革のラストチャンス─」
　https://www5.cao.go.jp/j-j/wp/wp-je20/index_pdf.html　2022年5月26日閲覧。

経済産業省商務情報政策局情報経済課（2021）「令和2年度産業経済研究委託事業（電子商取引に関する市場調査）報告書」

　https://www.meti.go.jp/policy/it_policy/statistics/outlook/210730_new_hokokusho.pdf　2023年6月3日閲覧。

日経MJ「『ニコアンド』と北陸製菓がコラボ」2021年8月2日付記事。

日経MJ「EC×リアル店＝買う楽しさ向上」2021年8月13日付記事。

日経MJ「アダストリア，ゼットンを買収」2021年12月17日付記事。

日経MJ「東南ア生産強化でリスク分散」2022年1月28日付記事。

日経MJ「織り上げるサステナ色に」2022年2月9日付記事。

日経MJ「アダストリアの前期，黒字転換で増配」2022年3月25日付記事。

日経MJ「ワークマン，再生衣料3割に」2022年4月1日付記事。

日経MJ「アップサイクルに挑む―すぐ完売の『つながる服』」2022年5月6日付記事。

日経MJ「H&M，廃棄衣料で陳列棚」2022年5月6日付記事。

日経MJ「イオン，280店で衣料品回収」2022年6月3日付記事。

日経MJ「伊藤忠，古着循環の輪見える化」2022年6月3日付記事。

日本経済新聞「衣料・小売り，履歴確認厳格に」2021年5月21日付記事。

③ SWOT 分析

本節では，Chapter 2の6「分析結果の利用：経営課題の発見と解決策の立案」で取り上げたSWOT分析の実践課題に取り組みます。まず，SWOT分析のポイントをまとめてみましょう。

1　SWOT 分析とは

企業の内部環境要因の「強み（S）・弱み（W）」と外部環境要因の「機会（O）・脅威（T）」を整理して企業が抱える問題を見つけ出し，その対策としての具体的な戦略を立案するための手法です。

SWOT分析では，「S・W・O・T」を列挙すること以上に，その組み合わせを通じて企業が抱える「ポジティブな問題」と「ネガティブな問題」を明確にし，企業がとるべき今後の最適な戦略を考えること（クロスSWOT分析）が重要な目的となります。

2　SWOT 分析のステップ

SWOT分析は，次の2つのステップで行われます。

ステップ1：企業の内部・外部の環境要因を「S・W・O・T」に整理します（Chapter 2の図表2－16のフォーマットを活用してください）。

　S（内部環境要因の強み）：競合他社と比較したときに，「機会」に活かせる自社の能力

　W（内部環境要因の弱み）：改革を進めようとする場合に障害となる自社内部の要因や不足している能力

　O（外部環境要因の機会）：自社にとって今後の可能性やチャンスをもたらす項目

　T（外部環境要因の脅威）：自社の努力だけではどうすることもできない外部環境のマイナスの項目

ステップ2：整理した「S・W・O・T」の組み合わせから企業がとるべき戦略を検討します（Chapter 2の図表2－17のフォーマットを活用してください）。

　検討すべき4つの組み合わせは次の通りです。

　①S×O：強みを機会に活かす「積極戦略」

　②S×T：強みを脅威の克服に活かす「差別化戦略」

　③W×O：弱みを機会に乗じて克服する「改善戦略」

　④W×T：弱みと脅威の結合を回避する「致命傷回避・撤退縮小戦略」

3　SWOT 分析のポイント

SWOT分析をうまく進めるポイントは，以下の3点です。

（1）「強み」≠「良い点」，「弱み」≠「悪い点」に留意して検討すること

　　「強み」は必ずしも「良い点」というわけではなく，「機会」や「脅威」に活かせる具体的な経営資源や能力と考えます。同様に，「弱み」は必ずしも「悪い点」というわけではなく，「機会」や「脅威」に対応する際に障害となる要因や不足している資源・能力と考えます。

（2）「S・W・O・T」は多様な角度から柔軟に検討すること

　　「強み」は別の角度から見ると「弱み」かもしれませんし，その逆もあり得ます。もし迷ったら，強みと弱み，機会と脅威の両方に入れても構いません。

　　「もし，〜ならば，〜は，〜の機会となる」という仮定にもとづいた着想で構わないので，柔軟に幅広く可能性を発想することが大切です。

（3）現状分析にもとづいた戦略を考えること

　　クロスSWOT分析では，明らかにしたSWOTの各要因から企業の戦略を検討します。もちろん戦略を検討する際に，想像力を働かせることは必要かもしれませんが，過度に想像力に頼ることなく，あくまでも根拠にもとづく現状分析の結果を大切にしてください。

4　SWOT分析の実践課題

　それでは，SWOT分析の【実践課題】に取り組んでみましょう。

【実践課題】

1．アダストリアのSWOT（内部環境要因の強み（S）／弱み（W），外部環境要因の機会（O）／脅威（T））を分析してみよう。

2．1の分析結果にもとづきクロスSWOT分析を行い，考えられる同社の戦略について検討してみよう。

SWOT分析は，企業の内部環境要因の「強み (S)」と「弱み (W)」，外部環境要因の「機会 (O)」と「脅威 (T)」にもとづいて，企業が抱える問題を見つけ出し，その対策として企業がとるべき「戦略」を立案する手法です。したがって，まずは分析対象企業についてよく知ることが重要です。その際，分析対象企業の事業内容や経営資源だけではなく，その企業の経営環境として，属する業界の構造や状況，競合他社の動向，さらにはグローバルな規模での経済・社会情勢なども含めた幅広い情報収集を行うことが大切です（これまでの業界分析やファイブ・フォース分析の結果が大いに参考になるでしょう）。

SWOT分析では，幅広い情報をもとに分析を進め，内部環境要因と外部環境要因の適合を図る「戦略」を導き出します。収集した情報を適切に整理し，さまざまな戦略のアイデアを生み出しやすくするためには，Chapter 2の図表2－16や図表2－17のフォーマットを活用するとよいでしょう。特に，SWOTにもとづき網羅的に戦略を検討するためにも，図表2－17のフォーマットを使ったクロスSWOT分析をぜひやってみてください。新たな戦略の発見につながると思います。

こうして導かれたSWOTならびに戦略を提示する場合には，情報の受け手の納得性を高めるために，明確な根拠をもとにした分析結果を示すよう心がけてください。特に，「機会 (O)」と「脅威 (T)」の分析は外部環境要因の分析でもあるので，客観的なデータなどをできるだけ示して説明すると説得力が増します（もちろん内部環境要因についても，根拠にもとづき分析結果を示していくことが重要です）。たとえば，「新興国市場での堅調な需要」を「機会 (O)」として捉えた場合，「堅調さ」を示すデータや新興国とは具体的にどのような国でなぜ堅調なのかといったことが示されるとより納得性が高まるでしょう。また「強み (S)×機会 (O)」の戦略として，「海外の高まるニーズに応えるため海外事業を展開する」とした場合，一口に海外といってもどこでどのようなニーズの高まりがあるのか，具体的にどこへ進出すればよいのかまったくわからないでしょう。戦略については，SWOTにもとづき自分のアイデア・考えを提示していくことになりますが，どうしてそのようなアイデア・考えが導かれるのか，可能な限り根拠を示し，丁寧に説明を行うことで納得性が高まります。そのためにも，上で指摘した情報収集をしっかり行うようにしてください。

それでは，【実践課題】に取り組んでみてください。

学生レポート

・・・

【実践課題】
1. アダストリアの SWOT（内部環境要因の強み（S）／弱み（W），外部環境要因の機会
（O)／脅威（T)）を分析してみよう。

アダストリアの SWOT 分析は，次のように示されると考えます。

（内部要因・内部環境）

S（強み）：独自の EC サイト「.st」の会員数が多い　　W（弱み）：「.st」の認知度が低い
STAFF BOARD　　　　　　　　　　　　　　　　　ブランドの売上格差
マルチブランド展開　　　　　　　　　　　　　　　人件費率の高さ
SPA 戦略　　　　　　　　　　　　　　　　　　　BtoB 事業への取組
OMO 型店舗の出店　　　　　　　　　　　　　　　海外進出範囲の狭さ
コラボレーションの充実
独自素材の開発と商品化

（外部要因・外部環境）

O（機会）：EC 市場の拡大　　　　　　　　　　　　S（脅威）：人口減少による労働人口と売上減少
多くの未進出エリア　　　　　　　　　　　　　　　消費者ニーズの多様化
SDGs への取組推進による　　　　　　　　　　　　モール出店の増加
環境保全への関心の高まり　　　　　　　　　　　　リアル店舗の客数減少

《強み》

　アダストリアの強みは，まず，独自の EC サイトであるドットエスティ（以下，「.st」と略記）の会員数が 2021 年 10 月時点で会員数 1,200 万人と多く，顧客との接点づくりの機会が豊富にあることです（https://recruit.adastria.co.jp/about/advantage/）。

　また，「.st」に STAFF BOARD を設置し，リアルなファッションやライフスタイルを発信することで顧客のスタイリングの手助けをし，顧客の購買意欲を高めています。

　アダストリアは 30 以上のブランドを展開しています。アダストリアと比較対象企業 2 社の代表ブランドのターゲット層を比較すると（図表 1〜3），アダストリアは，流行に敏感な若年層の顧客をゲットしていることと，大衆向けの洋服が多いという特徴があることからマルチブランド展開は強みと考えます。

　アダストリアは SPA 戦略をとっているため，コスト削減と販売スピードの向上が可能になります（https://recruit.adastria.co.jp/about/advantage/）。

　また，アダストリアは OMO 型店舗を出店し，ネットで見つけたコーデをその場で試せるようにしたり，サイネージを使ってスタッフにスタイリングを相談できるようにしたりして，

図表1　アダストリアのターゲット層

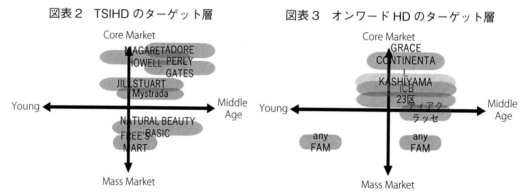

CORE
MARKET

ÅLAND　HARE

Chaos
Curensology

JEANASIS　Esick

U yuw

PAGEBOY
mysty woman　Heather　bijorie　apart by lowrys

HEREIAM
e / rm

Me%　6 RAGEBLUE

Andemiu
NUMERALS　✤ BABYLONE

repipi armario

YOUNG

PAS TIERRA　Elura

LOWRYS
FARM

niko and …

MIDDLE
AGE

BARNYARDSTORM
FIENE EDDY　Sable:nelle

BAYFLOW

BUZZWIT

Utao:

◉ GLOBAL WORK

LEPSIM

studio
CLIP

CALEIDO≡BICE

LAKOLE

グループ会社
　株式会社エレメントルール
　株式会社 BUZZWIT

MASS
MARKET

出所：アダストリア（https://recruit.adastria.co.jp/about/advantage/）

図表2　TSIHD のターゲット層

Core Market

MAGARETADORE
HOWELL PERLY
GATES
JILLSTUART
Mystrada

Young

Middle
Age

NATURAL BEAUTY
FREE'S BASIC
MART

Mass Market

図表3　オンワード HD のターゲット層

Core Market

GRACE
CONTINENTA
L
KASHIYAMA
ICB
23区
　　　ティアク
　　　　ラッセ

Young

any
FAM

any
FAM

Middle
Age

Mass Market

出所：各企業のブランドホームページのデータにもとづき作成。

顧客に新しい購買体験を提供しています（https://www.advertimes.com/20210521/article350685/）。

　コラボレーションにも力を注いでおり，餃子の王将とレイジブルーがコラボしたり，海外の人気カフェと niko and …がコラボしたりしています（アダストリア（2022b）7-8 頁）。これによって，より幅広い層にファッションの提供が可能となり，顧客の拡大につながると考えます。

　加えて，ファッション業界が抱える衣料品廃棄や生産過程における環境負荷などの社会課題に向き合い，自社の生産機能を活用した独自素材の開発と商品化をしていることが挙げられます（https://prtimes.jp/main/html/rd/p/000001126.000001304.html）。

《弱み》

　弱みとしてまず挙げられるのが，「.st」の認知度が低いことです。そのため，今後は店舗販売と EC サイト運営の両立が求められます。

　アダストリアは GLOBAL WORK や niko and …などの有名主力ブランドが多くの売上をあげる一方，主力ブランド以外の規模は大きくなく，ブランド間の売上格差が生まれています（アダストリア（2022）10 頁）。

　2021 年の人件費の割合は売上の 20％あまりを占めていることから，売上が減少した場合，利益に与えるインパクトが大きくなっています（アダストリア（2021a）9 頁）。

　アダストリアの BtoB 事業は 2021 年 8 月 27 日より「アダストリア・ライフスタイル・クリエイション」として本格化し始めましたが，まだ契約数が少ないため，これから積極的な取組が必要です（https://prtimes.jp/main/html/rd/p/000001349.000001304.html）。

　最後に，アダストリアは中国大陸を中心として香港，台湾，アメリカといった地域に進出していますが，アジア地域に依存し過ぎないように工夫が必要です。

《機会》

　モバイルマーケティングデータ研究所の調査によると，総合 EC サイト利用者のうち，コロナ禍で利用頻度が増えたユーザーは 21.3％という結果が示されています（https://mmdlabo.jp/investigation/detail_1907.html）。この結果からもわかるように EC 市場は拡大しており，それをいかに活用するかが企業の今後を左右します。

　また，現在のアダストリアは，ファッションだけでなく飲食業やライフスタイル雑貨などの分野にも投資をし，収益や認知度の向上を図っています。

　一方，アダストリアは，事業による環境負荷を低減させ，ファッションの世界をサステナブルにすることを目標としており，SDGs への取組として，店舗の LED 化やサステナブル素材の自社開発，売れ残った衣料品在庫や焼却処分ゼロの実現，衣類回収実施店舗の拡大等を行っています（https://www.adastria.co.jp/sustainability/）。

《脅威》

　脅威としてまず人口減少が挙げられます。人口が減少し消費者が減ることは売上の減少や労働力不足につながる可能性が高いことから脅威になると考えます。

　総務省の家計調査によると全体的に家計の消費行動が減少傾向にあることから低価格志向の消費者が増加していることがわかります（https://www.stat.go.jp/data/kakei/2000np/gaikyo/02s.html）。一方で，価値に見合った対価を重視する傾向もあり，消費者が衣類を嗜好品と捉えるかそうでないかでブランド選択が異なってくるので，ブランド価値を大切にしているアダストリアにとっては消費者ニーズの多様化は脅威と考えられます。

　また，ZOZOTOWN などのアパレル EC モールの出店が増加しており，モール内でクー

ポンの配布やセールが頻繁に行われると，ブランドイメージが低下し，売上減少につながる可能性があります。

　新型コロナウイルスの影響によって店舗へ足を運ぶ客数が減少し，それはリアル店舗を数多くもつアダストリアにとって，売上減少につながる脅威と考えられます。

参考文献

アダストリア（2021a）『2021 年 2 月期　決算補足資料』2021 年 4 月 5 日。
アダストリア（2021b）『INTERIM REPORT 2022 第 72 期中間報告書 2021.3.1-2021.8.31』。
アダストリア（2022）『2022 年 2 月期　通期決算説明会資料』2022 年 4 月 13 日。

【実践課題】
2．1 の分析結果にもとづきクロス SWOT 分析を行い，考えられる同社の戦略について検討してみよう。

　課題 1 で明らかにしたアダストリアの強み，弱み，機会，脅威にもとづき，それらの組み合わせとして考えられる 4 つの戦略について述べます（図表 4 参照）。

図表 4　株式会社アダストリアのクロス SWOT 分析表

		内部要因	
		強み（S）	弱み（W）
		①独自の EC サイト「.st」の会員数が多い ② STAFF BOARD ③マルチブランド展開 ④ SPA 戦略 ⑤ OMO 型店舗の出店 ⑥コラボレーションの充実 ⑦独自素材の開発と商品化	①「.st」の認知度が低い ②ブランドの売上格差 ③人件費率の高さ ④ BtoB 事業への取組 ⑤海外進出範囲の狭さ
外部要因	機会（O） <1>EC 市場の拡大 <2> 多くの未進出エリア <3>SDGs への取組推進による環境保全への関心の高まり	積極戦略（S × O） SO-1) 積極的な海外進出（<2> ⑥） SO-2) SDGs の取組による企業価値の向上やイメージアップ（<3> ④⑦） SO-3) EC 事業の拡大（<1><2> ①） SO-4) 実店舗とインターネットを掛け合わせたサービスの提供（<1> ⑤）	改善戦略（W × O） WO-1) 海外の未進出エリアの開拓（<2> ⑤） WO-2)「.st」の強化（<1> ①） WO-3) ブランド認知度の向上（<1> ②）
	脅威（T） <1> 人口減少による労働人口と売上減少 <2> 消費者ニーズの多様化 <3> モール出店の増加 <4> リアル店舗の客数減少	差別化戦略（S × T） ST-1) OMO 型店舗の拡大（<1> ⑤） ST-2) 低価格帯ブランドの強化（<2> ③） ST-3) EC サイトの強化（<1><3> ①②）	致命傷回避（W × T） WT-1) クーポンの配布による新たな消費者の獲得と「.st」の認知度向上（<4> ③） WT-2) 売上の少ない店舗の撤退（<1><4> ②） WT-3) 新たな顧客の獲得，販路の拡大（<1><4> ④）

《「強み×機会」の戦略について》

　コラボレーションが充実しているという強みを，海外進出を進めるという機会に活かして，積極的な海外進出を行うという戦略が考えられます。海外のキャラクターなどとコラボレーションを行うことで海外進出に大きな影響を与えることができると考えます。

　次に，SPA を行っているからこそできる SDGs の取組をアピールしたり，CM などでサステナブル商品の存在を広めたりしていくという戦略が考えられます。

　また，「.st」の会員数が多いという強みを活かして未進出分野に進出していくという戦略が考えられます。

　EC 市場が拡大しているという機会を活かして OMO 型店舗のサービスを充実させる戦略も考えられます。

《「強み×脅威」の戦略について》

　OMO 型店舗では，顧客にとって新鮮な購買体験を創出することができるため，全国で出店することで売上のさらなる増加につながると考えます。

　現在ファストファッションが浸透しており，アダストリアが所有する豊富なマルチブランドという強みを掛け合わせて低価格帯ブランドの強化を図っていく戦略が考えられます。

　アパレル市場の規模が減少しているなかで，供給は増加傾向にあることから，「.st」を活用し，新商品を発売前に顧客に公開し，その予約状況を参考に発注数量を決定することで在庫をもつ可能性を減らすことができると考えます。

《「弱み×機会」の戦略について》

　まず海外の未進出エリアを開拓し，参入障壁を作ることで他社がその市場に入りにくくします。そのうえで，海外のデザイナーとコラボしたブランドを設立して販売を行うことで海外事業を拡大することができると考えます。

　「.st」の会員数を増やすため，インスタグラムのライブなどでショップスタッフがオンライン接客をするなど，オンラインサービスを強化することが効果的と考えます。

　一方，アダストリアの弱みとしてのブランドの売上格差に対して，SNS を利用し，売り出したいブランドまたは今から流行りそうなものをメインに広告していくことにより，認知度を高めることができると考えます。

《「弱み×脅威」の戦略について》

　まず，「人件費率が高い」という弱みと「リアル店舗の客数減少」という脅威から，WEB 事業が必要不可欠な存在になってくることから，自社 EC サイト限定でクーポンを配布することで新たな消費者の獲得と「.st」の認知度アップにつながると考えます。

　次に，コスト面から売上が少ない店舗を撤退させることが考えられます。

　最後に，「人口減少による売上減少」という脅威に対して，新たな顧客の獲得，販路の拡大を目指して，今後も一層 BtoB 事業に力を入れる必要があると考えます。

　　　　　　　　　伊藤菜桜・今西希望・梶川達飛・神家華朋・谷川麗華・橋場歩里
　　　　　　　　　番匠未来・東出梨々華・政實花穂・松田亮祐・松波壮亮・丸山由翔
　　　　　　　　　三宅詠太・山本新之助・鷲平隆友

　　　　　　　　　　　　　　　　　　　　　　　　　　　　　　　（富山大学）

SWOT 分析についてのコメント

○評価ポイント

　実践課題1では，SWOT の各要因について，しっかり根拠にもとづきながら丁寧な分析を行い，アダストリアの SWOT を多様な側面から網羅的に明らかにし，それを実践課題2のクロス SWOT 分析につなげています。

　また，アダストリアのマルチブランド展開を他の2社と比較するために，ホームページに掲載のアダストリア作成の図を参考に，TSI とオンワードの図をデータにもとづき自分たちで作成し分析に加えています（図表2，3）。それによって，分析に厚みが出るとともに納得性の高いものになっています。こうした創意工夫と努力はとても大切です。

　実践課題2では，実践課題1で明らかにした SWOT をもとに，4つの組み合わせに対する戦略が検討されています。その際，Chapter 2の図表2 − 17のクロス SWOT 分析のフォーマットを活用することで，導き出された戦略に対する SWOT の要素の組み合わせが明確となっています。それによって，実践課題1での現状分析にもとづいて戦略が考えられていることがわかり，より説得力が高まっています。

　また，「GLOBAL WORK」や「niko and ...」などのアダストリアのブランドは，学生のみなさんにとっては実際にお店に行ったことがあるなじみ深いものなのでしょう。みなさんの分析には顧客の視点からといえるような具体的な戦略が提案されており，みなさんならではの立場をうまく活かしたものになっていると思います。このような提案はアダストリアにとっても参考になるのではないかと思います。

○修正ポイント

　みなさんの分析をさらに優れたものにするために，以下のような点をブラッシュアップするとよりよくなると思います。

　課題1では，外部環境要因をあらわす「機会」と「脅威」の考え方・記述の仕方に注意が必要です。「機会」や「脅威」はアダストリアの外部環境を分析し明らかにするものです。社会全体や業界の状況がどうなっていて，どうなっていくのか，それがアダストリアにとって（アダストリアのやっていることに照らして）「機会」なのか「脅威」なのかを考えていくことになります。

　SWOT の識別とは，「機会」や「脅威」のなかでアダストリアが「やっていること」のみを記述したり，あるいは「どうすればよいか」ということを分析したりするものではありません。前者の場合は，「やっていること」の背景・理由の部分を明らかにして根拠をもって記述する必要があります。また，後者はクロス SWOT 分析の範疇です。みなさんの分析では，「やっていること」に対する記述の比重が大きい傾向が見られました。

　たとえば，みなさんの分析の「機会」の2つ目の項目である「未進出エリア」の箇所では，未進出エリアとして示された飲食業やライフスタイル雑貨などが急成長しているとか，進出することにより何らかの明確な効果が期待できるとか，そうしたことがあれば，それがアダストリアにとっての「機会」になることが説明できます。それを根拠とともに示していけばいいわけです。そのうえでクロス分析において，その「機会」に「強み」をぶつけたり，「弱み」をカバーしたりする戦略を検討していくことになります。

　この構造を簡単な例を使って示すと，「強み」として「アパレル以外の分野にも進出している」という現状があり，「機会」として「雑貨等の成長率が高い」環境があるとすると，そこからクロス分析「強み×機会」の戦略として「雑貨とのコラボの推進・拡大」が出てくるという関係になります。

　SWOTのなかでも，内部環境要因の「強み」や「弱み」は，分析対象企業が主語になるので考えやすいと思いますが，「機会」や「脅威」は外部環境要因であることを踏まえ，その記述の仕方も含めて注意が必要です。

　課題2では，内部環境要因と外部環境要因の適合を図る戦略を導き出すためには，クロスSWOT分析がとても重要になります。みなさんはアダストリアのSWOTをしっかり踏まえいろいろ具体的な案を出してくれました。ただ，それぞれの項目内で具体的な戦略を考えていくと，個別的なもの，場当たり的なものになってしまうおそれがあります。アダストリアという1つの企業が追求していく戦略となるわけですから，その根底のところでは，目指すべき方向性は統一的な考え方にもとづく取組となっている必要があります。そうしたものを自分たちなりに構想して念頭に置きながら4つの組み合わせ戦略を考えていくと，それぞれが別個でありながら全体として均整の取れた整合的な取組になると思います。

模範解答

> 【実践課題】
> 1．アダストリアの SWOT（内部環境要因の強み（S）／弱み（W），外部環境要因の機会（O）／脅威（T））を分析してみよう。

　課題 1 は，SWOT 分析のステップ 1 に対応するものです。ステップ 1 では，企業の環境要因を「強み（S）・弱み（W）・機会（O）・脅威（T）」に整理します。本書では，これまで業界分析，戦略ポジション分析，ファイブ・フォース分析を行いました。その結果，アパレル業界では，国内市場が縮小傾向にあるため，競争が激化していること（図表 7 - 7 の脅威（T）＜ 1 ＞・＜ 2 ＞），経済と環境を両立させるサーキュラーエコノミー（循環経済）への意識変化をきっかけにリサイクルやサブスクリプションが浸透しつつあること（図表 7 - 7 の脅威（T）＜ 3 ＞）[9]，円安の進行やそれにともなう原材料の高騰，物流コストの上昇（図表 7 - 7 の脅威（T）＜ 4 ＞）などの脅威にさらされていることがわかりました。

　しかし，それは，別の見方をすれば，消費者ニーズの多様化や服装のカジュアル化に対して適切に順応できれば，企業の拡大・成長機会を生み出すこと（図表 7 - 7 の機会（O）＜ 1 ＞・＜ 2 ＞），環境問題に対応する企業の姿勢を消費者等の各種利害関係者にアピールする機会となり得ること（図表 7 - 7 の機会（O）＜ 3 ＞），デジタル技術を活用し，EC 市場に乗り出すことができれば，円安進行，原材料・物流コストの上昇をある程度吸収できるだけではなく，企業の収益機会の確保に繋げること（図表 7 - 7 の機会（O）＜ 4 ＞・＜ 5 ＞）が可能かもしれません。

　そこで，SWOT 分析では，この機会を企業でどのように活かすのが良いのかについて，深く掘り下げてみることにします。なお，以下の分析では，図表 7 - 7 で示すアダストリアの機会（O）＜ 1 ＞・＜ 2 ＞，機会（O）＜ 3 ＞，および機会（O）＜ 4 ＞・＜ 5 ＞の観点からアダストリアの強み（S）や弱み（W）がどのように考えられるのかについて，順を追って分析します。

9）　サーキュラーエコノミーとは，従来の Reduce，Reuse，Recycle の取組に加えて，資源の投入量・消費量を抑えつつ，資源の効率的・循環的な利用を図り，ストックを有効活用しながら，サービス化等を通じ，付加価値の最大化を図る経済のことをいいます（経済産業省（2023）3 頁）。「資源・製品の価値の最大化，消費資源の最小化，廃棄物の発生抑止等を目指す」サーキュラーエコノミーでは，大量生産・大量消費，大量廃棄型の社会が引き起こしてきた気候変動問題や天然資源の枯渇などの諸問題に対処することが考えられ，「企業の事業活動の持続可能性を高めるため，ポストコロナ時代における新たな競争力の源泉となる可能性を秘めて」いることから，リサイクルやサブスクリプションが，新たなビジネスモデルとして台頭してきたといえるでしょう（環境省（2021）45 頁）。

図表7−7　アダストリアの SWOT

内部環境要因	
強み（Strength）	弱み（Weakness）
①マルチブランド展開 ②「変わる力」（SP） ③「マルチカテゴリー」展開（SP） ④自社独自の SPA 体制 ⑤独自素材の開発・商品化 ⑥自社 EC サイト［.st］の充実 ⑦デジタル技術の活用・展開力	①ブランド認知度の問題 ②社会的課題への対応力 ③海外展開力
外部環境要因	
機会（Opportunities）	脅威（Threats）
<1> 消費者ニーズの多様化（5F） <2> 服装のカジュアル化 <3> 環境問題への意識の高まり <4> デジタル技術の進展 <5>EC 市場の拡大傾向	<1> アパレル業界の国内市場の縮小傾向（業界，5F） <2> 業界内での激しい競争（業界，5F） <3> リサイクルやサブスクリプションの浸透（5F） <4> 円安進行，原材料・物流コストの上昇

※（　）内はこれまで行われてきた分析（業界，戦略ポジション（SP），ファイブ・フォース（5F））の模範解
　答でも言及されたことを示しています。
出所：筆者作成。

　アダストリアの SWOT ―内部環境要因の「強み（S）・弱み（W）」と外部環境要因の「機会（O）・脅威（T）」―を分析すると図表7−7のようにまとめられます。

＜内部環境要因の強み（S）に関して＞
①マルチブランドと，②「変わる力」，および③「マルチカテゴリー」展開
　図表7−7の機会（O）＜1＞・＜2＞に関連するアダストリアの強みには「マルチブランド」展開が挙げられます。同社 HP では，自社を「グループで 30 を超えるブランドを国内外で約 1,400 店舗展開するカジュアルファッション専門店チェーン」（https://www.adastria.co.jp/aboutus/outline/）と定義し，顧客のライフタイムバリュー（LTV）を最大化するブランドポートフォリオの実現の観点から（アダストリア（2020b）22 頁），同社の「ビジネスモデル・事業内容」として「マルチブランド」を最初に取り上げていることから（https://www.adastria.co.jp/aboutus/business/），同社が「マルチブランド」展開を戦略の柱の1つに据えていることがわかります。
　アダストリアは，中期経営計画でも一貫して「マルチブランド」戦略を取り上げています。たとえば，2013 年2月期から 2015 年2月期までの中期経営計画『TOP15』では，「ファッション市場において世界で躍進する企業・ブランドに成長する」とのビジョンの実現に向けた4つの取組課題の1つに「マルチブランド戦略の進化」を挙げています（アダストリア（2015b）1頁）。また，2016 年2月期から 2018 年2月期までの中期経営計画『ACE18』

では，5つの基本戦略の1つに「マルチブランド戦略の深化」を掲げ，「個々のブランドの戦略を明確にすることで営業力・ブランド力を磨き，将来の成長市場に主戦場を広げていく」ことに取り組むとしています（アダストリア（2015a）1-3頁，（2015b）1・2頁）。

こうした方向性は，2020年2月期からの「2025年に向けた成長戦略」でも同様に見られます。「マルチブランドで顧客の人生に長く寄り添」い，劇的な環境変化のなかで持続的な成長を果たすだけではなく，未来の大きな"社会の変化・お客さまの変化"に対応し，一人ひとりの毎日に「もっと楽しい」選択肢を提供できる企業を目指すこととしています（アダストリア（2020a）1，3頁）。

それゆえ，アダストリアの「マルチブランド」戦略では，ブランドの開発・導入や，既存ブランドの顧客層の拡大などに積極的に取り組む様子が見てとれます。たとえば，グループ企業の（株）エレメントルール[10]は新ブランド「Chaos（カオス）」と「Curensology（カレンソロジー）」を2018年から展開し始めました。このブランドは，これまでアダストリアが中心的に扱ってきた「駅ビルや郊外ショッピングセンターなどで比較的買いやすい価格でヤングカジュアルファッションを提供するブランド」とは異なる客層をターゲットに，より高単価の「都市型ターミナル大人マーケット」を意識したものになっています（アダストリア（2018b）24頁）。また，2019年に，初のターゲットゾーンである40代半ば〜50代の女性に向けた新ブランド「Elura（エルーラ）」を立ち上げたのもその一例です（アダストリア（2020a）6頁）。一方，ブランド設立から25年を越え，ファンの年齢層が変化してきた「LOWRYS FARM（ローリーズファーム）」では，これまでの10代〜20代向けのブランディングから30代以降の「大人の女性」が買いやすい商品構成へとリブランディングの取組を本格的に始めたのもこの戦略の一環といえそうです（アダストリア（2019b）25頁）。

前述の「戦略ポジション分析」では，アダストリアがもつ独自性のある経営資源として「変わる力」を検討しました（164頁参照）。同社のHPでは，「紳士服小売店として創業した当社は，成長の過程において，過去4回ビジネスモデルの変革を実行してまいりました。その背景には，変化を恐れず，その時，その時のお客さまにとって最適な答えを探して挑戦し続ける，私たちの企業文化があります。」（https://www.adastria.co.jp/aboutus /outline/）との記載もあります。現在のアダストリアがこのように積極的でいられるのは，この企業文化のためかもしれません。そして，時代の変化に対応し，自ら変革することで大きく成長していく力は，環境の変化が激しい今日における大きなアドバンテージです。

消費者の構成や価値観が変化し，消費者のライフスタイルや行動が多様化するなかで，消費者ニーズにきめ細かに対応し，適切に価値を届けていくためには，「マルチブランド」は有効な戦略になるはずです。アダストリアの福田三千男会長も，「ブランドが多ければ

---

10) 2017年3月に設立した「洗練された大人に向けたファッションを提案する新会社」です（アダストリア（2018a）7頁）。

多いほど経営リスクがあるため，選択と集中を進めるというのは昔の考え方だ。今は逆の時代になり，消費者の（ニーズの）数だけブランドがあっていい。マーケットに抜けているものは増やしていく」（『日経MJ』2021年1月8日付7面）と述べています。

　その同社が次に掲げる「マルチカテゴリー」戦略は，「マルチブランド」における新たな変革につながりそうな動きといえます。アダストリアは，「ファッション」の領域をアパレルだけではなく「ライフスタイル」全般を包含するものと捉えており，アパレルの枠を越えたライフスタイルの提案に力を入れています（アダストリア（2017c）2頁）。『ACE18』では，基本戦略の1つに「ライフスタイル新カテゴリー開発」を掲げ，顧客が求めるライフスタイル（衣食住）に対応すべく，新たなカテゴリーを積極的に取り入れていく方針を示しました（アダストリア（2015a）1，3頁）。そして，2018年2月期には，アパレル以外の新業態として，ジュエリー事業やインティメイト事業，コスメ事業などもスタートしています（アダストリア（2018a）2頁）。また，飲食事業子会社を通じて，オリジナル業態1号店となる「ロンファー・チャイニーズパーラー」やベーカリーカフェ，スムージー専門店「ジャンバジュース」などの展開を行っています（アダストリア（2019b）30頁，（2020b）26頁）。2022年には，外食中堅でレストラン「アロハテーブル」などを運営する「ゼットン」を買収し，「衣食住のすべてをこれまでにない新しい形で楽しめる時間・空間の創出を目指す」（『日経MJ』2021年12月17日付5面）としています。アダストリアは，他にも，全国でヨガイベントを開催したり，「niko and ...」がプロデュースする音楽フェスティバルを開催したりするなかで（アダストリア（2019c）4頁），従来からのアパレルと雑貨から，食や美，遊，健康など，多彩なカテゴリーへと顧客に提案・提供するファッションの幅を広げているといえそうです。

④独自のSPA体制と⑤独自素材の開発・商品化

　図表7-7の機会（O）＜3＞に関連するアダストリアの強みには，バリューチェーンが挙げられます。同社のHPでは，「企画から生産，物流，販売までを，アダストリアグループ内で，一貫しておこなうことが出来る仕組みが整っています。この仕組みを活かし，国内外約1400の店舗にご来店されるお客さまの声や1万名を超える店舗スタッフの声をもとに，トレンドや店頭情報をいち早く次の商品展開やサービスに活かし，世界中のお客さまに新しいファッションをお届けします。」（https://recruit.adastria.co.jp/about/advantage/）とその特徴を紹介し，商品企画力の向上を目的とする独自のSPA（Speciality store retailer of Private label Apparel）体制を前面に押し出しています。

　アダストリアの独自のSPA体制は，2010年に，OEM/ODMのビジネスモデルを脱却し，自ら企画・生産を手掛け，垂直統合に挑戦していく「チェンジ宣言」をしたことに始まりました（アダストリア（2016a）1頁）。『TOP15』では，ビジネスモデル強化の最重要課題としてサプライ・チェーン（商品企画から生産，物流，販売までの一連のプロセス）の変革

に取り組み（ポイント（2013）1-4頁），『ACE18』では，「店頭起点の小売型SPA」というコンセプトを明確に打ち出しました。これは，「他社と差別化された優位性ある商品づくりを可能」にし，「『旬な商品』を，『良質』かつ『手頃な価格』で提供できる仕組みを整え」ることを目指したものです（アダストリア（2015a）1頁）。そして，アダストリアは，2017年2月期からの3ヶ年計画で，『ACE18』の基本戦略をさらに進化させ，「グローバルマルチブランドファッションSPAカンパニー」を目指しています。それは，同社の「次の新しいステージは，国内だけではなくグローバルに存在感を示し，SPAの仕組みを背景とするマルチブランド戦略の強みを最大化し，アパレルだけでなくあらゆるファッションがもたらす喜びをお客様に届ける」という認識にもとづいています（アダストリア（2016a）1・2頁）。そのため，2021年2月期を最終年度とする3ヶ年計画も，直近に立ち上げたR&D事業部をプロダクトの軸とし，生産，MD，店頭，販促が一体となって顧客ニーズをつかむSPA体制の構築により，「商品企画力の向上」を目指すものになっています（アダストリア（2018b）28頁）。

　また，アダストリアは，2021年4月に「素材開発室」を新設し，ブランド横断で新しい素材の開発を行うようになりました。サステナビリティを意識した素材開発を行う「素材開発室」で作られる素材には，「サステナ要素を必ず入れるようにして」おり（『日経MJ』2022年2月9日付1面），時代のニーズに即したものといえそうです。環境意識の高まりに素材面からも対応した商品企画の結果生まれた新素材「ウーリーテック」は，ペットボトル由来の再生ポリエステルとレーヨンを混ぜ合わせることで製造される，ウールの代わりとなり得る素材で，すでに商品化もされています（『日経MJ』2022年2月9日付1面）。

⑥自社ECサイト［.st］の充実と⑦デジタル技術の活用・展開力

　図表7－7の機会（O）＜4＞・＜5＞に関連して，アダストリアは，2007年10月より自社サイトでWEB事業を開始しました。2014年の自社ECサイト全面リニューアルとともに立ち上げた公式ウェブストア「［.st］（ドットエスティ）」は，2022年2月期現在，会員数約1,360万人，前期末比で190万人増となるなど，成長を続けています[11]（アダストリア（2022c）11頁）。今回，アダストリアの比較対象企業としているTSIとオンワードの自社ECサイトの会員数は不明であるため，他企業に対する優位性の判断は難しい状況ですが，アダストリアでは自社ECサイトの会員数の多さを強調し，テレビCM等のキャンペーンで会員数を増やす取組を継続的に行っていることから（アダストリア（2022a）5頁），［.st］の会員数は戦略上重要な指標・位置づけになっていると考えられます。

　図表7－8は，アダストリアのWEB事業の推移を2015年2月期からまとめたものです。会員数，WEB事業売上高，国内売上高のWEB事業構成比は，2022年2月期にWEB事

11）2023年2月期第1四半期現在では，会員数は約1,410万人に達しています（アダストリア（2022f）8頁）。

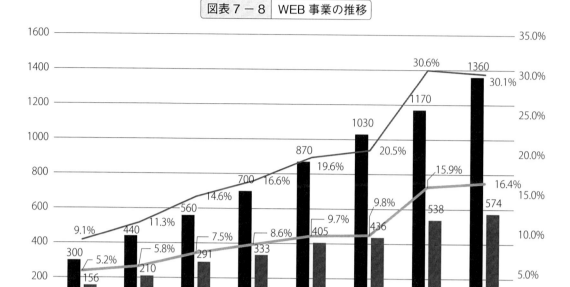

図表 7 − 8 ｜ WEB 事業の推移

出所：アダストリア（2015c），（2016b），（2017c），（2018b），（2019b），（2020b），（2021b），（2022c）をもとに筆者作成。

業構成比が若干下がってはいますが，それ以外は順調に成長しています。2022 年 2 月期の国内 EC 売上高は 574 億円に達し，国内売上高構成比 30.1％となり，そのうち自社 EC の割合は約 16.4％と半分以上を占めるまでになりました（アダストリア（2022c）11 頁）。

　［.st］から得られるデータは，「個」としての顧客に関する情報となることから，それぞれの顧客にさまざまなサービスを提供する際の参考になります。それゆえ，これからのデジタル社会を見据えると，1,400 万人を超える顧客基盤は大きなアドバンテージになると考えられます。そのようなアドバンテージの可能性を築けたのは，アダストリアが「デジタル」に力を入れているからです（https://recruit.adastria.co.jp/about/advantage/）。

　2019 年 2 月期からの 3 ヶ年計画で，同社は，「2025 年の社会を見据えた事業構造へ」向けた成長戦略に，「デジタル活用による魅力的な購買体験の提供」を掲げました（アダストリア（2018b）28 頁）。その基盤となるのは，世界に約 1,400 あるリアル店舗と ［.st］の会員から得られる膨大な量の顧客データの蓄積です。アダストリアは，そうした「貴重な資産を，商品企画・在庫管理・物流管理などあらゆる面で活用し，顧客体験の充実を図っていくこと，そして消費者との接点を支えるインフラの強化を迅速に進め，デジタル時代の新たな価値を生み出すビジネス構造へと，進化して」いくことを目指しています（アダストリア（2019b）4 頁）。

　デジタルを活用した取組の中心は，実店舗と自社 EC サイトをつなぎ，顧客接点を拡大

することにあります。具体的には，オムニチャネルサービス[12]の導入で「EC購入品の店舗受取り・返品」や「WEB上での試着予約」をできるようにし，実店舗とECサイトをつなぐことで，魅力ある購買体験を提供し，実店舗への来店頻度を上げるとともに，顧客との接点を拡大し，ファンづくりの機会を創り出すことを意図しています（アダストリア（2019b）28頁）。

ショップスタッフがスタイリングやライフスタイルを［.st］内で発信する「Staff Board（スタッフボード）」はその一環といえます[13]。そこでは，スタッフのSNSや［.st］の商品ページと連動させるなどの工夫を通じて，顧客がお気に入りのスタッフの薦めるアイテムを購入しやすくしています。さらに，Staff Boardで活躍中のショップスタッフがInstagramのLIVE配信で行うオンライン接客のほか，過去の配信動画をまとめて閲覧できる新コンテンツ「.st CHANNEL」の開設など，デジタル技術を活用した顧客接点を拡大する試みをいろいろと行っています（アダストリア（2020c）3・4頁）。

一方，［.st］のカテゴリーを拡張する目的で，アダストリアは，2022年1月からサンマルクカフェの人気商品「チョコクロ」の取り扱いを始めました[14]。このECでの食品展開は，仕入販売を目的としない新しい収益モデル，すなわち，自社サイトを利用して出店してもらうモール型ビジネスを展開し始めたことを意味します。そして，ここでも，Staff Boardの人気スタッフが食品と生活雑貨などを組み合わせて投稿し，ライフスタイルのなかで商品の魅力を紹介するなど，顧客に積極的にアプローチしています（アダストリア（2022c）12頁）。アダストリアは，「商品の幅が広がれば顧客の満足度も高まる」とする一方で，「取り扱う商品は『何でもあり』ではなく，当社のブランドと親和性があり，販売スタッフがお薦めできる商品を選んでいる」としており（『日経MJ』2022年7月8日付5面），自社ECサイトで扱う商品の選択には，独自の基準を設けています。

加えて，アダストリアは，2021年5月から，［.st］と実店舗を融合したOMO（Online Merges with Offline）型店舗「.stストア」の展開も開始しました[15]。これは，［.st］で販売

---

12) オムニチャネルとは，「すべての顧客接点，すなわち顧客が商品を購買する一連のプロセスにおいて，顧客が企業と接触する店舗，Webサイト，カタログ，電話，SNSなどをシームレスに（境目を意識せず）利用できるようにする環境を提供すること」であり，「顧客がどのようなチャネルを選ぼうとも，またチャネル間をどのように移動しようとも，一貫した買い物の体験ができるようにする，顧客中心の視点に立った考え方」（中村（2017）81・82頁）のことです。

13) Staff Boardへ参加するスタッフは約4,100人にまで増加しています（アダストリア（2022a）5頁）。

14) カテゴリー拡張の他の例として，家電メーカーのsiroka（シロカ）や美容家電のヤーマンの製品，シンガポールのアパレルブランド「Love, Bonito」の取り扱いの開始があります（『日経MJ』2022年7月8日付5面）。

15) 「.stストア」では，［.st］会員が，スマートフォンアプリを通じて「来店ポイント」を獲得する際，その顧客情報を得ることで，どの会員がどの店舗を訪れ，店舗やECサイトでどんな商品を購入したかを把握することができるようにし，その来店履歴と購入履歴の分析から，各店舗で顧客ニーズに対応した商品を提供できるようにしています。

する人気商品をブランド横断で集めて販売するもので,「会員データの活用と,スタッフとのコミュニケーションを増やすことによる顧客体験の向上」(『日経産業新聞』2021年8月13日付9面) を目指したものです。

　OMOでは,会員データを,店舗内に設置したデジタルサイネージ (デジタル看板) を使った4つのサービス,すなわち,①全国の店舗から選ばれた人気のショップスタッフが提案するスタイリングを見せる「Staff Board」,②[.st] のランキングと連動した商品を棚に並べる「トレンドランキング」,③各ブランドが薦める商品が並ぶ「ブランドリコメンド」,④店頭のスタッフに1対1でスタイリングを相談できる「パーソナルスタイリング」,に活用します。これらのサービスを通じて,アダストリアは,顧客がリアルで買い物を楽しめる「情緒的なOMO」の仕組みを作り上げています。これは,商品を見た後にオンラインで購入するショールーミング対応とは異なり,「実店舗に来てもらい,そこで会話をして……という情緒的な価値を中心に置い」たもので,実店舗から自社ECサイトに流れた顧客を実店舗に戻す取組ともいえるでしょう。同社は,こうしたECとリアル店舗の融合によって,単なるデジタル技術を活用した企業ではなく,顧客体験の質の向上をも目指す企業への変貌を狙っているといえそうです (『日経産業新聞』2021年8月13日付9面)。

＜内部環境要因の弱み (W) に関して＞
① ブランド認知度の問題
　図表7-7の機会 (O) ＜1＞・＜2＞に関連する内部環境要因の強み (S) では,アダストリアが,変わる力を駆使した30を超えるブランドの展開というマルチブランド戦略の追求で,多様な顧客ニーズへの対応を図ることができることを指摘しました。しかし,そのことは,別の見方をした場合,各ブランドの認知度や販売力に差が生じることを意味します。マルチブランドでは,すべてのブランドが強力な認知度・販売力をもつことは難しく,そうした事態はマルチブランドを追求する上では不可避といえます。

　図表7-9は,アダストリアのブランド別売上状況の推移を示したものです。ここでは,売上高上位8ブランドと,それ以下の「その他」ブランドのデータを示しています。これを見ると,売上構成比は,トップブランドでも20%弱しかなく,2位で13～14%,3,4位で10%程度,5～7位で5%前後となっていること,また,8位になると3%程度となり,8位以下の「その他」ブランドは,20ブランド以上をまとめても13～14%で,個々のブランドの比率はかなり小さいことがわかります。その結果,多くのブランドの売上規模はそれほど大きくなく,消費者の認知度も高くない可能性が考えられます。

　一方,たとえば,「ZARA」を展開するインディテックス (スペイン) のブランド別売上高構成比を見ると (2021年度),「ZARA」(ZARAとZara Homeの合計) が約70.7%と圧倒的な割合を占めています (Inditex (2021) 156頁)。また,「ユニクロ」を展開するファーストリテイリングでは,国内・海外合わせた「ユニクロ」事業が約83.1%を占めています

図表７－９ アダストリアのブランド別売上状況の推移

（単位：百万円）

	2019／2期		2020／2期		2021／2期		2022／2期	
	金額	構成比	金額	構成比	金額	構成比	金額	構成比
グローバルワーク GLOBAL WORK	40,871	18.4%	41,710	19%	33,845	18.4%	37,782	18.7%
ニコアンド niko and ...	30,956	13.9%	32,017	14.4%	26,092	14.2%	27,227	13.5%
ローリーズファーム LOWRYS FARM	22,491	10.1%	23,691	10.6%	19,436	10.6%	20,374	10.1%
スタディオクリップ studio CLIP	23,641	10.6%	22,444	10.1%	18,558	10.1%	18,970	9.4%
レプシィム LEPSIM	14,806	6.7%	14,335	6.4%	11,132	6.1%	11,790	5.9%
ジーナシス JEANASIS	12,373	5.6%	11,924	5.4%	9,932	5.4%	10,526	5.2%
ベイフロー BAYFLOW	8,783	3.9%	9,852	4.4%	8,446	4.6%	9,122	4.5%
レイジブルー RAGEBLUE	7,823	3.5%	7,712	3.5%	5,431	3.0%	5,801	2.9%
その他 Others	30,587	13.7%	30,831	13.9%	25,265	13.7%	29,815	14.8%
グループ合計／連結	222,664	100.0%	222,376	100.0%	183,870	100.0%	201,582	100.0%

出所：アダストリア（2022b）5-6 頁に基づき筆者作成。

(2021 年度)（ファーストリテイリング（2021）62・63 頁)[16]。

　このことから，ファストファッションでは，少数のブランドに経営資源を集中して投入し，強力なブランドに仕上げ，その抜群の知名度からグローバルに展開し，売上を獲得する戦略をとる企業が多いといえそうです。それは，アダストリアのブランド展開とは対照的な印

---

16)　アダストリアの比較対象企業である TSI とオンワードの状況は以下の通りです。
　　TSI は，トータルで 50 以上のブランドを展開しています（https://www.tsi-holdings.com/brand/index.html)。2022 年 4 月に発表された中期経営計画では，明確に 4 つの成長事業領域が定義され，それぞれの領域にブランドが位置づけられることで，より魅力的なブランド価値を創り出していくことが示されています（TSI（2022a）29 頁）。
　　TSI（2022b）では，ブランド別の売上高が示されていますが，トップ 10 のブランドの売上高構成比が 59.1％であり，11 位以下の 40 以上のブランドをまとめても 40％程度であることから，アダストリアと同様に個々のブランドの比率は小さいことがわかります（TSI（2022b）27 頁）。
　　一方，オンワード（2022a）では，アパレル関連事業の主要展開ブランドとして 25 のブランドを挙げています（オンワード（2022a）36 頁）。オンワードでは，事業会社ごとにブランドが展開されている（たとえば，株式会社オンワード樫山では，『23 区』，『ICB（アイ・シー・ビー）』，『自由区』，『J. プレス』，『五大陸』など，株式会社アイランドでは，『GRACE CONTINENTAL（グレースコンチネンタル）』，『Diagram（ダイアグラム）』など）ことから（https://www.onward-hd.co.jp/business/apparel_japan.html)，事業会社別の売上高は開示されていますが（オンワード（2022b）10 頁），オンワード全体における個々のブランドの売上高構成比は開示されていないようです。

象です。これはもちろん追求する戦略の違いではありますが，アダストリアが，マルチブランド戦略を成功裏に展開するためには，個々のブランドの知名度を高めていく必要があります。加えて，マルチブランド戦略のなかで個々のブランドがもつ意義や果たす役割の検証を行うなど，しっかりとしたブランド管理が重要になると思われます。

　また，「アダストリア」そのものに対する認知度も考えなければなりません。「アダストリア」が展開するブランドのうち「GLOBAL WORK」や「niko and ...」，「LOWRYS FARM」などは知っているとしても，それを運営している会社の名前「アダストリア」に対する認知度は低いものと思われます。数多くのブランドを抱え，マルチブランド戦略として総合的にブランド展開を追求するなかで，中核となるブランド価値をあらわす「アダストリア」そのものの認知度は重要といえるでしょう。

　アダストリアも，「アダストリア」という会社そのもののブランド価値を高めていくため，コーポレートブランディングの強化に取り組んでいます。2016年6月1日からCI（コーポレートアイデンティティ）を一新したことにともない，この新たなCIをさらに浸透させ，企業ブランド価値の向上，認知拡大を図るべく，スペースコンポーザーの谷川じゅんじ氏を招いて，コーポレートブランディングおよび各ブランドのコミュニケーション戦略の立案・推進を行っています（https://www.adastria.co.jp/news/corporate/2016080101/）。そして，2018年2月期からの3ヶ年計画では，基本戦略の1つに「コーポレートブランドの浸透：『アダストリア』が伝えたい価値を社内外にわたって浸透させ，企業価値を最大化」を掲げました（アダストリア（2017a）3頁）。コーポレートブランドに関する戦略は，2019年2月期からの3ヶ年計画では見られなくなりましたが，ブランド価値・認知度の向上のためには，継続的な取組を行っていくことが不可欠です。

② 社会的課題への対応力

　図表7－7の機会（O）＜3＞に関連する内部環境要因の強み（S）では，独自の商品企画力でサステナビリティを意識した新素材を開発し，環境問題にも対応できていることを挙げました。しかし，アパレルや小売り各社をとりまく問題はそれだけではありません。

　たとえば，生産や調達に関わる人権問題への配慮はその最たる例でしょう。これは，中国の新疆ウイグル自治区で生産された「新疆綿」の問題で注目されるようになりました。中国政府のウイグル自治区での人権侵害（強制労働疑惑）の問題から，米国では，新疆ウイグル自治区からの輸入を原則禁止する法律を施行しました（『日本経済新聞』2022年7月22日付16面）。そのため，現在の状況で「新疆綿」の使用を継続することは欧米や日本国内からの批判を噴出させるリスクを，その使用中止は中国で店舗展開をする企業の不買運動の標的になるリスクを生じさせています[17]。

　アダストリアは，従来から「社会的責任（CSR）」に対する取組を行っていますが，2019年2月期からの3ヶ年計画では，新たな時代のなかで継続的に成長するためのテーマの1

つに「サステナビリティ（＝持続可能性）」を掲げました。このテーマのもと，「環境を守る」，「人を輝かせる」，「地域と成長する」という３つの CSR 重点テーマを設け，特に「環境を守る」と「人を輝かせる」の面でさまざまな取組を行っています（アダストリア（2018a）9 頁，（2018c）9 頁，（2020a）7・8 頁）。

　また，2020 年 2 月期からは，「サステナブル経営へのチャレンジ」を掲げ，「この先の未来もずっと事業を営み，継続的な成長を続けていくために，ファッションを通じた社会課題の解決に取り組んで」いくことを宣言しました（アダストリア（2020b）28 頁）。アダストリアは，こうした社会課題の解決という面から，「地域と成長する」ための取組として，「公正で倫理的な調達」を目指す「アダストリアグループ調達方針」を設け，この方針のもとで，人権，社会，環境リスクを考慮した「グループ調達ガイドライン」を定め，国内外の取引先への理解を得られるよう努めている状況です。加えて，2023 年までにより良いパートナーシップ関係にある生産工場についてパートナーシップ認定を進める取組を開始しています（アダストリア（2022a）7・8 頁）。

③ 海外展開力

　図表 7 − 7 の機会（O）＜ 4 ＞＜ 5 ＞に関連する内部環境要因の強み（S）では，［.st］を中心に，デジタル技術を活用したさまざまな先進的な取組を行っていることを挙げました。しかし，アダストリアの海外事業の売上高は全体の売上高の 6% 前後にすぎません（図表 7 − 10）。これは，同社の国内販売事業に比べるとかなり弱いといえます。アダストリアは，2003 年 3 月に台湾に出店し，海外事業展開を始めました。同社は，その後，香港（2008 年 3 月），中国本土（2010 年 10 月），米国（2017 年 4 月）に進出し，今も事業を続けています（https://www.adastria.co.jp/aboutus/ outline/，ポイント（2013）10 頁，アダストリア（2014b）7 頁）。

　しかし，アダストリアは，2012 年 3 月に進出したシンガポールからは 2014 年に（ポイント（2013）10 頁，アダストリア（2015a）8 頁），2014 年 7 月に進出した韓国からは 2020 年に撤退しています（アダストリア（2014b）7 頁，（2021b）13 頁）。そのため，同社の海外展開

17）　日本経済新聞社が行ったアパレル主要 50 社の「新疆綿」への対応に関する調査結果は，2021 年 5 月 19 日時点で，「使用」が 14 社，「不使用」が 16 社，「調査中」が 7 社，「無回答」が 13 社となっています。アダストリアは「使用」となっており，今後の対応方針については，「ノーコメント」としています（『日本経済新聞』2021 年 5 月 22 日付 2 面）。こうした人権問題等への対応はまだ十分とはいえません。

　　ただ，サプライ・チェーンにおける生産履歴を消費者や機関投資家が厳しく確認するようになった現状から，アダストリアは，どの生産工場を使っているかを公開する方針を決めました。その結果，同社は，取引先工場の監査を実施し，生産工場での児童労働や不当労働の禁止など同社の基準を満たす工場を使用していることを公開していく模様です（『日本経済新聞』2021 年 5 月 21 日付 13 面）。

| 図表7－10 | アダストリアの国内／海外別売上状況の推移 |

（単位：百万円）

	国内：2019／2期 海外：2018／12期		国内：2020／2期 海外：2019／12期		国内：2021／2期 海外：2020／12期		国内：2022／2期 海外：2021／12期	
	金額	構成比	金額	構成比	金額	構成比	金額	構成比
国内合計	207,385	93.1%	209,709	94.3%	173,161	94.2%	188,655	93.6%
海外合計	15,279	6.9%	12,666	5.7%	10,709	5.8%	12,926	6.4%
グループ合計／連結	222,664	100.0%	222,376	100.0%	183,870	100.0%	201,582	100.0%

出所：アダストリア（2022b）5-6頁に基づき筆者作成。

は必ずしも成功とはいえない状況となっています。これは，前述のブランドの認知度の低さが，特に海外展開の場合に負の影響を与えた結果ではないかと考えられます。

　アダストリアは，2019年2月期からの3ヶ年計画で，目まぐるしく変化する環境で継続的に成長するためのテーマの1つに「グローバル」を掲げました。その取組として，2019年2月期に香港・中国の不採算店舗を閉鎖し，事業整理を行ったうえで，2020年2月期から海外事業の黒字化とさらなる成長へ向けた拡大戦略をとるようになりました。これは，ブランドの世界観を表現する旗艦店を実店舗で出店し，ブランド認知度を向上させるとともに，周辺のサテライト店舗やECに送客することを企図しています。また，ECでは海外未進出ブランドをトライアルとして先行展開し，実店舗出店の可能性を検討する試みも始めました（アダストリア（2019b）4，26頁）。

　2020年2月期からの「2025年に向けた成長戦略」では，「世界を舞台に各地域と共創した価値を提供する」ことを掲げ，「海外市場へのローカライズ（＝グローカル）」をテーマとした取組を開始しました。地域旗艦店を基軸にブランドストーリーを重視した店舗展開や限定アイテムなどのローカライズ商品の投入，現地で影響力のあるインフルエンサーを起用したLIVE配信など，運営にもローカライズを取り入れ，各地域の特性に合わせたEC事業展開などを行っています。このような取組は，「展開地域ごとの戦略を明確にし，異なる嗜好や生活文化をもつ各国のお客さまに寄り添った商品展開や店頭表現などにこだわることで，ニーズに対して的確にお応えして」いくためのものです（アダストリア（2020c）5・6頁）。

　アダストリアの海外展開の今後については，2023年2月期から2026年2月期の「中期経営計画：グッドコミュニティの共創をめざして」において，海外展開のなかでも特に中国大陸でのビジネスに力を入れることが示され，ビジネスモデルとして，「基幹店ドミナント戦略モデル」，すなわち，旗艦店でブランド認知を獲得し，周辺のサテライト店舗で収益性を高めるモデルの確立を目指す方針を明確にしたことから，同社は，しばらくのあいだ，ブランド認知度を高めることを重視するといえそうです（アダストリア（2022d）24・25頁）。

　また，アダストリアは，今後大きな成長が見込め，将来の重要市場となる可能性のある東南アジア地域への進出を視野に入れ，「東南アジア準備室」を設置し，フィリピンとタイで「niko and ...」の開業準備をはじめました（アダストリア（2021b）26頁，（2022d）23, 26頁）。

　近年のアダストリアは，海外展開に力を入れ，消費者ニーズに寄り添ったさまざまな取組を行っていますので，今後，ブランド認知度の弱さを補って余りあるだけの成果が出る可能性も考えられます。しかし，現状を見る限り，「海外展開力」はアダストリアの足を引っ張る状況にあると考えられます。

<外部環境要因の機会（O）について>[18]

　<１>消費者ニーズの多様化と<２>服装のカジュアル化

　前述のファイブ・フォース分析でも明らかにしたように，アパレル業界では，価値観の多様化で，顧客のライフスタイルや消費者行動の変化という問題に直面しています。とりわけ，新型コロナウイルスの感染拡大は，外出機会の減少や，在宅勤務の普及・拡大をもたらし，アパレル業界にとっては向かい風ともいえる状況です。ローランド・ベルガーが行った2021年3月の調査[19]では，確固たる価値観を持ち合わせていない“フォロアー層”が約半数を占めていたこれまでの日本型マスマーケットは縮小し，「先進・革新志向層」や「社会志向層」，「快楽主義層」[20]など多様な消費を志向する層が新たに台頭していることが示されました（ローランド・ベルガー（2021a）9・10頁）。

　また，「①オフィスの服装規範の緩和，②ファッションに対する価値観の変化」から，ビジネスシーンにおける服装の「カジュアル化の進行とビジネス・フォーマル系衣料に対する需要減退は，コロナ禍による一過性の動きではなく，業界の長期的な傾向」であり，「コロナ問題が収束したのちも，カジュアル化の流れは止まらない」との指摘も見られます（川人（2021）1頁）。

　このように考えると，「ビジネス・フォーマル系衣料」は大きな影響を受けそうです。しかし，自社を「カジュアルファッション専門店チェーン」とするアダストリア（https://

---

18) 外部環境要因の機会（O）については，すでにファイブ・フォース分析でも取り上げられているため，本節では，さらに説明が必要な箇所のみに焦点を当てて分析します。

19) この調査は，15 – 64歳の国内男女4,462人を対象としています（ローランド・ベルガー（2021b））。

20) これらの層の明確な定義は示されていませんが，それぞれの特徴については次のように述べられています（ローランド・ベルガー（2021a）12頁）。
　「先進・革新志向層」：デジタルや先進的なモノに詳しく精通している。チャレンジ精神が豊富。
　「社会志向層」：社会貢献やサステナビリティへの関心が高い。友人や仲間との協調性を重要視する。
　「快楽主義層」：自分が熱狂するもの・コトが生活の中心で，後先考えずに出費。ただ収入は低く節約志向。

www.adastria.co.jp/aboutus /outline/）は，アパレル業界のなかで「カジュアル SPA」に分類され（東洋経済新報社編（2021）242 頁），「"自分らしさ"をたくさんの選択肢の中から選べるいま，アダストリアはお客さま一人ひとりの感性と創造的な暮らしに，多彩なブランド展開でお応えします。各ブランドがそれぞれターゲットを変えブランドらしさを追求することによって，多様なライフスタイルを提案し，お客さまの人生に長く寄り添いながら，すべてのお客さまにワクワクを届けます。」（https://recruit.adastria.co.jp/about/advantage/）としていることから，「消費者ニーズの多様化」や，「服装のカジュアル化」にも対応した商品展開ができるかもしれません。

＜３＞環境問題への意識の高まり

　近年，注目を集めるようになった言葉に ESG という概念があります。「Environment（環境），Social（社会），Governance（ガバナンス……）を考慮した投資活動や経営・事業活動を指す」（https://www8.cao.go.jp/shougai/suishin/tyosa/r02kokusai/h2_02_01.html）この概念は，SDGs（Sustainable Development Goals：持続可能な開発目標）とも密接に関連しています。

　この ESG の３要素のうち，従来最も活発に議論されてきたのは環境の領域です。アダストリアは，前述の④独自の SPA 体制と⑤独自素材の開発・商品化の強みを活かし，環境問題に向き合ってきています。しかし，国連貿易開発会議（UNCTAD）が，「ファッション業界が（石油産業に次ぐ）世界で第２位の汚染産業」（『日経産業新聞』2022 年 6 月 3 日付 11 面）であると指摘するように，大量生産・大量消費を想定するアパレル業界では，大量廃棄が前提となるうえ[21]，商品生産の段階で大量の水を消費しますので，サプライチェーンで排出される二酸化炭素（CO_2）も多くなるなど，環境負荷の問題が山積しています[22]。

　マッキンゼーによれば，「世界の衣料品生産は 2000 ～ 14 年の間に倍増し，平均的な消費者が服を買う量は 60％増えたが，服を着続ける期間は半分に」（『日本経済新聞』2022 年 6 月 19 日付 8 面）なりました。また，環境省によると，「日本の家庭から可燃ごみや不燃ごみとして出された衣料は約 95％が焼却・埋め立て処分されており，その総量は年間で約 48 万トンに及ぶ」（『日経 MJ』2022 年 6 月 3 日付 9 面）とされています。

　わが国のアパレル業界でも，この環境負荷の問題に対し，たとえば，衣料品を回収して再利用や再生する取組（『日経 MJ』2022 年 6 月 3 日付 9 面）や，CO_2 などの環境負荷を数値で示す取組（『日経 MJ』2021 年 7 月 30 日付 1 面）を行っていることは，すでにファイブ・

21）衣料品の大量廃棄の例としては，英バーバリーがブランド価値を守るために 1 年間で約 40 億円相当の服や香水を処分した問題（2018 年）が有名です。わが国では，製品単価を下げる目的で大量発注を続ける業界の姿勢が，販売前から供給過多という状況を生みだし，セールやアウトレットでも売れない在庫を廃棄処分する事態が問題視されています（『日本経済新聞』2020 年 7 月 8 日付 12 面）。

22）アパレル産業が排出する CO_2 は世界全体の 8％を占め，欧州の年間排出量に匹敵するほどになっています（『日経産業新聞』2022 年 6 月 3 日付 11 面）。

フォース分析で紹介した通りです。

　アダストリアも，ファッションロス（衣料廃棄）をなくすため，衣料品を再活用することに対して積極的です。その結果，同社は，2020年度に焼却廃棄ゼロを実現しました。それを可能にした取組の1つは，ブランド「FROMSTOCK（フロムストック）」の立ち上げです。2020年2月28日に立ち上げられたフロムストックは，売れ残った倉庫の服に黒染めという手法を使って新たな価値を付加し，オンラインショップで販売するために考えられたブランドです。また，他にも顧客参加型新業態「OFF STORE（オフストア）」をオープンし，グループの店頭での販売期間が終了した商品やサンプル品を，アウトレットよりもさらに手に入れやすい価格で提供するとともに，廃材などを利用したアップサイクルの体験イベントなども行っています（『日経MJ』2022年5月6日付7面）。

　さらに，アダストリアでは，環境への配慮を前面に打ち出した新ブランド「O0u（オー・ゼロ・ユー）」を立ち上げ，商品の製造工程や素材，重量などからCO_2の排出量や水使用量を算出し，環境負荷の情報を開示する取組を始めました（『日経MJ』2021年6月4日付9面）。これは，業界内で，CO_2などの環境負荷を数値で示す取組の一環です。日本総合研究所の試算によると，日本で販売される衣類から排出されるCO_2は，原材料調達から廃棄まで年間9,500万トンにのぼり，世界のファッション産業の総排出量の4.5％に相当する規模となっています（『日経産業新聞』2022年3月9日付2面）。

　こうした環境問題へ対応していくのは難しい面もあり，業界・企業にとって脅威と考えることもできますが，アパレル業界全体としてこれまでのビジネスモデルを変革し新しいあり方を模索しようと取り組んでいること[23]，そして，アダストリア自身が衣料品の回収・再生素材の活用・環境負荷の開示などに積極的に取り組んでいることから，ここでは機会として捉えることができると考えています。

＜4＞EC市場の拡大傾向と＜5＞デジタル技術の進展

　前述のように，アダストリアは，「STAFF BOARD」やOMO型店舗「.stストア」の開店（2021年5月）など，デジタル技術の活用を積極的に行ってきました。これは，1,400万人の会員を有する「.st」の強みを活かす一環で，オンラインとオフラインの融合を目指し，実店舗をこれまでにない新しい買い物体験を提供する場として活用する戦略を採用した結果ともいえますが[24]，同社のこの姿勢は，インターネット通販などのEC市場が普及・拡大傾向にあることが前提となっています。

　経済産業省の「令和3年度電子商取引に関する市場調査報告書」[25]では，2021年の物販系分野[26]のBtoC-EC市場規模は，前年の12兆2,333億円から1兆532億円増加して

23）　たとえば，経済産業省（2022a）などを参照。
24）　なお，最近では，アマゾンが初のアパレル実店舗「アマゾン・スタイル」を開店したことが話題になりましたが，これもOMO型店舗に分類されます（『日経MJ』2022年2月11日付8面）。

13 兆 2,865 億円となり，その伸び率は 8.61％となっています。また，EC 化率は 8.78％と前年より 0.7 ポイント上昇しています。2020 年に，新型コロナウイルス感染症拡大にともなう巣ごもり消費の影響で，同市場規模が前年比 2 兆 1,818 億円増で伸び率 21.71％，EC 化率は 8.08％で前年比 1.32 ポイント増と大幅に拡大していることを考えると，2021 年は，増加こそしているものの伸び率は鈍化しているとも捉えられます[27]。しかし，2020 年の飛躍的な拡大はコロナ禍の異常事態の影響と考えられるものの，EC 市場規模ならびに EC 化率は，継続して上昇基調にあるといえます（経済産業省（2022b）32 頁）（図表 7 - 11 参照）。

　図表 7 - 12 は物販系分野の商品ごとの EC 市場規模および EC 化率を示したものです。アパレル関連の「⑥衣類・服装雑貨等」の市場規模は，2019 年は 1 兆 9,100 億円で 1 位，2020 年は 2 兆 2,203 億円で，「②生活家電，AV 機器，PC・周辺機器等」に次ぐ 2 位，2021 年は 2 兆 4,279 億円で，「①食品，飲料，酒類」，「②生活家電，AV 機器，PC・周辺機器等」に次ぐ 3 位となっています。その伸び率は，2018-2019 年が 107.74％，2019-2020 年が 116.25％，2020-2021 年が 109.35％と計算されることから，やはり 2020 年の伸び率が大きくなっていますが，2021 年にも 10％近い成長を見せていますので，「⑥衣類・服装雑貨等」は物販系分野全体の傾向と足並みをそろえているといえます。このことは，EC 化率でも同様で，2020 年の 19.44％は，2019 年の 13.87％から 5.57 ポイントの大幅な上昇となっていますが，2021 年の 21.15％（1.71 ポイント増）は，市場規模全体の EC 化率の割合としては，2 割を超える水準まできたものの，類似の傾向を示す他の商品と比べるとまだ低いレベルです。

　しかし，デジタル技術の進展は，アパレル業界にとって，新たなサービスの可能性をもたらすかもしれない貴重な環境変化です。たとえば，ファッションショーでは，VR（仮想現実）や AR（拡張現実）技術が活用され，今では，EC サイトと連動させるなど，新しいショーのスタイルが模索されるようになっています（『日経 MJ』2022 年 3 月 30 日付 16 面）。

---

25) 本調査は，国内 BtoC-EC，国内 BtoB-EC，国内 CtoC-EC，越境 EC を調査内容としており，これらに対して公知情報調査，業界団体および事業者ヒアリング調査を実施したものです（経済産業省（2022b）17 頁）。

　なお，本調査では，「インターネットを利用して，受発注がコンピュータネットワークシステム上で行われること」を EC の要件としています。また，EC 取引金額は「EC による財またはサービスの販売額」，BtoC-EC 市場規模は「企業と消費者間での EC による取引金額」です。ここで，EC 金額は「販売サイドの金額（販売額）を捕捉している」としています（経済産業省（2022b）13-14 頁）。

26) 物販系分野の項目は，①食品，飲料，酒類，②生活家電，AV 機器，PC・周辺機器等，③書籍，映像・音楽ソフト，④化粧品，医薬品，⑤生活雑貨，家具，インテリア，⑥衣類・服装雑貨等，⑦自動車，自動二輪車，パーツ等，⑧その他，となっています（経済産業省（2022b）29 頁）。

27) 2022 年 9 月 20 日付の『日本経済新聞』では，新型コロナウイルス感染症拡大のなかで高成長を続けてきた国内の EC の勢いに陰りが見え始めていると報じられています。外出自粛にともなう巣ごもり需要が一服したためで，リアル店舗に顧客が流れている傾向が，クレジットカードの利用データから伺えるとしています（『日本経済新聞』2022 年 9 月 20 日付 9 面）。

図表 7 − 11　物販系分野の BtoC-EC 市場規模および EC 化率の経年推移（市場規模の単位：億円）

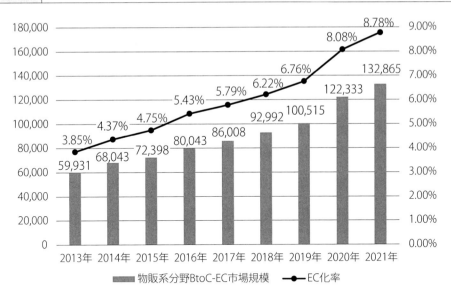

出所：経済産業省（2022b）32 頁のデータにもとづき筆者作成。

図表 7 − 12　物販系分野の BtoC-EC 市場規模

分類		2019 年		2020 年		2021 年	
		市場規模（前年比）	EC 化率	市場規模（前年比）	EC 化率	市場規模（前年比）	EC 化率
①	食品，飲料，酒類	18,233 億円（7.77%）	2.89%	22,086 億円（21.13%）	3.31%	25,199 億円（14.10%）	3.77%
②	生活家電，AV 機器，PC・周辺機器等	18,239 億円（10.76%）	32.75%	23,489 億円（28.79%）	37.45%	24,584 億円（4.66%）	38.13%
③	書籍，映像・音楽ソフト	13,015 億円（7.83%）	34.18%	16,238 億円（24.77%）	42.97%	17,518 億円（7.88%）	46.20%
④	化粧品，医薬品	6,611 億円（7.75%）	6.00%	7,787 億円（17.79%）	6.72%	8,552 億円（9.82%）	7.52%
⑤	生活雑貨，家具，インテリア	17,428 億円（8.36%）	23.32%	21,322 億円（22.35%）	26.03%	22,752 億円（6.71%）	28.25%
⑥	衣類・服装雑貨等	19,100 億円（7.74%）	13.87%	22,203 億円（16.25%）	19.44%	24,279 億円（9.35%）	21.15%
⑦	自動車，自動二輪車，パーツ等	2,396 億円（2.04%）	2.88%	2,784 億円（16.17%）	3.23%	3,016 億円（8.33%）	3.86%
⑧	その他	5,492 億円（4.79%）	1.54%	6,423 億円（16.95%）	1.85%	6,964 億円（8.42%）	1.96%
	合計	100,515 億円（8.09%）	6.76%	122,333 億円（21.71%）	8.08%	132,865 億円（8.61%）	8.78%

出所：経済産業省（2021a）52 頁，（2022b）54 頁のデータをもとに筆者作成。

　一方，三越伊勢丹では，2021年8月から「オンライン顔タイプ診断」を提供し，その結果にもとづくコーディネートを提案するサービスをはじめました（『日経MJ』2022年3月28日付7面）。また，消費者の個々の体型や嗜好，予算に合ったファッションを提案し，ネットで販売する株式会社DROBEは，会員数約10万人の個々のデータをもとにAI（人工知能）が判定するお薦めを参考にスタイリストがユーザーに送る商品を決めるサービスを提供しています（『日経MJ』2022年4月20日付5面）。

　また，SNS（交流サイト）やライブ配信サービスなどを効果的に活用する取組は，若い世代をターゲットにしたものです。これは，若い世代が既存のメディアよりSNSの情報を買い物の参考にするようになっていることに起因するサービスです。とりわけ，Z世代[28]の15〜24歳の女性の69%はブランドや商品を認知する場としてインスタグラムを挙げています。そうしたことを背景に，企業に所属しながらSNSで「インフルエンサー」のように活動し，消費者と交流を図りながら自社商品などの売上に貢献する社員やスタッフを積極的に活用する例が増えています（『日本経済新聞』2022年7月18日付14面）。

　このように考えると，デジタル技術の進展は，その技術を活用したEC市場をより魅力的にする新しいサービスを生み出すだけではなく，企業が成長するヒントが提供される場として，今後も大いに期待されることになるでしょう。

＜外部環境要因の脅威（T）について＞
＜1＞アパレル業界の国内市場の縮小傾向と＜2＞業界内での激しい競争
　前述のファイブ・フォース分析でも明らかにしたように，日本の総人口の減少傾向や少子高齢化の進展は，アパレル業界に「国内市場の縮小傾向」という問題を引き起こしました。国内アパレル業界は，市場が縮小したにもかかわらず，企業数の減少は見込めないため，「業界内での激しい競争」にさらされており，各企業は，以前より小さくなった国内需要のなかで生き残るための戦略を考える必要がありそうです。

　Chapter 6の「業界分析」でも指摘しているように，国内アパレル業界は高位寡占型となっており，業界上位2社（ファーストリテイリングとしまむら）だけでその市場シェアの5割を超える一方，その下位にある企業（アダストリア，オンワード，TSI等）の市場シェアは軒並み3〜4%で拮抗している状況です。そして，過去40年間にわたる販売額の推移を分析した結果，アパレル業界自体が，市場規模の縮小傾向にある「衰退期」であることが指摘されています（147頁）（「図表6-1　アパレル業界のマーケット・ライフサイクル」146頁，「図表6-2　商品別マーケット・ライフサイクル」148頁参照）。それゆえ，衰退期にあるアパレル業界で，自社のシェアを拡大するには他社のシェアを奪うしかない状況です。アパレ

28）2000年代生まれを中心に，1990年代後半から2010年代前半までに生まれた世代を指す（コトバンクHP『日本大百科全書（ニッポニカ）「Z世代」の解説』（https://kotobank.jp/word/Z%E4%B8%96%E4%BB%A3-2876740））。

ル業界で取り扱う衣料品は差別化し，一時的に比較優位性を確保することができても，それらはすぐに模倣された類似品で競争力を失うため（180, 184頁），市場を拡大するよりも，顧客を奪い合うしかない状況に陥りやすいことが問題といえそうです。

　「ファイブ・フォース分析」の「①業界内の競争状況」では，アパレル業界の国内市場は弱まっているという現状を，被服および履物に対する年間支出金額が年々減少傾向にあることを図表で示すことで導き出し（「図表7－5　二人以上の世帯の被服・履物への年間支出金額」181頁参照），消費者の多様なニーズの観点から，差別化の可能性を検討しました。しかし，ある企業が業界内での比較優位性を獲得するために考えだした差別化の方法を考慮した場合でも，消費者の多様なニーズから「差別化が有効に機能しやすい反面，国内企業が多いだけでなく海外企業の国内市場進出も数多く見られる」ことや，「デザインによる差別化を図っても類似のデザインが他社からすぐに販売されるなど，差別化が長く続かないことも多」いという状況から，「業界内の競争は激しい」（180頁）ことを指摘しています。

　アダストリアもその有価証券報告書（2022年2月期）で，「中長期的には，国内では少子高齢化や可処分所得の減少により，アパレル市場の緩やかな縮小が構造的に続くと予想」（アダストリア（2022e）9頁）しています。また，グループ事業の9割を市場の縮小が進む国内で展開している点を事業のリスクとして挙げています（アダストリア（2022e）11頁）。このことは，アダストリアが，「グループの主要ブランドが属するカジュアル衣料小売市場は，流行・嗜好が短期的に大きく変化する傾向が強く，また国内外の競合企業との厳しい競争状態にあり，商品企画等の失敗により顧客の選好にマッチした商品開発ができなかった場合，またブランド価値が陳腐化した場合には，当社グループの経営成績に影響を及ぼす可能性」（アダストリア（2022e）13頁）があることをアパレルビジネスのリスクとして認識していることからも明らかです。

　アダストリアはグループで約1,400店舗を展開していることが強みの1つといえますが，今後，国内市場が縮小し，業界内での競争の激化が進んだ場合，この大きな店舗網を抱えていることが高コスト化に繋がり，企業のリスクが増大することが考えられますので，警戒する必要があるでしょう。

＜3＞リサイクルやサブスクリプションの浸透

　消費者のニーズや嗜好の多様化は，消費者が使用する商品に対する考え方に変化をもたらすようになりました。「ファイブ・フォース分析」の「③代替品の脅威」にあるように（182頁参照），衣料品を回収して再利用することでその負荷を軽減しようとする傾向は，レンタルやサブスクリプションなどのサービスを活性化させる契機となり，現在では，これまでとは異なる新たな脅威として考慮すべき対象となっています。その背景には，オンライン上で物品の個人間売買が行えるフリマアプリを利用して，「新品」にこだわらずに

欲しいものを手に入れる人や，「所有すること」よりも「利用すること」に価値を見出す人たちが，特に若い世代で多くなっていることがあるようです。

今日みられるモノの「所有」から「利用」へという変化には，①経済的な理由からこれまでのようにモノを「買えなくなった」こと，②消費社会が成熟化して安くてよいモノがあふれるようになるなかで，これまでほど高いお金を出して「買わなくてもすむ」ようになったことだけではなく，インターネットの普及によりお金を使わなくても（買わなくても）楽しめる環境が整ったこと，③ネット社会では，消費者がお金をかける対象や買い物をする場所が変わり，モノよりも「サービス（コト）を買うようになった」ことの3要素が考えられるとされています（久我（2019）1-4頁）。確かに，経済が進展し，社会が成熟するなかでは，「物質的にある程度豊かになったので，これからは心の豊かさやゆとりのある生活に重きをおきたい」とする人々が増えてくるのも道理といえそうです（https://survey.gov-online.go.jp/r03/r03-life/2-2.html）。しかし，この，「代替品の脅威」をもたらす要因が社会的な背景をもつとするならば，消費者の変化は止まらないものと思われます。

アダストリアのメインの事業は，新品での衣料品販売です。また，その主な対象となるターゲット世代に若者が多いとすれば，こうした消費者の動向は同社の将来に少なからず影響すると考えられます。近年，話題に上がるようになったESGで最も活発に議論されてきたのは環境（E）領域であることはすでに述べたとおりですが，今は，社会（S）領域およびガバナンス（G）領域に関する議論も台頭してきていますので（https://www8.cao.go.jp/shougai/suishin/tyosa/r02kokusai/h2_02_02.html），アダストリアが世界的な潮流から取り残されないという意味でも，消費者の意識変化を考えた対策が待たれるところです。

＜4＞円安進行，原材料・物流コストの上昇

ロシアのウクライナ侵攻などの社会的な情勢の急激な変化により，原材料・エネルギー価格の高騰や物流コストの上昇，急速な円安進行などがみられるようになりました。アパレル業界は，多くの原材料を輸入に頼り，海外の工場で生産した商品を輸入していることが多いため，原材料価格の高騰に加えた円安の進行は懸念すべき要因です。従来，わが国では大幅な原価上昇に直結する問題が起こったときは，より安価な原材料や労働力を求め，海外に拠点を移すといった対策を行う一方，それを販売価格に転嫁することで，企業の維持成長を達成してきました。しかし，近年は，そのような対策では，問題を回避できないばかりか，顧客離れを起こす懸念があるため，難しい対応を迫られています。

アパレル業界では，季節ごとに使う素材やアイテムが異なります。そのため，多くの企業では半期ごとに商品を調達し，春夏・秋冬と年2回に分けて商品を入れ替える場合が多いことから，その新商品販売前の区切りのタイミングで値上げ等の対応が図られることになります（『日本経済新聞』2022年3月9日付17面）。

こうしたなか，一部マスコミ報道では，「円安下でもコスト上昇を抑えられるように生

産・調達の体制を多方面で修正する必要」（『日本経済新聞』2022年5月30日付5面）が指摘されるようになりました。ニトリホールディングスでは[29]，これまで海外の外部工場に委託してきた生産の一部を自社での生産に切り替えることで，円安などで高騰する原材料の調達や生産計画などの管理を自社でしやすくし，原価の低減につなげようとしています。また，無印良品では，衣料品の製造工程で出た布の端などを商品に使うことで価格を抑えた商品展開を考えるようになっています（『日本経済新聞』2022年5月30日付5面）。

アダストリアでも，原材料の綿花価格の高騰に対し，再生ポリエステルなどの代替素材への切り替えや（『日本経済新聞』2022年4月14日付16面），データ分析などを活用して生地などの発注の仕方を見直すようになっており，需要を早期に予測して生地を先行発注することや，閑散期に生産することで，製造コストを削減したり（『日本経済新聞』2022年5月30日付5面），工場集約による効率化や生産地の東南アジア等への分散による供給網混乱への対応などを進めたりと（『日経MJ』2022年7月20日付1面），さまざまな対応を図っています。

ただ，こうした環境状況は短期的に改善する見込みは低いため，アダストリアは，その有価証券報告書（2022年2月期）でも，「足元では原材料及びエネルギー価格の上昇，物価や金利の上昇，円安の進行，地政学リスクの増大など事業環境への懸念が高まって」（アダストリア（2022e）8頁）いることを指摘しています。そして，この問題は，＜3＞リサイクルやサブスクリプションの浸透とあいまって，わが国の構造的な問題をより鮮明に浮き彫りにする可能性を秘めているため，早急な対策が必要であるといえるでしょう。

【実践課題】
2．1の分析結果にもとづきクロスSWOT分析を行い，考えられる同社の戦略について検討してみよう。

課題2は，SWOT分析のステップ2の段階に対応するものです。ステップ2では，ステップ1で整理した「強み（S）・弱み（W）・機会（O）・脅威（T）」の4つの組み合わせ（①S×O，②S×T，③W×O，④W×T）から企業のとるべき戦略を検討します。

課題1で整理したアダストリアのSWOTにもとづきクロス分析を行い，4つの組み合わせそれぞれにおける同社の戦略を検討した結果は，図表7－13のようにまとめられます[30]。以下では，図表7－13の内容を詳細に見ていくことにします。

---

29)　同社は9割の商品を海外で生産しており，対ドルで1円の円安が年約20億円の減益要因になるといわれています（『日本経済新聞』2022年5月30日付5面）。

図表 7 - 13 アダストリアのクロス SWOT 分析

		内部要因	
		強み (S)	弱み (W)
		①マルチブランド展開 ②「変わる力」(SP) ③「マルチカテゴリー」展開 (SP) ④自社独自の SPA 体制 ⑤独自素材の開発・商品化 ⑥自社 EC サイト［.st］の充実 ⑦デジタル技術の活用・展開力	①ブランド認知度の問題 ②社会的課題への対応力 ③海外展開力
外部要因	機会 (O) <1> 消費者ニーズの多様化 (5F) <2> 服装のカジュアル化 <3> 環境問題への意識の高まり <4>EC 市場の拡大傾向 <5> デジタル技術の進展	積極戦略 (S×O) SO-1) マルチブランドの効果的な展開 (<1><2> ①) SO-2) リアルとデジタルの融合領域の拡大 (<1><2><4><5> ①⑥⑦) SO-3) サステナブル経営の積極展開 (<3> ①④⑤⑥)	改善戦略 (W×O) WO-1) サステナブル分野のブランド 価値向上 (<3> ①③) WO-2) 社会的課題への対応力 (SPA 体制) の強化 (<3> ②)
	脅威 (T) <1> アパレル業界の国内市場の縮小傾 向 (業界, 5F) <2> 業界内での激しい競争 (業界, 5F) <3> リサイクルやサブスクリプション の浸透 (5F) <4> 円安進行, 原材料・物流コストの 上昇	差別化戦略 (S×T) ST-1) デジタル技術を活用した新サービス の開発 (<1><2><3><4> ①⑥⑦) ST-2) 「マルチカテゴリー」の拡大・推進 (<1><2> ①②③) ST-3) 「B to B」事業の拡充 (<1><2> ①)	致命傷回避・撤退縮小戦略 (W×T) WT-1) ブランド価値の再検証 (<1><2> ①) WT-2) 現地ニーズに対応した海外展開 (<1><2> ③) WT-3) 海外でのブランド価値向上 (<1><2> ①③)

出所：筆者作成。

<「強み (S) ×機会 (O)」の戦略>

「強み」と「機会」を組み合わせた積極戦略としては，「SO-1) マルチブランドの効果的な展開」，「SO-2) リアルとデジタルの融合領域の拡大」，「SO-3) サステナブル経営の積極展開」の 3 つが考えられます。

SO-1) マルチブランドの効果的な展開

アダストリアでは，多様化した消費者ニーズに対応するため，30 を超えるマルチブランドを展開し，それぞれの顧客に価値ある商品を提供していることが同社の強みとなっています。少子高齢化や健康寿命の延伸などの社会の変化により，今後もライフスタイルがますます多様化していくなかで，新しい顧客ニーズに対応したブランド展開を進めることは，有効な戦略になるはずです。

現在，アダストリアでは，これまでより年齢層の高い 50 代，60 代向けのブランドの立ち上げや，海外ブランドの日本展開，既存ブランドの派生ラインであるインブランド展

---

30) なお，図表 7 - 13 では，各戦略がどのような SWOT で導き出されるのかについて，外部要因（機会と脅威）と内部要因（強みと弱み）の番号の組み合わせで明示しています（たとえば，積極戦略の「マルチブランドの効果的な展開の推進（<1><2>①）」は，機会の<1><2>と強みの①から導き出されることを示しています）。

開の強化など，さまざまなコンテンツの開発・拡充を行っています（アダストリア（2021a）24頁，（2021b）5-6頁）[31]。このような多彩なブランド展開は，マルチブランド戦略をより強固なものにしていくことに繋がります。

　その際，30以上あるブランドを個々に展開するよりも，顧客のニーズや価値提供の観点などからブランドをグルーピングし，グループごとのポジションと戦略を明確にすることは，会社全体のブランドをポートフォリオ管理していく意味で重要になります。

　実際，アダストリアは，2023年2月期からの「中期経営計画：グッドコミュニティの共創をめざして」で，「マルチブランドプラットフォームの進化」を掲げ，国内既存ブランドを，役割とステージから，①独自の成長戦略で500億円以上のブランドを目指す「独立型ブランド」，②新規市場や新カテゴリを開拓して規模の拡大を目指す「成長型ブランド」，③高収益ブランドモデルを横展開し収益性の向上を目指す「収益型ブランド」に分類しました。そして，これら3つのグループにもとづき，ポートフォリオ全体でブランドを育てていく構想を打ち出しています（アダストリア（2022d）10頁）。このようなポートフォリオにもとづくブランド管理は，マルチブランドを展開する上で，極めて有効と考えられます。

SO-2）リアルとデジタルの融合領域の拡大

　アダストリアは，国内外で約1,400の実店舗を展開する一方で，会員数が1,400万人を超える自社ECサイト［.st］を運営しています。アダストリアでは，「デジタル」を成長戦略のキーワードの1つに据え，デジタル技術を積極的に活用・展開しています。そうした取組の中心として実現したのが，［.st］とリアル店舗を融合したOMO型店舗「.stストア」です[32]。この「.stストア」の1号店は千葉の「ららぽーとTOKYO-BAY」に出店していますが，開店後1週間で，「ららぽーとTOKYO-BAY」にあるアダストリアの既存のブランド14店の売上が大幅に伸長し，各ブランド店への送客効果が認められました（『日経産業新聞』2021年8月13日付9面）。

　DX（デジタルトランスフォーメーション）への対応がとりわけ求められるようになった現在，「顧客の購買行動をデータで分析し，サイトで人気の商品やコーディネートを店頭で提案したり，来店顧客の行動データをネット通販の販促に生かしたりする」（『日経産業新聞』2021年6月7日付4面）取組は不可欠になってくるはずです。また，そうした取組から，

31）　なお，ここでいう50代，60代向けのブランドは，「Elura（エルーラ）」および「Utao（ウタオ）」を，海外ブランドの日本展開は，韓国の人気ブランド「ALAND（エーランド）」を，インブランド展開の強化は，BAYFLOWの「HEREIAM（ヘレイアム）」，PAGEBOYの「PAGEBOYLIM（ページボーイリム）」，HAREの「re（アールイー）」，JEANASISの「eL（エル）」を想定しています。

32）　同店舗は，2022年9月現在，青森県，千葉県，東京都，大阪府に6店舗を展開するに至っています（https://www.adastria.co.jp/shop/field/store_store_brand_cd/88/）。

効果的に顧客の体験価値の向上を図っていくことができるようになります[33]。

　デジタル化がますます進展していく社会のなかで，OMO 型店舗「.st ストア」を中心に，デジタル技術を活用したリアル店舗と EC サイトの融合をさらに多方面から展開していくことは有効な戦略になると考えられます。

SO-3）サステナブル経営の積極展開

　環境問題に対する社会的関心の高まりに応じて，アパレル業界における大量生産・大量消費・大量廃棄といった環境負荷の高い状況には厳しい目が向けられています。

　アダストリアでは，早くから環境問題を意識し[34]，実にさまざまな取組を他社に先駆けて行ってきました。2020 年 2 月期からは，「サステナブル経営へのチャレンジ」が宣言され，2021 年の『SUSTAINABILITY REPORT 2020-2021』では，「未来に繋がるものづくり」として，「1．サステナブルな素材の使用」（サステナブルマークの使用やサステナブルコットンの推進），「2．サステナブルな素材の開発」（UDR(z) や miulisse など），「3．環境負荷の可視化」（O0u），「4．社内の意識醸成」（サステナビリティに関する社内セミナー等）を掲げています。また，「環境への配慮と営業活動の両立」として，「1．サステナブルなショッピングスタイルの推進」（マイバッグの利用推進（＝ REBAG PROJECT)），「2．環境配慮型資材の使用」，「3．エネルギーの使用と輸送の効率化」（CO_2 排出量の削減）を掲げています。さらに，「ファッションロスのない世界」として，「1．適量生産に向けた取り組み」（仕入計画と在庫管理），「衣類の再活用」（リユース，アップサイクル），「衣料品回収リサイクル『Play Cycle !』」を掲げています。これらを通じて，業界全体の課題に対して，「環境を守る」取組を重点的に行うとしています（アダストリア（2021d）6-10 頁）[35]。

　今後，環境問題への対応がますます求められることが予想されるアパレル業界で，アダストリアが実践するこうした取組を継続させ，たとえば，衣料品回収の適用対象を自社商品以外にも拡大すること，サステナビリティへの取組そのものを海外でも展開すること，他社ではなかなかできない新素材の開発を積極的に行うことなどを通じて，取組の拡大・深化を図っていくことは有効な戦略になるはずです。

33）　なお，この点について，アダストリアの福田三千男会長は，「店は（商品を販売しながら）ブランドを高めるところです。多様な顧客とのタッチポイントのひとつです。ウェブの販売とリアル店舗をいかに結びつけるかが大切になります」（『日経 MJ』2020 年 6 月 14 日付 3 面）と述べています。
34）　アダストリア（2014a）では，「重点テーマ」の 1 つとして「環境を守る」を掲げ，CSV（Creating Shared Value：共通価値の創造）活動に取り組んでいることを報告しています（アダストリア（2014a）17 頁）。
35）　アダストリアの環境問題に対する業界をリードするような取組は，経済産業省の目に留まり，「これからのファッションを考える研究会 〜ファッション未来研究会〜」では，「未来に向けたファッション産業のサステナビリティ」と題したプレゼンテーションも行いました（福田（2021））。

　しかし，環境問題の多くは短期的に解決することが難しく，中長期的な視点からの取組が不可欠です。アダストリアの 2023 年 2 月期からの「中期経営計画：グッドコミュニティの共創をめざして」では，2050 年のカーボンニュートラル実現へ向けたサステナビリティロードマップが示されており，「エネルギー使用量」や「素材のサステナブル化」，「ファッションロス」などに対して長期的な観点から取り組む姿勢が伺えますので（アダストリア（2022d）35 頁），この方針を堅持し，目標を実現していくことが社会に対する貢献となり，企業の評価に繋がるでしょう。

＜「強み（S）×脅威（T）」の戦略＞
　「強み」と「脅威」を組み合わせた差別化戦略としては，「ST-1）デジタル技術を活用した新サービスの開発」，「ST-2）『マルチカテゴリー』の拡大・推進」，「ST-3）『B to B』事業の拡充」の 3 つが考えられます。

ST-1）デジタル技術を活用した新サービスの開発
　国内市場が縮小し，限られた需要を業界内の多くの企業が奪い合う激しい競争にさらされるアパレル業界で，アダストリアには，今後，その強みである「デジタル技術の活用・展開力」を活かした新しいサービスを切り拓くことが求められるようになるはずです。
　アダストリアは，これまで，［.st］で得られる情報をもとに，マルチブランドを展開するだけではなく，OMO 型店舗「.st ストア」を展開してきました。そして，それらは，現在のアダストリアに一定の効果をもたらしています。しかし，近年のアパレル業界をとりまく状況を考慮した場合には，これまでのサービスだけでは不十分であることはすでに分析したとおりです。
　今後の対策の 1 つの方向性は，メタバース（インターネット上の仮想空間）ファッション領域への参入にあります。これはメタバース上のアバター（仮想空間上で行動する自分の分身）向けの洋服（スキン）を販売するというものです。メタバースへの注目は，ファッション業界でも高まっており，バーバリーやグッチなどの有名ブランドがメタバースに次々と参入しています。また，2021 年には高級ブランド「バレンシアガ」が，人気オンラインゲーム「フォートナイト」内でデジタルファッションを発表したほか，仮想空間プラットフォームの「ディセントラランド」では，史上初とされるファッションウィークが開かれ，多くのブランドが参加しました（『日本経済新聞』2022 年 6 月 19 日付 12 面）。
　従来のファッションは，物質的な豊かさの象徴で，"お洒落"の表現という利己的なものでした。しかし，精神的な豊かさを追求するようになってきた現在では，ファッションは，"お洒落"だけではなく，"社会的意義"の表現を付与するもの，すなわち，利己的なものに利他的なものを加味する方向にシフトするようになるはずです。それが「衣服のサーキュラー化」であり，リセールや生分解素材などの利用によるサーキュラーエコノ

ミー（循環経済）への貢献と考えられます（経済産業省（2021b）3頁）。

　リアル世界とデジタル世界が併存していた時代から，それらが共存するOMO世界観の時代へとシフトしつつある環境下では，「これまでの『作る』『売る』だけのモデルから『作る』『売る』『使う』『手放す』までを念頭に」置き，「消費者の価値観が変容しているという一側面だけではなく，その背景にある技術的な進歩や社会制度の変化等の側面から，今後どのような変化が生まれるのかを予見し，求められるサービスを検討することが重要」です（経済産業省（2021b）12頁）。

　ファッション企業のメタバースへの注目は，このような流れのなかから生まれたものといえそうです。そして，そこは，新しいビジネスを探る宝庫であることはもちろん，展開する洋服（スキン）は3次元データであるため，業界の課題である大量廃棄の問題を気にする必要がありません[36]。また，メタバースで創造されたファッションは，新たなデザインを生み出し，他者とは差別化されたサービスを提供できるようになるかもしれません。そのため，メタバースの世界では，サステナビリティの観点からファッションロスの問題等に対処できるだけではなく，デザイナーの側からは，環境による制約などを取り払った創造的なデザインを楽しめる場として，利用者の側からは，自己の表現を楽しめる世界として好意的に受け取られる可能性があります。また，デジタルの世界で興味をもった購買層にリアルの世界でも同社製品を購入してもらうきっかけを提供することにつながるなど，メタバースはさまざまな可能性を秘めた魅力的な市場となるかもしれません（『日本経済新聞』2022年6月19日付12面）。

　アダストリアでは，Z世代を中心とした若者に支持されている「RAGEBLUE（レイジブルー）」と「HARE（ハレ）」のブランドで，アバターとスキンの販売を始めると発表しました。今後，他のブランドでもスキンやアバターを展開する予定としています（『日経MJ』2022年9月19日付5面）。これは，デジタル世界の店舗からリアル世界の店舗へというアダストリアの従来の方向とは逆ですが，変わることに躊躇をせず，最終的には，情緒的なOMOを目指すアダストリアらしい選択といえそうです。

ST-2）「マルチカテゴリー」の拡大・推進

　食や美，遊・学，健康など，「ライフスタイル」全般を包含する多彩なカテゴリーで顧客にサービスを提案・提供するアダストリアが，マルチカテゴリーを進める背景には，国内市場の縮小と競争の激化に対する危機意識があります（『日経MJ』2021年12月17日付5面）。それは，2023年2月期からの「中期経営計画：グッドコミュニティの共創をめざして」で，成長戦略として「マルチブランド，カテゴリー」と「新規事業」が挙げられていることからも明らかで，同社は，そのための手段としてM&Aを積極的に活用しています（ア

────────────────

36）また，アバターのスキンは仮想空間上の3次元データであるため，脅威の＜4＞の「原材料・物流コストの上昇」等の影響も受けにくいといえます。

ダストリア（2022d）38・39頁）[37]。

　前述の「戦略ポジション分析」で，アダストリアは，新事業をマルチカテゴリーの一環で展開する際，それらの事業は，他社のように，新規の事業として別途立ち上げることはせず，既存のブランドのなかに組み込むことを特徴としている点はすでに分析してきました（「図表7－4　アダストリアとTSI・オンワードとの事業展開の比較」169頁参照）。そして，それを同一ブランドの複合店で運営していることが他社との差別化となっている点も指摘しているとおりです（169頁参照）。

　「マルチカテゴリー」で顧客との新しい接点を創り出し，アパレルとの相乗効果を高める戦略はアダストリアに特有のものです。その目的からすると，「マルチカテゴリー」の拡充を，メタバースなどを含む多様な側面から図ることは，顧客体験の価値を高めていくことに繋がり，他社との差別化を鮮明にするための戦略として有効といえそうです。

　しかし，多様なカテゴリーを同一ブランドで複合店として運営するスタイルは，マルチカテゴリー化の効果・成果を見えにくくしています。各カテゴリーの規模がどのくらいで，どの程度ブランドや会社に貢献しているかがわかりにくいのが実情です。そのため，アダストリアが参入した2017年の飲食事業の現状について，「事業規模は小さく，2021年2月期の売上高はおよそ3億円以下で，全体の1%にも満たない」（『日経MJ』2021年12月17日付5面）との指摘もあります。したがって，各カテゴリーの検証を社内でしっかりと行うことが，「マルチカテゴリー」を推進していくために重要なポイントになるでしょう。

ST-3)「B to B」事業の拡充

　アダストリアはB（企業）to C（消費者）型企業です。ただ，これまでのマルチブランド展開を通じて，同社独自のブランド・イメージや世界観を作り上げてきています。この「無形の資産」をうまく活用して，企業相手のビジネス（B to B）を展開していくことで，差別化した戦略を追求することができるはずです。

　アダストリアでは，2021年に「アダストリア・ライフスタイル・クリエイション（ALC）」をスタートしました。これは，B to Bプロデュースが目的で，同社が展開する30以上のブランドで多くの企業とコラボアイテムを企画・販売してきた経験[38]と，他業種の新規ビジネス支援[39]やさまざまな協業[40]を行ってきた同社の実績を活かし，企業との協業案件を新規事業とする試みです（https://prtimes.jp/main/html/rd/p/000001349.000001304.html）。

---

37)　前述のゼットンの買収はその最たる例です。
38)　コラボアイテムの具体的な取組には，「RAGEBLUE（レイジブルー）」と「餃子の王将」との限定コラボアイテムの発売や，「studio CLIP（スタディオクリップ）」と「ミッフィー」とのコラボアイテムの発売（アダストリア（2021c）7頁），「niko and …（ニコアンド）」と「サントリー烏龍茶」とのコラボアイテムの発売があります（https://www.adastria.co.jp/lifestylecreation/）。

　とりわけ，アダストリアは，2019 年に日本市場から撤退した米国発のファッションカジュアルブランド「FOREVER21」の日本再進出にあたり，店舗運営や商品販売を担うことになりましたが，これはアダストリアの今後を占うという意味でも試金石となりそうです。かつて，「FOREVER21」が撤退を余儀なくされたのは，同ブランドが米国の商品をそのまま日本に投入したため，消費者の嗜好に合わず客離れを招いたことが原因とされています。また，アダストリアには，海外での展開力の面で弱みがあります。今回，アダストリアは，その点を鑑み，「FOREVER21」と協業することで日本人の体型や好みに合った商品を企画・展開するだけではなく，商品数やその在庫の徹底管理や同ブランドの出店戦略の見直しなどを行い，「FOREVER21」の進出を成功させることで，今後の自社の海外展開の足がかりを構築したいと考えていると思われます（https://prtimes.jp/main/html/rd/p/000001689.000001304.html，『日本経済新聞』2022 年 9 月 22 日付 16 面，『日経 MJ』2022 年 9 月 23 日付 5 面）。

　こうしたことが実現したのは，「FOREVER21」のブランド管理会社である「オーセンティック・ブランズ・グループ（ABG）」から伊藤忠商事が日本で事業展開する際のマスターライセンス権を取得し，アダストリアとサブライセンス契約を結んだことによります。アダストリアでは，ライセンス事業のビジネスモデル構築を目指しており，2022 年 5 月に新子会社・株式会社 Gate Win（ゲートウィン）を設立し，同社を通じて海外ブランドコンテンツの国内展開を開始しました。同社は，将来的にはアジア全域での事業展開を視野に入れており，このライセンスビジネスも企業向けのビジネス要素が多分に含まれていると考えます（https://prtimes.jp/main/html/rd/p/000001689.000001304.html，『日本経済新聞』2022 年 9 月 22 日付 16 面，『日経 MJ』2022 年 9 月 23 日付 5 面）。

　アダストリアの取組は，各ブランドで培ってきたブランドイメージや世界観を活用して事業の幅を広げることに繋がるため，新たな事業を通じて生み出されるブランド価値が従来からの価値をさらに高めていくという相乗効果が期待されます。これは，相手企業側にとってもアダストリアの各ブランド価値を利用して自社製品の価値を高めることに繋が

39）　ビジネス支援の具体的な取組には，日鉄興和不動産初の試みとなる学生マンション事業で，学生を対象にしたワークショップを通して浮き彫りになったニーズを踏まえ，同社の学生マンション「リビオセゾン亀有」のラウンジやエントランスなどの共用スペースや居室内のインテリアと空間を，マンションが建つエリアで暮らす人たちのライフスタイルをイメージしながら「niko and …」がプロデュースした例や，アダストリアの強みである自社生産ノウハウを活かし，「GLOBAL WORK」がファッション性・機能性・着心地を追求した西武ライオンズの球場スタッフユニフォームをプロデュースした例，創立 100 周年を迎える関東鉄道株式会社の 29 年ぶりとなる接客制服をリニューアルした例などがあります（https://www.adastria.co.jp/lifestylecreation/）。

40）　協業の具体的な取組には，大型商業施設の活性化を目的に，西日本で総合スーパーを運営するイズミと商品開発や店舗デザインをアダストリアが監修した衣料品の新ブランド「SHUCA（シュカ）」を立ち上げ，販売している事例があります（『日経 MJ』2022 年 9 月 21 日付 5 面）。

り，お互いに Win-Win の関係を築くことができるようになるはずです。また，海外企業との協業は，これまでに分析してきたアダストリアの弱みを解消するきっかけになるかもしれません。そのため，アダストリアにとっては，「『B to B』事業の拡充」は有効な戦略であるといえるでしょう。

＜「弱み（W）×機会（O）」の戦略＞
　「弱み」と「機会」を組み合わせた改善戦略としては，「WO-1）サステナブル分野のブランド価値向上」，「WO-2）社会的課題への対応力（SPA 体制）の強化」の 2 つが考えられます。

WO-1）サステナブル分野のブランド価値向上
　アダストリアは，環境問題に対して積極的で，サステナブル経営を通してさまざまな取組を行っていますが，主力ブランド以外のブランド認知度が低いこともあり，その取組だけではなく，サステナブル商品を扱うブランド，開発したサステナブル素材などに対する認知度はまだまだ低い状況です[41]。
　「環境問題への意識の高まり」のなかで，サステナブルに関する取組を積極的にアピールしていくことは，そこに関わるブランドの認知度ならびに価値の向上に繋がります。とりわけ，独自開発素材については，素材そのものをブランド化することで認知度が向上し，伊藤忠商事の「RENU（レニュー）」のように，他社への採用を働きかけるなど，B to B の展開も可能になるかもしれません。そのような活動は，ひいてはアダストリアそのもののブランド価値の向上を図ることができるようになるはずです。また，同社の「弱み」である海外展開力に関わらせていえば，環境意識の高い海外で，サステナブル分野で築いたブランド価値を積極的にアピールしていくことで，アダストリアの認知度ならびにブランド価値を向上させることに繋がり，海外展開を推進する力になる可能性があるでしょう。

WO-2）社会的課題への対応力（SPA 体制）の強化
　ロシアによるウクライナ侵攻や，ミャンマーにおける政情混乱，新疆ウイグル自治区での人権問題など激動する世界情勢のなかで，原材料の調達や生産・販売をグローバルに展開するアパレルや小売り各社は，さまざまな社会的課題へ対応を図ることが求められるようになりました。アダストリアでは，「企画から生産，物流，販売まで一貫した仕組み」をもつ独自の SPA 体制が「強み」ですが，そうした状況に対応するには，サプライチェー

---

41) たとえば，環境負荷情報を開示する「O0u（オー・ゼロ・ユー）」や，アップサイクルを手掛ける「FROMSTOCK（フロムストック）」といったブランド，「UDR(z)（ユーディーアールジィー）」や「miulisse（ミュウリス）」などの環境に配慮したオリジナルの素材などが，これに該当すると思われます。

ン全体で起こりうる社会的課題に対応する力を強化・充実することがより一層重要になるはずです。

　アダストリアは，その有価証券報告書の【事業等のリスク】で，「展開国の地理的・政治的リスク」について，「事業展開国において予期しない法規制の変更や政治的又は経済的要因の混乱，テロ・紛争・自然災害等による社会的混乱が生じた場合」に，業績等に影響が出る可能性があること，また，「取扱商品の大半は，中国等のアジア各国で生産されたものであり，生産国の政治情勢・経済環境・自然災害等により，商品仕入，販売に支障が出る可能性」があることを認識しており，後者については，「生産地の分散化を進める」ことでリスクの低減を図ることが述べられています（アダストリア（2022e）11 頁）。

　また，「サプライチェーンに関するリスク」について，「商品の原材料を外部から調達し，自社で企画・監督しながら外部委託にて生産を行っており」，「生産遅延，調達先の倒産，又は商品を輸送する経路の断絶等により商品供給が滞ったとき」に，業績等に影響が出る可能性があること，また，「委託先企業において，従業員の人権侵害や環境汚染などの問題が発生した場合，委託先企業として当社のレピュテーションが棄損し，ブランドや業績に影響を及ぼす可能性」があることを認識し，特に後者については，「グループ調達方針を定め，社会や環境に配慮した責任ある調達活動を推進しており，すべての取引先にグループ調達ガイドラインの遵守を要請している他，主要な取引先については，取引先の協力を得ながら定期的なモニタリングを実施」することで，リスクの低減を図っているとしています（アダストリア（2022e）13 頁）。

　2017 年，アダストリアは，『グループ調達方針』と『グループ調達ガイドライン』を策定しました（https://www.adastria.co.jp/news/sustainability/2017031701/）。企業の社会的責任（CSR）を果たすため策定した同文書は，現在，「コーポレートガバナンス」の「コンプライアンス」のなかで言及するとともに（https://www.adastria.co.jp/ir/governance/compliance/），「サステナビリティ」の「重点テーマ」の 1 つ，「地域と成長する」の「生産地域の持続可能な発展」のなかで日本語版のみならず英語版と中国語版を掲載しており，現場への周知を図る取組がなされています（https://www.adastria.co.jp/sustainability/theme/community/supply-chain/）[42]。

42）この調達ガイドラインについては，2017 年度から 2020 年度にかけ，誓約書への締結社数を 397 社から 742 社へと倍近くに増やしました。そして，アダストリアは，ガイドラインの遵守状況確認のため取引先工場を定期的に訪問し，担当者との直接かつ継続的な対話を通じて改善すべき事項の改善に向けた取組を行うことで，ともに成長しあえるパートナーシップ関係を構築することに努めており，より良い取引関係にある工場を「パートナー工場」として認定する取組を行っています。なお，アダストリアの資料では，「パートナー工場」認定数の推移は，2019 年 2 月期が 10 工場，2020 年 2 月期が 30 工場，2021 年 2 月期が 30 工場（新型コロナウイルスの影響で同年度の認定なし）となっています（https://www.adastria.co.jp/sustainability/theme/community/supply-chain/）。

　このように見てくると，アダストリアでは，事業環境の変化が激しいなかで，今後新たな問題が生じる可能性を想定し，社会的課題がもつリスクを認識したうえでの取組をより一層強化していく必要があると思われます。アダストリアのこれまでの取組は，予防的な側面から行われてきたものでした。しかし，昨今の社会をとりまく情勢を考慮すると，実際に問題が起こった場合を想定した対応策についても十分検討しておく必要があると思います。そうした取組を通して，アダストリアは，「社会的課題への対応力（SPA体制）の強化」を達成でき，今後より大きな成長の機会を得られるかもしれません。

＜「弱み（W）×脅威（T）」の戦略＞
　「弱み」と「脅威」を組み合わせた致命傷回避・撤退縮小戦略としては，「WT-1）ブランド価値の再検証」，「WT-2）現地ニーズに対応した海外展開」，「WT-3）海外でのブランド価値向上」の3つが考えられます。

WT-1）ブランド価値の再検証
　国内市場が縮小し，業界内で競争が激しくなるなか，マルチブランドを展開するアダストリアは，それぞれのブランドのイメージ・世界観をしっかり構築し，顧客に伝えていくことで，ブランドを認知してもらい，その価値を認めてもらうことが重要になることは，すでに分析してきました。
　ブランドの数が多くなれば，重複した価値の提供や，企業内部で矛盾する価値を提供するブランドがあるかもしれません。あるいは，複数のブランドが相乗効果をもち，より高い価値を生み出しているかもしれません。そのため，企業を効率的かつ効果的に運営し，ブランド認知度を高めるためには，マルチブランド戦略のなかで個々のブランドがもつ意義や果たす役割を検証することが重要になるはずです。そして，それは，結果として，ブランドの統廃合へつながるかもしれません。
　前述した通り，アダストリアでは，2023年2月期からの「中期経営計画」で，国内既存ブランドを役割とステージに応じて，①独立型ブランド，②成長型ブランド，③収益型ブランドの3つにグルーピングし，ポートフォリオ管理を行う構想を打ち出しました（アダストリア（2022d）10頁）。
　全社的なブランド管理の観点から，このようなポートフォリオ管理は効果的だといえるでしょう。ただし，グルーピングとそこで追求される戦略についての検証を絶えず確実に行うことが不可欠の条件になります。
　このように見てくると，「ブランド価値の再検証」を行うことは，撤退縮小も視野に入れながら，アダストリアが抱えるブランドの適切な管理に繋がるうえ，致命傷を回避することで積極戦略の「マルチブランドの効果的な展開の推進」をサポートすることにも繋がるため，有効だといえるでしょう。

WT-2）現地ニーズに対応した海外展開と WT-3）海外でのブランド価値向上

　アダストリアは，国内販売事業に比べると海外販売事業の規模がかなり小さく，「海外展開力」が同社の「弱み」となっています（図表7 - 10，210頁参照）。

　アダストリアは，2003年3月に台湾へ出店したのを皮切りに，その後，香港，中国本土，シンガポール，韓国，米国へと海外事業を拡大しました。しかし，シンガポールと韓国からはすでに撤退しており，その方策は必ずしも順調とはいえない状況です。その要因の1つは，海外でのブランド認知度の低さにあります。したがって，同社に求められるのは，「人口の増加や新興国の所得水準向上を背景に拡大が続く見通し」（アダストリア（2022e）9頁）の海外アパレル市場への進出と事業拡大を達成するため，いかにブランドの認知度を高めていくか，またいかにブランドの価値を高めていくかの方針を示すことです。そのためには，各展開地域に適した戦略を追求することも重要です。

　アダストリアでは，「グローカル」をキーワードに，地域別戦略を明確化し，海外市場へのローカライズを進めてきました（アダストリア（2020b）24頁）。それぞれのマーケットに合わせた商品開発や店頭表現を通じて的確に現地のニーズに応えることで，ブランドの価値を高めることを目標とするこの戦略では，中国大陸において，ブランド認知度を高めるために「旗艦店ドミナント戦略」をとり，大規模な「旗艦店でブランド認知を獲得し，周辺のショッピングモールで収益を上げる」ことをめざすなど，柔軟な対応をしています（アダストリア（2022c）14頁）[43]。

　2019年12月にオープンした「niko and ...」上海旗艦店は，「グローバルブランドの旗艦店が軒を連ねる上海において，アダストリアの提案するファッションを世界へ発信する重要な拠点」と位置づけられ，開店から約1週間，連日約3万人が来店するなど好調なスタートを切りました（アダストリア（2020b）25頁）。そして，2020年12月には，上海旗艦店の2号店をオープンさせたうえで，2021年9月〜12月にショッピングモール型店舗を追加で3店出店した結果，現在では実店舗5店を展開するようになっています（アダストリア（2022c）14頁）[44]。アダストリアは，上海での成功を背景に，2023年2月期から，成都を中国本土の2つ目のエリアとする旗艦店の出店を計画しています（アダストリア（2022d）24頁）。

　現地でのブランド認知度を高め，ブランド価値を高めていくには，現地で人気のあるもの／知名度の高いものとのコラボレーションが効果的です。アダストリアは，国内で多くのコラボ商品を展開し，一定の成果を収めてきました。そのため，アダストリアの場合には，海外でのブランド認知度があまり好ましくないときに，現地で人気のあるもの／知名

43）　なお，中国大陸の旗艦店では，ブランド形成を重視するため，大規模なイベントを多数実施し，まずはおもしろいブランドという認知獲得を目指しています（アダストリア（2022d）24頁）。

44）　なお，旗艦店が高い評価を得た結果，上海のいずれの店舗の業績も好調に推移しています（アダストリア（2022a）4頁）。

度の高いものとのコラボ商品を開発・販売することで，ブランド認知度を高めてきました。このことは，アダストリアが「niko and ...」と，上海で大人気のおしゃれなカフェ8軒とのコラボレーション企画や，スポーツウェアの新ライン「NUMERALS（ヌメラルズ）」と，上海で人気のランニンググループ DarkRunners（ダークランナー）のコラボレーション企画を実施したことから読み取れます（アダストリア（2021c）8頁）。また，その他にも，中国最大のインターネットショッピングモール「天猫 T-mall」では，中国の SNS で影響力のあるインフルエンサーを起用して，LIVE 配信を毎週行うことでブランド認知度を高める努力もしているようです（アダストリア（2020c）6頁）。

　「国内市場の縮小傾向」が続くなかで，市場の拡大が見込まれる海外市場からの撤退は，企業の死活問題です。今回の分析で，アダストリアがとった地域別戦略は，海外事業の立て直しを図るアダストリアにおいては効果をあげつつあるようです。したがって，「海外でのブランド価値向上」と「現地ニーズに対応した海外展開」を軸に取組を推進していくことは有効な戦略であり，それが今後，致命傷回避的なものから差別化戦略や積極戦略へと繋がっていく可能性も期待されるといえそうです。

　以上から，クロス SWOT 分析の結果は次のようにまとめられます。
　すなわち，＜「弱み（W）×脅威（T）」の戦略＞で問題とされるのは，アダストリアのブランドとしての認知度ですので，アダストリアが展開するブランドを再検証することになります。そこでは，それぞれのブランドをこれまで通りに展開するか否かを，企業にとっての致命傷を回避する，もしくは，撤退する必要に迫られているか否かで判断することが求められます。その際，問題として検討すべきは，アダストリアの海外での展開力となりますが，これは，事業を展開する先の現地のニーズを勘案し，当該地域でブランドとしての価値を認識してもらうことができるか，その価値を高めることができるほど認知度を高める可能性のあるブランドになっているかの観点から判断することになるでしょう。

　上記の，致命傷回避・撤退縮小戦略を実施するまでには至らない，＜「弱み（W）×機会（O）」の戦略＞で問題とされるのは，サステナブル分野への対応と社会的課題への対応となります。紛争や政情不安，人権問題等への対応次第で企業の成否が左右される現在，アダストリアにとって重要なのは，これら不測の事態に臨機応変に対応できる能力です。幸いなことにアダストリアは，サステナブル分野では，環境問題への対策面で，環境に配慮した新素材を開発するなど，一定の成果をあげてきました。それが必ずしも十分な評価を得ていないのは，前述のブランドとしての認知度の問題のほか，不測の事態への対応策の問題，浸透しない情報開示にあると思われます。したがって，この段階では，それらの問題を改善し，社会に PR できる成果については，積極的に情報開示するだけではなく，効果的なコラボなどを実施することで，企業の存在意義を高める努力をする必要があるでしょう。

　そして，これらの試みがうまくいけば，＜「強み（S）×脅威（T）」の戦略＞で，差別化の問題に取り組めます。アダストリアは，マルチブランド展開の効果を高めるため，関連する分野での活動を視野に入れた戦略をとってきました。しかし，残念ながら，これまでのところブランドとしての認知度の問題は改善せず，海外での売上は振るわない状況で，海外進出した国のなかには撤退を余儀なくされた地域もあります。これは，ブランドを多く展開しすぎた結果，ブランド間で相乗効果を得るというよりは，その効果を相殺する部分があるのかもしれませんし，海外でのブランド戦略の選択にミスがあるのかもしれません。アダストリアは，「FOREVER21」の日本再進出に際し，協業することになりましたが，そこでは，アダストリア側から日本固有の特徴を考慮するヒントを与えるだけではなく，海外での成功のヒントを「FOREVER21」側から得られるかもしれません。また，アダストリアは，その強みであるデジタル技術を活用し，メタバースに参入することで企業の知名度を高める努力をしています。それは，アダストリアが得意とするデジタルからリアル店舗を融合する先駆けとなるだけではなく，リアルの店舗での購買層を増やすかもしれません。それが成功することになれば，アダストリアは，アパレル業界において特異な存在になる可能性も秘めていますし，近い将来，海外での成功も実現できるかもしれません。

　アダストリアは，マルチブランドを効率的かつ効果的に運営することで企業価値を高めることを意識した企業です。そこでは，デジタルの技術が不可欠で，デジタルとリアルを融合したOMO戦略は，これまでの企業運営に有効に作用してきたものと思われます。そのため，これまでに示してきた戦略の問題をクリアして，積極的に企業運営ができるようになれば，近い将来，企業としてより一層飛躍する可能性があるといえそうです。

【参考文献】

アダストリア（2014a）『BUSINESS REPORT 2014　第64期年次報告書　2013.3.1〜2014.2.28』。
アダストリア（2014b）『INTERIM REPORT 2015　第65期中間報告書　2014.3.1〜2014.8.31』。
アダストリア（2015a）『BUSINESS REPORT 2015　第65期年次報告書　2014.3.1〜2015.2.28』。
アダストリア（2015b）「中期経営計画『ACE18』策定のお知らせ」（https://www.adastria.co.jp/system/news/pdf/?id=2432&lang=ja）2015年4月6日。
アダストリア（2015c）『2015年2月期　決算説明会』2015年4月7日。
アダストリア（2016a）『BUSINESS REPORT 2016　第66期年次報告書　2015.3.1-2016.2.29』。
アダストリア（2016b）『2016年2月期　決算説明会』2016年4月5日。
アダストリア（2017a）『BUSINESS REPORT 2017　第67期年次報告書　2016.3.1〜2017.2.28』。
アダストリア（2017b）『2017年2月期　決算説明会』2017年4月4日。
アダストリア（2017c）『INTERIM REPORT 2018　第68期中間報告書　2017.3.1〜2017.8.31』。
アダストリア（2018a）『BUSINESS REPORT 2018　第68期年次報告書　2017.3.1-2018.2.28』。
アダストリア（2018b）『2018年2月期　決算説明会』2018年4月4日。
アダストリア（2018c）『INTERIM REPORT 2019　第69期中間報告書　2018.3.1〜2018.8.31』。
アダストリア（2019a）『BUSINESS REPORT 2019　第69期年次報告書　2018.3.1-2019.2.28』。
アダストリア（2019b）『2019年2月期　決算説明会』2019年4月4日。
アダストリア（2019c）『INTERIM REPORT 2020　第70期中間報告書　2019.3.1〜2019.8.31』。

アダストリア（2020a）『BUSINESS REPORT 2020　第 70 期年次報告書　2019.3.1-2020.2.29』。

アダストリア（2020b）『2020 年 2 月期　決算補足資料』2020 年 4 月 3 日。

アダストリア（2020c）『INTERIM REPORT 2021　第 71 期中間報告書　2020.3.1 ～ 2020.8.31』。

アダストリア（2021a）『BUSINESS REPORT 2021　第 71 期年次報告書　2020.3.1 ～ 2021.2.28』。

アダストリア（2021b）『2021 年 2 月期　決算補足資料』2021 年 4 月 5 日。

アダストリア（2021c）『INTERIM REPORT 2022　第 72 期中間報告書　2021.3.1 ～ 2021.8.31』。

アダストリア（2021d）『SUSTAINABILITY REPORT 2020-2021』2021 年 11 月。

アダストリア（2022a）『BUSINESS REPORT 2022　第 72 期年次報告書　2021.3.1-2022.2.28』。

アダストリア（2022b）『DATABOOK（2021 年 3 月 1 日～ 2022 年 2 月 28 日）』。

アダストリア（2022c）『2022 年 2 月期　通期決算説明会資料』2022 年 4 月 13 日。

アダストリア（2022d）『2023 年 2 月期～ 2026 年 2 月期「中期経営計画：グッドコミュニティの共創をめざして」』
　　2022 年 4 月 13 日。

アダストリア（2022e）『有価証券報告書　第 72 期』（自　2021 年 3 月 1 日　至　2022 年 2 月 28 日）。

アダストリア（2022f）『2023 年 2 月期　第 1 四半期　決算説明会資料』2022 年 7 月 8 日。

Inditex（2021）"Annual Report 2021".

オンワードホールディングス（2022a）『ANNUAL REPORT 2022』。

オンワードホールディングス（2022b）『2022 年 2 月期　決算補足説明資料』2022 年 4 月 7 日。

川人彩子（2021）「アパレル業界で進むカジュアル化～コロナ収束後もカジュアル化の流れは続く見通し～」『三井
　　住友信託銀行調査月報』2021 年 4 月号（https://www.smtb.jp/-/media/tb/personal/useful/report-economy/
　　pdf/108_2.pdf）。

環境省（2021）『令和 3 年版　環境・循環型社会・生物多様性白書』。

久我尚子（2019）「モノの所有から利用へと変わる消費」『国民生活　ウェブ版』（独立行政法人国民生活セン
　　ター），No.81（2019.4）（https://warp.da.ndl.go.jp/info:ndljp/pid/11436742/www.kokusen.go.jp/wko/pdf/wko-
　　201904_01.pdf）。

経済産業省（2021a）『令和 2 年度産業経済研究委託事業（電子商取引に関する市場調査）報告書』（2021 年 7 月）
　　（https://www.meti.go.jp/policy/it_policy/statistics /outlook/210730_new_hokokusho.pdf）。

経済産業省（2021b）『これからのファッションを考える研究会　～ファッション未来研究会～　第 5 回ファッシ
　　ョンの未来に向けて』（2021 年 12 月 16 日）（https://www.meti.go.jp/shingikai/mono_info_service/fashion_
　　future/pdf/005_03_00.pdf）。

経済産業省（2022a）『ファッションの未来に関する報告書』（2022 年 3 月）（https://www.meti.go.jp/shingikai/
　　mono_info_service/fashion_future/pdf/20220428_1.pdf）。

経済産業省（2022b）『令和 3 年度電子商取引に関する市場調査報告書』（2022 年 8 月）（https://www.meti.go.jp/
　　press/2022/08/20220812005/20220812005-h.pdf）。

経済産業省（2023）「成長指向型の資源自立経済戦略」（2022 年 3 月 31 日）（https://www.meti.go.jp/press/2022/
　　03/20230331010/20230331010-2.pdf）。

嶋田利広（2014）『SWOT 分析 コーチング・メソッド』マネジメント社。

嶋田利広・尾崎竜彦・川﨑英樹（2017）『経営承継を成功させる実践 SWOT 分析』マネジメント社。

嶋田利広・篠嵜啓嗣・松本一郎・田中博之・大山俊郎（2020）『SWOT 分析を活用した【根拠ある経営計画書】
　　事例集』マネジメント社。

鈴木基史・藤田　寛編著（2014）『事例とドリルで学ぶ企業総合分析』中央経済社。

TSI ホールディングス（2022a）『中期経営計画　TSI Innovation Program 2025』2022 年 4 月 14 日。

TSI ホールディングス（2022b）『2022 年 2 月期 通期　決算説明会』2022 年 4 月 14 日。

東洋経済新報社編（2021）『会社四季報　業界地図　2022 年版』東洋経済新報社。

中村雅章（2017）「オムニチャネル戦略の重要成功要因—日本の小売業を中心として—」『中京経営研究』第 26
　　巻第 1 号，81-96 頁。

『日経 MJ』2020 年 6 月 14 日付 3 面「アダストリア会長兼社長福田三千男さん——「物を売る店」から脱却，ア

パレル店舗，ブランド高める場（トップに聞く）」。

『日経MJ』2021年1月8日付7面「アダストリア福田三千男会長兼社長──ニーズの数だけブランドを（2021トップに聞く）」。

『日経MJ』2021年6月4日付9面「環境配慮，ブランドのコアに，アダストリア「O0u」，負荷を数値化，わかりやすく」。

『日経MJ』2021年7月30日付1面「着たいのは「丸見え」な服，CO_2量や原価明示に共感（サステナビリティー2021）」。

『日経MJ』2021年12月17日付5面「アダストリア，ゼットンを買収，28億円で，非アパレル拡大へ」。

『日経MJ』2022年2月9日付1面「織り上げる，サステナ色に，草木染め量産，再生糸で上質な布地，日本の繊維復権糸口に」。

『日経MJ』2022年2月11日付8面「アマゾン，アパレル実店舗，年内にロサンゼルス郊外に出店，着たい服を試着室に「お届け」」。

『日経MJ』2022年3月28日付7面「三越伊勢丹のオンラインコーデ──顔のタイプから似合う服提案（新サービス記者がチェック）」。

『日経MJ』2022年3月30日付16面「22〜23年秋冬東コレ，新たなショー探る」。

『日経MJ』2022年4月20日付5面「DROBE，3カ月で売れる服，AIが予測」。

『日経MJ』2022年5月6日付4面「H＆M，廃棄衣料で陳列棚　エコ素材の使用拡大　ストライプは再生ポリでタグ」。

『日経MJ』2022年6月3日付9面「伊藤忠，古着循環の輪　見える化　新興のエコミットと連携　アパレル店で集め再利用・再生」。

『日経MJ』2022年7月8日付5面「ECに他社製品　アパレル・家電，スタッフが推薦　OMO型店舗も拡大」。

『日経MJ』2022年7月20日付1面「心配だらけの5割増益　小売り・外食3〜5月　イオンはGMS黒字　円安・値上げ・感染再拡大」。

『日経MJ』2022年9月19日付5面「アダストリア，アバター向け服販売へ　「レイジブルー」などで開始」。

『日経MJ』2022年9月21日付5面「イズミ，アダストリアと衣料品新ブランド」。

『日経MJ』2022年9月23日付5面「フォーエバー21，日本に再進出」。

『日経産業新聞』2021年6月7日付4面「アダストリア，ECと店舗連動，顧客行動データ，販促に活用」。

『日経産業新聞』2021年8月13日付9面「EC×リアル店＝買う楽しさ向上（日経BP専門誌から）」。

『日経産業新聞』2022年3月9日付2面「衣料で進む脱炭素「開示」，データで消費者の選択促す（Views）」。

『日経産業新聞』2022年6月3日付11面「「環境汚染2位」アパレルどう対応？──ローランド・ベルガー日本法人パートナー　福田稔氏に聞く，環境負荷減を経営指針に」。

『日本経済新聞』2020年7月8日付12面「古着を生地に衣料リサイクル，伊藤忠や丸紅，海外企業と連携，環境志向の消費者に的」。

『日本経済新聞』2021年5月21日付13面「衣料・小売り，履歴確認厳格に，供給網，人権問題リスク，アダストリアは工場情報公開，ワークマンは素材も外部監査」。

『日本経済新聞』2021年5月22日付2面「新疆綿，ウイグル問題で使用中止の動き，ワールドやミズノ，人権配慮，投資家も厳しい目」。

『日本経済新聞』2022年3月9日付17面「アパレルにも値上げの波，原料・物流費高騰，新商品絞り，値引きも抑制──ユニクロ，一部で5割，しまむらは秋冬物」。

『日本経済新聞』2022年4月14日付16面「アダストリア，純利益28％増今期」。

『日本経済新聞』2022年5月30日付5面「小売り，円安・原料高対策急ぐ　ニトリやアダストリア　値上げに壁，コスト削減」。

『日本経済新聞』2022年6月19日付8面「迫られる「大量生産」脱却　EU，衣料品に持続可能性求める新戦略（NIKKEIAsia）」。

『日本経済新聞』2022年6月19日付12面「NIKKEITheSTYLE ──メタバースで広がるファッションの未来（文化時評）」。

『日本経済新聞』2022 年 7 月 18 日付 14 面「社員インフルエンサー，強い絆　コメント率，芸能人の 2 倍　Z 世代の購買行動に影響力」。

『日本経済新聞』2022 年 7 月 22 日付 16 面「ユナイテッドアローズ，新疆綿の使用を中止」。

『日本経済新聞』2022 年 9 月 20 日付 9 面「国内 EC，高成長に陰り　ZHD・メルカリ，巣ごもり一服　店舗に顧客流れる，利便性向上カギに」。

『日本経済新聞』2022 年 9 月 22 日付 16 面「フォーエバー 21，日本再進出　脱「ファスト」戦略　平均単価 4000 円，アダストリアが店舗運営」。

日本経済新聞社編（2021）『日経業界地図　2022 年版』日本経済新聞出版社。

原田　勉（2003）『MBA 戦略立案トレーニング』東洋経済新報社。

ファーストリテイリング（2021）『統合報告書　2021』。

福田泰己（2021）「未来に向けたファッション産業のサステナビリティ」（https://www.meti.go.jp/shingikai/mono_info_service/fashion_future/pdf/002_06_00.pdf）。

ポイント（2013）『POINT REPORT 2013　第 63 期年次報告書　2012.3.1-2013.2.28』。

松田久一（2012）『成功と失敗の事例に学ぶ 戦略ケースの教科書』かんき出版。

ローランド・ベルガー（2021a）「新型コロナは日本の生活者に何をもたらしたのか（サマリー版）」（https://rolandberger.tokyorolandberger-assetuploads202104RB-COVID-19-STUDY_Consumer_summary.pdf），2021 年 3 月 31 日。

ローランド・ベルガー（2021b）「プレスリリース：新型コロナは日本の生活者に何をもたらしたのか」（PR TIMES：https://prtimes.jp/main/html/rd/p/000000052.000020895.html）。

Weihrich, Heinz, (1982). "The TOWS Matrix－A Tool for Situational Analysis", *Long Range Planning*, Vol.15, No.2, pp.54-66.

Chapter 8
財務分析をやってみよう

① 財務分析

　本章では，Chapter 4で取り上げた財務分析の実践課題に取り組みます。それでは，まず財務分析のポイントをまとめてみましょう。

1　財務分析とは
　財務分析とは，財務諸表を用いて，財政状態，経営成績，キャッシュ・フローの状況といった企業の状態や状況を把握し，収益性，安全性，成長性などの視点から企業の特性を分析する手法です。
　財務分析では，当期の数値と過去の数値との比較（期間比較（時系列分析））や企業間での数値の比較（企業間比較（クロス・セクション分析））を通じて，分析対象企業の現在の状況を把握し，企業が直面している問題点や課題を抽出することが重要な目的となります。

2　財務分析のステップ
　財務分析は，次の5つのステップで行われます。
ステップ1：分析対象企業の貸借対照表，損益計算書，キャッシュ・フロー計算書における主要な項目の構成比等を算定します。
ステップ2：企業のどの特性を分析するのかを決定し，その分析のためにどの指標を用いるのかを選択します。
ステップ3：分析対象企業の期間比較や企業間比較を行い，各指標の変化や優劣を判断します。また，その変化や優劣を生み出している財務諸表項目を特定します。
ステップ4：ステップ3で明らかとなった，各指標の変化等の原因の財務諸表項目を，企業の経営戦略や経営活動の状況と照らし合わせて，その原因や背景をより深く探求します。

ステップ5：以上の分析を総合して，分析対象企業の経営活動の現状，問題点，課題をまとめ，改善案や解決策を検討します。

3　財務分析のポイント

　財務分析をうまく進める際のポイントは，以下の3点です。

（1）適切な指標を選択する

　　企業の特性を分析するための指標は数多くあります。企業の経営活動の現状や問題点を正確に描き出すためには，適切な指標を選択することが必要となります。

（2）期間比較や企業間比較を行う

　　分析対象企業の財務上の強みや弱みが一時的なのか，あるいは恒常的なのかを理解するために期間比較は効果的です。また，それらが分析対象企業独自のものなのか，あるいは業界全体のものなのかを理解するために企業間比較は有効です。

（3）変化や優劣の原因や背景を探る

　　企業の経営活動の問題点や課題を把握するために，各指標の変化や優劣を生み出している財務諸表項目を特定し，さらに経営戦略等と照らし合わせてその原因や背景をより深く探求しましょう。

4　財務分析の実践課題

　それでは，財務分析の【実践課題】に取り組んでみましょう。

【実践課題】

1．アダストリアの2016年2月期から2020年2月期までの過去5年間の財務分析をしてみよう。その際，収益性分析，安全性分析，成長性分析の代表的な以下の指標を計算してみよう。

　　【収益性分析】

　　　総資本経常利益率（ROA），自己資本当期純利益率（ROE），売上高総利益率，売上高経常利益率，総資本回転率，有形固定資産回転率

　　【安全性分析】

　　　当座比率，自己資本比率，固定長期適合率

　　【成長性分析】

　　　売上高趨勢比率，経常利益趨勢比率，自己資本趨勢比率，有形固定資産増加率

2. 上記指標のうち，ROA，ROE，有形固定資産回転率，固定長期適合率，経常利益趨勢比率，有形固定資産増加率の変化がどのような財務諸表項目の変化によってもたらされたのかを特定してみよう（なお，ROE に関してはそれを 3 つの要素に分解して検討してみよう）。また，これらの財務諸表項目の変化が経営戦略とどのように結びついているのかを検討してみよう。

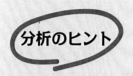

分析のヒント

　財務分析では，ROE や自己資本比率といった指標を利用し，分析対象企業の期間比較や企業間比較を行うことで，過去からの変化や他企業との優劣を明らかにします。ここでは，単に「A社の ROE は年々上昇（低下）している」や，「A 社の ROE は B 社のそれよりも高い（低い）」といった指標の変化や他社との差異を記述するにとどまらず，分析対象企業の特性や現状をより一層正確に把握するための示唆を得ることが重要です。

　財務分析で取り扱う各指標は，あくまでも分析の出発点です。かりに ROE が上昇したとして，なぜ，あるいはどのようにそれが上昇したのか，を説明することが重要です。Chapter 4 の説明にもあるように，ROE は自己資本（分母）と当期純利益（分子）に基づいて計算されます。そのため，この指標が上昇する要因としては，相対的な意味での分母（自己資本）の減少もしくは分子（当期純利益）の増加が考えられます。

　ROE の上昇が，分母（自己資本）の減少（すなわち，資本金や資本剰余金，利益剰余金の減少）によるものであるならば，それが企業のどのような経営戦略や財務構造によるものなのかを考えなければなりません。一方，ROE の上昇が分子（当期純利益）の増加によるものであるならば，それは売上高をはじめとする収益の増加によるものなのか，あるいは費用の減少によるものなのかを考えることが必要です。さらに，その原因が後者であるならば，それは売上原価の減少なのか，販売費及び一般管理費の減少なのか，それ以外の費用項目の減少なのかを分析し，いかなる経営環境や企業行動の変化によるものなのかを検討するべきでしょう。ROE といった重要な指標の変化や他社との差異の原因を究明するには，売上高や資本金といった各財務諸表項目の金額が変動する要因となる経営戦略や財務構造，さらには経営環境および企業行動の変化を意識して分析する目が必要になります。

　こうした情報は，有価証券報告書や中期経営計画，その他の投資家向け資料等から収集できます。これらの資料を用いて分析を行うことにより，よりリアリティに富んだ財務分析，企業分析が可能になるでしょう。

学生レポート

【実践課題】

1. アダストリアの 2016 年 2 月期から 2020 年 2 月期までの過去 5 年間の財務分析をしてみよう。その際，収益性分析，安全性分析，成長性分析の代表的な以下の指標を計算してみよう。

　　【収益性分析】

　　　総資本経常利益率（ROA），自己資本当期純利益率（ROE），売上高総利益率，売上高経常利益率，総資本回転率，有形固定資産回転率

　　【安全性分析】

　　　当座比率，自己資本比率，固定長期適合率

　　【成長性分析】

　　　売上高趨勢比率，経常利益趨勢比率，自己資本趨勢比率，有形固定資産増加率

1．代表的指標の計算

　アダストリアの 2016 年 2 月期から 2020 年 2 月期における収益性分析，安全性分析，成長性分析に関わる指標を表 1 に示します。

表 1

	2016 年2 月期	2017 年2 月期	2018 年2 月期	2019 年2 月期	2020 年2 月期
収益性分析					
総資本経常利益率（ROA）	17.9%	16.7%	6.0%	8.0%	13.1%
自己資本当期純利益率（ROE）	17.1%	20.7%	1.7%	7.3%	11.2%
売上高総利益率	56.6%	56.3%	54.2%	53.9%	55.5%
売上高経常利益率	8.1%	7.4%	2.4%	3.3%	5.8%
総資本回転率（回）	2.2	2.3	2.4	2.4	2.3
有形固定資産回転率（回）	17.8	19.5	18.1	16.6	14.6
安全性分析					
当座比率	74.5%	84.9%	73.5%	77.4%	97.2%
自己資本比率	58.9%	62.0%	56.0%	58.0%	58.3%
固定長期適合率	83.3%	74.4%	78.5%	75.6%	73.9%
成長性分析					
売上高趨勢比率	100.0%	101.8%	111.4%	111.3%	111.2%
経常利益趨勢比率	100.0%	93.5%	33.5%	45.4%	79.4%
自己資本趨勢比率	100.0%	105.2%	95.8%	99.4%	107.1%
有形固定資産増加率	―	-6.9%	18.0%	9.1%	13.6%

> **【実践課題】**
> 2. 上記指標のうち，ROA，ROE，有形固定資産回転率，固定長期適合率，経常利益趨勢比率，有形固定資産増加率の変化がどのような財務諸表項目の変化によってもたらされたのかを特定してみよう（なお，ROE に関してはそれを 3 つの要素に分解して検討すること）。また，これらの財務諸表項目の変化が経営戦略とどのように結びついているのかを検討してみよう。

2．代表的指標の分析
（1）ROA と ROE の変化とその要因

　アダストリアの 5 年間の ROA と ROE はおおむね良好に推移しています。ROA の変化は経常利益の変動幅が大きいことが影響していると考えます。また，ROE の上昇と低下は自己資本の増減率より当期純利益の増減率の方が大きかったことが要因です。ROE を 3 つの要素に分解した場合，総資本回転率はこの 5 年間で 2.2 ～ 2.4 回，財務レバレッジは 1.6 ～ 1.8 倍の間で推移したのに対して，売上高当期純利益率の変動幅は 0.4％～ 5.7％と大きく，ROE の変動に対応しています。そのため，アダストリアの ROA の変動は経常利益の，ROE の変動は売上高当期純利益率の影響が大きいことが明らかになりました。

（2）損益計算書項目の分析とアダストリアの経営戦略

　ここでは，アダストリアの ROA と ROE の変化の要因となっている利益項目について詳しく分析を行います。表 2 は損益計算書項目の構成比率とその変動幅を示したものです。

　アダストリアの売上総利益は売上高の大きさに対応しますが，営業利益や経常利益，当期純利益では売上総利益の大小とそれらの利益項目の大小とは必ずしも関連していませ

表2　アダストリアの損益計算書項目の構成比率とその変動幅

（単位：%）

	2016 年 2 月期	2017 年 2 月期	2018 年 2 月期	2019 年 2 月期	2020 年 2 月期	変動幅
売上高	100.0	100.0	100.0	100.0	100.0	―
売上原価	43.4	43.7	45.8	46.1	44.5	2.7
売上総利益	56.6	56.3	54.2	53.9	55.5	2.7
販売費及び一般管理費	48.6	49.0	52.0	50.7	49.7	3.4
営業利益	8.0	7.3	2.2	3.2	5.8	5.8
営業外損益	0.1	0.2	0.2	0.1	0.0	0.2
経常利益	8.1	7.4	2.4	3.3	5.8	5.7
特別損益	△ 0.4	1.7	△ 0.2	△ 0.3	△ 1.3	3.0
法人税等	3.1	3.4	1.9	1.2	1.6	2.2
当期純利益	4.6	5.7	0.4	1.7	2.9	5.3

ん。したがって，アダストリアの分析では売上原価以外の収益・費用項目の考察が重要といえそうです。表 2 より，売上高に占める収益・費用項目のうち，最大の項目が販管費です。そのなかでも，地代家賃は売上高の 31.1％〜 34.1％を占めています。これは，アダストリアが「インショップ出店を中心に展開して」（アダストリア 2020，11 頁）いるためです。アダストリアは，「出店先のファッションビル等を取り巻く商業環境の変化が経営成績に影響を及ぼす可能性がある」（11 頁）として，インショップ出店という同社の特徴をリスクとして捉えています。したがって，アダストリアの場合，出店戦略が地代家賃の割合を増大させる要因となっており，これが利益の主要な圧縮要因といえそうです[1]。

（3）経営戦略と損益計算書項目の変化

　アダストリアの WEB 事業は，近年，成長著しい分野です。売上高に占める EC 売上高の比率は，2016 年 2 月期の 10.9％から 2020 年 2 月期の 19.6％へと約 2 倍近くに成長しています。中期経営計画『ACE18』では，基本戦略の 1 つに WEB を通じた顧客拡大を挙げ，また『有価証券報告書』の「経営方針，経営環境及び対処すべき課題等」で「デジタル活用による魅力的な購買機会の提供」（アダストリア 2019，9 頁）を挙げています。アダストリアは，EC 市場の継続的な成長性とその将来性を見込み，成長の中核を担う事業として，電子商取引にもとづく WEB 事業に積極的に投資することを述べています（9 頁）。

　さらにアダストリアは，2019 年 2 月期から 2021 年 2 月期の 3 ヶ年計画の戦略の 1 つに，在庫量の最適化と値引きコントロールの実現を挙げ，実践しており（アダストリア 2018，28 頁），これが売上高総利益率を改善していると考えられます。この，EC への取組強化や「収益」を継続的に向上させる体制の実現などの経営戦略が，EC 売上高の増加や売上高総利益率の改善という結果に強く反映されていることが理解できます。

（4）固定資産の状況

　表 1 より，アダストリアの 5 年間の固定長期適合率は 100％を下回っているため，長期的な財務安全性は保たれています。また，表 3 によると，2016 年 2 月期から 2019 年 2 月期にかけ減少しており，これはのれんと投資有価証券の減少によるものです[2]。一方，2019 年 2 月期から 2020 年 2 月期の固定資産は増加しています。これは，有形固定資産項目が増加したためですが，その要因については後述します。また，純資産と固定負債の

1）　アダストリアでは，今回の分析対象期間において生じた特別損失の大半が店舗内装設備に関わる減損損失であることから，「店舗等の収益性の悪化や保有資産の市場価格が低下し，・・・財政状態及び経営成績に影響を及ぼす可能性がある」（アダストリア 2020，11 頁）と述べ，店舗に関連する減損損失を事業上のリスクと捉えています。

2）　のれんの減少は 2012 年 4 月にトリニティアーツを連結子会社化した際に生じたのれんを償却したことによるもの（アダストリア 2016，9 頁）で，投資有価証券の減少は投資有価証券の一部を売却したことによるものです。

表3　固定資産項目の推移

	2016年2月期	2017年2月期	2018年2月期	2019年2月期	2020年2月期
有形固定資産	11,215	10,444	12,324	13,440	15,265
無形固定資産	6,965	5,552	6,214	5,889	6,278
投資その他の資産合計	26,807	26,213	22,799	21,838	23,146
固定資産合計	44,988	42,210	41,338	41,169	44,689

　合計額は，アダストリアの「運転資金及び長期性資金は主に営業活動によって得られた自己資金を充当し，必要に応じて借入金等による資金調達を実施する」（アダストリア 2020, 18頁）方針に基づいて利益剰余金が多額になっています。

　既述の有形固定資産の増加は，表1の有形固定資産増加率からもわかります。有形固定資産の増加率には，2018年2月期までの急激な増加，2019年2月期までの減少，2020年2月期までの増加という3つの局面があります。そのうちの第1の局面は，2017年2月期の減損処理により店舗内装設備が341百万円減少した後（アダストリア 2017, 52頁），2018年2月期に店舗内装設備と土地が増加したことが原因です（アダストリア 2018, 21頁）。また第3の局面は，2020年2月期に「IFRS第16号を適用したことによる使用権資産など」の増額によるものが原因です（アダストリア 2020, 18頁）。

　また，アダストリアは，2020年2月期の『有価証券報告書』で海外事業に対する積極的な参入を掲げ（アダストリア 2020, 9頁），事実，2016年2月期から2020年2月期の期間，海外への新規出店数は29，11，24，6，6店舗となっています。こうした積極的な投資の結果，有形固定資産が年々増加していますが，これはアダストリアの事業リスクを高める可能性も秘めています。アダストリアは『有価証券報告書』で，海外事業や新規参入について見込んだ通りの収益性を得られない可能性を指摘し，さらに店舗を中心に多額の固定資産を保有している現状についても，収益性悪化や市場価格の下落による減損処理を原因とする経営成績や財務状況への悪影響を危惧しており（アダストリア 2016, 16頁），これらについてのリスクマネジメントが必要であると考えられます。

【参考文献】

アダストリア（2016-2020）『有価証券報告書』。
アダストリア（2015-2020）『決算説明会資料』。

木村多里・小寺俊輔・佐竹茜音・瀬野天斗
竹下愛永・細川大心・松田優理
（大阪公立大学）

財務分析についてのコメント

○評価ポイント

　みなさんが行ったアダストリアの財務分析では，代表的な財務分析指標（財務指標）を用いて，分析結果とその背景にある変動要因を企業の特性や戦略の側面等から総合的に判断し，評価しようとする姿勢が見てとれます。分析するにあたって，有価証券報告書を用いて確たる根拠を探そうとしている点やアダストリアのウェブサイトにある決算説明会資料など，より多くの情報をもとにした説得力ある分析を試みている点は評価できます。

○修正ポイント

　一方，みなさんの分析では，アダストリアの分析を十分に実施したとは言いきれない箇所がいくつかあります。ここでは，今後，さらなるブラッシュアップを図るためにぜひ考慮した方がよい点として，ポイントの整理で示した分析のステップのうち，ステップ3の企業間比較について，1つコメントしておきます。みなさんの分析はアダストリアの財務諸表項目の金額の変動に着目し，期間比較を行い，各指標の変化や優劣を判断しようとしている点や，各指標の計算式から，その変化や優劣を生み出している財務諸表項目を特定しようとしている点は評価できます。しかし，そのことに偏り過ぎてしまうばかりに分析対象範囲におけるアダストリアの位置づけが十分できていないおそれがあります。

　たとえば，アダストリアの経常利益と当期純利益の動向を分析するにあたり，みなさんは売上高，売上原価，そして売上総利益の金額の変化に着目して分析を進めています。その分析の結果示されていることは，売上高が大きい場合には売上総利益が大きくなるということです。しかし，このことは，比較対象の同業他社と比べたときにはじめて，アダストリアの売上総利益率の現状が好ましい状況にあるのかを判断できるようになることには注意が必要です。また，アダストリアの経常利益と当期純利益の動向の分析で，金額でなく売上高に対する各項目の構成比率に着目すると，分析対象期間のアダストリアでは年度間で売上高総利益率にバラツキがあることに気づきます。みなさんの分析でもその点は指摘されていますが，金額に意識が向きすぎるあまり，その点を深く追求していません。

　さらに，売上総利益には直接関係しませんし，今回の分析では，結果的に問題とはなりませんでしたが，みなさんが行った売上高に占める販売費及び一般管理費の比率分析では，その費目が，売上高に連動して変動しやすい項目なのか，期間的対応のため，売上高に関係なく変動しにくい項目なのかの検討をしたうえで分析しているかが不確かな箇所があります。そのため，このような場合には，その項目の金額がなぜそのように推移したのかの根拠を正確には理解していないのではないかとか，単に計算結果で導き出される変動幅をもって影響を分析しようとしているのではないかと誤解されるおそれがあることを理解し，説得力ある説明を加える必要があります。

　売上高総利益率に意識を向け，そのことを有価証券報告書や中期経営計画にもとづいて調査してみると，売上高総利益率を左右しているのは値引き販売の多寡であることがわかります。そして，俯瞰的に見る目があれば，このことがアダストリアにとって重要な課題であることに気づくでしょう。確かに，みなさんの分析でも値引き販売の問題を別の分析（経常利益趨勢比率）で指摘していますが，その記述量は同社が認識している問題意識に比べるとやや少ないように思われます。

　財務分析でみなさんに注意してもらいたいことは，企業単体の期間比較では，金額情報のみならず，構成比率に関する情報などをバランスよくチェックする俯瞰的な視野をもつことを，同業他社との企業間比較では，他社の構成比率などから，自社が置かれた現状を知り，課題を明確化し，改善策を検討することを意識するということです。分析対象企業の全体像を描くことができるよう，比較対象企業もあらかじめ分析し，必要に応じて利用できるよう，さまざまな情報を有機的に結びつける工夫をしてください。

模範解答

. . . .

【実践課題】

1. アダストリアの 2016 年 2 月期から 2020 年 2 月期までの過去 5 年間の財務分析をしてみよう。その際，収益性分析，安全性分析，成長性分析の代表的な以下の指標を計算してみよう。

【収益性分析】

総資本経常利益率（ROA），自己資本当期純利益率（ROE），売上高総利益率，売上高経常利益率，総資本回転率，有形固定資産回転率

【安全性分析】

当座比率，自己資本比率，固定長期適合率

【成長性分析】

売上高趨勢比率，経常利益趨勢比率，自己資本趨勢比率，有形固定資産増加率

1．代表的指標の計算

まず，アダストリアの 2016 年 2 月期から 2020 年 2 月期までの財務諸表データにもとづき，収益性分析，安全性分析，成長性分析を行った結果，導き出された各指標をそれぞれ図表 8 − 1 から図表 8 − 3 に示します[1]。なお，本節のすべての図表では，「3．2021 年 2 月期以降のアダストリアの財務分析」のために，新型コロナウイルス拡大の影響を受けた 2021 年 2 月期と 2022 年 2 月期のアダストリアの各指標の結果も併せて示します。

---

1) それぞれの指標を計算するにあたっては，Chapter 4 と同様，計算の簡便化のため，収益性分析の図表 8 − 1 では，経常利益を期末の負債純資産合計で除したものを ROA，親会社株主に帰属する当期純利益を期末の純資産合計で除したものを ROE とし，総資本回転率の計算の際の総資本には期末の負債純資産合計を使っています。また，安全性分析の図表 8 − 2 では，現金預金と売上債権の合計額を当座資産として用い，純資産合計（非支配株主持分を控除したもの）を自己資本として用いています。さらに，成長性分析の図表 8 − 3 では，趨勢比率の基準年度を 2016 年 2 月期とし，純資産合計（非支配株主持分を控除したもの）を自己資本としています。

| 図表8－1 | アダストリアの収益性分析の各種指標（2016年2月期－2022年2月期） |

	2016年	2017年	2018年	2019年	2020年	2021年	2022年
ROA（%）	17.9	16.7	6.0	8.0	13.1	3.1	8.3
ROE（%）	17.1	20.7	1.7	7.3	11.2	-1.4	8.9
売上高総利益率（%）	56.6	56.3	54.2	53.9	55.5	54.5	55.1
売上高経常利益率（%）	8.1	7.4	2.4	3.3	5.8	1.6	4.1
総資本回転率（回）	2.2	2.3	2.4	2.4	2.3	1.9	2.1
有形固定資産回転率（回）	17.8	19.5	18.1	16.6	14.6	12.6	12.6

出所：筆者作成。

| 図表8－2 | アダストリアの安全性分析の各種指標（2016年2月期－2022年2月期） |

	2016年	2017年	2018年	2019年	2020年	2021年	2022年
当座比率（%）	74.5	84.9	73.5	77.4	97.2	82.6	69.9
自己資本比率（%）	58.9	62.0	56.0	58.0	58.3	53.1	56.1
固定長期適合率（%）	83.3	74.4	78.5	75.6	73.9	80.7	83.6

出所：筆者作成。

| 図表8－3 | アダストリアの成長性分析の各種指標（2016年2月期－2022年2月期） |

	2016年	2017年	2018年	2019年	2020年	2021年	2022年
売上高趨勢比率（%）	100.0	101.8	111.4	111.3	111.2	91.9	100.8
経常利益趨勢比率（%）	100.0	93.5	33.5	45.4	79.4	18.4	50.5
自己資本趨勢比率（%）	100.0	105.2	95.8	99.4	107.1	95.2	103.2
有形固定資産増加率（%）	―	-6.9	18.0	9.1	13.6	-4.5	9.8

出所：筆者作成。

【実践課題】

2. 上記指標のうち，ROA，ROE，有形固定資産回転率，固定長期適合率，経常利益趨勢比率，有形固定資産増加率の変化がどのような財務諸表項目の変化によってもたらされたのかを特定してみよう。なお，ROEに関してはそれを3つの要素に分解して検討してください。また，これらの財務諸表項目の変化が経営戦略とどのように結びついているのかを検討してみよう。

2．指標における変化の要因の特定

　では，アダストリアの2016年2月期から2020年2月期におけるROA，ROE，有形固定資産回転率，固定長期適合率，経常利益趨勢比率，有形固定資産増加率の変化の要因を探っていきます。これら6つの指標は，損益計算書項目が関連したもの（ROA，ROE，経常利益趨勢比率）と主に固定資産に関わるもの（有形固定資産回転率，固定長期適合率，有形固

定資産増加率）とにわけられます。そこで以下ではそれぞれを区分して分析を進めます。

（1）損益計算書関連項目の変化の要因分析

　図表 8 - 1によると，アダストリアの ROA は 2016 年 2 月期にこの 5 年間でもっとも高く（17.9％），その後低下しています。2018 年 2 月期には 6.0％まで低下しますが，それ以降上昇に転じ 2020 年 2 月期では 13.1％まで回復しています。こうした動きとほぼ同様のものが ROE でも確認でき，2016 年 2 月期に 17.1％であった ROE は，翌 2017 年 2 月期に 20.7％とこの 5 年間でもっとも高い比率を示した後，2018 年 2 月期に 1.7％まで低下しますが，2020 年 2 月期には 11.2％まで回復しています。一方，今回，比較対象としている TSI やオンワードが，ROA では TSI の 2.5％（2017 年 2 月期）が，ROE では TSI の 3.2％（2017 年 2 月期）がもっとも高い比率です。そのため，これらの点を踏まえると，アダストリアの ROA と ROE は優良であるといえます。では，アダストリアの ROA と ROE のこうした変化はいかなる理由によるものなのでしょうか。

　この点を明らかにするために，ROA と ROE をそれぞれ分解して検討します。図表 8 - 4 は，アダストリアの ROA と ROE の構成要素を示したものです。ROA に関して，分母の負債・純資産合計は，2016 年 2 月期から 2019 年 2 月期までの期間で大きな変動が見られませんが（4 年間で 831 百万円（0.9％）の増加），2020 年 2 月期に大きく増加（前期比で 6,639 百万円（7.3％）の増加）しています。それに対して，分子の経常利益の変化は大きいといえます。2016 年 2 月期を基準年度とした図表 8 - 3 の経常利益趨勢比率にしたがえば，各年度の経常利益は，基準年度比 93.5％（2017 年 2 月期），33.5％（2018 年 2 月期），45.4％（2019 年 2 月期），79.4％（2020 年 2 月期）となり，この 5 年間で基準年度を上回ることはできておらず，ROA の推移とパラレルになっています。また，負債・純資産合計が大きく増加した 2020 年 2 月期は，前年度に比べ経常利益が大幅に改善し，ROA も前年度より改善していることから，アダストリアの ROA の動向を決定づけているのは経常利益であるといえるでしょう[2]。

2）アダストリアと同様に 2016 年 2 月期を基準年度とした場合の TSI とオンワードの経常利益趨勢比率は，それぞれ，基準年度比 152.9％（2017 年 2 月期），146.1％（2018 年 2 月期），150.5％（2019 年 2 月期），71.4％（2020 年 2 月期）と，101.3％（2017 年 2 月期），107.7％（2018 年 2 月期），93.8％（2019 年 2 月期），△ 69.7％（2020 年 2 月期）となっており，アダストリアと同様の推移はたどっておらず，ROA とパラレルでもありません。なお，オンワードの経常利益が 2020 年 2 月期に基準年度比△ 69.7％となったのは，前年度に比べ，売上高は増加したものの，売上高総利益率が下がっただけではなく，不採算事業からの撤退や事業規模の縮小，不採算店舗の廃止を行った結果，38 億 35 百万円の経常損失を計上することになったことに起因します（オンワード（2020）12 頁）。そのため，比較対象 2 社と比べ，アダストリアの ROA が経常利益による影響を受けやすいということはアダストリアの特徴かもしれません。

| 図表8－4 | アダストリアの ROA と ROE の構成要素（2016 年 2 月期－ 2022 年 2 月期） |

	2016 年	2017 年	2018 年	2019 年	2020 年	2021 年	2022 年
ROA（%）	17.9	16.7	6.0	8.0	13.1	3.1	8.3
経常利益	16,185	15,126	5,428	7,345	12,843	2,981	8,166
負債・純資産合計	90,454	90,389	91,123	91,285	97,924	95,449	97,957
ROE（%）	17.1	20.7	1.7	7.3	11.2	-1.4	8.9
当期純利益 （親会社株主に帰属する利益）	9,122	11,575	863	3,890	6,363	-693	4,917
純資産合計	53,282	56,035	51,030	52,959	57,041	50,701	54,963

出所：筆者作成。

　一方，ROE の分析をより詳細に行うには，それを売上高当期純利益率，総資本回転率，財務レバレッジの 3 つの要素に分解することが有用です（図表 8 - 5）。アダストリアのROE を 3 つの要素に分解した場合，総資本回転率は 2.2 回から 2.4 回の間で，また財務レバレッジは 1.6 倍から 1.8 倍の間で推移しており，ROE の変化に大きな影響を与えているとはいえません[3]。それに対して，売上高当期純利益率は 0.4% から 5.7% の間で大きく変動し，しかもその変化は ROE の変動と一致しています。したがって，同社の ROE は売上高当期純利益率によって左右されているといえそうです[4]。しかし，図表 8 - 3 の売上高趨勢比率（2016 年 2 月期を基準年度）と図表 8 - 5 の売上高当期純利益率によれば，売上高が低かった 2016 年 2 月期と 2017 年 2 月期は売上高当期純利益率が高いのに対して，売上高が増加した 2018 年 2 月期からの 3 期は当該利益率が低下しているように，アダストリアでは，売上高の増加が当期純利益の増加に結びついていません[5]。

3）　TSI とオンワードの総資本回転率は，それぞれ 0.9 回から 1.1 回と 0.8 回から 1.1 回の間で，財務レバレッジは，それぞれ 1.4 倍から 1.8 倍と 1.6 倍から 2.5 倍の間で推移しています。したがって，アダストリアは，比較対象の 2 社に比べ，効率的に売上をあげていることがわかります。なお，オンワードの財務レバレッジが一時期 2.5 倍となったのは，2020 年 2 月期に，利益剰余金の減少や自己株式の取得等のほか保有株式の時価低下にともなうその他有価証券評価差額金の減少などにより，純資産の金額が 681 億 73 百万円減少したことによるもので（オンワード（2020）14 頁），それまでの同指標が，1.6 倍から 1.8 倍の間を推移していたことを考えると，3 社の財務レバレッジは，類似の傾向を示していると考えられます。

4）　TSI とオンワードの売上高当期純利益率も△ 0.1% から 2.3%，△ 21.0% から 2.2% の間で変動し，ROE の変動と一致した状況です。なお，オンワードの売上高当期純利益率が一時期△ 21.0% となっているのは，2020 年 2 月期に，グローバル事業構造改革にともなう減損損失および特別退職金を主要因として 367 億 32 百万円の特別損失を計上するなどした結果，親会社株主に帰属する当期純利益が 521 億 35 百万円の損失となったことに起因しており（オンワード（2020）14 頁），それまでの同指標が，1.6% から 2.2% の間を推移していたことを考えると，TSI とオンワードのROE は，アダストリアと類似の傾向を示していると考えられます。

5）　このような関係性は，TSI とオンワードでは確認できませんでしたので，興味深い特徴といえるでしょう。

| 図表 8 － 5 | アダストリアの ROE の 3 分解（2016 年 2 月期－ 2022 年 2 月期） |

	2016 年	2017 年	2018 年	2019 年	2020 年	2021 年	2022 年
ROE（%）	17.1	20.7	1.7	7.3	11.2	-1.4	8.9
売上高当期純利益率（%）	4.6	5.7	0.4	1.7	2.9	-0.4	2.4
総資本回転率（回）	2.2	2.3	2.4	2.4	2.3	1.9	2.1
財務レバレッジ（倍）	1.7	1.6	1.8	1.7	1.7	1.9	1.8

出所：筆者作成。

　当期純利益が売上高から各段階での費用項目を控除して得られる最終利益であることに鑑みると，その前段階で発生している売上総利益，営業利益，経常利益といった利益の変動状況を理解することは重要です。アダストリアの売上高当期純利益率の変化に影響を与えている要因を明らかにするために，同社の 2016 年 2 月期から 2020 年 2 月期までの要約連結損益計算書を作成し，売上高に対する各項目の比率を求めます（図表 8 - 6）。

| 図表 8 － 6 | アダストリアの損益計算書項目の構成比率（2016 年 2 月期－ 2022 年 2 月期） |

（単位：%）

	2016 年	2017 年	2018 年	2019 年	2020 年	2021 年	2022 年
売上高	100.0	100.0	100.0	100.0	100.0	100.0	100.0
売上原価	43.4	43.7	45.8	46.1	44.5	45.5	44.9
売上総利益	56.6	56.3	54.2	53.9	55.5	54.5	55.1
販売費及び一般管理費	48.6	49.0	52.0	50.7	49.7	54.0	51.8
営業利益	8.0	7.3	2.2	3.2	5.8	0.4	3.3
営業外損益	0.1	0.1	0.2	0.1	0.0	1.2	0.8
経常利益	8.1	7.4	2.4	3.3	5.8	1.6	4.1
特別損益	-0.4	1.7	-0.2	-0.3	-1.3	-1.3	-0.1
当期純利益	4.6	5.7	0.4	1.7	2.9	-0.4	2.4

出所：筆者作成。

　図表 8 - 6 によれば，2016 年 2 月期と 2017 年 2 月期の売上原価の割合は 43 ％台であるのに対して，2018 年 2 月期以降は，45.8 ％（2018 年 2 月期），46.1 ％（2019 年 2 月期），44.5 ％（2020 年 2 月期）と，比率が高くなっています[6]。また同様に，販売費及び一般管理費に関しても当初の 2 年間に比べて，2018 年 2 月期以降，その比率は高くなっており[7]，その結果，2016 年 2 月期と 2017 年 2 月期の営業利益が 7 ％を超えているのに対し，2018 年 2 月期以降は 2.2 ％（2018 年 2 月期），3.2 ％（2019 年 2 月期），5.8 ％（2020 年 2 月期）と，

[6]　TSI とオンワードの売上原価の比率は，それぞれ 45.7 ％から 47.4 ％，53.3 ％から 54.7 ％の間で推移しています。
[7]　TSI とオンワードの販売費及び一般管理費の比率は，それぞれ 51.4 ％から 52.8 ％，43.9 ％から 46.6 ％の間で推移しています。

低下しています[8]。なお，営業外損益は 0.0％から 0.2％の間で推移していること，また特別損益は経常的に発生するものでないことに鑑みると，アダストリアの業績に大きく影響を及ぼしているのは，売上原価と販売費及び一般管理費の動向であるといえそうです。

　アダストリアの有価証券報告書によれば，2016 年 2 月期は，WEB 事業の好調さ等を背景に売上高の増加に加え，売価をコントロールした結果値下げロスが減少し，売上高総利益率が上昇したとの記載があります（アダストリア（2016）18 頁）。しかし，2017 年 2 月期は，前年度に比べて売上高の増加があったにもかかわらず，値引き販売の増加によって売上高総利益率が前年度よりも低下しています（アダストリア（2017）18 頁）。また，2018 年 2 月期は，国内売上高の増加や米国企業の子会社化により売上高が大幅に増加したにもかかわらず，値引き販売の実施や在庫の整理により売上総利益率が低下したことが報告されていますし（アダストリア（2018）21 頁），2019 年 2 月期にも，値引き販売の実施の結果，売上高総利益率が低下したことが報告されています（アダストリア（2019）13 頁）。

　アダストリアは，以上のような売上高総利益率の低下が，在庫の増加に対応するための高い値引率の設定やセールの頻発の結果であると認識しており（アダストリア（2018）17 頁，（2018a）28 頁），そうした状況を改善するため，同社が 2019 年 2 月期に公表した中期経営計画『3 ヶ年計画』では「在庫量の適正化と値引きコントロールの実現」を目標に掲げ（アダストリア（2018a）28 頁），在庫量の適正化，在庫回転率の向上，値引率の低減，そして廃棄在庫の圧縮に取り組んでいます（アダストリア（2019）10 頁）。そして，同社は，2020 年 2 月期に，値引き販売の抑制に注力し，売上高総利益率を改善させました。このように，値引き販売の抑制は同社の業績に大きな影響を及ぼす極めて重要なポイントといえます。

　図表 8 − 7 は，アダストリアの各費用項目が売上高に対してどれくらいの割合を占めているかを示したものです。これによると，この 5 年間，各項目の割合に大きな変化は見

| 図表 8 − 7 | アダストリアの主たる販管費費目別の構成比率（2016年2月期−2022年2月期） |

（単位：％）

	2016 年	2017 年	2018 年	2019 年	2020 年	2021 年	2022 年
広告宣伝費	2.9	3.1	3.5	3.7	3.6	3.9	4.0
給料及び賞与	13.3	13.3	13.6	14.0	14.1	15.9	14.7
賞与引当金繰入額	1.0	1.1	1.1	1.1	1.0	1.2	1.1
福利厚生費	2.1	2.2	2.4	2.3	2.3	2.7	2.5
地代家賃	16.6	16.6	17.2	16.7	15.4	15.9	15.2
減価償却費	3.2	2.9	3.4	3.1	3.3	3.7	3.3
のれん償却額	1.1	1.1	1.2	0.6	0.1	0.1	0.0

出所：筆者作成。

───────────────────────────────

8）TSI とオンワードの営業利益の比率は，それぞれ 0.04％から 1.6％，△ 1.2％から 2.1％の間で推移しています。

られません。そこで，販売費及び一般管理費のなかで，売上高に対する割合が比較的高い，地代家賃と給料及び賞与に着目することにします[9]。

　アダストリアの財務データで地代家賃が大きな割合を示しているのは，同社が全国主要都市のファッションビルやショッピングセンター内のインショップ出店を中心にしているためです。この5年間の店舗数は，1,324店舗，1,351店舗，1,501店舗，1,427店舗，1,392店舗と，当初積極的な出店を行っていましたが，2018年2月期を境に縮小傾向にあります。とりわけ2019年2月期と2020年2月期の退店は，『3ヶ年計画』で示されている成長戦略の1つ「海外事業の再構築」に則ったものといえます（アダストリア（2018a）28頁）。同社は事実，香港と中国の不採算店舗を中心に退店しています[10]。この期間は，国内店舗も退店を進めており，その結果，これら2年間の地代家賃の構成比率は低下しています。

　地代家賃に比べて，給料及び賞与に関する有価証券報告書の具体的な記述は多くありません。ただこの5年間の従業員数は，4,760人，4,914人，5,677人，5,665人，5,715人と増加傾向にあり，したがって給料及び賞与の構成比率は上昇傾向にあります。店舗数が減少しているなかで従業員数が増加するというある種矛盾した状況は，アダストリアが新たな領域への進出を計画していることと無関係ではないと考えられます。アダストリアは，国内における少子高齢化等の影響を受け，国内のアパレル事業だけで成長を図ることが困難であるとの認識のもと（アダストリア（2016）15頁），アジア・米国マーケットへの事業拡大やアパレル以外の新事業への参入を計画しています（アダストリア（2019）10頁，（2020）9-10頁）。こうした計画の実行のためにも従業員の増加は不可欠であるのかもしれません。

　なお，アダストリアは，収益の拡大を図る方策も示しています。その方策は主に2つあり，1つが海外市場への積極展開，もう1つがWEBストアの強化です[11]。ここで，前者の方策では，アダストリアの売上高総額に占める海外売上高の割合が5％から6％にとどまっているのに対し，後者の方策では，売上高総額に占めるWEBサイトの売上高の割合が，10.6％（2016年2月），13.9％（2017年2月），14.3％（2018年2月），15.3％（2019年2月），15.4％（2020年2月期）というように年々増加しており，2019年2月期にはその割合が15％を超えるまでになっています。

　以上の分析により，アダストリアの業績は，値引き販売の抑制の成否および中期的な出店戦略にもとづいた地代家賃の多寡によって左右されていることがわかりました。また，金額の点でそれらに続いて重要な費用項目に給料及び賞与が挙げられます。アダストリア

9）　TSIとオンワードでも，販売費及び一般管理費の内訳は，似たような構成になっています。

10）　アダストリアは，2019年2月期に53店舗，2020年2月期に17店舗の海外店舗を退店しています。

11）　こうした方策は，2015年2月期を最終年度とした中期経営計画『TOP15』において掲げられ，2018年2月期を最終年度とした中期経営計画『ACE18』に引き継がれました（アダストリア（2015a））。そして，これらは2019年2月期からの『3ヶ年計画』においても継続されています。

は，中期的な経営戦略として新たな事業分野への進出を計画しており，売上高総額に占める海外売上高の割合を高めることを企図していることから従業員数の維持が不可欠といえそうですし，その従業員数も増加傾向にあります。その結果として，給料及び賞与の売上高に対する割合が高まっているのでしょう。

（2）固定資産関連項目の変化の要因分析

　図表8−1〜8−3で示した固定資産に関わる3つの指標（有形固定資産回転率，固定長期適合率，有形固定資産増加率）の分析では，アダストリアの固定資産の内訳と負債・純資産項目の内訳が必要です。そこで，前者は図表8−8で，後者は図表8−9で示します。

　3つの指標のうち，まずは固定資産全体を扱う固定長期適合率（図表8−2）から検討します。アダストリアのこの比率は，2016年2月期から2020年2月期の期間において常に100％を下回っているだけでなく，低下傾向にあり，そのため，同社の長期的な安全性は高いといえます[12]。その要因は，図表8−8で示す固定資産（分子）の減少と，図表8−9で示す純資産および固定負債（分母）の増加であると判断できます。固定資産の減少をその区分別に確認すると，有形固定資産は増加傾向，無形固定資産は6,000百万円前後で推移しているのに対して，投資その他の資産は減少傾向にあります。固定資産合計が減少していることから，投資その他の資産の減少が大きく影響しているといえます。とりわけ，投資有価証券が2016年2月期から2020年2月期にかけて約10,000百万円減少しており，その減少は顕著です。また，無形固定資産におけるのれんの減少も大きく，2016年2月期期首の7,921百万円から2020年2月期の478百万円へと約7,500百万円減少しています。このように，アダストリアは投資有価証券の積極的な処分とのれん償却により固定資産のスリム化を図っています。

　次に，アダストリアの負債・純資産の増加を図表8−9から確認すると，その増加の主たる要因は利益剰余金であるといえ，2016年2月期から2020年2月期の間で11,370百万円増加しています[13]。アダストリアが，有価証券報告書で「運転資金及び長期性資金は，主に営業活動によって得られた自己資金を充当し，必要に応じて借入金等による資金調達

---

[12]　TSIとオンワードの固定長期適合率は，それぞれ68.9％（2016年2月期），75.9％（2017年2月期），80.7％（2018年2月期），83.8％（2019年2月期），71.5％（2020年2月期）と，61.2％（2016年2月期），62.1％（2017年2月期），61.9％（2018年2月期），95.1％（2019年2月期），101.6％（2020年2月期）となっています。

[13]　そもそもアダストリアにおいて利益剰余金のインパクトは大きく，この5年間において常に負債合計を上回っており，多くの年度で負債・純資産合計の50％を超えています。

　TSIとオンワードの負債・純資産合計に占める利益剰余金の割合は，前者が39.7％から52.4％，後者が49.3％から68.7％であることから，利益剰余金が両社の高い安全性の要因になっていると指摘することができるかもしれません。ただ，TSIにおいて50％を超えているのが2020年2月期のみであること，オンワードでは2019年2月期と2020年2月期において純資産が減少していることに鑑みると，この指摘が両社に妥当するかはさらなる検討が必要でしょう。

| 図表8－8 | アダストリアの固定資産の主要項目（2016年2月期－2022年2月期） |

	2016年	2017年	2018年	2019年	2020年	2021年	2022年
建物及び構築物	1,957	1,723	1,818	4,052	3,937	3,691	4,506
店舗内装設備	6,933	6,491	7,301	6,226	5,349	4,222	4,404
土地	1,732	1,732	2,358	2,366	2,366	2,366	2,366
有形固定資産合計	11,215	10,444	12,324	13,440	15,265	14,577	16,065
ソフトウエア	—	—	—	—	—	4,751	6,417
のれん	5,493	3,309	1,959	648	478	113	1,897
無形固定資産合計	6,965	5,552	6,214	5,889	6,278	7,292	10,406
投資有価証券	10,231	7,677	1,101	828	242	260	1,003
敷金及び保証金	16,622	17,237	18,263	16,947	15,959	15,162	15,426
投資その他の資産合計	26,807	26,213	22,799	21,838	23,146	22,010	23,375
固定資産合計	44,988	42,210	41,338	41,169	44,689	43,880	49,787

出所：筆者作成。

| 図表8－9 | アダストリアの負債・純資産項目（2016年2月期－2022年2月期） |

	2016年	2017年	2018年	2019年	2020年	2021年	2022年
流動負債	36,426	33,665	38,446	36,829	37,462	41,055	38,416
固定負債	745	688	1,645	1,496	3,421	3,692	4,577
負債合計	37,171	34,353	40,092	38,326	40,883	44,747	42,994
資本金	2,660	2,660	2,660	2,660	2,660	2,660	2,660
資本剰余金	6,987	7,227	7,227	7,227	7,213	7,213	7,213
利益剰余金	39,709	47,413	45,245	47,469	51,079	48,479	51,114
株主資本合計	47,533	52,654	50,480	52,781	56,580	50,435	53,351
純資産合計	53,282	56,035	51,030	52,959	57,041	50,701	54,963
負債・純資産合計	90,454	90,389	91,123	91,285	97,924	95,449	97,957

出所：筆者作成。

を実施する」（アダストリア（2020）18頁）と記載していることからも，利益剰余金の増加は，内部留保の蓄積を重視した資金調達方針にしたがった企業活動といえそうです[14]。

　固定資産合計が減少しているのに対して，アダストリアの有形固定資産は増加しています。これは図表8－3で示した，企業の設備投資への積極性を表す有形固定資産増加率からも明らかで，2016年2月期の11,215百万円から2020年2月期の15,265百万円に増加しています。この増加は建物及び構築物と土地の増加に起因し[15]，売上高が増加していない状況のもとでの有形固定資産の増加は，有形固定資産回転率の低下を導きます[16]。

　以上の分析により，アダストリアの長期的な安全性の高さは，投資有価証券の積極的な

14)　この背後には，アダストリアが『3ヶ年計画』において掲げている「成長機会の『事業化』」
　　戦略としての，WEB事業，海外事業，そして新規事業への投資をスムーズに行うための行動と
　　捉えることができるかもしれません（アダストリア（2019）19頁，（2020）19頁）。

処分およびのれん償却による固定資産のスリム化と，利益剰余金の増加にもとづく純資産の増加によって達成されていることがわかります。その一方で，固定資産に関しては，設備投資に対して積極的な姿勢が見てとれることからも，同社は，長期的な安全性への配慮と同時に，将来の成長を見据えた新規事業への積極的な展開も行っているといえるでしょう。

3．2021 年 2 月期以降のアダストリアの財務分析

　ここでは，参考までに，新型コロナウイルス拡大の影響を受けた 2021 年 2 月期と 2022 年 2 月期のアダストリアの財務分析を実施します。分析にあたっては，先の分析で用いた 6 つの指標を中心に確認します。

（1）損益計算書関連項目の変化の要因分析

　図表 8 - 1 によると，アダストリアの ROA と ROE はともに新型コロナウイルス拡大の影響を受けて，2021 年 2 月期に大きく落ち込みますが，2022 年 2 月期には 2019 年 2 月期の水準まで回復しています。ROA は，図表 8 - 4 の 2 期間の負債・純資産合計に大きな変動がないことから，その変動は経常利益の動きによるものといえます。また ROE は，2022 年 2 月期の純資産合計が 2019 年 2 月期の水準よりも増加しているにもかかわらず ROE が上昇していることから，その変動に大きく影響を与えているのは当期純利益の増加であるといえます。つまり，アダストリアにおける両比率の変動は，それ以前と同様，損益計算書項目に左右されているといえそうです。そして，先の分析で明らかにしたように，同社の業績が，値引き販売の抑制の成否，地代家賃の多寡，給料及び賞与の動向の影響を受けていたことに鑑みて，以下では，これらの点に焦点を当てて検討することにします。

　まず，値引き販売に関しては，2021 年 2 月期に 2 度の緊急事態宣言の発出による在庫増加に対応した値引き販売が実施され，その結果，売上高総利益率が低下したのに対し（アダストリア（2021）14 頁），2022 年 2 月期は値引き販売の抑制が奏功し，当該利益率を改善するようになりました（アダストリア（2022）16 頁）。次に，出店戦略にもとづく地代家賃に関しては，アダストリアの店舗数が，2020 年 2 月期の 1,392 店舗から 1,400 店舗（2021 年 2 月期），1,428 店舗（2022 年 2 月期）と微増している一方で，地代家賃の金額および売上

15）　具体的には茨城西物流センター拡張工事によるもので，2018 年 2 月期に土地を 678 百万円，2019 年 2 月期に建物及び構築物を 2,233 百万円増加させています。なお，アダストリアの有形固定資産の区分のなかでもっとも金額の大きい店舗内装設備は 2018 年 2 月期までは増加していますが，同社の出店戦略の見直しを受け，それ以降，減少しています。

16）　TSI とオンワードの有形固定資産回転率は，それぞれ 12.1 回から 14.4 回と 2.5 回から 3.0 回の間で推移しており，これら 2 社と比較した場合，アダストリアは有形固定資産を効率的に活用できているといえるでしょう。

高に占める割合は，それ以前の期間と比較して，減少・低下しています。これは，「継続的な出退店を通じて常に最適な店舗網の維持」（アダストリア（2021）12頁）を図るという方針に沿ったものであり，同社の効率的な店舗運営を表しているといえます。そして，給料及び賞与に関しては，従業員数自体，2020年2月期の5,715人から，5,701人（2021年2月期），6,196人（2022年2月期）と大幅に増加し[17]，売上高に占める給料及び賞与の割合も上昇しています。ただし，金額の点ではこれら2期間ではいずれも2020年2月期の水準（31,388百万円）を下回っています（2021年2月期で29,195百万円，2022年2月期で29,605百万円）。

　以上より，アダストリアでは依然として値引き販売の抑制の成否がその業績を左右していること，効率的な出店戦略を通じた地代家賃のコントロールが図られていること，その一方で従業員数の増加により給料及び賞与の割合が利益を圧迫する可能性があることが指摘できます。

（2）固定資産関連項目の変化の要因分析

　では次に，固定資産に関連する3つの指標を検討します（図表8-9）。2021年2月期と2022年2月期の固定長期適合率は100%を下回っているものの，それ以前の期間と比べてその比率は悪化しています。2021年2月期の悪化の主たる要因は純資産の減少です。当期純損失（693百万円）の計上に加え，剰余金の配当（1,906百万円）と自己株式の取得（3,673百万円）を行ったために純資産が減少しています。それに対して，2022年2月期の悪化に関しては，当期純利益の計上にともなう利益剰余金の増加により純資産が4,000百万円以上増加するとともに，固定負債を約1,000百万円増加させた一方で，固定資産を前期比で約6,000百万円（13.5ポイント）増加させたためです。つまり，2021年2月期は純資産の減少によるもの，2022年2月期は固定資産の増加によるものと，固定長期適合率の悪化の要因は，この2年間で異なっているのです。では，2022年2月期の固定資産の増加は，何によるものでしょうか。

　2022年2月期における固定資産の増加は，主にのれん（前期比1,784百万円），ソフトウエア（同1,666百万円）と建物及び構築物（同815百万円），です。とりわけのれんの増加は，2022年2月に飲食業を営むゼットン社の子会社化によるものです。この子会社化は，アダストリアの成長戦略の1つである新規領域の事業化を実現させるためのものです。建物及び構築物の増加もこの子会社化によります。ソフトウエアに関わるシステム投資は，過去の中期経営計画（「ACE18」や「3ヶ年計画」）で示していた，「WEBを通じた顧客の拡大」を実行するためのECサイトの開発に加えて，新たな成長戦略で示された「デジタル時代に対応したビジネス構造の進化」として，本部のデジタル化やサプライチェーンを含めた

17）　2022年2月期の従業員数の増加は，ゼットン社の子会社化によるものと考えられます。

物流機能強化のための投資を含むように拡大されています（アダストリア（2021）10頁）。

　そもそもアダストリアは，2016年2月期以降，一貫して有形固定資産を増加させており，そうした行動は，「長期的成長の実現に向け，海外での事業展開，新規ブランド・顧客の獲得，関連技術の獲得等を目的として，外部企業への出資や企業買収」（アダストリア（2021）13頁，（2022）15頁）を活用するという成長戦略を体現したものといえます。

参考文献

アダストリア（2016-2022）『有価証券報告書』。

アダストリア（2015）『2015年2月期決算説明会』2015年4月7日公表，https://www.adastria.co.jp/archives/001/202102/4c7eb144a7929fdd982fd41a1556cc6cefee352ffa9f9a9eda4cd6d1af54f220.pdf。

アダストリア（2018）『2018年2月期決算説明会』2018年4月4日公表，https://www.adastria.co.jp/archives/001/202102/90b15a9ecd662b13e4823950c7b4104fc90bbbac529cd908235dc47147f7350d.pdf。

アダストリア（2021）『2021年2月期決算補足資料』2021年4月5日公表，https://www.adastria.co.jp/archives/001/202109/8537d70777274427be1124b1ce5410ba29fc0ca0655cf6b2123a1a64ee4267ac.pdf。

オンワード（2016-2020）『有価証券報告書』。

TSI（2016-2020）『有価証券報告書』。

② キャッシュ・フロー計算書を用いた財務分析

　本節では，Chapter 4 で紹介されたキャッシュ・フロー計算書を用いた財務分析の実践課題に取り組みます。それでは，まず財務分析のポイントをまとめてみましょう。

1　キャッシュ・フロー計算書を用いた財務分析の意義
　114 頁で説明したように，キャッシュ・フロー計算書は，一会計期間におけるキャッシュ・フローの状況を一定の活動区分別に表示しており，貸借対照表や損益計算書のみでは把握が困難な，企業活動の資金的な効率性や安全性を評価するのに役立ちます。前節では貸借対照表や損益計算書を用いた財務分析を行いましたが，本節ではそれを補足するためにキャッシュ・フロー計算書を用いた財務分析を行います。

2　財務分析のステップ
　基本的には本章第1節の「財務分析のステップ」と同じですが，その「ステップ1」をさらに細かくわけると，次のようになります。
ステップ1－1：営業 CF のプラス・マイナスと金額を確認します。
ステップ1－2：投資 CF のプラス・マイナスと金額を確認します。
ステップ1－3：財務 CF のプラス・マイナスと金額を確認します。
ステップ1－4：企業のすべての活動の結果として計算されたキャッシュの増減を確認します。

3　財務分析のポイント
　キャッシュ・フロー計算書を用いた財務分析をうまく進める際のポイントは，本章第1節の「財務分析のポイント」に加え，以下の2点です。
（1）分析する際の目的を定める
　　キャッシュ・フロー計算書を用いた財務分析の目的は，資金繰りの状況を理解すること，企業がどのようなステージにあるか（たとえば成長段階か成熟段階か）を把握すること，企業価値を算定することなどさまざまです。その目的によって使用する指標が異なりますので，まずは目的を定めることが必要です。
（2）実数分析と比率分析を組み合わせる
　　キャッシュ・フロー計算書は，貸借対照表や損益計算書と異なり，活動区分別に会計数値が表示されていますので，「比率」を計算する前に，まずはそれぞれの活動の「実数」を把握することが肝心です。実数分析だけでも，おおよその状況を理解できます。その後，比率分析によって企業の状態をより細かく探っていきましょう。

4　キャッシュ・フロー計算書を用いた財務分析の実践課題

　それでは，キャッシュ・フロー計算書を用いた財務分析の【実践課題】に取り組んでみましょう。

【実践課題】

1．アダストリアの 2016 年 2 月期から 2020 年 2 月期までの過去 5 年間のキャッシュ・フロー計算書を用いた財務分析をしてみよう。その際，効率性および安全性に関する代表的な以下の指標を計算してみよう。

　　【効率性分析】

　　　総資本営業 CF 比率，キャッシュ・フロー・マージン，総資本回転率

　　【安全性分析】

　　　営業 CF 対流動負債比率，営業 CF 対長期負債比率，設備投資額対営業 CF 比率，フリー・キャッシュ・フロー

2．それぞれの指標の変化がどのような財務諸表項目の変化と関連しているのかを特定してみよう。また，これらの財務諸表項目の変化が経営戦略とどのように結びついているのかを検討してみよう。

　財務分析では，単に指標の計算だけではなく，なぜそのような結果になったのかを，さまざまな情報ソースから推論することが重要です。この視点が抜け落ちているものは，学部生のレポートでも，あまりよい評価を受けません。

　ただし，本節ではできるだけ会計数値にもとづいた検討を心がけるようにしてください。財務分析は，あくまで会計情報にもとづいた分析ですので，たとえるなら医者が患者の顔色を見たり，打診などを行ったりすることで病気の原因を外から診察することに似ています。病巣を治すのは，必ずしも会計数値のみに依拠しない分析，すなわち経営分析の領域となります。なお，病巣そのものを特定するためには，会計数値の意味つまり会計数値の成り立ち・仕組みを理解できる財務会計の知識も必要になります。

　また，ここでは，レポートの「見せ方」についても述べておきます。分析結果をレポートに計算する際，特に実数分析ではできるだけグラフに変換すると，読みやすくなります。たとえば，図1はトヨタ紡織の過去5年の営業 CF・投資 CF・財務 CF のプラス・マイナスおよび金額の推移が一目でわかるグラフです。会計数値を表で示すよりも，会社の状態が伝わりやすいと感じるでしょう。

図1　トヨタ紡織の活動別のキャッシュ・フローの推移（2018年3月期－2022年3月期）

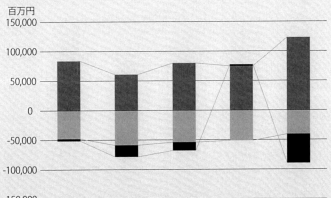

出所：トヨタ紡織（2018-2022）『有価証券報告書』を参考に作成。

　このように，レポートの内容もさることながら，わかりやすい図や表を適宜挿入して主張を補強することで，レポート自体の評価はさらに高くなるはずです。

　それでは，このことを踏まえて，【実践課題】に取り組んでみてください。

学生レポート

・・

【実践課題】

1. アダストリアの 2016 年 2 月期から 2020 年 2 月期までの過去 5 年間のキャッシュ・フロー計算書を用いた財務分析をしてみよう。その際，効率性および安全性に関する代表的な以下の指標を計算してみよう。

　　【効率性分析】

　　　総資本営業 CF 比率，キャッシュ・フロー・マージン，総資本回転率

　　【安全性分析】

　　　営業 CF 対流動負債比率，営業 CF 対長期負債比率，設備投資額対営業 CF 比率，フリー・キャッシュ・フロー

2016 年 2 月期から 2020 年 2 月期の過去 5 年間の各指標について，効率性分析・安全性分析の順にまとめると次の表（表 1・表 2）になります。

表 1　効率性分析

	2016 年 2 月期	2017 年 2 月期	2018 年 2 月期	2019 年 2 月期	2020 年 2 月期
総資本営業 CF 比率（%）	24.38	13.19	11.72	10.85	21.29
キャッシュ・フロー・マージン（%）	11.02	5.85	4.79	4.44	9.37
総資本回転率（回）	2.21	2.25	2.44	2.43	2.27

出所：アダストリア（2016-2020）『有価証券報告書』を参考に作成。

表 2　安全性分析

	2016 年 2 月期	2017 年 2 月期	2018 年 2 月期	2019 年 2 月期	2020 年 2 月期
営業 CF 対流動負債比率（%）	60.54	35.43	27.79	26.89	55.65
営業 CF 対長期負債比率（%）	2,960.26	1,733.72	649.54	671.91	609.47
設備投資額対営業 CF 比率（%）	24.34	43.03	71.99	74.79	19.52
フリー・キャッシュ・フロー（百万円）	17,503	7,624	3,281	1,218	14,205

出所：アダストリア（2016-2020）『有価証券報告書』を参考に作成。

【実践課題】
2．それぞれの指標の変化がどのような財務諸表項目の変化と関連しているのかを特定してみよう。また，これらの財務諸表項目の変化が経営戦略とどのように結びついているのかを検討してみよう。

ここからは，表1の効率性分析に関係する項目から見ていきます。

　効率性に関するこれらの指標の推移からわかることは，表1および表2に示された指標が，2016年2月期をピークに減少傾向にあり，2019年2月期には，総資本営業CF比率で約11%，キャッシュ・フロー・マージンで5%未満にまで低下しているという点です。表1および表2の指標に関係する総資本および売上高には，表3で示すように，急激な変化はなく，これらの指標の変化は，主に営業CFの変動による点が大きいと考えます。

表3　営業CFと総資本および売上高の推移

(単位：百万円)

	2016年 2月期	2017年 2月期	2018年 2月期	2019年 2月期	2020年 2月期
営業CF	22,054	11,928	10,685	9,904	20,850
総資本	90,454	90,389	91,123	91,263	97,924
売上高	200,038	203,686	222,787	222,664	222,376

出所：アダストリア（2016-2020）『有価証券報告書』を参考に作成。

　とりわけ，営業CFは，2020年2月期に前年同期比109億45百万円増の208億50百万円と急激に増加し，2016年2月期の220億54百万円に迫ったことに加え，表3に示されているその他の指標（総資本と売上高）が毎期同程度で推移していることから，それぞれの指標で2016年2月期と同じような結果を示しているということが考えられます。
　アダストリアが2016年2月期をピークにその後の3年間の営業CFを創出することが難しくなっていた要因には，国内アパレル市場における少子高齢化と消費者の嗜好の多様化によって，すべてのブランドで等しく売上規模を拡大させていくことが困難になったことが考えられます。そこで，アダストリアは，展開しているブランド（グローバルワーク，ニコアンドなど）を選別し，収益性が高く，キャッシュ・フローを創出していくブランドに注力するとともに，ブランド特性に合わせた戦略を明確化していくことを選択しています（アダストリア（2017）15頁）。加えて，2018年2月期の有価証券報告書に示された3ヵ年戦略で，収益を継続的に向上させる体制を実現するにあたって，ファッショントレン

ドや素材トレンドのみならず，SNS 等の消費者の発信内容，保有する会員データ，店頭や
EC での消費傾向といった情報を集約，分析する体制を整えることや，セールの回数や内
容をよりコントロールすると同時に，データやテクノロジーを活用した需要予測に積極的
に取り組んだことが奏功した結果（アダストリア（2018）15-16 頁），前述のように 2020 年
2 月期には，営業 CF は飛躍的な回復を見せています。

　一方，表 2 の安全性分析に関係する項目については，以下のようになります。

　安全性に関するこれらの指標の推移からわかることは，まず，営業 CF 対流動負債比率
および営業 CF 対長期負債比率がともに，2016 年 2 月期の 60.54％，2,960.26％をピーク
に，2019 年 2 月期まで減少傾向にあることです。2020 年 2 月期は，営業 CF 対流動負債
比率が 55.65％，営業 CF 対長期負債比率が 609.47％と異なる傾向を示していますが，そ
れまでは，営業 CF 対流動負債比率で 35.43％から 26.89％，営業 CF 対長期負債比率で
1,733.72％，649.54％，671.47％と逓減傾向にあったことは類似しています。表 4 で示す
ように，これらの指標に関係する項目のうち，流動負債には急激な変化はないのに対して，
長期負債は 2016 年 2 月期と比較して大幅な増加傾向にあることがわかります。そのため，
これらの指標の変化は，営業 CF 対流動負債比率の場合には主に営業 CF の変動によるこ
と，営業 CF 対長期負債比率の場合には，営業 CF の変動よりも長期負債の変動の影響が
大きいことがわかります。

表 4　営業 CF と流動負債および長期負債の推移

（単位：百万円）

	2016 年 2 月期	2017 年 2 月期	2018 年 2 月期	2019 年 2 月期	2020 年 2 月期
営業 CF	22,054	11,928	10,685	9,904	20,850
流動負債	36,426	33,665	38,446	36,829	37,462
長期負債	745	688	1,645	1,474	3,421

出所：アダストリア（2016-2020）『有価証券報告書』を参考に作成。

　とりわけ，長期負債は，2018 年 2 月期以降，大幅に増加し，営業 CF 対長期負債比率
は悪化する一方でした。これは，長期未払金などが増加した影響によるもので，2019 年
2 月期に，リース債務などの減少で，長期負債自体は減少していますが，同年は，営業
CF も落ち込んだため，指標自体は改善しなかったと考えられます。2020 年 2 月期は，リー
ス債務が 20 億 93 万円増加したことなどで，長期負債は大幅に増加しましたが，同年は，
営業 CF が大きく回復したことで指標値の大幅な悪化は避けられたといえるでしょう。

　これに対し，フリー・キャッシュ・フローの指標の推移は，総資本営業 CF 比率，キャ
ッシュ・フロー・マージン，営業 CF 対流動負債比率と同様の傾向を示しています。表 5
からもわかるように，設備投資は，2018 年 2 月期から 2019 年 2 月期にかけて，76 億 92

百万円，74億7百万円と他の年度よりも多額の投資をしている関係から，いずれの期も営業CFの範囲内での設備投資であるとはいっても投下資本を回収するまでには相当程度の時間を要するおそれがあることに注意が必要です。

表5　営業CFと設備投資および減価償却費等の推移

（単位：百万円）

	2016年2月期	2017年2月期	2018年2月期	2019年2月期	2020年2月期
営業CF	22,054	11,928	10,685	9,904	20,850
設備投資等	5,368	5,133	7,692	7,407	4,070
減価償却費	6,578	6,109	7,488	7,020	7,599
有形固定資産の売却による収入	—	—	105	—	—
有形固定資産の取得による支出	3,819	5,133	7,797	7,407	4,070

出所：アダストリア（2016-2020）『有価証券報告書』を参考に作成。

　なお，アダストリアの有価証券報告書では，これらの事象について，「主な設備投資は，国内95店舗，海外24店舗の新規出店（WEBストアを除く。），東京本部の移転及び茨城西物流センターの拡張予定地の取得」としています（アダストリア（2018）21頁）。

　そして，アダストリアの安全性の分析がこのような結果を示したのは，株式会社アリシアの事業承継により，国内において113店舗，米国Velvet, LLCの連結子会社化により，海外において9店舗がそれぞれ増加していることに加え，120店舗の出店（内，海外24店舗）による設備投資を行っていることが原因と考えられます（アダストリア（2018）9頁）。

　これらは，2018年2月期の有価証券報告書に示された3ヵ年戦略を実施した結果と考えます。アダストリアは，中国をはじめとした海外市場での事業拡大を積極的に進める一方，各国における消費者の嗜好や消費行動の変化から，さらに成長するために，展開している業態を見直し，最新の現地事情を踏まえた形で事業の再構築をしてきました（アダストリア（2018）16頁）。以上の財務分析によれば，2020年2月期の収益性，効率性の指標の向上（アダストリア（2020）9頁）からわかるように，アダストリアの事業戦略は順調に進んでいると評価することができます。

参考文献

アダストリア（2016-2020）有価証券報告書。

池田雄太・長沼祐三郎・鬼倉颯人・矢幡和巳・澁谷涼介・小笠原知也（西南学院大学）

キャッシュ・フロー計算書を用いた財務分析についてのコメント

○評価ポイント

　みなさんの分析では，アダストリアの財務諸表の具体的な項目にアプローチすることで各指標の増減の原因を探ろうという姿勢が見てとれます。たとえば，総資本営業 CF 比率の増加理由を，減価償却費や減損損失といった目立った金額の項目から推測しています。また，アダストリアの有価証券報告書という一次資料をもとに，財務諸表項目の変化が経営戦略とどのように結びついているのかを検討しています。これらのことが，みなさんの主張に説得力をもたせています。

○修正ポイント

　ただ，いくつかの点では不十分と思われる部分もありますので，さらなるブラッシュ・アップを図るために追加的なコメントを行います。

　キャッシュ・フロー計算書は，貸借対照表や損益計算書と異なり，活動区分別に会計数値が表示されていますので，「比率」を計算する前に，まずはそれぞれの活動の「実数」を把握することが肝心です。具体的には，営業 CF・投資 CF・財務 CF のプラス・マイナスおよび金額の推移を把握する必要があります。これだけで，多くのことがわかります。

　また，アダストリアの業績は 2020 年 2 月期に大きく改善していますが，それがなぜ起きたのかを，経営の視点だけではなく財務諸表（ここでは主にキャッシュ・フロー計算書）の視点から検討することが必要です。具体的には，キャッシュ・フロー計算書のどの項目が変化したのかを特定することで，主張の具体性・説得力が増します。

　さらに，比較対象となりうる同業他社と比べることで，アダストリアの業界内での位置づけを理解することができますが，これについての言及がありません。同業他社との比較を取り入れると，より多角的な視点から分析されたレポートとなるでしょう。

　そして，いくつかの指標について計算根拠を追えないものがありました。それらは，設備投資額対営業 CF 比率，フリー・キャッシュ・フローです。指標を用いた分析では，計算結果が重要です。計算根拠に間違いはないか，注意するとよいでしょう。

模範解答

・・

【実践課題】

1. アダストリアの 2016 年 2 月期から 2020 年 2 月期までの過去 5 年間のキャッシュ・フロー計算書を用いた財務分析をしてみよう。その際，効率性および安全性に関する代表的な以下の指標を計算してみよう。

　　【効率性分析】

　　　総資本営業 CF 比率，キャッシュ・フロー・マージン，総資本回転率

　　【安全性分析】

　　　営業 CF 対流動負債比率，営業 CF 対長期負債比率，設備投資額対営業 CF 比率，フリー・キャッシュ・フロー

1．代表的指標の計算

　まずは，図表 8 - 10 で，アダストリアの 2016 年 2 月期から 2022 年 2 月期における効率性分析に関わる代表的な指標，すなわち総資本営業 CF 比率，キャッシュ・フロー・マージン，総資本回転率を示します[18]。

図表 8 - 10　アダストリアの効率性分析の指標（2016 年 2 月期－ 2022 年 2 月期）

	2016 年 2 月期	2017 年 2 月期	2018 年 2 月期	2019 年 2 月期	2020 年 2 月期	2021 年 2 月期	2022 年 2 月期
総資本営業 CF 比率（%）	24.38	13.20	11.73	10.85	21.29	12.50	3.58
キャッシュ・フロー・マージン（%）	11.02	5.86	4.80	4.45	9.38	6.49	1.74
総資本回転率（回）	2.21	2.25	2.44	2.44	2.27	1.93	2.06

出所：アダストリア（2016-2022）『有価証券報告書』を参考に作成。

　次に，図表 8 - 11 で，アダストリアの同期間の安全性分析に関わる代表的な指標，すなわち営業 CF 対流動負債比率，営業 CF 対長期負債比率，設備投資対営業 CF 比率，そしてフリー・キャッシュ・フローを示します。

---

18) なお，図表 8 - 10 から 8 - 14 と 8 - 16 から 8 - 20 では，本来の課題には直接関係しませんが，コロナ禍の影響があった年度（2021 年 2 月期および 2022 年 2 月期）の分析をあとで実施しますので，あらかじめ図表に追加しています。

| 図表8－11 | アダストリアの安全性分析の指標（2016年2月期－2022年2月期） |

	2016年 2月期	2017年 2月期	2018年 2月期	2019年 2月期	2020年 2月期	2021年 2月期	2022年 2月期
営業CF対流動負債比率（％）	60.54	35.43	27.79	26.89	55.66	29.07	9.12
営業CF対長期負債比率（％）	2,960.27	1,733.72	649.54	671.91	609.47	323.21	76.56
設備投資対営業CF比率（％）	17.32	43.03	73.95	74.79	19.52	31.90	108.33
フリー・キャッシュ・フロー（百万円）	17,504	5,777	28	347	13,496	5,431	-3,428

出所：アダストリア（2016-2022）『有価証券報告書』を参考に作成。

【実践課題】

2．それぞれの指標の変化がどのような財務諸表項目の変化と関連しているのかを特定してみよう。また，これらの財務諸表項目の変化が経営戦略とどのように結びついているのかを検討してみよう。

　ここでの財務分析の目的は，アダストリアの資金繰りの状況を理解し，今後の見通しを予想することです。

2－1．活動別のキャッシュ・フローの符号・大きさの確認

　まず，図表8－12で，営業CF・投資CF・財務CFのプラス・マイナスおよび金額の推移を把握します。

| 図表8－12 | アダストリアの営業CF・投資CF・財務CF（2016年2月期－2022年2月期） |

（単位：百万円）

	2016年 2月期	2017年 2月期	2018年 2月期	2019年 2月期	2020年 2月期	2021年 2月期	2022年 2月期
営業CF	22,054	11,928	10,685	9,904	20,850	11,933	3,504
投資CF	-4,551	-4,323	-7,404	-8,686	-6,645	-7,366	-7,780
財務CF	-5,683	-6,309	-4,629	-1,890	-6,439	-6,840	-3,251

出所：アダストリア（2016-2022）『有価証券報告書』を参考に作成。

　これらをグラフにすると，図表8－13のようになります。

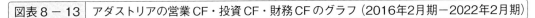

図表 8 − 13　アダストリアの営業 CF・投資 CF・財務 CF のグラフ（2016 年 2 月期−2022 年 2 月期）

（単位：百万円）

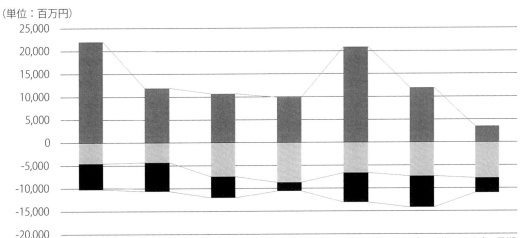

■営業CF　■投資CF　■財務CF

出所：アダストリア（2016-2022）『有価証券報告書』を参考に作成。

　図表 8 − 13 を見ると，毎期一定の営業 CF を獲得していることがわかります。ただし，2019 年 2 月期まで営業 CF の金額は逓減していますが，2020 年 2 月期には 2016 年 2 月期の水準に迫る回復が見てとれます。

　また，投資 CF は毎期一定額が計上されており，2019 年 2 月期が最も多額であることがわかります。財務 CF については毎期マイナスが続いていることを考慮すると，新規の資金調達をしなくとも安定した投資活動が継続されていることが推察されます。

　以上の分析の結果，図表 8 − 14 に示すように，アダストリアは，キャッシュを毎期，安定して確保できているといえそうです。特に，2020 年 2 月期は前年より約 80 億円多く，安全性を高めています。

図表 8 − 14　アダストリアの現金および現金同等物の期末残高（2016 年 2 月期−2022 年 2 月期）

（単位：百万円）

	2016 年 2 月期	2017 年 2 月期	2018 年 2 月期	2019 年 2 月期	2020 年 2 月期	2021 年 2 月期	2022 年 2 月期
現金および現金同等物の期末残高	19,452	20,706	19,381	18,647	26,377	24,082	16,863

出所：アダストリア（2016-2022）『有価証券報告書』を参考に作成。

　次に，2020 年 2 月期のキャッシュの増加が何によってもたらされたのかを確かめるため，図表 8 − 15 で 2019 年 2 月期（パネル A）と 2020 年 2 月期（パネル B）のキャッシュ・フロー計算書の主要項目を「ウォーターフォールグラフ」にまとめてみます。このグラフ

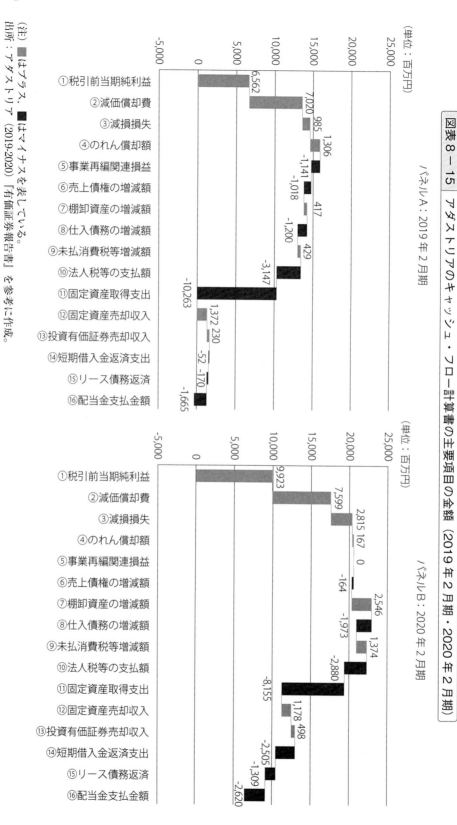

図表8－15　アダストリアのキャッシュ・フロー計算書の主要項目の金額（2019年2月期・2020年2月期）

パネルA：2019年2月期

（単位：百万円）

パネルB：2020年2月期

（単位：百万円）

（注）　■はプラス，■はマイナスを表している。
出所：アダストリア（2019-2020）『有価証券報告書』を参考に作成。

形式は，数字の構成などを説明するのに適しています。

　この図表のうち，①〜⑩は営業 CF，⑪〜⑬は投資 CF，⑭〜⑯は財務 CF に区分されます。

　営業 CF では，①税引前当期純利益は 2020 年 2 月期の方が大きいうえ，⑥売上債権の増加額が小さい，すなわち，債権の回収が進んでいること，⑦棚卸資産の減少額が大きい，すなわち，在庫がキャッシュに転化していることに加え，②減価償却費や③減損損失も大きくなっている，すなわち，キャッシュ・アウトされない費用項目が大きいため，営業 CF が増加していることがわかります[19]。

　また，投資 CF では，⑪固定資産取得支出が前年度に比べて抑えられていることから投資 CF のマイナス幅が小さくなっています。一方，財務 CF では，⑭短期借入金支出や⑯配当金支払額の増加などで財務 CF が前年度に比べ大幅にマイナスになっているものの，営業 CF の増加や投資 CF のマイナス幅の縮小により，結果的に現金および現金同等物の期末残高が 2020 年 2 月期に増加している，ということになります。

　以上から，2020 年 2 月期のキャッシュの増加は，資金調達によりもたらされたというよりも，主に本業から得られた資金によるものであると考えられます。

　これに対し，2017 年 2 月期に営業 CF が落ち込んだ原因の 1 つに，在庫管理が適切でなかったことが挙げられます。2017 年 2 月期のキャッシュ・フロー計算書を見ると，棚卸資産の増加額として 1,337 百万円計上されています[20]。この弱点を 2020 年 2 月期までに補った結果，キャッシュ・マネジメントが改善したということができるでしょう。

2−2. 代表的指標の検討
（1）効率性の指標

　まず，図表 8 − 10 の，アダストリアの 2016 年 2 月期から 2020 年 2 月期の総資本営業 CF 比率を確認すると，2019 年 2 月期までは下降線を辿っていましたが，2020 年 2 月期は大幅に回復しています[21]。これらの原因を探るため，同じく図表 8 − 10 に示したキャッシュ・フロー・マージンと総資本回転率とともにグラフにすると，図表 8 − 16 のようになります。

19）　誤解のないように記しておくと，「減価償却費や減損損失が増加した」ことが直接，営業 CF の増加要因となっているのではなく，「減価償却費や減損損失が増加したなかで前期を上回る税引前当期純利益を計上した」ことが原因ということになります。

20）　日本経済新聞によると，この年の減益要因として，「夏物衣料などが苦戦し，在庫処分のための値引き販売が増えた。在庫評価引き当てを約 10 億円積んだのも響いた。」としています（『日本経済新聞』2017 年 4 月 5 日付朝刊 17 面）。

21）　TSI とオンワードの総資本営業 CF 比率は，それぞれ 1.9％から 3.5％，1.2％から 4.8％の間で推移しています。これらと比較すると，アダストリアの総資本営業 CF 比率は非常に高いと判断できます。

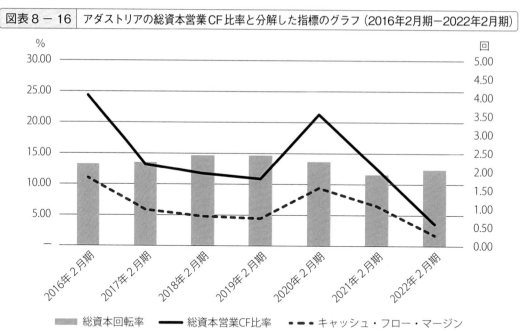

図表8−16 アダストリアの総資本営業CF比率と分解した指標のグラフ（2016年2月期−2022年2月期）

出所：アダストリア（2016-2022）『有価証券報告書』を参考に作成。

図表8−16を見ると，総資本回転率にはあまり変化がないことから，総資本営業CF比率が変動する要因は，主にキャッシュ・フロー・マージンで示されるキャッシュ獲得能力の変動によることがわかります[22]。また，図表8−17にあるように売上高および総資本には時系列で大きな変化はありませんので，2016年2月期から2020年2月期の総資本営業CF比率の変化の原因の多くは，営業CFの変化によるものといえます。そして，図表8−15とあわせて考えると，この変化は，販売額を増やしたというよりも，代金回収のスピードを早めたり[23]，在庫を減らしたりするといった経営管理の面の成果によってもたらされたものと推測できます[24]。

---

22) TSIとオンワードのキャッシュ・フロー・マージンは，それぞれ1.9％から3.9％，1.4％から5.4％の間，総資本回転率は，それぞれ1.4回から1.8回，1.4回から2.6回の間で推移しています。このことから，アダストリアの総資本営業CF比率の優位性は，キャッシュ・フロー・マージン，総資本回転率のいずれも原因となっていることがわかります。

23) これを確かめるために，仕入債務の支払いから売上債権の回収までの所要日数を示す指標であるキャッシュ・コンバージョン・サイクル（棚卸資産回転期間＋売上債権回転期間−仕入債務回転期間：小さい方が安全性が高い）を計算すると，2019年3月期は-15.30日であるのに対し，2020年3月期は-21.41日と改善しています。

24) また，日本経済新聞によると，この年のアダストリアの増益要因として，「在庫を適正化し値引き販売を抑えた効果が出た」ものとしています（『日本経済新聞』2020年4月4日付朝刊13面）。

| 図表8－17 | アダストリアの売上高と総資本（2016年2月期－2022年2月期） |

（単位：百万円）

	2016年 2月期	2017年 2月期	2018年 2月期	2019年 2月期	2020年 2月期	2021年 2月期	2022年 2月期
売上高	200,038	203,686	222,787	222,664	222,376	183,870	201,582
総資本	90,454	90,389	91,123	91,263	97,924	95,449	97,957

出所：アダストリア（2016-2022）『有価証券報告書』を参考に作成。

（2）安全性の指標

　次に，キャッシュ・フロー計算書に関わる安全性の指標を検討してみます。図表8－11の計算結果のグラフを図表8－18に示しました。なお，設備投資対営業CF比率のみ，低いほど安全性が高いことに注意してください。

　まず，流動負債営業CF比率と設備投資対営業CF比率は2019年2月まで悪化していたものの，2020年2月期に改善しています。これに対して，営業CF対長期負債比率は2020年2月期まで悪化傾向にあります。

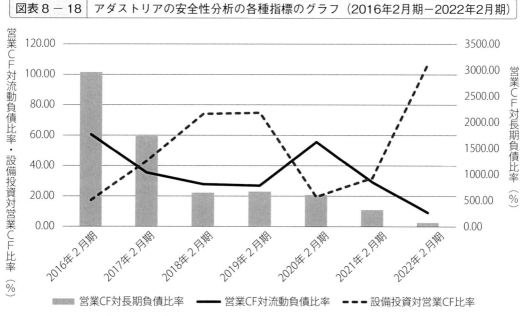

| 図表8－18 | アダストリアの安全性分析の各種指標のグラフ（2016年2月期－2022年2月期） |

出所：アダストリア（2016-2022）『有価証券報告書』を参考に作成。

　ただし，図表8－19を見ると，長期負債の金額は小さく，2020年2月期においても，総資本に占める割合は3.49％です。また，指標の数値自体も高水準を維持しているので，長期負債がアダストリアに与えるマイナスのインパクトは小さいものと考えてよいでしょう。このように，指標の増減のみに注目するだけでなく，それがその企業にとってどのく

らい重要な指標であるかを想像して分析を行うことも大事です[25]。

　一方，流動負債営業 CF 比率と設備投資対営業 CF 比率について，実数（図表8 - 19）を見てみると，流動負債および設備投資額に極端な動きはなく，2020 年 2 月期に改善したのは営業 CF の増加によるものと解釈できます[26]。

　また，図表8 - 2（248頁）で計算した当座比率も 2020 年 2 月期に改善しており，流動負債営業 CF 比率の結果とあわせて考えると，ストックとフローの両面から安全性が高まったということができるでしょう[27]。

| 図表8 - 19 | アダストリアの流動負債・長期負債・設備投資額（2016年2月期−2022年2月期） |

（単位：％）

	2016 年2 月期	2017 年2 月期	2018 年2 月期	2019 年2 月期	2020 年2 月期	2021 年2 月期	2022 年2 月期
流動負債	36,426	33,665	38,446	36,829	37,462	41,055	38,416
長期負債	745	688	1,645	1,474	3,421	3,692	4,577
設備投資額	3,819	5,133	7,902	7,407	4,070	3,807	3,796

出所：アダストリア（2016-2022）『有価証券報告書』を参考に作成。

　最後に，図表8 - 20 でフリー・キャッシュ・フローの金額のグラフを見てみます。

　営業 CF から固定資産の取得による支出および売却による収入を控除した額で計算されるフリー・キャッシュ・フローは，2019 年 2 月期まで下降線をたどっていましたが，2020年 2 月期に急回復しています。この原因は，投資額が減ったというよりも，在庫を適正化した結果，営業 CF が大幅に増加したことによるものです。ただし，どの期のフリー・キャッシュ・フローもプラスで維持しており，営業 CF の額内の投資が行われていることから，資金繰りに大きな問題は生じていないことが推測されます[28]。

　このように，キャッシュ・フロー計算書の実数分析，効率性分析，安全性分析すべての

25）　TSI とオンワードの営業 CF 対長期負債比率は，それぞれ 15.5％から 33.1％，10.4％から56.1％の間で推移しています。これと，総資本に占める長期負債の割合がそれぞれ約 18％および13％であることを考慮すると，同業他社と比較しても，長期負債がアダストリアに与えるマイナスのインパクトは小さいといえるでしょう。

26）　TSI とオンワードの設備投資対営業 CF 比率は，それぞれ 65.8％から 185.8％，-183.2％から167.2％の間で推移しています。TSI，オンワードと異なり，アダストリアは基準となる 100％をすべての年度で下回っていることから，安定した営業 CF を獲得しているとみることができます。なお，オンワードの設備投資対営業 CF 比率がマイナスとなっているのは，分母の設備投資額がマイナスである（すなわち固定資産の売却による収入が固定資産の取得による支出を上回った）ことに起因しています。

27）　TSI とオンワードの流動負債営業 CF 比率は，それぞれ 9.2％から 14.1％，3.4％から 15.3％の間で推移しています。つまり，同業他社と比較して，アダストリアは流動負債総額の多くを営業活動で獲得したキャッシュで賄うことができているといえます。

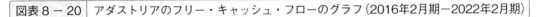

図表 8 − 20　アダストリアのフリー・キャッシュ・フローのグラフ（2016年2月期−2022年2月期）

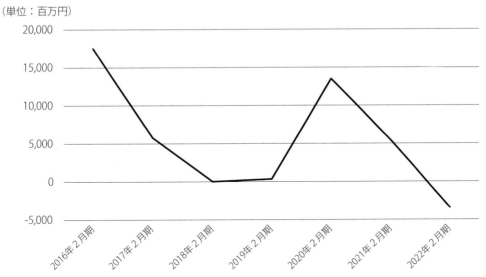

（単位：百万円）

出所：アダストリア（2016-2022）『有価証券報告書』を参考に作成。

面から，アダストリアは，いったん状況が悪くなったものの，2020 年 2 月期に回復している姿が見てとれます。また，単純にキャッシュが増加したというだけでなく，そのキャッシュが資金調達活動というよりも本業による活動から主にもたらされたものであることから，この傾向が持続することが期待されます[29]。

2−3.　2021 年 2 月期以降のアダストリアの財務分析

　本章の第 2 節と同じく，参考のため，以下では新型コロナウイルス拡大の影響を受けた 2021 年 2 月期と 2022 年 2 月期のアダストリアの財務分析を実施します。

　まず，図表 8 − 12 および 8 − 13 から，営業 CF は減少していることがわかります[30]。一方で，投資 CF はそれ以前の水準と変わらず，その結果，2022 年 2 月期はフリー・キャッシュ・フローがマイナスとなっています（図表 8 − 20）。ただし，新型コロナウイル

---

28)　TSI とオンワードのフリー・キャッシュ・フローは，それぞれ -3,930 百万円から 1,332 百万円，-1,782 百万円から 19,983 百万円の間で推移しています。この 2 社にはフリー・キャッシュ・フローが大きくマイナスの期があるのに対し，アダストリアは対象期間すべてでプラスを維持していることからも，安定したキャッシュ・マネジメントを行っていると評価できます。

29)　これまで見てきた TSI とオンワードとの財務指標の比較においても，アダストリアの方が対象期間全体を通じて優れており，安定したキャッシュ・フロー経営を行っていると判断できます。

30)　2022 年 2 月期に当期純利益は改善したにもかかわらず，営業 CF が減少した原因として，アダストリア（2022）は，「主に，たな卸資産の増加が 32 億 66 百万円，未払消費税等の減少が 40 億 21 百万円，法人税等の支払額が 33 億 81 百万円それぞれあった」（21 頁）ことによると分析しています。

ス拡大前に十分なキャッシュが確保されていたことから（図表8 − 14），2021年2月期および2022年2月期も新たな資金調達を行うことはありませんでした。すなわち，財務キャッシュ・フローに依存することなく危機を乗り越えています。このことから，新型コロナウイルス拡大前のキャッシュ・マネジメントの巧みさがキャッシュ・フロー計算書に表れていると捉えられます。

　次に，効率性の指標である総資本営業CF比率（図表8 − 16）を見てみると，右肩下がりになっていることがわかります。この原因を探るために，キャッシュ・フロー・マージンおよび総資本回転率を確認すると（図表8 − 16），いずれの指標も2020年2月期より悪化していますが，特にキャッシュ・フロー・マージンはこの2年間で約8ポイントも下げており，営業CFの減少が主因となっているといえます。

　最後に，安全性の指標を検討します。図表8 − 18から，営業CF対流動負債比率，営業CF対長期負債比率，設備投資対営業CF比率のいずれも2020年2月期と比べて悪化傾向にあることがわかります。ただし，図表8 − 19から，流動負債・長期負債および設備投資額を確認すると，劇的な変化はなく，総資本に占める割合も新型コロナウイルス拡大前と同程度です。したがって，これに関しても悪化の主因は営業CFの減少によるものと考えられます。

　以上から，営業CFの減少というフローの観点からは新型コロナウイルス拡大による悪影響が出ていますが，負債額や設備投資額が企業に与えるインパクトは新型コロナウイルス拡大前と大きく変わっておらず，それらをカバーするキャッシュが確保されているので，ストックの観点からの安全性は保たれていると評価できるでしょう。

参考文献

アダストリア（2016-2022）『有価証券報告書』。
トヨタ紡織（2018-2022）『有価証券報告書』。
新田忠誓編著（2022）『全商会計実務検定試験テキスト　財務諸表分析（十一訂版）』実教出版。
『日本経済新聞』2017年4月5日付朝刊17面「アダストリア7％減益」。
『日本経済新聞』2020年4月4日付朝刊13面「アダストリア64％増益」。

Chapter 9
総合判断をやってみよう

① 総合判断のポイントの整理

　第2部ではアダストリアを取り上げ，業界分析，経営分析および財務分析を行ってきました。本章では，これらの結果から全体的な結論の導出に取り組みます。

1　総合判断の基礎
　業界分析では，想定される比較対象企業を選び，こうした企業との相互関係からアダストリアの特徴を明らかにしてきました。また，経営分析では，ファイブ・フォース分析およびSWOT分析を通じてアダストリアの現状と同社の採りうる戦略オプションの検討を試みました。そして，財務分析では，収益性分析，安全性分析，成長性分析およびキャッシュ・フロー分析を通じて，さまざまな財務指標・比率の時系列での変化と経営戦略との関係について分析してきました。こうしたプロセスを経て，各Chapter・節でそれぞれの分析結果が導かれてきました。

　ここでは前Chapterまでで明らかになってきた結果を独立して検討するのではなく，相互に関連づけて分析していきます。分析にあたっては，Chapter 5で説明している，結論を導くにあたっての6つの観点に留意して，各分析結果から全体としての結論を導くよう心がけてください。

2　総合判断のステップ
　総合判断は，次の5つのステップで行われます。

ステップ1：Chapter 6からChapter 8までの業界分析，経営分析および財務分析の結果を，論理的に整合する結果，矛盾する結果および現段階では判断が難しい結果などにグルーピングしてみます。

ステップ2：論理的に整合する結果および矛盾する結果をもたらしている原因を探りま

す。場合によっては，Chapter 6 から Chapter 8 までで用いた資料よりもより詳細な資料（ミクロの眼）や，より俯瞰した資料（マクロの眼）が追加的に必要となる場合があるかもしれません。

ステップ3：論理的に整合する結果か矛盾する結果かの判断が現段階で難しい結果については，分析または資料やデータが不足している可能性も考えられます。こうした結果を解釈するにあたっては，追加的な分析あるいは資料やデータの追加収集の必要性についても吟味します。

ステップ4：分析結果を相対化するために，同業他社との比較を行います。この分析を行うことによって，分析対象企業の分析結果が特有のものなのか，業界の特徴なのかが見えてくる場合があり，分析結果を客観化するのに役立ちます。

ステップ5：以上のステップを通じて，分析対象企業の現状を明らかにするとともに，課題を抽出していきます。抽出された課題と分析目的とを照らし合わせて，改善案や解決策を検討していきます。

3　総合判断のポイント

総合判断をうまく進める際のポイントは，以下の3点です。

（1）結論を導くにあたっての6つの観点の第1は，分析の目的を明確にするということでした。そのため，まずは総合判断を行う上での目的を明確にしましょう。

（2）第2の観点は，考察の範囲を適切に定めることでした。第1部および第2部を通じて業界分析，経営分析および財務分析を学び，この手法を活用して分析を進めてきたわけですから，総合判断のスタートにあたっては，まずはこれらの分析結果を考察の範囲として構いません。ただし，分析が進むにつれて，分析目的に照らして適切な考察の範囲が設定されているかどうかは，逐次，再評価していく必要があるかもしれません。

（3）論理的に整合する結果からよりも，一見，論理的に矛盾する結果または現段階では判断が難しい結果からのほうが，分析を通じて貴重なインプリケーションが得られる場合が少なくありません。なぜこうした結果が生じるかを，その原因に着目して丹念に検討を加えていくことが，優れた総合判断を導き出す王道となります。

❷ 総合判断の実践課題

それでは，総合判断の【実践課題】に取り組んでみましょう。

【実践課題】

1．アダストリアの Chapter 6 から Chapter 8 までの業界分析，経営分析および財務分析の結果から，アダストリアの現状と課題を抽出するとともに，想定される比較対象企業との比較を通じて，アダストリアの業界内における位置づけと，業界の特徴を把握してみよう。

2．1で抽出したアダストリアの課題のうち，喫緊の課題をいくつか取り上げ，その改善案または解決策を根拠を挙げながら検討してみよう。

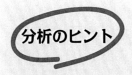

分析のヒント

　総合判断は，全体的な流れとしては，本書の構成に即して行っていきます。業界分析や経営分析の結果導き出された海外への進出や，財務分析の結果浮かび上がってきた，よりリターンの大きい EC 販売への資源配分のシフトといった事業ポートフォリオの最適化が課題として指摘されていくことになるでしょう。全体的な構成は，そのような方向で構いません。ただ，こうした分析においては，特定の部分に分析が偏ったり，表面的な課題の指摘と短絡的な解決策に終始しがちな傾向が初学者にしばしば見られます。まずは，企業の現状を包括的に偏ることなく分析し，数ある課題のなかから本質に迫る課題を見いだすことから始めなければなりません。そして，単なる課題の指摘にとどまらずに，こうした課題に現時点でどの程度取り組まれていて，さらにどの程度今後の課題として残されているかまで言及できると分析に深みが出てきます。

　このような網羅的な分析を行うためには，単にこれまでの分析結果をイメージとして捉えるのではなく，一度，分析結果の一覧表を作成して結果を俯瞰し，分析対象となっている会社の現状と課題を時系列的に把握するとともに，同業他社とクロスセクショナルに比較して課題の深刻さを洗い出してみることをお勧めします。こうした一覧表を用いると，課題の深刻度の順位付けや，課題間の関連性を把握するのに役立ちます。

　分析対象会社の課題の洗い出しとその各課題の深刻度が把握できたら，次にその課題の解決

策を検討していきます。このとき課題の理解が表面的であると，本質的な解決策に迫ることができません。そこで，まずなぜそのような課題が生じ，現時点でなぜその課題が解決できていないかを把握する必要があります。そのためには，当該企業が公表する有価証券報告書はもとより，決算説明資料，ホームページやコーポレートレポートなど企業の公表する情報をしっかりと読み込み，あわせて関連する記事など社外から公表されている客観的な情報も収集して照らし合わせ，当該企業の現状と実力を双方から把握しておかなければなりません。また，解決策を模索する場合も，単に需要の減少している事業から撤退して需要の見込める分野へ進出するとか，安易に新規事業を立ち上げるといった，短絡的で，決め打ち的な戦略では現実的には太刀打ちできません。さまざまな可能性を探ることも重要です。こうした分野や事業には，必ずと言っていいほどすでに先発企業が待ち構えていたり，同業者がすでに目をつけていることが多いからです。

　また，アダストリアの属するアパレル業界のように，消費者ニーズが多様化し，その移り変わりが早い業界では，しばしばその動向に合わせたブランドや事業の多様化や，マーケット・セグメントの細分化といった課題が分析結果として出てくることが珍しくありません。そうした課題への解決策を模索する場合，当該企業に限った分析や既存の事業だけを念頭に置いた事業構造の見直しだけでは自ずと限界があります。当然，他のマーケットへの進出や異分野への進出なども視野に入れて事業構造を見直していく必要があります。ただし，その場合も，やはり同業他社の動向や，他のマーケットの状況にも目配りしておくことが不可欠です。加えて，こうした事業の再編が，それぞれの事業間の無駄を省き，それでいて企業の戦略全体として整合性をもって進められているかも視野に入れて分析していかなければなりません。というのも，こうした戦略には，自ずとコストを上昇させる要因をともなうからです。

　以上の点を考慮して，まずは総合判断に挑戦してみましょう。最初からすべて事がうまく運ぶとは限りません。ひとつひとつ段階を踏んで少しずつで構いませんから分析力に磨きをかけていきましょう。

学生レポート

【実践課題】

1. アダストリアの Chapter 6 から Chapter 8 までの業界分析，経営分析および財務分析の結果から，アダストリアの現状と課題を抽出するとともに，想定される比較対象企業との比較を通じて，アダストリアの業界内における位置づけと，業界の特徴を把握してみよう。

　アダストリアの現状と課題を抽出するにあたって，まずは各 Chapter の分析の結果を整理していきます。

1．業界分析結果のレビュー

　Chapter 6 では，アダストリアの属する国内アパレル業界の業界分析を行っています（アパレル業界全体の動向）。以下の図表 1 は，業界分析の結果をまとめたものです。

図表 1　業界分析結果の概要

外的要因 外部環境	① マーケット・ライフサイクルから業界全体の売上高の減少が見てとれ，衰退期にあるといえる
	② 消費者のニーズの移り変わりが早く，大量生産・大量消費である
	③ EC サイトを利用した販売促進に注力している
内的要因 内部環境	① 上位 2 社の市場シェアが突出している高位寡占型市場で，業界全体の競争は激しくない
	② 3 位以下の企業の競争は激しく，差別化により生き残りを図っている
	③ 製品としての衣料品は差別化しても比較的模倣されやすいため，経営戦略レベルの差別化が必要といえる

　国内アパレル業界は全体的に売上が減少し，マーケット・ライフサイクルでは衰退期に入っています。その主な要因として，海外生産による低価格化やリーマン・ショックをはじめとする不景気の影響，少子高齢化の進行，そしてモノ消費からコト消費への傾向変化が挙げられます。一方で，インターネットの普及にともない EC 販売が増加しており，これが業界にとってプラスの影響を与えています。高齢化や消費の変化は業界にとって避けられない課題であり，これに対処するためには新たな試み，特に EC 販売の活用が重要です。

　業界の市場シェアに注目すると，国内アパレル業界の上位 10 社のうち，ファーストリテイリングとしまむらの 2 社が全体の 60％を占め，市場は高位寡占型です。一方で，アダストリアを含む 3 位以下の企業群の競争は激しく，各社は他社の戦略を意識しながら独自のビジネスモデルや販路に工夫を凝らしています。競争が激しいなか，各社は生き残りをかけて差別化を図り，市場での存在感を維持しようとしています。

２．経営分析の結果のレビュー

２－１．戦略ポジション分析のレビュー

　Chapter 7－1 では，アダストリアの戦略ポジション分析が行われています。分析から，アダストリアはアパレル業界におけるチャレンジャーのポジションにあることが明らかとなりました。

　アダストリアは，競合企業にはあまり見受けられない「変わる力」を経営資源としてもっています。これは，2010 年頃に ODM 事業および OEM 事業から SPA 事業に大転換し，さらに株式会社ゼットンを買収して事業領域を拡大したことから明らかです。また，「マルチカテゴリー」戦略により，アパレル事業にとどまらず，飲食事業や家具，雑貨，コスメなど多岐にわたる分野に進出しています。

２－２．ファイブ・フォース分析のレビュー

　続く Chapter 7－2 では，アダストリアを中心としてアパレル業界全体についてのファイブ・フォース分析を実施しています。図表２は，その結果をまとめたものです。

　分析の結果から，①新規参入の脅威は低いものの業界内の競争は激しいこと，②代替品の脅威として中古品やレンタル業界がその勢いを伸ばしていること，③売り手と買い手のどちらも交渉力が高いこと，が明らかとなりました。これらを考慮すると，アダストリアの置かれている状況は厳しいものといえるでしょう。そのなかでも同社は，EC 販売の充実や徹底した在庫管理などを通じて収益の改善を試みていますが，競合企業との市場シェア争いは拮抗しており，厳しい状況は未だ続いていくものと考えられます。

図表２　ファイブ・フォースの分析結果の概要

ファイブ・フォース	分析結果
① 業界内の競争状況	業界の上位２社を除く企業間における競争状態にある
② 新規参入の脅威	参入や撤退が容易ではなく，業界全体の魅力は低くなっている
③ 代替品の脅威	昨今の中古品，レンタル品市場の台頭
④ 売り手の交渉力	使用する原料などの環境への影響による差別化
⑤ 買い手の交渉力	社会問題に関心の高い消費者に，商品の売れ行きが左右される

２－３．SWOT 分析のレビュー

　分析の結果を確認すると，まず，アダストリアがもつ強みのうち代表的なものとして，マルチブランド・マルチカテゴリー展開と変わる力が挙げられています。一方で，弱みとしては各ブランドの認知度の低さが挙げられています。先に見たように，マルチブランド展開はアダストリアの強みの１つではありますが，別の見方をすると，ブランドごとに認知度が分散してしまうというデメリットがあります。このことから，マルチブランド戦略の強みを活かしつつ，各ブランドの認知度向上を図り効率的な販売に繋げることで，今後

のさらなる成長が期待できるといえます。

3．財務分析の結果のレビュー

3－1．財務諸表分析のレビュー

　Chapter 8 では，2016 年 2 月期から 2020 年 2 月期の財務分析を通じて，アダストリアの収益性，安全性および成長性を分析した上で，これらの推移の源泉を分析することによって，同社の近年における事業展開を評価しています。次の図表 3 は，その分析結果を簡潔にまとめたものです。

図表 3　財務分析結果の概要

収益性分析	ROA および ROE の変化は経常利益の増減により左右される
安全性分析	固定長期適合率は分析期間にわたって低下傾向である
成長性分析	積極的な投資による有形固定資産の増加がみられる

　ROE および ROA に注目すると，アダストリアの収益性は競合企業に比べて優良であることがわかりました。さらに，指標を分解して踏み込んだ分析を行うと，その収益性の高さは値引き販売の抑制や不採算店舗の閉店などによりもたらされていることも明らかとなりました。

　また，固定長期適合率を通じた分析からは，アダストリアは長期的な安全性についても比較的良好であると評価できました。安全性の高さについては特に同社の借入金比率が低いことが貢献しているといえ，このことは財務諸表分析を通じて明らかとなる定量的な面のみならず，資金調達は原則として自己資本で賄うという定性的な面からも判断されました。

　最後に，同社の成長性についても分析しました。ここでは，分析期間において有形固定資産が増加傾向にあったことから，成長性が高いと判断されています。その内訳をみると，店舗装飾設備等の金額は減少しているものの，EC 販売拡充のための新たな物流センターの設置により有形固定資産が増加していることがわかりました。このように，よりリターンの大きいほうへと投資の配分をシフトしていることは，今後の成長性の大きさを期待させるものといえます。

3－2．キャッシュ・フロー分析

　Chapter 8－2 では，財務諸表分析と同じ分析期間におけるアダストリアのキャッシュ・フローの増減について分析しています。実数分析により，営業 CF がプラスであることから毎期一定の CF を獲得していることが，投資 CF がプラスであることから毎期一定の設備投資が行われていることが，財務 CF がマイナスであることから資金調達に頼らずとも

安定して投資活動を行えていることがそれぞれ推測されます。

　また，安全性分析として，①営業キャッシュ・フロー（CF）対流動負債比率，②営業キャッシュ・フロー対長期負債比率，③設備投資対営業キャッシュ・フロー比率の 3 つの指標に注目した分析を行いました。これらの指標の数値をまとめたものが，図表 4 です。

図表 4　アダストリアの安全性分析

	2016 年	2017 年	2018 年	2019 年	2020 年
営業キャッシュ・フロー対流動負債比率	60.54	35.43	27.79	26.89	55.65
営業キャッシュ・フロー対長期負債比率	2,960.26	1,733.72	649.54	671.91	609.47
設備投資対営業キャッシュ・フロー比率	24.34	43.03	71.99	74.79	19.52

※単位はすべて％

　図表 4 からは，2016 年 2 月期から 2019 年 2 月期にかけて各指標ともに悪化傾向であることが確認されます。営業キャッシュ・フロー対流動負債比率と設備投資対営業キャッシュ・フロー比率は 2020 年 2 月期に回復しているものの，営業キャッシュ・フロー対長期負債比率は一貫して悪化していることから，安全性に問題がある印象を受けます。しかし，財務分析の結果やキャッシュ・フローの実数も含めて考えると，流動負債や設備投資額に大きな増減がなかったことから，これらの数値の悪化はあくまでも営業キャッシュ・フローの減少にともなうものと考えられそうです。そして，その営業キャッシュ・フローについては効率性分析で見たように 3 か年計画を経て改善が見込まれていることから，総合すると安全性について大きな問題はないといえそうです。

4．上記の分析結果を踏まえた，アダストリアの現状と課題

　分析の結果から，アダストリアには，大きくわけて企業内部に対する課題と企業外部に対する課題の 2 つがあると判断します。

　企業内部の課題としては，利益率のさらなる向上が挙げられます。まず，分析を通じてアダストリアには競合企業にないいくつかの強みがあることがわかりました。その例としては，アパレルの枠を超えて飲食事業にまで展開しているマルチブランド・マルチカテゴリー戦略や，成長軌道にある自社 EC サイトなどがあります。ただ，主に財務分析から，これらの強みが業績に繋がりきらない印象を受けました。その主な要因としては，在庫管理を適切に実施できずに値引きして販売することになってしまったり，不採算店舗を多く抱えてしまったりしている点が挙げられます。これらの企業内部の課題を解消し，強みが業績に直結するようになれば，さらなる飛躍を遂げられることが期待できます。

　他方，企業外部の課題としては，国内アパレル業界全体の売上高が減少傾向にあることが挙げられます。減少傾向にあることの主たる要因は，国内の少子高齢化の進行や，海外生産による商品の低価格化とされています。

　分析では，マーケット・ライフサイクルの観点から，アパレル業界が衰退期にあること
が明らかとなりました。また，市場シェアの分析からは，アパレル業界は上位2社が約半
分の市場シェアを占める高位寡占型の市場であることが明らかとなりました。これらの要
素を考慮すると，今後アダストリアが獲得し得る市場シェアは限定的にならざるを得ない
ことが予想されます。そのため，業界全体の売上高の減少という課題に対して何かしら手
を打たなければ，アダストリアがアパレル業界で生き残っていくことは難しいと思われま
す。

【実践課題】
　2．1で抽出したアダストリアの課題のうち，喫緊の課題をいくつか取り上げ，そ
　　　の改善案または解決策を根拠を挙げながら検討してみよう。

　アダストリアが抱える課題のうち，もっとも深刻であると思われるものとして，ここで
は業界全体の売上高の減少傾向を挙げます。
　課題1の結びで指摘しているように，アパレル業界は国内の少子高齢化の進行，およ
び海外生産による商品の低価格化を主たる要因として，業界全体の売上高が減少していま
す。特に国内の少子高齢化の進行については，当然アダストリア1社で解決できるような
ものではありません。そのため，どのようにこの課題に対応し，さらにはこのピンチをチ
ャンスに転換できるかが，衰退期にあるアパレル業界のなかでアダストリアが生き残るた
めのポイントとなるでしょう。
　はじめに，アダストリアがこの課題をどう認識しているかを確認します。アダストリ
アの2018年2月期の有価証券報告書における「経営方針，経営環境及び対処すべき課題
等」には，「日本の人口減少や高齢化によるアパレル市場の縮小・変化に加え，…（中略）
…従来の業態・販売手法ではお客様の支持が得られない状況も現実化してきました。」と
の記載があります。そのうえで，こうした課題に対応するための経営戦略として，［戦略
1　「収益」を継続的に向上させる体制の実現］と題し，以下の施策を挙げています。すな
わち，①独自のSPA体制構築による商品企画力の向上，②在庫量の最適化と値引きコン
トロールの実現の2つです。
　確かに，これまでの分析を通じて，アダストリアはマルチカテゴリーなブランド展開や，
在庫管理の徹底といった施策を実施していることが明らかとなっています。これによる新
規顧客の獲得や利益率の向上は，アパレル市場の縮小という課題に対して一定程度効果が
あるでしょう。しかし，国内少子高齢化の進行が続く限りは新規顧客の獲得には限界があ
り，売上高が減衰していく以上，自ずから原価率の改善もどこかで限界を迎えることとな
ります。よって，これらの施策のみでは業界全体の売上高減少という課題に立ち向かうこ

とは難しいと考えられます。そのため，より効果的な解決策や対応を検討する必要があるでしょう。

　この課題に対し，競合企業はどのような対策を講じているのでしょうか。これまでの分析でも比較対象として挙げられているオンワードの2019年2月期の有価証券報告書内には，「日本のファッション市場は成熟化し，グローバルな企業競争の下，消費者の選別はより厳しさを増しています。」との記載があります。そのうえで，こうした経営環境の変化への対応として，国内事業については提供価値の多様化と顧客基盤の拡大，海外事業についてはグローバル戦略の加速化を積極的に推進するとしています。このうち後者の，海外事業への注力の程度は，アダストリアよりもオンワードのほうが強い様子が見受けられます。

　オンワードの同年度の有価証券報告書におけるセグメント情報を確認すると，「アパレル関連事業（国内）」，「アパレル関連事業（海外）」，「ライフスタイル関連事業」の3つに区分されています。一方で，アダストリアの2019年2月期有価証券報告書におけるセグメント情報を確認すると，「衣料品並びに関連商品の企画・販売」の単一セグメントとなっています。この点から，オンワードは海外事業が1つのセグメントに値すると認識している一方，アダストリアはそこまで達していないと見ることができ，両者の間の注力の程度の違いが見られます。また定量的な面で見ても，オンワードの海外売上高比率が23%程度なのに対し，アダストリアの海外売上高比率は10%未満となっています。これらのことからは，アダストリアは海外事業について競合企業に比較的遅れをとっているといえるでしょう。

　しかし，アダストリアが海外事業にまったく注力していないわけではありません。アダストリアの2019年2月期有価証券報告書には，中長期的な経営戦略として，少子高齢化による国内市場の縮小などの環境変化を成長機会と捉えることが挙げられています。そして，その一環として海外事業の再構築を行う旨の記載があります。具体的には，成長市場であるアジア・アメリカ市場への事業拡大と，主要ブランド「ニコアンド」の中国展開，および海外ECの展開拡大を行っていくとしています。確かに，これらの海外事業に関する戦略が上手くいけば，国内マーケットの縮小という大きな課題への効果的な対応策になり得ると考えられます。また，同年度の固定長期適合率をアダストリア，TSI，オンワードで比較するとそれぞれ75.6%，83.8%，95.1%であり，アダストリアの安全性が最も高いため，ある程度大胆な事業展開にも十分に耐え得るといえるでしょう。これに加えて，競合企業に比較的遅れをとっている現状も踏まえると，アダストリアにとって最も喫緊の解決すべき課題は海外事業を軌道に乗せることといえるのではないでしょうか。

　それでは，海外事業を軌道に乗せるためにはどのような施策が有効でしょうか。海外に事業を展開する際には，現地にすでに存在する企業と競争する必要があったり，文化や気候の違いに対応する必要があったりと特有の難しさがあります。実際，アメリカ発祥のフォーエバー21が日本に進出した際にも，当初こそヒットしたものの，しまむらやGUに

押されたり日本に本社機能を置かなかったために日本に合わせた組織運営ができなかったりといった要因から撤退に追い込まれた事例もあります。アダストリアも同様に，海外事業に対しては苦戦が続いていたようです。以下の図表5は，2016年2月期から2020年2月期までの海外事業の実績を示した表です。これを見ると，全体として営業損失の計上が継続しており，特に2019年2月期には韓国を除くその他の地域で営業損失を計上し，全体では2,388百万円と大きなマイナスとなっています。

図表5　アダストリアの海外事業の業績推移

（単位：百万円）

営業利益（のれん償却前）		2016年2月期	2017年2月期	2018年2月期	2019年2月期	2020年2月期
	全体	▲238	▲384	▲1,905	▲2,388	▲902
	香港	217	▲229	▲581	▲1,226	▲318
	中国	▲135	▲123	▲343	▲953	▲573
	韓国	▲333	▲212	170	66	171
	台湾	98	176	▲161	▲199	▲213
	シンガポール	▲85	4	―	―	―
	米国	―	―	▲989	▲75	31

出所：アダストリア「決算説明会資料」をもとに筆者作成

また，それを受けてか2019年2月期には大きな店舗整理が行われています。以下の図表6は2019年2月期における海外店舗の出退店数を示した表です。特に赤字幅の大きかった中国については，49店舗中40店をクローズするという大胆な整理が行われていることがわかります。

図表6　アダストリアの海外店舗出退店数（2019年2月期）

		2018年2月期末店舗数	出店等	変更	退店	2019年2月期末店舗数
	全体	126	11	1	▲53	85
	香港	24	3	0	▲7	20
	中国	49	0	1	▲40	10
	台湾	31	7	0	▲4	34
	韓国	11	1	0	0	12
	米国	11	0	0	▲2	9

出所：アダストリア「決算説明会資料」をもとに筆者作成

このような状況を踏まえて，アダストリアがとるべき戦略を検討します。前述したように，海外への事業展開にあたっては，文化や気候の違いがあるため，それに起因した国内事業とのニーズの相違に対応する必要があります。この点，アダストリアはマルチカテゴリーなブランド展開をしており，多様なニーズに対応し得るだけの商品ラインナップを揃

えているといえます。

　そのため，現地のニーズを的確に把握し，それに適切に対応する販売方法さえ確立することができれば，海外への事業展開を大きく成功させる可能性が高いといえるでしょう。ニーズの把握という点に関しては，すでに商品販売事業を担う完全子会社である現地法人がアジア・アメリカを中心に6社存在します。それらの現地法人を活用することで，適時性のあるニーズの把握や販売戦略の意思決定が可能な状況にあると考えます。

　また，現地消費者のニーズをより正確に捉えるための工夫として，ECサイトの活用が有用であると考えます。実店舗による販売の場合，売り場面積などの制約から販売できる商品の種類・数に限界がありますが，ECサイトを用いる場合には幅広い商品展開がしやすく，多様なニーズに対応しやすいというメリットがあります。それに加え，ECサイトを活用することで顧客がどのような商品に関心を寄せているのかといった情報を収集・分析できるようになります。これらのデータを利活用することで，現地の消費者のニーズをより一層正確に把握し，効果的な商品の販売促進に役立てることができます。さらに，ECサイトの導入コストは，賃料や水道光熱費といったランニングコストを必要とする実店舗と比較して少額で済むことが一般的であり，失敗した場合の損失が少額で済むため，海外展開への足がかりとしては最適であるともいえます。このように，"自社マルチブランド×現地法人×ECサイト"の掛け合わせによって競合他社との差別化を図り，海外事業を軌道に乗せることができるのではないでしょうか。

　ただし，オンワードやTSIもアダストリアと同様に海外で製造や販売を行う現地法人を有しており，保有ブランドも多数存在するため，模倣困難であるとまではいえないようです。そのため，他社が同様の販売方法をとる場合には，結局のところ個々のブランドの魅力や保有ブランドと進出地域の文化との相性といった点に競争が左右されてしまう可能性があります。

　また，ECサイトの活用によるニーズの把握や対応，コスト面からメリットとなる点を述べましたが，反対に試着ができないという大きなデメリットも存在します。そのため，現地の実店舗も必要最小限は残しておき，実際に試着できるなどの実店舗の利点とのシナジーを創出することも海外におけるEC戦略のポイントとなるのではないでしょうか。

[参考文献]

アダストリア．2016年2月期決算説明会資料．
　https://www.adastria.co.jp/archives/001/202102/1234c2345a509a307c0476e8e18febfa5db7048f18538796a3f
　d37bb50e0d788.pdf，（参照 23-11-29）
アダストリア．2017年2月期決算説明会資料．
　https://www.adastria.co.jp/archives/001/202102/a6dab9f357fc942486776421621339c5e425d3c056d97ef9ae1
　b773d3a6a4063.pdf，（参照 23-11-29）
アダストリア．2018年2月期決算説明会資料．
　https://www.adastria.co.jp/archives/001/202102/90b15a9ecd662b13e4823950c7b4104fc90bbbac529cd90823

5dc47147f7350d.pdf,（参照 23-11-29）

アダストリア．2019 年 2 月期決算説明会資料．
　https://www.adastria.co.jp/archives/001/202102/eff758b460ca2c8bd1335dfd263070e4061668d7a06e9cb7906
　378e3bc0e0d51.pdf,（参照 23-11-29）

アダストリア．2019 年 2 月期（第 69 期）有価証券報告書．
　https://www.adastria.co.jp/archives/001/202102/27c6353c430ac6065615d3980affb1553c0d9c9de44ff5b301c
　4e1509b424cf3.pdf,（参照 23-11-29）

アダストリア．2020 年 2 月期決算説明会資料．
　https://www.adastria.co.jp/archives/001/202102/1a65dc760f13b440430cc69e568a52090f16ea05befc17cac00
　952c53d3e398c.pdf,（参照 23-11-29）

オンワード．2019 年 2 月期（第 72 期）有価証券報告書．
　https://www.onward-hd.co.jp/ir/library/20190530.pdf,（参照 23-11-29）

TSI．2019 年 2 月期（第 8 期）有価証券報告書．
　https://www.tsi-holdings.com/pdf/190524y.pdf,（参照 23-11-29）

影山悠理・近藤陽斗・佐々木心平・滝沢大翔・椿原晴人・比嘉良真

（横浜市立大学）

総合判断についてのコメント

○評価ポイント

　アダストリアの課題の抽出にあたって，Chapter 6から8までの分析結果をイメージとして捉えるのではなく，分析結果にもとづいて一覧表を作成して結果を要約し，分析対象企業の現状と課題を把握する姿勢が見てとれます。この姿勢は，総合判断を行っていくうえで必要となるマクロの眼を意識したことによるものだと思います。その結果，業界全体を俯瞰することができていました。

　同社をミクロの眼で分析するに先立って，アパレル業界全体としては衰退期にあり，業界内の上位2社が市場全体の57％を占有している高位寡占型の市場で，3位以下は玉石混交という厳しい業界に身を置いているという認識のもとに分析を進めることができたのではないかと思います。また，改善策の検討にあたっても，同社の有価証券報告書，ホームページや決算説明資料などを精読するにとどまらず，同業他社の公表資料も勘案しながら，さらなる海外進出の必要性や，EC事業の新展開といった提案ができているため，説得力が増しています。

○修正ポイント

　1つの企業の分析を行うのに，業界分析，経営分析および財務分析とさまざまな角度から分析を行うのは，それだけ分析対象となっている企業が多面体であることを意味します。特定の分析手法だけに偏らずに，さまざまな角度から分析していかなければ，その真の姿を捉えることができません。また，多くの分析手法を組み合わせて分析するのは，それぞれの分析手法に特性があり，万能な分析手法は存在しないと認識されているからです。したがって，総合評価にあたっては，多面体である企業にバランスよく焦点を当て，各分析手法の特徴を織り込みながら分析を進めていく必要があります。

　アダストリアを分析する場合でも，当該企業を時系列的に分析するだけでは限界があります。同業他社やライバル企業の資料については部分的には活用されていましたが，さらに研究を進めて横断的に分析することで，より相対化を図る必要もあります。そうすることで初めて浮かび上がってくる課題や特徴があります。総合判断では，こうした視野を取り入れることができればさらに奥行きのある分析となっていくと思います。

模範解答

・・・

【実践課題】
1. アダストリアの Chapter 6 から Chapter 8 までの業界分析，経営分析および財務分析の結果から，アダストリアの現状と課題を抽出するとともに，想定される比較対象企業との比較を通じて，アダストリアの業界内における位置づけと，業界の特徴を把握してみよう。

1．総合判断を行うにあたって，まずはアダストリアが厳しい環境下にあるアパレル業界で解決すべき課題を抽出し，生き残るうえで必要な改善策のいくつかを検討することを目的とします。分析の範囲は，Chapter 6 から 8 にかけて行ってきた業界分析，経営分析および財務分析の結果のレビューから始めますが，必要に応じて追加の分析を行います。

（1）業界分析および戦略ポジション分析のレビュー

　Chapter 6 では，まず主たる分析対象となるアダストリアが属するアパレル業界を分析することから着手しました。以下の図表 9 − 1 はアパレル業界の特徴とその分析結果の概要をまとめたものです。

　図表 9 − 1 から明らかなように，業界全体を概観するために，経済産業省の「商業動態統計　業種別販売額及び前年（度，同期，同月）比」の「織物・被服・身の回り品小売業」と「百貨店・スーパー商品別販売額及び前年（度，同期，同月）比」の合計額をアパレル業界の売上高と見なした場合，同業界は 1990 年前後の約 25 兆円の売上高をピークとして，その後下降の一途を辿り，今や衰退期にあると考えられることが明らかとなりました。さらに業界内の競争状況を調べたところ，業界市場シェア 1 位のファーストリテイリングと

図表 9 − 1　業界分析結果の概要

（1）アパレル業界の歴史と販売額の推移から，現在のアパレル業界は衰退期であると考えられる。
（2）アパレル業界は上位 2 社の高位寡占型で，業界全体では同規模の企業がたくさんあるわけではないので業界内の競争は激しくない。
（3）3 位以下の市場シェアは拮抗しており，玉石混交の状況にある。
（4）アダストリアはさまざまなカテゴリーのブランドの開発・商品展開を行っており，アパレル関連事業を主とする TSI やオンワードとは異なる特徴をもっている。
（5）とりわけ，業界 3 位のアダストリア，5 位のオンワード，ならびに 8 位の TSI 間の競争状況は比較的激しい。
（6）アダストリア，オンワード，TSI 各社は，ビジネスモデルや商品販路が異なっており，他社の戦略を意識してできるだけ他社と競合しないように棲み分けをすることにより，競争状況の激しいアパレル業界での生き残りを図っている。

出所：筆者作成。

同2位のしまむらで市場シェアの57％を占めており，残りの43％の市場シェアを業界3位のアダストリア以下でわけ合っているという高位寡占型の業界であることも明らかとなりました。業界上位2社で市場シェアの半分超を占めているためその集中度は高く，一般論としては，業界内の競争は激しくないということが判明しました。

　さらにアダストリアと比較対象となるオンワードおよびTSIのビジネス・モデルにまで踏み込んで分析すると，3社とも業界内における市場シェアは拮抗していますが，アダストリアがアパレルを中心としながらも，飲食事業，化粧品，スポーツやアウトドア関連商品，インテリア雑貨なども手掛けているのに対して，TSIとオンワードはアパレルを主軸としているところに特徴がありました。また，アダストリアとTSIのリアル店舗がショッピングモールを中心に展開されているのに対して，オンワードのリアル店舗は百貨店を中心としているところも各社の特徴が現れているところです。ただ，3社ともEC事業の強化と海外進出については，今後の最重要の経営課題として捉えているところは共通していました。

　こうした業界におけるアダストリアのポジションと戦略について理解を深めるために，Chapter 7-1ではアダストリアを中心とした戦略ポジション分析と戦略との関係性を分析することとしました。図表9－2はアダストリアの戦略ポジション分析の結果と，市場における地位と戦略との関係性についてまとめたものです。

　業界分析でも触れたように，この業界には1社で業界の半分近い市場シェアを誇るファーストリテイリングと，かなり水をあけられているものの業界2位のしまむらが君臨しているため，この両社を除くとリーダーとよべる企業は残りません。そのため，アパレル業界全体を分析対象範囲とする場合には，今回，分析した企業3社はすべてニッチャーのポジションにいると判断されることになります。

図表9－2	戦略ポジション分析結果の概要

アダストリアの戦略ポジション分析
（1）経営資源の量を従業員数と店舗という観点から分析すると，①分析対象に圧倒的なリーダーはいないが，②アダストリアとオンワードは経営資源の量が比較的豊かで，③TSIの経営資源の量は多いとはいえない。
（2）アダストリアは，その事業形態をODMやOEMからSPA（製造小売業）へと変化させてきた。

アダストリアの市場における地位と戦略の関係分析
（3）飲食事業の展開などのアパレル以外の業種にも事業領域を拡大していることからもわかるように，新しい価値を創造することに長けている。
（4）最近では飲食だけではなく，家具や雑貨，コスメ，スポーツなどさまざまな分野に進出している。
（5）マルチ・カテゴリーで行う差別化には，特定のブランドにおけるカテゴリーの多様化と複合店の運営がある。
（6）単一ブランドで複数カテゴリーの商品やサービスを取り扱う意図は，顧客層の拡大にある。
（7）新事業を既存ブランドのなかで展開し，各事業の商品やサービスを1か所で提供する複合店を運営する形態をとっている。

出所：筆者作成。

　しかし，従業員数と店舗数を経営資源の代理変数と見なして3社を分析したChapter 7–1の方法によれば，アダストリアがこれらの点で勝る点が明確になりました。そして，アダストリアの社史を振り返ると，アダストリアは，その事業形態をODM（委託設計・生産）やOEM（委託生産）からSPA（製造小売業）へと変化させ，現在も新事業を展開し続けていることなどから，チャレンジャーと位置づけられることがわかりました。同様の観点で，オンワードを見た場合，オンワードも経営資源ではTSIに勝っていると判断できることからチャレンジャーと位置づけられましたが，Chapter 8の財務分析の部分で触れたように，オンワードはキャッシュ・マネジメントの観点からはやや心もとないチャレンジャーといえるかもしれません。これに対して，TSIは経営資源という点では他の2社の後塵を拝する結果となっています。ただ，TSIの場合は，この身軽さを逆手にとり，スポーツ用品でもゴルフという狭い領域に絞り込み，サプライヤーとも密に連携した質の高い事業を展開しています。こうした点から判断して，TSIはニッチャーと位置づけられると判断しています。

　Chapter 7–1ではチャレンジャーとしてのポジションにあるアダストリアのとる戦略との関係性についてさらに踏み込んだ分析を進めました。チャレンジャー企業の戦略の基本は，差別化戦略です。ただし，模倣の容易な差別化では，ライバルにすぐに真似されてしまうため，長期にわたって超過利益を享受することはできません。

　アダストリアがマルチカテゴリーで行う差別化戦略には，特定のブランドにおけるカテゴリーの多様化と複合店の運営を挙げることができます。事実，アダストリアでは，新事業であるカフェやキッチンをアダストリアの特定ブランド内で展開しており，飲食業も手掛けるブランドとして拡充することで独自の戦略をとろうとしています。また，複合店を運営する戦略は，特定のブランドにおけるカテゴリーの多様化と対をなす戦略です。具体的には，生活雑貨の店舗にレストランを併設し，レストランで使用されている家具，照明および食器の一部を併設の店舗で購入可能にすることで，顧客は実際の使用感を確かめたうえで，これらを購入できるようにしています。このことは，顧客が一部とはいえ商品を試したあとで購入するか否かを判断することができることを意味しており，まさにアパレルの発想が根底にある戦略といえそうです。

　以上の分析結果から，アダストリアは，チャレンジャーとして，特徴的な差別化戦略を標榜していますが，このことは，裏返せば，それだけ本業のアパレルが厳しい状況にあるとみることもできます。そこで次にChapter 7–2では，アダストリアをとりまく環境を整理するために，ファイブ・フォース分析を試みました。

（2）ファイブ・フォース分析とSWOT分析のレビュー

　企業をとりまく環境を，5つの力（Force）の観点から整理して現状を把握することは，戦略を俯瞰的に評価するうえで重要です。次の図表9－3はアダストリアの属するアパレ

図表9－3 ファイブ・フォース分析結果の概要

1	業界内の競争	(1) 総務省統計局の家計調査結果によると，被服及び履物に対する年間支出額は年々減少傾向にある。	激化傾向
		(2) アパレル業界では上位2社を除いた企業間での競争が激しい。	激しい
2	新規参入の脅威	業界の需要は低下しているにもかかわらず，競合企業が数多く存在しているため，総じて新規参入の脅威は低い。	低い
3	代替品の脅威	レンタル品では近年サブスクリプションが影響力の大きな代替品となりつつある。	高い
4	売手の交渉力	(1) アパレル業界にとって，素材による差別化が今後進んでいく可能性はかなり高く，技術力のある売り手による素材開発の成果が大きな影響を与えることが考えられる。	高まる傾向
		(2) 売り手の交渉力を弱めるためには，自社での素材開発や素材メーカーとの共同開発なども必要。	－
5	買手の交渉力	環境や人権などの社会問題に対する消費者の関心の高さによって，商品の売れ行きが大きく左右されるという点では，買い手の交渉力はかなり高い	高い
6	総括	(1) アパレル業界をとりまく環境を考慮すると，アダストリアの現在置かれている状況は楽観視できるものとはいえない。	－
		(2) 新型コロナウイルスの影響で厳しいアパレル業界内での事業だけではなく，衣食住のすべてを新しい形で楽しめる時間や空間の創出を目的とした事業展開を目指し，事業の多角化によってリスク分散を図ろうとしている。	－

出所：筆者作成。

ル業界のファイブ・フォース分析の結果をまとめたものです。

　分析結果を概観すると，次のようになります。アパレル業界に新規参入する方法には，大きく仕入販売をする場合と製造販売をする場合の2通りが考えられますが，後者の場合は，比較的まとまった設備投資が必要で，衰退期にある市場をターゲットとすることから，競合他社もひしめいている状況を考えると，参入障壁が高く，脅威は高くないといえそうです。しかし，既存の競合他社の数が多いことは，差別化が難しい商品を取り扱う業界の特徴を考えると，業界内の競争は上位の2社を除くと厳しい状況にあるといえます。この業界で，競合他社とのあいだに差別化を図ろうと特別な素材を用いようとすると売り手の交渉力は強くなります。また，近年ではSDGsが注目を浴びるようになり，単に魅力的な商品やサービスというだけでは不十分で，それらが環境的および人権的に社会として受け容れられるかどうかも重要な観点となってきており，その意味では買い手の交渉力も高まりつつある状況です。さらに，ネットの普及や決済手段の発達で，従来は代替品の脅威とはならなかったレンタルや中古品が，サブスクリプションなどの新たな提供手段を得て，製造・販売業者を脅かすまでに成長するようになっており，業種内の代替品の脅威もさることながら，別の所から生じる代替品の脅威も，近々，考慮すべき状況になっています。

　ファイブ・フォース分析で導き出された結論は，アパレル業界はかなり厳しい環境に置かれていることでした。そして，その状況が，アダストリアのように，アパレルを軸とし

図表9－4 クロスSWOT分析結果の概要

		内部要因	
		強み（S）	弱み（W）
外部要因	機会（O）	積極戦略（S×O）	改善戦略（W×O）
		（a）マルチブランドの効果的な展開の推進	（a）サステナブル分野のブランド価値向上
		（b）リアルとデジタルの融合の拡大	（b）社会的課題への対応力
		（c）サステナブル経営の積極展開	
	脅威（T）	差別化戦略（S×T）	致命傷回避・撤退縮小戦略（W×T）
		（a）デジタル技術を活用した新サービスの開発	（a）ブランド価値の再検証
		（b）「マルチカテゴリー」の拡大・推進	（b）海外でのブランド価値向上
		（c）「BtoB」事業の拡充	（c）現地ニーズに対応した海外展開

出所：筆者作成。

ながら新規事業に進出していかざるを得なかったという実情浮き彫りにすることになりました。こうした実情を踏まえて，Chapter 7-6ではさらにアダストリアの現状を強み（S）・弱み（W）・機会（O）・脅威（T）の4つの要因で分析し，同社がとるべき戦略をクロスSWOT分析で検討しました。図表9－4はクロスSWOT分析結果の概要をまとめたものです。

　図表9－4から，アダストリアに必要なのは，同社の競争優位性を高める戦略です。図表9－4から，アダストリアに必要なのは，同社の競争優位性を高める戦略です。そこでは，まず，「弱み（W）」と「脅威（T）」の組み合わせで考える致命傷回避・撤退縮小戦略と「弱み（W）」と「機会（O）」の組み合わせで考える改善戦略で，同社の「弱み（W）」となっているブランド認知度の問題を解決するための方策が，次に，「強み（S）」と「脅威（T）」の組み合わせで考える差別化戦略と「強み（S）」と「機会（O）」の組み合わせで考える積極戦略で，同社の「強み（S）」であるマルチブランドの活かし方が，変化する市場と消費者の視点から検討されます。

　そして，これまでの「弱み（W）」の分析では，国内市場が縮小していくアパレル業界で，国内への過剰な固執は企業の致命傷になりかねないため，アダストリアもすでに海外展開をはじめましたが，海外でのブランドの認知度が国内ほど高くないことが災いし，国内販売事業に比べると海外販売事業は苦戦している状況にあることがわかりました。しかし，海外販売事業は，まだまだ伸びしろのある領域で，同社のブランド認知度の問題を解消できれば相当な売上も見込める事業となり得ます。

　マルチブランド展開をするアダストリアにとって，ブランドの多さは企業の強みの1つですが，それぞれのブランドが相乗効果でブランド価値を高めるのではなく，相反する価値や矛盾する価値を提供するのであれば問題です。また，現在のアダストリアが展開する30を超えるブランドには，サステナブル関連の事業も展開しているものもありますが，

ブランドの多さがマイナスとなり，とりわけこの領域のブランド価値が充分に認知されていない問題も抱えています。

　アパレル業界では，生産国や地域における低賃金，長時間労働や児童就労などの社会問題が長らく問題視されてきました。さらに，近年では世界のどこかで突然戦争や紛争が勃発することも珍しくなくなってきました。こうした社会問題や国際紛争に対応しながら安定して生産・販売活動を続けるためには，エシカルでサステナブルな調達ルートを常に複数確保し，サプライ・チェーンの断絶に巻き込まれないようにしておくことが必要です。このような弱みはアダストリアに限ったことではありませんが，社会的課題への対応力の強化を図ることは，消費者ニーズが多様化し，環境問題や社会問題への意識をこれまで以上にもつようになった消費者に対する情報発信として重要です。

　社会や時代や環境の変化でブランドの価値は変化します。そのため，この場合のアダストリアには，致命傷回避・撤退縮小戦略として，常にブランド価値を再評価し，陳腐化したブランドに引きずられて致命傷を負うことを回避するよう心掛けるだけではなく，それぞれのマーケットでどのようなブランドを組み合わせて展開していくかを検討することが必要です。また，この戦略には，マーケットが求める現地のニーズに合わせた商品開発や店頭表現を，同社が的確に実現できるかが重要となりますが，同社の改善戦略として，サステナブルな独自開発素材そのものをブランド化し，認知度を向上させるだけではなく，自社利用に留まらず他社，とりわけ環境意識の高い海外企業にも利用を働きかけることができれば，ブランド認知度が高まり，企業価値を高める可能性を秘めていると考えます。

　これに対して，「強み（S）」の分析では，デジタル技術がヒントになります。まず，差別化戦略として考えられるのは，デジタル技術を活用したメタバースへの進出です。メタバース事業への参入は，新しいビジネスチャンスを探るきっかけとなり，サステナビリティの観点からもファッションロスなどの問題解決策にも繋がる可能性を秘めているため，アダストリアの同事業への参入は，有効な差別化戦略になるかもしれません。同社の特徴の１つでもある既存ブランドにおけるマルチカテゴリーによる新事業の展開も，顧客層を広げ，アパレルの枠を越えたライフスタイルの提案へと繋がり，顧客体験の価値を高めていくこととなり，他社と差別化された戦略となり得ます。また，こうした特徴ある戦略のノウハウを蓄積し，そのノウハウ自体を商品化することによってBtoBプロデュース事業という新たな事業領域を創出していくのも，ある種の差別化戦略です。

　一方，積極戦略として考えられるのが，マルチブランドの効果的な展開，リアルとデジタルの融合，サステナブル経営の展開です。アダストリアにとって，大企業のスケールメリットが働きにくい小規模なセグメントを狙いながら，多様化する顧客ニーズに対応したブランドを展開していくことは今後有効な戦略になると考えられます。また，デジタル技術を活用したリアル店舗とECサイトの融合は，顧客との接点を拡大するだけでなく，これまで以上にデータの蓄積を可能にするため，格段にエビデンスに基づく経営戦略の策定

を可能にしていくという点でも有効な戦略になると考えられます。さらに，アパレル業界は，大量生産・大量消費・大量廃棄といった環境負荷の高い業種の1つとして消費者から厳しい目が向けられているだけに，アダストリアのサステナビリティへの取り組みやその海外展開または持続可能な新素材の開発などは，成否によってはゲームチェンジャーとなりうる戦略の1つかもしれません。

（3）財務分析のレビュー

　Chapter 8では，財務分析を通じてアダストリアのROA，ROEと経常利益趨勢比率の変化および固定資産に関連した有形固定資産回転率，固定長期適合率，有形固定資産増加率の変化を分析したうえで，これらの推移の源泉を分析することで，同社の近年の事業展開を評価しました。図表9-5はその分析結果の概要を簡潔にまとめたものです。

　アダストリアのROAは，2016年の17.9％をピークに下降しはじめ，2018年の6.0％を底値として2020年には13.1％まで回復を遂げていました。ROEは，2016年の17.1％から2017年の20.7％まで上昇しましたが，やはり2018年の1.7％を底値として，2020年には11.2％まで回復していました。これらの動きの主な要因を調べるために，ROAとROEの構成要素に分解してそれぞれの変化に影響を与えている要因を探ったところ，ROAの動向を決定づけていたのは経常利益で，ROEは売上高当期純利益率によって左右されていることが判明しました。さらにこの売上高当期純利益率に影響を与えている要因を分析したところ，売上原価と販売費及び一般管理費が大きく影響していることも明らかとなりました。

　一方で，固定資産に関連した有形固定資産回転率，固定長期適合率，有形固定資産増加

図表9-5 ｜ 財務分析結果の概要

ROA，ROEと売上高当期純利益率の変化の要因分析	（1）ROAの動向を決定づけているのは経常利益である。
	（2）ROEは売上高当期純利益率によって左右されている。
	（3）業績に大きく影響を及ぼしているのが，売上高，売上原価および販売費及び一般管理費となっている。
	（4）売上高については海外売上の伸びがプラス要因となるが，値引き販売はマイナス要因となる。売上原価については在庫管理の成否に左右され，販売費及び一般管理費については出店にともなう支払地代・家賃のマネジメントが左右する。
固定資産に関連した有形固定資産回転率，固定長期適合率，有形固定資産増加率の変化の要因分析	（1）固定長期適合率は5年間にわたって100％を下回り，しかも低下傾向にある。したがって，長期的な安全性は高いといえる。
	（2）固定長期適合率の低下傾向は，大口ののれん償却の完了と投資有価証券の売却なども含めてもたらされた利益剰余金の積み上げによって達成されている。
	（3）有形固定資産回転率は，14.6回から19.5回の間で推移している。TSIの有形固定資産回転率が12.1回から14.4回，オンワードが2.5回から3.0回でそれぞれ推移していることを踏まえると，他の2社に比べて有形固定資産を効率的に活用して売上高を確保していることとなる。

出所：筆者作成。

率の変化について調べてみると，固定長期適合率は調査対象全期間にわたって100％を下回っており，しかも低下傾向にあるため，長期的な安全性は高いと判断されました。こうした安定性をもたらしている要因について分析してみると，比較的高額ののれん償却の完了と投資有価証券の売却などでもたらされた利益剰余金の積み上げが寄与していることが明らかとなりました。有形固定資産回転率も14.6回から19.5回の間で推移しており，他の2社よりも効率的に資産が活用されていました。

　以上の損益計算書と貸借対照表を用いた財務分析に加えて，アダストリアの資金的な効率性や安全性についても分析を進めました。図表9－6はキャッシュ・フローの変化とその要因分析の結果をまとめたものです。まず，営業活動からのキャッシュ・フローについては，2019年2月期まで逓減していたものの，2020年2月期には2016年2月期の水準に迫るところまで回復し，対象期間を通じて毎期一定のキャッシュ・フローを本業から獲得していることがわかります。投資活動からのキャッシュ・フローについては，毎期一定額が計上されており，継続的な投資が行われているものと推測できました。財務活動からのキャッシュ・フローが毎期マイナスで推移していることを考慮すれば，投資のためのキャッシュは営業活動からのキャッシュ・フローで充分賄えていると推測できます。フリー・キャッシュ・フローについては，年度によって浮き沈みはありましたが，どの期のフリー・キャッシュ・フローもプラスを維持しており，資金繰りに大きな問題は生じていないようでした。

図表9－6　キャッシュ・フロー分析結果の概要

キャッシュ・フローの状況の変化の要因分析	（1）2019年2月期まで営業CFの金額は逓減していたが，2020年2月期には2016年2月期の水準に迫るところまで回復しており，対象期間を通じて毎期一定の営業CFを獲得している。
	（2）投資CFは，毎期一定額が計上されており，2019年2月期が最も大きかった。財務CFについては，毎期マイナスが続いていることを考慮すると，新規の資金調達をしなくとも安定した投資活動が継続されていることが推察される。
	（3）2016年2月期から2020年2月期の総資本営業CF比率の変化の原因の多くは，営業CFの変化によるものといえる。そして，この変化は販売額を増やしたというよりも，代金回収のスピードを早めたり，在庫を減らしたりといった経営管理の面の成果によってもたらされたものと推測できる。
	（4）フリー・キャッシュ・フローは，2019年2月期までは下降線をたどっていたが2020年2月期に急回復している。これは，投資額が減ったのではなく，営業CFが大幅に増加したことによるものと考えられる。ただし，どの期のフリー・キャッシュ・フローもプラスを維持しており，営業CFの額内の投資が行われていることから，資金繰りに大きな問題は生じていないことが推測できる。
	（5）TSIのフリー・キャッシュ・フローは，－3,930百万円から1,332百万円の間で，オンワードのフリー・キャッシュ・フローは，－1,782百万円から19,983百万円の間で推移していることを考えると，アダストリアは一部マイナスの期があるとはいえ金額が僅少であることから，安定したキャッシュマネジメントを行っていると評価できる。

出所：筆者作成。

（4）アパレル業界におけるアダストリアの課題

　国内人口の減少と少子高齢化が進むなかで，業界分析でも明らかとなったようにアダストリアの属するアパレル業界はすでに衰退期を迎えています。さらにその業界内も1位のファーストリテイリングと2位のしまむらで全体の60％弱の市場シェアを占められており，高位寡占型の業界でアダストリアは競争を勝ち抜いていかなければならない立場に置かれていました。

　こうした状況下でアダストリアがとった戦略が差別化戦略です。ただし，アダストリアの採用した差別化戦略は，比較企業のオンワードやTSIがかつて行ったような単に新規事業を立ち上げて多角化を行うという戦略ではなく，特定のブランドにおけるカテゴリーの多様化戦略でした。この戦略は，既存事業を軸として新規事業を束ね，これらを融合することで独自の世界観を紡ぎ出し，顧客に対して商品やサービスとともに世界観まで提供しようとするものです。この点にアダストリアの戦略の特徴を見いだすことができます。また，こうした戦略を具現化する場が多様化したカテゴリーを取り扱う複合店です。顧客はその複合店を訪れることでアダストリアの取り扱う商品に宿る独自の世界観を味わうことが可能となります。そして，複合店を運営する企業にとっては，顧客の動向を知ることで，こうしたカテゴリーの多様化戦略の答え合わせが，瞬時にできるようになっています。厳しいアパレル業界を生き抜くためにアダストリアが編み出した戦略は，まさに複合ビジネス領域の開拓戦略というのが相応しいでしょう。

　大企業が狙う成長余地があってスケールメリットを享受できるセグメントではなく，こうした比較的小規模で変動費型のセグメントを狙う戦略は，差別化が可能となれば，チャレンジャーとしては理にかなった戦略といえるかもしれません。ただ，このような戦略が功を奏しているかどうかは，もう少しさまざまな観点から分析を進めていくことが必要となります。図表9-7はアダストリア，オンワードおよびTSIのROEを比較したグラフです。

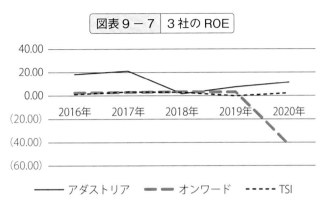

図表9-7　3社のROE

出所：3社の『有価証券報告書』より作成。

　アダストリアのROEについては，すでにChapter 8で触れましたが，3社で比較すると，また新しい発見があるのではないかと思います。まず，厳しい業界にありながら，2016年度と2017年度は20%近いROEを維持していたことがわかります。東証プライム上場企業の平均が8〜9%前後であることを考えると，米国企業とはいかないまでも，欧州企業レベルは維持できていたことになります。ただし，2018年は米国子会社ののれんの減損損失の計上や，中国事業の整理損の特別損失の計上，値下げ販売による売上総利益率の低下などが響き，続く2019年度も販売が低調でROEは低下しました。しかし，2020年度にはまた2桁のROEを達成しています。これに対して，他の2社は2桁のROEを達成した年度はなく，オンワードの2020年度はグローバル事業の構造改革などで巨額の特別損失を計上したため，一気にROEを低下させています。このように見てくると，アダストリアの経営戦略は業界3位以下のなかでは比較的功を奏しているように見えます。しかし，ファイブ・フォース分析やSWOT分析で見てきたように，内外に課題は山積しています。

　アダストリアのように複合ビジネス領域の開拓戦略を継続的に展開していくには，各分野に精通しながらそれぞれの分野の融合を図り，独自の世界観まで昇華させることができる人材の養成を避けて通ることはできません。また，こうした人材を確保して育成していくには相応のコストと時間がかかりますが，それがアダストリアの生命線となっているのは間違いのないことですから，コンスタントな人への投資はアダストリアの戦略の継続には不可欠です。

　SWOT分析でも強調されていましたが，将来ますます国内市場が縮小することが現実となる以上，海外進出は避けられない問題です。このことはアパレル業界に身を置く企業のほとんどに当てはまり，競合他社もすでに数多く進出していますし，アダストリアもいくつかの国や地域に進出済です。しかし，アダストリアも進出先の一部撤退や縮小を経験しているように，進出先やその方法を誤ると手痛いしっぺ返しを食うのも海外進出のリスキーなところです。現地ニーズに対応した海外展開ももちろん重要ですが，アダストリアのビジネスモデルを受け容れられる素地が整っていることも重要なファクターです。

　海外進出と同じくらいアパレル各社が心血を注いでいるのがEC事業です。アダストリアもEC事業には力を入れ，売上増に貢献してきました。オンワードやTSIもここ数年積極的に取り組み，着実に売上を伸ばしてきていますし，その傾向はしばらく続くことが予想されます。ただ，この成長もこれまでリアルの店舗が進出できなかった地域の顧客の需要がひととおり満たされてしまえば，飛躍的な伸びは期待できなくなる時点がやがてはやってきます。そうなる前にEC事業の次の一手を検討しておくことが重要です。また，EC事業を拡充していけば，顧客情報の流出対策も合わせて重要となってくることはいうまでもありません。

　アパレル業界の難しいところは，こうした課題をサステナビリティという枠のなかで解

決していかなければならないところです。ファイブ・フォース分析やSWOT分析でも取り上げましたが，アダストリアもこの重要性はすでに認識しており，自らもサステナビリティに関連する事業に取り組んでいます。ただ，この問題の厄介なところは，新疆ウィグル自治区の人権問題に絡んでファーストリテイリングが一瞬の対応を誤ったために，世界中を敵に回すレピュテーション・リスクへと繋がったり，ナイキやH&Mのように人権に懸念を唱えた途端に中国国内の消費を失ってしまうことに繋がったりしかねないところです。アパレル各社とも，サプライ・チェーンには十分注意を払っていると推測しますが，これに関してはいくら注意しても，しすぎることはないというスタンスで臨むしかありません。

【実践課題】
2．1で抽出したアダストリアの課題のうち，喫緊の課題をいくつか取り上げ，その改善案または解決策を，根拠を挙げながら検討してみよう。

2．1ではアダストリアを起点として，ミクロの眼から分析を行ってきました。ここでアダストリアの抱える喫緊の課題の分析に入る前に，今一度マクロの眼から業界の特徴と課題を確認しておきましょう。図表9－8は世界のアパレル上位4社の売上高の推移をグラフにまとめたものです（ユーロ，スエーデン・クローネおよび米ドルの年間平均レートで換算）。

図表9－8から明らかな通り，4社とも新型コロナウィルスによるパンデミックが発生した2020年度こそ大きく売上高を落としているものの，この7年間でいずれも売上高を伸ばしています。業界トップでZARAを擁するINDITEXは，この間60％近く売上を伸

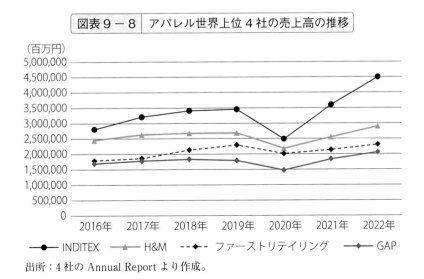

図表9－8　アパレル世界上位4社の売上高の推移

出所：4社のAnnual Reportより作成。

ばして，2位以下を大きく引き離しにかかっている様子が見て取れます。しかし，他の3社も，同期間で20％〜30％近く売上を伸ばしており，必死にINDITEXを追いかけています。世界を舞台に活動を展開しているこれら4社の売上高の推移を見ると，アパレルに対する需要が縮小しているのは日本国内固有のことで，世界にはまだまだ旺盛な需要が控えていることがわかります。ファーストリテイリングは，こうした状況を2010年以前からすでに織り込んで海外進出に積極的に取り組み，2010年頃は90％台だった国内売上比率を，2022年には海外売上高比率が逆転するまでになっています。ただし，日本国内では断トツ首位のファーストリテイリングでさえ，世界トップのINDITEXとはダブルスコアの大差をつけられて3位に甘んじており，2位以下と厳しい競争を繰り広げている様子がわかります。もちろんアダストリアは，こうしたメガ・リテーラーたちに真っ向から勝負を挑むわけではありませんが，国内市場の縮小と海外に広がる旺盛な需要を考えれば，海外進出を加速して足場を固めておくことは喫緊の課題の1つといえるでしょう。この課題に取り組む前に，まずはアダストリアの海外進出の足取りと，比較対象となる2社の海外進出状況を確認しておきましょう。

　図表9-9は，アダストリアと比較対象企業の売上高に占める海外売上高の割合の推移をまとめたものです。この図表から明らかなように，首位のオンワードには若干水をあけられていますが，TSIに対しては僅差ではありますが全期間で上回っています。ただ，進出先を細かく見ると，オンワードは欧州に軸足を置きながら，中国，米国の順に目配りするというスタンスで，TSIも英国に軸足を置きながら，米国と中国へ進出し始めるというスタンスでいるのに対して，アダストリアはアジアを中心にすでに展開しています。

図表9-9	3社の海外売上高比率

単位：％

海外売上高比率	2016年	2017年	2018年	2019年	2020年
アダストリア	6.20	5.30	6.50	6.90	5.70
オンワード	19.76	20.72	22.15	23.20	21.25
TSI	6.13	4.88	4.36	6.28	5.00

出所：3社『決算説明会資料』より作成。

　図表9-10はアダストリアの海外進出先の店舗数の推移をまとめたものです。アジアを中心に店舗展開する点に特徴があるアダストリアではありますが，最近の中国では新型コロナウィルスによる外出規制などの影響もあり，かなりの数の店舗の削減を余儀なくされました。また，13店舗出店していた韓国からは2021年度には完全撤退に追い込まれています。しかしそれにもかかわらず，台湾では出店数が徐々に伸びてきており，先の海外売上高比率の推移（図表9-9）と照らし合わせると，中国や韓国からの撤退を台湾への出店とWEBストアで補えていることがわかります。ここにアダストリアの喫緊の課題の

図表９−10　アダストリアの海外店舗数の推移

	2016 年	2017 年	2018 年	2019 年	2020 年	2021 年
香　港	27	25	24	20	16	14
中　国	40	45	49	10	1	3
台　湾	27	29	31	34	37	41
韓　国	10	9	11	12	13	0
米　国	—	9	11	9	10	10
海外合計 （うち WEB ストア）	104 (7)	117 (8)	126 (8)	85 (13)	77 (13)	68 (10)

出所：アダストリア『決算説明会資料』より作成。

解決策の１つが見え隠れしているようです。

　課題１の分析結果のレビューでも確認したように，アダストリアのビジネス・モデルは単に被服や雑貨を店に並べて売るのではなく，ファッションを縦糸として，そこに異なる分野のカフェやキッチン用品などのビジネスを横糸として通し，独自の世界観を紡いでそれらを売り込んでいくというビジネス・モデルでした。そのため，アダストリアの紡ぐ世界観を理解できる素地が備わっている消費者へ向けて海外進出を図るか，現地消費者に受け容れられる形に世界観を微調整して進出を試みるかのいずれかでなければ，継続的に成功を収めることは困難です。その意味では，まずはアジアを中心とした海外進出を図ることは的を射た戦略といえるでしょう。ただし，台湾では日本国内で通じた世界観が割とそのまま受け容れられた可能性がありますが，中国や香港，韓国ではもう一工夫してから，再チャレンジしてみる必要がありそうです。また，例年訪日客数の多いタイ，シンガポール，ベトナム，フィリピンなども，アダストリアの世界観が受け容れられる素地が整っている可能性があり，開拓の余地を探る価値はありそうです。アダストリアのいう，海外マーケットの特性に応じて最適な戦略としてのグローカルを加速していくことがまさに喫緊の課題となることは間違いありません。

　先に触れたように，ファーストリテイリングが海外進出に本格的に着手してから海外売上高比率が国内売上高比率を逆転するまでには 10 年以上の歳月を要しました。アダストリアは，メガ・リテーラーとは差別化を図りながら海外への展開を図っていかなければならないため，さらに時間を要するかもしれません。したがって，アダストリアは喫緊の課題である海外展開が軌道に乗るまで，屋台骨を支えるビジネスを国内を中心に展開していかなければなりません。ただ，アダストリアがメイン・ターゲットとしている 10 代後半から 20 代の若者層は，年齢層としてはわが国のボリュームゾーンである第２次ベビーブーマーの半分ほどの数しかいません。これから第２次ベビーブーマーにメイン・ターゲットを変更するには無理があるかもしれませんが，現在，アダストリアのファンとして定着している顧客層も歳を重ね，お気に入りのブランドをやがて卒業していくタイミングが訪れ

ます。今の顧客層よりも若い世代は，さらに数的に萎んでいくことは確実なので，現在の顧客層の受け皿となるブランドや製品やサービスの展開は，海外進出が売上高の一定割合に成長するまでは不可欠です。

　アダストリアもこうした課題をすでに認識しており，その対策の一環としてマルチ・ブランド・プラットフォームをさらに進化させ，既存のブランドを役割，ステージに応じて「独立型ブランド」，「成長型ブランド」および「収益型ブランド」の3つにグルーピングし，ポートフォリオでブランドを育てていくという方針のもとに，各グループごとに優先順位を明確にしていくとしています。「独立型ブランド」には，niko and … や GLOBAL WORK および LOWRYS FARM などが位置づけられており，引き続きアダストリアの世界観を作り上げるブランドとして展開されるものと考えられます。これに加えて「成長型ブランド」のなかには高所得層の女性を取り込むブランドが検討されていたり，「収益型ブランド」には高付加価値商品のブランドがすでに立ち上げられていたりするため，こうした新ブランドが既存ファンの受け皿として検討されているものと考えられます。そこで，既存ファンをどのように新ブランドへ誘導していくかが1つの鍵となってきます。

　アダストリアの既存ブランドのファン層は，いわゆるデジタル・ネイティブ世代で，生まれたときから携帯電話やスマート・フォン，タブレットなどに身近に接しており，生まれながらにして，ネットとリアルを自在に使い分けることのできる世代です。こうした世代への訴求手段の1つとして有効なのがオン・ラインによるアクセスです。アパレルに限らず，流通業界では EC ビジネスの潜在力については以前から共有されていましたが，図らずもコロナ禍が EC ビジネスの展開を一気に加速し，今では重要な販売手段となるとともに，顧客との接点の役割も果たしています。先に取り上げた世界アパレル首位の INDITEX でも EC による売上高は，コロナ禍以前は全売上高の1割強を占めるにすぎませんでしたが，2020 年度には一気に 30％までブースト・アップし，現在でも 25％程度の規模を維持しています。

　図表 9 − 11 は，アダストリアと比較対象企業の EC 事業の売上高に占める割合の推移をまとめたものです。この図表から明らかなように，TSI はコロナ禍以前から EC 事業の強化に取り組んでいた形跡があり，ここ数年で2倍へと拡大しています。オンワードの伸びは TSI と比較すると緩慢で，まだリアルの店舗による販売を主戦場と考えている節が

図表 9 − 11　3 社の EC 売上高比率

単位：%

EC 売上高比率	2016 年	2017 年	2018 年	2019 年	2020 年
アダストリア	10.60	13.90	14.30	15.30	15.40
オンワード	4.28	5.82	8.03	10.18	13.42
TSI	11.77	16.00	18.73	20.69	21.37

出所：3 社の『決算説明資料』より作成。

あります。これら2社と比較すると，アダストリアは2017年に比率を伸ばしてはいますが，その後やや伸び悩んでいる現状が見て取れます。確かに，リアルの店舗と比べると，ネット上だけでアダストリアの商品の価値だけでなく，世界観までも感じ取ってもらうことは容易でないかもしれません。しかし，現在のアダストリアのファンが成長しても顧客でい続けてもらうためには，ECは貴重なツールです。場合によっては，ECとリアルの店舗を融合した戦略が必要となるのかもしれません。

　これまで見てきたように，アダストリアのビジネス・モデルは，特定のブランドにおいてカテゴリーを多様化し，各ブランド内で複合ビジネス領域を開拓するなどしてカテゴリーのポートフォリオで各ブランドを育て上げていくというものでした。そして，こうしたモデルを国内から海外へと拡張するとともに，リアルの店舗とEC事業を融合して展開していくというのが基本戦略でした。この戦略が功を奏するためには，マルチブランドを構成する各ブランドの組み合わせ，各ブランド内のカテゴリーのポートフォリオ，リアル店舗とEC事業の組み合わせで，絶え間なくベスト・ミックスを追求していくという姿勢が必要となります。

　こうしたアダストリアの戦略と姿勢が外部にどれほどアピールできているかを判断するのに有効な方法の1つは，資本市場が同社をどのように見ているかを分析してみることです。分析を締め括るにあたって，これまでの分析の抜け落ちた視点として，最後に資本市場がアダストリアをどのように評価しているかを確認することで，別の角度から同社の課題を探ってみたいと思います。

　資本市場における企業の評価指標にはさまざまなものがありますが，ここではそのなかでも代表的なPBR（Price Book-value Ratio：株価純資産倍率）とPER（Price Earnings Ratio：株価収益率）を通じて見ていくことにします。

　PBRは，株価を1株当たりの純資産で除した倍率で，株式が純資産の何倍で売買されているかを示す指標です。理論上は，その企業が解散すると仮定した場合，残された純資産の価値が1株につきいくらであるかを表します。折しも東京証券取引所は2023年3月に「資本コストや株価を意識した経営」を上場企業に要請し，計画策定とその開示を求め，そのなかでPBR1倍割れは要改善の1つの目安としたことで，一躍脚光を浴びるようになりました。

　図表9−12から明らかなように，オンワードとTSIのPBRが1倍を超えたのはオンワードの2018年度のみで，それ以外は一貫して1倍を割っています。東証が先の要請を出した時点で，プライム市場の約半数，スタンダード市場の約6割が1倍を割っているため，オンワードとTSIのPBRが東証のなかでずば抜けて低いわけではありませんが，株式市場から厳しい評価を受けているのは事実です。これら2社に対して，アダストリアは対象期間全期間で1倍を割ることはなく，平均でも2倍を超えています。プライム市場の繊維製品業の平均が1.0倍，小売業の平均が1.6倍程度であることを考えると，市場からは比

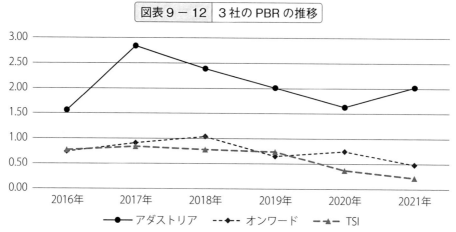

図表9－12 3社のPBRの推移

出所：3社の『有価証券報告書』より作成。

図表9－13 各社のPERの推移

（単位：倍）

PER	2016 年	2017 年	2018 年	2019 年	2020 年	2021 年
アダストリア	15.50	12.00	126.70	23.50	13.00	N.A.
オンワード	24.30	26.40	24.70	17.80	N.A.	N.A.
TSI	58.00	23.02	24.50	N.A.	17.84	6.14

出所：3社の『有価証券報告書』より作成。

較的高い評価を得ていることになります。

　もう1つの指標であるPERは，株価を1株当たりの利益で除した倍率で，1株当たりの投資額を1株当たりの利益によって何年で回収できるかを示した指標です。図表9－13は3社のPERの推移をまとめたものです（対象期間中に赤字の年度が含まれているため，当該年度は入手不能（N.A.）としています）。

　図表9－13から明らかなように，各社ともコロナ禍の影響で当期純損失を計上している年度があるため，PERが算定できていない年度が含まれています。オンワードとTSIは，PERの算定できない年度を除いた平均値は約25倍であるのに対して，アダストリアは38倍となっています。ただ，これには，業績が大幅に悪化したにもかかわらず，その要因が在庫消化の値下げや売上の未達だけでなく，のれんの減損損失の計上や香港・中国事業の整理にともなう特別損失の計上も含まれていたため，業績の下落の割には株価が下げ渋り，PERが異常に高い値をつけた2018年度の影響が含まれています。この影響を除くと，アダストリアのPERは平均15倍となり，他の2社を下回ります。

　このようにアダストリアは，PBRでは他の2社を上回る評価を得ながら，PERでは平均的に他の2社を下回る評価しか得られていません。また，業績悪化時にも株価がそれに見合うほど下落せず，結果的に異常なPERを記録してしまう年度もありました。これら

の事実から，資本市場はアダストリアに対して純資産の割には高い評価を与えているが，その稼ぎ出す利益についてはそれほど高く評価していないことがわかります。というのも，業績悪化というサプライズに対して株価はさほど反応していない，すなわち業績悪化をある程度あらかじめ織り込んでいると見ることができるからです。換言すれば，資本市場はアダストリアに対して財務諸表の純資産では表現されない部分を織り込んで評価しているものの，利益の質，すなわち継続的で安定した収益獲得力をそれほど高く評価していないということになります。こうした状況を放置しておけば，稼ぐ潜在力があるにもかかわらず，その戦略が市場に上手く伝わらず，または市場から信頼されず，やがては高資本コストという形で自らに跳ね返ってきかねません。つまり，同じ資本を調達するにしても，他社よりも高いコストを負担しなければ調達することができなくなり，競争上不利な立場に追いやられることになる可能性があります。

　資本市場の評価を改善し，資本コストを抑制する最善の策は，市場との情報ギャップを埋めることです。現在進めている海外進出戦略，マルチ・ブランドの展開，新規事業への進出やそれにともなう M&A や EC 事業の拡大といった各戦略が，場当たり的に進められるのではなく，それぞれ整合性をもって戦略的に展開されていることをしっかりとアピールしていけば，資本市場の利益の質に対する評価も自ずと上昇していくことになるでしょう。

参考文献

アダストリア（2016-2021）『有価証券報告書』。
アダストリア（2016-2021）『決算説明会資料』。
伊藤邦雄（2021）『企業価値評価』日本経済新聞出版社.
オンワード・ホールディングス（2016-2021）『有価証券報告書』。
オンワード・ホールディングス（2016-2021）『決算説明資料』。
乙政正太（2019）『財務諸表分析（第3版）』同文舘出版.
桜井久勝（2020）『財務諸表分析（第8版）』中央経済社.
澤田直宏（2020）『ビジネスに役立つ経営戦略論—企業の戦略分析入門—』有斐閣.
総務省統計局（2023）「家計調査（家計収支編）調査結果」https://www.stat..go.jp/data/kakei/lngtime/index.html（閲覧日：2023年11月30日）.
東京証券取引所（2020）「その他統計資料—規模別・業種別 PER・PBR（連結・単体）一覧—」『マーケット情報』. https://www.jpx.co.jp/markets/statistics-equities/misc/04.html（閲覧日：2023年11月30日）
TSI ホールディングス（2016-2021）『有価証券報告書』。
TSI ホールディングス（2016-2021）『決算説明会資料』。
日本政府観光局（2022）「ビジット・ジャパン事業開始後の訪日客数の推移」https://www.jnto.go.jp/statistics/data/marketingdata_tourists_after_vj_2022.pdf（閲覧日：2023年11月25日）
FAST RETAILING（2016-2020），Annual Report.
FAST RETAILING（2021-2022），Integrated Report.
GAP（2016-2022），Annual Report.
H&M（2016-2022），Annual Report.
INDITEX（2016-2022），Annual Report.

航空業界の企業分析

1．はじめに

　航空業界とは，航空機によって「人」や「もの」を国内外に運ぶサービスを行う業界をいう。航空旅客サービスを主たる活動分野とする航空業界では，貨物，旅客販売，クレジットカード事業なども行うため，その活動範囲は多岐にわたる。コロナウイルス感染拡大が終息に向かうなか，航空業界による人的交流などが国内外で活発化している。そのため，航空業界は，私たちの生活に必要不可欠な交通インフラの1つである。しかし，航空業界の旅客サービス1つをとっても，そのサービス内容は多岐にわたり，たとえば，同じ路線でも航空会社によってその料金が大幅に異なる。これは，各航空会社がターゲットとする旅客層が違うことの証左であり，仮に航空会社間で競争が激しくなったとき，各航空会社はどのような方法で，その競争を生き残っていくのか，この点に興味をもったのが，航空業界を分析対象に選定した理由である。そのなかでも，Solaseed Air は九州への地域貢献や支援活動に力を入れ，My Best 九州という九州の魅力を伝えるプロジェクトで顧客と一緒に九州の活性化を目指しつつ事業拡大を行っている。そこで，本論文では，近年，ようやくコロナ禍の影響から脱しつつある航空業界で，Solaseed Air がとるべき戦略には，いかなるものが考えられるのかについて分析する。

　具体的には，Solaseed Air の市場シェアと戦略を明らかにし，とりまく環境からファイブ・フォース分析，SWOT 分析などを通して，今後の Solaseed Air の課題と戦略について検討する。なお，本分析では航空旅客サービスに焦点を当てるが，セグメント別の財務データが手に入らなかったため，全体の財務データを用いている。

2．Solaseed Air の市場シェアと競争ポジション

（1）Solaseed Air をとりまく環境

　1997年7月3日に設立された Solaseed Air は，宮崎県宮崎市に本社を置き，安全を経営の基盤とし，サスティナブルな企業経営と地域社会への貢献を目指す航空会社である。Solaseed Air は，主に，福岡，北九州以外の九州各地と東京（羽田）・沖縄（那覇）・名古屋（中部），沖縄（那覇）と名古屋（中部）・神戸・福岡・石垣を結ぶ便を飛ばしている（https://www.solaseedair.jp/timetable/flightroute/）。ALL NIPPON AIRWAYS（以後，ANA と称することにする）と業務提携を行っており 2007年よりコードシェア便も運航している。価格帯は航空業界のなかで中価格帯である MCC（Middle Cost Carrier）に分類される[1]。Solaseed Air の売上高規模は 2017年度 39,369百万円，2018年度 41,973百万円，2019年度 41,850百万円，2020年度 20,255百万円，2021年度 26,102百万円，2022年度は 38,697百万円となっている。また，その売上高規模は，2021年度において，航空業界全体では ANA，Japan Airlines（以

図表 1　航空業界の売上高規模（2021-2022 年）

順位	企業名	売上高 （億円）		シェア
1	ANA HD	10,203	⬆	
2	JAL	6,827	⬆	
3	Skymark	471	⬆	
4	AIRDO	273	⬆	
5	Solaseed Air	261	⬆	
6	Star Flyer	211	⬆	

<出所：業界動向サーチ（https://gyokai-search.com/3-air.htm）を参考に加筆修正>

後，JAL と称することにする），Skymark，AIRDO に続き 5 位に位置づけられている（図表 1）。

　日本国内における MCC は，宮崎拠点の Solaseed Air，神戸拠点の Skymark，北海道拠点の AIRDO，北九州拠点の Star Flyer の 4 社で，それぞれが地域密着型の航空会社とされている。そして，Solaseed Air と Star Flyer は，九州を拠点とする MCC という点は同じといえるものの，Star Flyer が，福岡・北九州と東京（羽田），福岡と名古屋（中部），東京（羽田）と大阪（関西）・山口宇部のほか（https://www.StarFlyer.jp/timetable/），北九州・名古屋（中部）と台北（桃園）を結ぶ便を飛ばしており（https://www.StarFlyer.jp/int_jp/），Solaseed Air とは，就航路線が異なるため，お互いに競合しない関係にある。

　ここで，図表 2 を参照されたい。図表 2 は，MCC に位置づけられる航空会社の売上高を一覧にしたものである。図表 2 の MCC 航空会社売上高を見てみると，各社とも新型コロナウイルスの流行によって 2020 年度の業績が落ち込んでいるが，2021 年度には多少の差はあるものの各社の業績は回復傾向にある。ここからもとの状態まで戻り，成長拡大させるには，ポストコロナに対応した取り組みが必要になる。

（2）Solaseed Air の市場シェア

　Solaseed Air の市場シェアについて，国土交通省が「本邦航空会社」としている日本の航空会社は 2021 年冬時点で 24 社存在するが，大手 2 社のグループ会社が数多く含まれるため（https://asahi.gakujo.ne.jp/research/industry_topics/detail/id=3646），今回は航空業界上位 6 社の 2021 年度の売上高を合計し，以下の円グラフを作成した（図表 3）。

　このグラフでは，航空業界のシェアの 9 割以上を ANA と JAL が占めており，Solaseed Air の占め

---

1 ）　なお，Solaseed Air の有価証券報告書では，「当社は LCC と謳っておりませんが CIRIUM の調査においては，単一機種の運航等で効率的ビジネスモデルを採用している航空会社という広義での LCC カテゴリーに含まれています」と記載していることから，本分析では MCC に属する航空会社に分類している（EDINET 提出書類株式会社 Solaseed Air 有価証券報告書（https://disclosure.edinet-fsa.go.jp/api/v1/documents/S100OITK?type=2）11 頁）。

図表２　MCC 航空会社売上高（単位：百万円）

100,000
90,000
80,000
70,000
60,000
50,000
40,000
30,000
20,000
10,000
0
2018
2019
2020
2021
2022
2023
Skymark
Solaseed Air
Star Flyer
AIRDO

＜出所：各社の有価証券報告書全体の各年３月期の売上高から作成＞

図表３　航空業界シェア

AIRDO 1.49%
Solaseed Air 1.43%
Star Flyer 1.16%
Skymark 2.58%
JAL 37.41%
ANA
55.91%

＜出所：航空業界上位６社の売上高をもとに算出＞

る割合は全体の約 1.4%となっている。また，ある産業の市場における企業間の競争状態を，市場占有の度合いから測る HHI（ハーフィンダール・ハーシュマン指数）で見た場合，4,538（≒ $55.91^2 + 37.41^2 + 2.58^2 + 1.49^2 + 1.43^2 + 1.16^2$）となることから，航空業界は高位寡占型に分類される。また，少数の企業がその市場をどの程度占有しているかを表す集中度は，上位 2 社で 93.32%になることから，Solaseed Air は，少ない市場シェアをいかに効率的に大きくしていくかに焦点があてられることになる。

そこで，今回の分析では，航空業界大手 2 社を除くかたちで，再度，その市場シェア等を分析し直すことにしたい。まず，図表 3 作成時の 2021 年度の売上高にもとづいて，航空業界大手 6 社のうち，

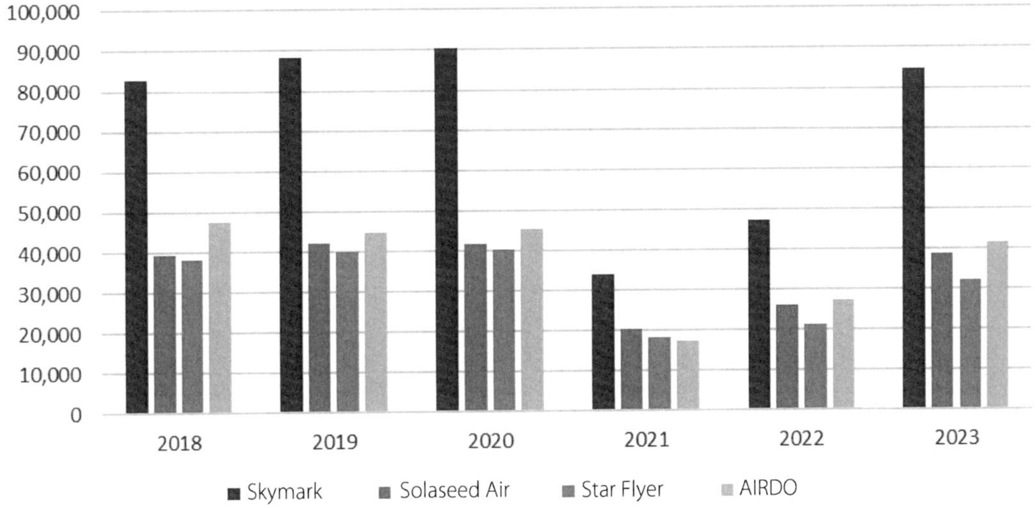

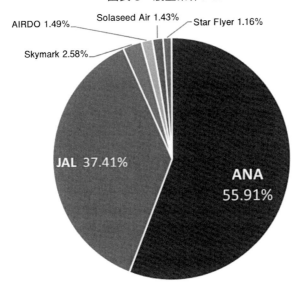

図表 4　上位 2 社を除いた航空業界シェア

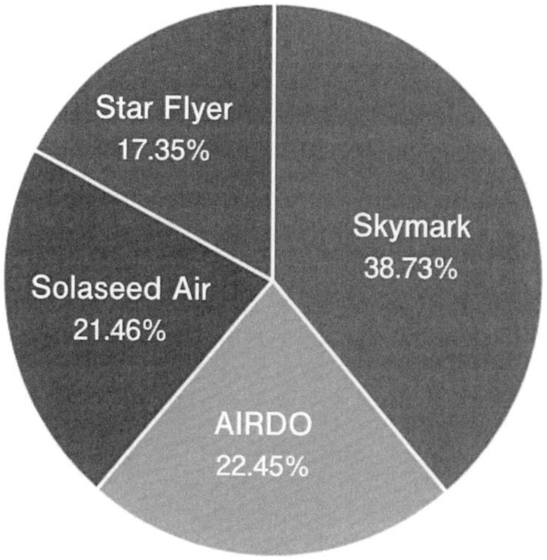

<出所：上位 2 社を除いた MCC4 社の売上高をもとに算出>

　上位 2 社を除いた業界シェアをまとめると，図表 4 のようになる。

　同様に，上位 2 社を除いた HHI は，$2{,}766 \fallingdotseq 38.73^2 + 22.45^2 + 21.46^2 + 17.35^2$ となり，依然として高位寡占型にはなるが，図表 3 のときと比べ，HHI は小さい値を取っているため，ANA と JAL という，メガ・キャリアがわが国のマーケット・シェアの大半を占めた現状を分析の対象から外した場合，同規模のマーケット・シェアの企業が 2 から 4 に増えたことで，競争が激しくなることがわかる。そして，国土交通省が「本邦航空会社」としている日本の航空会社は 2021 年冬時点で 24 社存在することを鑑み，上位 2 社のメガ・キャリアを除いた航空会社 4 社に入手可能なその他の航空会社数社のデータを加えた場合の HHI は，$1{,}118.91 \fallingdotseq 17.25^2$（Skymark）$+ 13.84^2$（Peach）$+ 13.27^2$（J-Air）$+ 10.76^2$（Jetstar）$+ 10.00^2$（AIRDO）$+ 9.55^2$（Solaseed Air）$+ 7.73^2$（Star Flyer）$+ 6.92^2$（Japan Transocean Air）$+ 5.42^2$（IBEX Airlines）$+ 2.52^2$（ZIPAIR Tokyo）$+ 1.44^2$（RYUKYU AIR COMMUTER）$+ 1.12^2$（Spring Japan）$+ 0.18^2$（AMAKUSA AIRLINES）となり[2]，低位寡占型の競争状況となることから，今回は入手できなかった航空会社のデータがすべて入手できた場合には，上位 2 社を除いた場合の競争状況は，競争型に分類される可能性が高いと考えられるため，より激しい競争が展開されると考える。

　図表 4 の航空会社 4 社のうち，Skymark を除く 3 社は，ANA からの出資を受け，ANA のシステムを一部使用した企業運営を行うほか，ANA とのコードシェア便を運航する関係会社であることから，ANA がもたらす経営資源を参考に，ビジネス顧客を対象にした質の高いサービスを提供する[3]。一方，Skymark は，国内線の羽田空港の発着枠をコードシェアなしで 38 枠，発着枠全体の 8.2％を有

2）　なお，Peach の売上高は，ANA の有価証券報告書における「LCC 収入」を参考にしている。
3）　なお，Star Flyer は，2022 年 3 月より北九州－羽田線において国内線で日本初となる機内ペット同伴サービス「FLY WITH PET！」を，同 11 月よりお子様連れの顧客も安心して利用できる「Fly with Smile Kids！」のサービスを開始しており（Star Flyer 有価証券報告書（https://disclosure2dl.edinet-fsa.go.jp/searchdocument/pdf/S100R61M.pdf?sv=2020-08-04&st=2023-11-18T15%3A48%3A54Z&se=2033-06-30T15%3A00%3A00Z&sr=b&sp=rl&sig=YGdQqIKeGLulH%2Fo%2BReLrhO6z09Ri4E%2FRYF9PpKJdTHM%3D）6 頁），ビジネス以外の顧客確保にも力を入れはじめたようである。

し（スカイマーク株式会社中期経営目標（2023年度〜2027年度）（https://ir.skymark.co.jp/library/management-plan.pdf）6頁），羽田空港を中心に，ビジネス以外（レジャー）の顧客を一定数確保できているため，他の航空会社3社とは異なるが，ANA・JALといったFSC（Full Service Carrier）をも含めた国内線を運航する10社のなかで最も高い定時運航率を誇り（https://www.mlit.go.jp/koku/content/001632069.pdf），国内長距離交通業種の13社のなかで顧客満足度1位を獲得するなど（https://www.jpc-net.jp/research/assets/pdf/honbun2023_03.pdf），質の高いサービスも提供する。この，MCCのサービスの質の高さは，これら4社が，航空機を統一することで，航空機の種類ごとにかかるコストを抑え，特定機材についてのノウハウを集約した結果である。

　しかし，これらの航空会社4社は，ANA・JALに比べ，経営資源の量，すなわち，資金面や人材面で圧倒的に劣るのも事実であるため，Solaseed Airは，ニッチャーとして大手企業が参入しない小さな市場に対して限られた経営資源を投下するため，集中戦略をとっていると考えられる。

（3）航空業界のマーケット・ライフサイクル

　本分析では，わが国での航空業界の成立は，現在，その市場シェアの大半を占めているANAとJALの成立を起点とする。ANAの前進である日本ヘリコプター輸送株式会社が成立したのが1952年であり，JALの前身である日本航空株式会社が成立したのが1951年であることから，1952（昭和27）年を航空業界の成立年と定義する。それから約70年，業界内企業は各社しのぎを削りながら発展してきた。図表5は，その航空業界の上位6社の財務データが確認できる1965年からの売上高のデータをもとにその推移をまとめたものである。

　この図表5からは，まず，航空業界は，① 1965年から2006年頃まで緩やかに成長していること，② 2008年のリーマン・ショック等による世界的な景気後退，2011年の東日本大震災の影響を受け，

図表5　航空業界発展の経緯（単位：百万円）

<出所：業界内上位6社のデータが存在する1965年から全事業の売上高合計で作成>

売上高が減少したことがわかる。また，ANA の 2017 年からの売上高合計には，同社が同年，LCC（Low Cost Carrier）の Peach Aviation（以後，Peach と称することにする）を連結子会社化したことを受け（https://jp.reuters.com/article/ana-lcc-idJPKBN1630XI），Peach の売上高も加算された金額となっているため，厳密には，業界内上位 6 社ではない会社の金額が含まれた正確ではない数値になっているが，そのあたりを考慮した場合でも，③マーケット・ライフサイクル上の成長曲線は，近年減速傾向にあるといえよう。

なお，2020 年の新型コロナウイルスの流行は，旅客数を減少させ，業績を落とす結果となったが，国内線では Go To トラベルキャンペーンや全国旅行支援などの国からの援助で，一時的な回復を果たしている。ただ，これらの政策も，新型コロナウイルスの猛威にはそこまでの効果はなく，新型コロナウイルスの再流行にあわせて，再度旅客数の減少が起こるといった事態を繰り返している（図表 6）。

しかし，新型コロナウイルス流行の最初期の旅客数と比べるとその数は回復傾向にあり，全体の傾向としては右肩上がりとなっている。したがって，国内航空業界は，図表 5 を見る限り，世界的な景気動向だけではなく，東日本大震災や新型コロナウイルスなどの不測の事態による影響を受けやすいが，それらの項目を考慮して見た場合でも，現在のグラフの伸びは緩やかになっている。また，近年は，LCC などの格安航空会社が参入してきたことで，これまでにはない競争が生まれ，メガキャリアのシェアを奪う企業が出てくるようになったことは，他社のシェアを奪うことなく自社のシェアを拡大できる成長期から，自社のシェアを拡大するためには他者のシェアを奪う必要のある成熟期に移行したと考えられる。

国内線は，国土交通省が 2021 年 12 月にとりまとめた「コロナ時代の航空・空港の経営基盤強化

図表 6　コロナ禍の旅客数月次推移

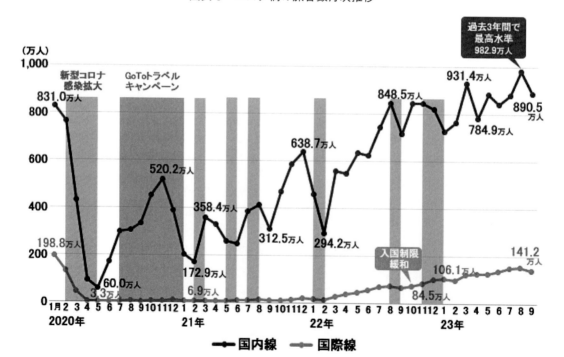

<出所：業界動向サーチ（https://gyokai-search.com/3-air.htm）より引用＞

に向けた支援施策一覧」で「着陸料，停留料，航行援助施設利用料について合計で約 60％軽減，航空機燃料税の税率をコロナ前の 18,000 円／ kl から 13,000 円／ kl に軽減」する国を挙げた支援を受けたことで（https://www.mlit.go.jp/report/press/content/001447349.pdf），ここ数年の異常事態による営業利益の落ち込みは回復しつつある。しかし，航空業界は，長期的に見た場合，リニアモーターカーによる移動手段として確立すると，リニアモーターカー沿線の主要都市間で航空業界と重複する区間，現状では東京－大阪便をはじめとする国内移動はリニアモーターカーの脅威にさらされる可能性がある。

　これに対し，国際線は，今後 20 年間（2017 ～ 2036 年）の世界民間航空機市場（旅客・貨物）の長期需要予測では，旅客需要は 2.4 倍，貨物需要は 2.2 倍と大きく伸びることが予測される（民間航空機に関する市場予測 2022－2041（http://www.jadc.jp/files/topics/174_ext_01_0.pdf）49頁）。とりわけ，人口増加・経済成長による移動の活発化は，アジア・太平洋地域の需要を特に押し上げるため，羽田空港では新飛行経路の運用など国際線の発着数増加を見越した対策が実施されている。

　したがって，このように見てくると，成熟期にある航空業界全体では，競合する移動手段としてリニアモーターカーの台頭は予想されるが，同時に，国際線の旅客需要や貨物需要が大きく伸びる可能性があり，アジア・太平洋地域の需要が高くなることが予測されるため，急速に衰退期に入る可能性は低く，しばらくは成熟期が続くものと考える。

（4）Solaseed Air の戦略ポジション

　では，Solaseed Air は航空業界のなかでどのようなポジションにあるのだろうか。

　航空業界は，大きくスターアライアンス，ワンワールド，スカイチームの 3 つで構成され，日本の航空会社は，ANA がスターアライアンス，JAL がワンワールドに属している（図表 7）。このなかで，Solaseed Air は，スターアライアンスメンバーであるANAホールディングスのグループに属している。

　現在，日本の航空業界は，FSC・MCC・LCC の 3 つのグループに分けられる（図表 8）。

　FSC は，レガシーキャリアともよばれる大手航空会社であり，ANA・JAL がこれにあたる。豊富な

図表 7　航空業界のグルーピング

ユナイテッド航空	アメリカン航空	デルタ航空
スカンジナビア航空	カンタス航空	エールフランス
ANA	キャセイパシフィック	大韓航空
タイ国際航空	ブリティッシュエアウェイ	チャイナエアライン
エバー航空	JAL	etc
etc	etc	

＜出所：https://tabitsuri.com/skycoin/ より引用＞

図表 8　FSC・MCC・LCC について

	FSC		MCC				LCC	
	ANA	JAL	Solaseed Air	AIRDO	Skymark	Star Flyer	Pearch	Jetstar
預け荷物	20kgまで無料	20kgまで無料	20kgまで無料	20kgまで無料	20kgまで無料	20kgまで無料	有料	有料
機内サービス	◎	◎	○	○	○	○	△	△
座席の快適さ	○	○	○	○	○	◎	△	△
マイレージ制度	○	○	○	○	×	○	×	×

<出所：各社ホームページ等データから作成>

機内サービス，緊急時の丁寧な対応，利便性の高いマイル制度などあるが，料金が高いことが利用者を制限する。LCC は，FSC 利用に二の足を踏む購買層をその主なターゲット層とする比較的新しい航空会社で，FSC が当然のものとして提供する上記サービスを廃止または有料にするなどの方法でコストダウンを実現している。MCC は，LCC ほど安くはないが，就航路線を限り，コストを抑制することで，FSC に近いサービスを提供しているのが特徴である。

　サービスの内容をさらに詳細にみてみると，LCC の Jetstar や Peach は，独自のマイレージサービスをもたない。しかし，Jetstar の場合には，同社の GK 便に搭乗し，「ちゃっかり Plus」か「しっかり Max」のいずれかの運賃プランを利用した場合に，JAL マイレージバンク（JMB）の会員であれば，JMB 番号を登録することで，コンビニ等での予約でマイレージの申請ができない場合を除いて，JAL のマイルを貯めることができる（https://faq.jal.co.jp/app/answers/detail/a_id/18542/~/ ジェットスター・ジャパン（gk）便搭乗分のマイルをためるには，どうすればいいですか？）。これに対し，Peach は，2021 年 8 月 27 日より，ANA とのコードシェア設定路線を用意し，ANA 便名で予約・購入・搭乗した場合には，ANA マイレージクラブへのマイル積算が可能であったが（https://www.anahd.co.jp/group/pr/202107/20210728.html），そのコードシェアは，2022 年 10 月 30 日より休止されたため，現在不可能になっている（https://www.anahd.co.jp/group/pr/202208/20220822.html?_gl=1*pakhth*_ga*MTA0MjA4MTY2NC4xNjk5ODg3NDI3*_ga_32F297W9WL*MTcwMDI1MzEyNS4xLjEuMTcwMDI1MzM1MS42MC4wLjA.）。

　なお，マイレージサービスを，MCC でも見た場合，Solaseed Air では，ソラシド スマイルクラブ（https://www.solaseedair.jp/smileclub/），AIRDO では，DO マイル（https://www.airdo.jp/myairdo/do-mile/），Star Flyer では，STAR LINK（https://www.starflyer.jp/mileage/）の独自のマイレージサービスがある。そして，これら 3 社は，現在でも ANA とのコードシェア便を運航するため，Solaseed Air（https://www.ana.co.jp/ja/jp/guide/plan/codeshare/6j/）・AIRDO（https://www.ana.co.jp/ja/jp/guide/plan/codeshare/hd/）・Star Flyer（https://www.ana.co.jp/ja/jp/guide/plan/codeshare/mq/）の各社が運航する航空便を ANA 便名で予約・搭乗した場合には，ANA マイルを貯めることができる。一方，Skymark は，独自のマイレージサービスがない上に，他社のマイルも貯めることもできない。

　座席の快適さについては，座席のシートピッチが重要となってくる。シートピッチとは，前席の背もたれから後席の背もたれまでの広さを意味する。Star Flyer が使用する機体は，AIRBUS A320 型機で，他社が同機体で座席数を最大 180 席用意するところを 150 席まで減らすことで，シートピッチを広くし，座席の窮屈さをなくしている（https://www.StarFlyer.jp/inboard/airbus/）。そのため，Star Flyer は，FSC などと比べてエコノミー座席のシートピッチが比較的広いとされる。また，Star Flyer は，全席を黒のレザーシートで統一することで，プライベートオフィスのような空間を演出し，座席上

部のヘッドレストで身体をリラックスさせることができることから（https://www.StarFlyer.jp/inboard/seat/），Star Flyer の座席の快適さや設備投資は，2023 年 9 月時点の J.D パワーによる顧客満足度調査で，機内設備の最高評価を獲得している（https://prtimes.jp/main/html/rd/p/000000238.000042677.html）。Star Flyer を除いたその他の MCC は，FSC の座席の広さと大差はない。また，LCC は運賃が安いため，FSC や MCC よりは座席が狭くなってしまう。これは，LCC が単一の機体により多くの乗客を搭乗させ，座席設定を狭くする分，価格を抑える戦略をとっているからである（https://www.insightnow.jp/article/7169）。

　預け荷物の重量については，FSC と MCC は 20kg まで無料でそれ以上の重量を超える場合は超過荷物料金として各社のエアラインが設定する料金を支払わなければならない。しかし，LCC は前者とは違い手荷物を預ける際には基本的料金のプランでも原則有料となってしまう。

　機内サービスについては，FSC と MCC においては飲み物やクッションの貸し出しなどが無料であり，充実している。一方で，LCC は機内サービスのほとんどが有料である。

　既述のように，福岡，北九州以外の九州各地と東京（羽田）・沖縄（那覇）・名古屋（中部），沖縄（那覇）と名古屋（中部）・神戸・福岡・石垣を結ぶ便を運営する Solaseed Air は，航空業界のなかでは，価格競争は回避しつつ，規模の経済性の恩恵は享受する集中戦略をとっている。また，大きな企業が本気で参入しないような小さな市場セグメントを発見して，そこに限られた資源を集中的に投入していると考えると，ニッチャーに位置づけられると思われる。しかし，航空業界のなかには，地方に多くの路線をもつ企業があるため，他の MCC，FSC，LCC とは路線が重複するなどやや競合する部分もある。ところが，北海道に多くの路線をもつ AIRDO は，札幌（新千歳）・旭川・女満別・釧路・帯広・函館と東京（羽田）を結ぶ便のほかは，札幌と仙台・名古屋（中部）・神戸・福岡を結ぶ便と，函館と名古屋（中部）を結ぶ便があるだけのため（https://www.airdo.jp/plan/destinations/），Solaseed Air の就航路線と重複する路線はない。そこで，Solaseed Air と AIRDO は，2021 年 5 月 31 日，共同持株会社設立に関する「基本合意書」を締結し（https://www.solaseedair.jp/corporate/pdf/press210531-3-1.pdf），2022 年 10 月 3 日より「リージョナルプラスウイングス」を設立したことからもわかるように，両社の関係は競争相手というよりは相互補助の共存関係にあるといえよう（図表 9）。したがって，Solaseed Air の競争相手は，AIRDO との共同持株会社設立を踏まえたとき，MCC のなかでも比較的全国に数多くの路線をもつ Skymark になると思われる（https://www.skymark.co.jp/ja/dom_network/）。

　なお，Solaseed Air は，新型コロナウイルス感染症の拡大による航空需要の低下から経営環境が一変し，財政状態が悪化した。企業存続のため多額の借入金や優先株式発行による資金調達，コスト抑制策により生き残りを図るものの，新型コロナウイルス感染症の流行以前の計画である 2019 年の国際線開通は未だ果たされていない（https://www.solaseedair.jp/corporate/pdf/press190529-2.pdf）。

　しかし，Solaseed Air にとっては，この共同持株会社「リージョナルプラスウイングス」の設立は将来へのチャンスとなる。すなわち，Solaseed Air と AIRDO は，両社とも「地域社会への貢献を理念に掲げ，地域に根差した航空会社として」，「成長・発展を遂げて」きたが，「両社を取り巻く経営環境は，新型コロナウイルス感染症の影響による将来の不確実性，働き方や暮らしの多様化，デジタル技術の進展によるお客様の価値観の変容やマーケットの変化による航空需要への影響，地域・環境が抱える普遍的な課題への対応などに直面しており，両社の事業展開もその対応に向けた大きな変革が求められ」るようになっている。そこで，「両社の毀損した財務基盤を早期に回復させ再生復活を

316 ──○

図表 9　Solaseed Air・AIRDO の就航地・路線図

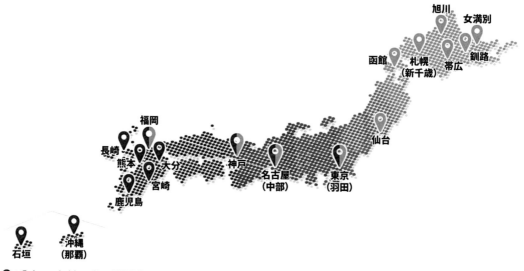

●：Solaseed Air　●：AIRDO

<出所：https://www.solaseedair.jp/two-wings/>

果たし，また事業環境を生き抜いて，お客様への一層の付加価値提供および持続的な成長を果たす」
べく，「両社が有する経営資源（人財・技術・施設等）を効率的に活用し，スケールメリットを最大限
発揮させること」がこの共同持株会社の目的であり，そうすることで，地域に寄り添い続け，"北海
道の翼""九州・沖縄の翼"の 2 つの翼で新たな需要と価値を創出することが可能になると考えてい
る（https://www.regionalplus.co.jp/newsrelease/pdf/RPW22-001.pdf）。
　繰り返しになるが，Solaseed Air は，主に宮崎を拠点に九州南部と東京（羽田）・沖縄（那覇）・名古
屋（中部）を結ぶ航空会社で，限られた資源を選択的・集中的に投入するニッチャーとしての戦略を
とっている。そのため，全国を飛び回る ANA・JAL のようなメガキャリアとは競争力の源泉が異な
る。ANA・JAL は，大都市間，地方間，大都市と地方を結ぶ路線を網羅した多くの路線をもっている。
これに対し，Solaseed Air は，九州南部，沖縄と大都市をつなぐ路線をもつにすぎない。この傾向は
MCC に多く，AIRDO は北海道と大阪を除く大都市をつなぐ路線，Star Flyer は福岡・北九州と大阪
を除く大都市を結ぶ路線に注力している。しかし，Solaseed Air や AIRDO，Star Flyer は ANA と提携
することで，ANA のサポートを受けるほか，地域限定の特色を出すことで，比較的高いサービスを，
FSC よりも多少安価で提供する企業として活動できるようになっている。一方，LCC の Jetstar は，
いくつもの国際線に加え，大都市間を結ぶ路線と東京と全国各地をつなぐ路線を（https://www.jetstar.
com/jp/ja/cheap-flights?flight-type=2&adults=1&origin），Peach は，Jetstar 程ではないが，MCC よりは多
い国際線に加え，大阪から全国各地をつなぐ路線のほか，大都市間，大都市と地方をつなぐ路線も多
くもつ（https://www.flypeach.com/lm/st/routemap）。LCC は，国内線の場合，FSC・MCC と比べ，利用
頻度がそれほど高くない空港を結ぶため，独自色があるように考えられるが，同一の路線で，競合他
社と競争してそのシェアを奪う場合には，他社と比べて低価格のみに特化した戦略をとる点で，地域
に根ざした活動を行う MCC 程の独自色がないようにも思われる。
　これらの分析を踏まえると，次のようなことがいえるだろう。

　現在の Solaseed Air は，業界 5 位の企業ではあるが，市場シェアは，全体の 1.4％ほどしかないことから，メガキャリアには及ばないニッチャーとして集中戦略をとる企業である。その結果，財務的な体力は大手ほどなく，コロナ禍による感染の広がりを防ぐために旅客数が大幅に減少したことの影響を受け，売上高を大きく落とす状況になっている。ただし，Solaseed Air は九州を中心とした地域密着型企業で，FSC があまり飛ばない路線に就航していることもあることから，ANA との提携も相まって，FSC と同程度のサービスを提供する企業の一翼を担っている。

３．Solaseed Air をとりまく環境と戦略の方向性

（1）ファイブ・フォース分析

　これまでの分析では，航空旅客サービスを中心に航空業界全体の特徴や動向とその業界で Solaseed Air が置かれた状況を明らかにしてきた。その結果，地域密着型企業としての Solaseed Air は，同じく独自路線を貫いている AIRDO と共同持株会社「リージョナルプラスウイングス」を設立し，新たな可能性を模索することで，業界での生き残りをかけた戦略をとろうとしていることが浮き彫りになった。それでは，その Solaseed Air が，今後とる戦略は，具体的にはどのようなものが考えられるか。まずは，Solaseed Air をとりまく競争環境についてより深く分析する。

　企業をとりまく競争環境を分析する手法にファイブ・フォース分析（Five Force Framework）がある。この分析手法は，1979 年 10 月，『ハーバード・ビジネス・レビュー』に投稿されたマイケル・ポーター教授の論文で提唱されたフレームワークで，自社が置かれた競争環境および収益性をその特性を左右する 5 つの要因から理解する手法をいう。ここでいう 5 つの競争要因とは，①業界内の競争，②新規参入の脅威，③売り手の交渉力，④買い手の交渉力，⑤代替品の脅威を指し，これらを分析することで企業をとりまく競争環境を明確にする。そして，この分析手法の活用は，その企業の置かれた状況を認識し，競争を優位に進める方策を検討することを可能にする[4]。

　図表 10 は Solaseed Air をとりまく競争環境をファイブ・フォース分析の手法で分析した結果である。以下では，これら 5 つの競争要因を，より詳しく見ていくことにする。

① 業界内の競争【見方によっては激しくはない】

　業界内の競争では，その業界で活動する企業が利益をどの程度あげているか，すなわち，収益性が高いか否かで競争の状況を判断するため，財務分析の収益性が 1 つの参考指標となる[5]。

　わが国の航空業界は，従来，国による保護を受けてきた。そのため，今現在も ANA・JAL のメ

4）Porter M. E., (1979) *How Competitive Forces Shape Strategy*, Harvard Business Review, Vol.57, No.2, pp.137-145 関根次郎訳（1997）「5 つの環境要因を競争戦略にどう取り込むか」『Diamond ハーバード・ビジネス』第 22 巻第 2 号，64-75 頁.
5）なお，収益性については財務分析のなかで他社との比較も含めた詳細な分析を行うが，Solaseed Air の収益性を総資産利益率（ROA：Return on Aseet）の観点から見た場合，コロナ禍前は 9.4％（2017 年度），7.0％（2018 年度）である一方で，新型コロナウイルスの蔓延が疑われはじめた 2019 年度は 3.1％，コロナ禍の 2020 年度と 2021 年度はマイナス 18.6％・マイナス 6.7％と大幅な減少を記録している（2020 年度から 2021 年度にかけての上昇は，コロナ対策の規模の違いによる）。2022 年度は，年末の入国規制の緩和を受け，1.6％まで上昇し，回復傾向にあるが，旅客数が回復すると即座に収益性が改善する業界の状況を考えると，航空業界の現状は，いまだに激しい競争にさらされているとはいえず，価格競争もそこまで激しくはないと思われる。

図表10　ファイブ・フォース分析

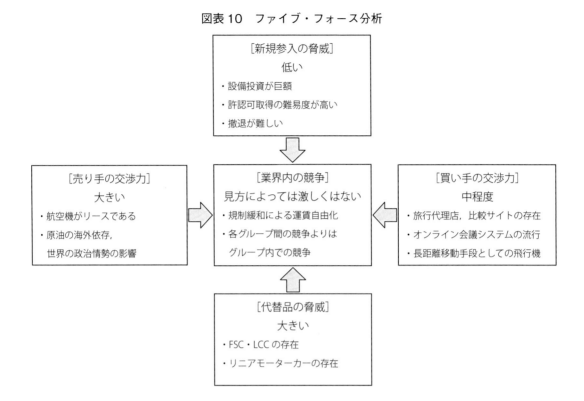

ガキャリアで高位寡占状態にある。ただし，その経営環境も1997年の航空法の改正で，Skymark,
AIRDO,　Skynet Asia Airways（現Solaseed Air）などの航空会社が，新たにこの業界に参入できるよう
になったことから，変化の兆しも見えている。

　新規航空会社は，メガキャリアが，運賃を高止まりのまま据え置いたのに対し，低運賃を前面に押
し出すことで急速に注目を集めることに成功した。そのため，ここから競争が始まるかに思われた。
ところが，新規航空会社の台頭は，メガキャリアが危機感を抱く契機となり，新規航空会社の運航時
間帯の運賃を引き下げたほか，整備や運航の委託料金を引き上げたことで，新規航空会社の経営を圧
迫した。その結果，多くの新規航空会社は経営不振に陥り，他社からの支援の受け入れや，メガキャ
リアの傘下に入る選択をせざるを得なかったとされている。

　しかし，その後も政府の規制緩和基調が続いたことで，2006年にStar Flyerが北九州を拠点にし
た就航を新たにはじめた。また，2008年にはSkymarkも黒字化して就航路線を拡大している。さら
に，2010年のJAL，2015年のSkymarkの経営破綻に前後する2012年は，Peach，AirAsia Japan（旧
Vanilla Air，現Peach），Jetstarが関空，成田を拠点に就航したことで，競争が生まれるようになってい
る（https://trafficnews.jp/post/85016/2）。

　今日は，従来に比べ，競争が生まれるようになったものの，マーケット・シェアでは，依然として
高位寡占状態で，集中度はメガキャリアで93.32%，MCCの各社は業界のなかでそれぞれニッチャー
として活動する状況に状況にあり，MCCのなかからメガキャリアに食い込む企業が育っていないの
が実情である。また，FSC，MCC，LCCの主な違いが，価格・サービス面の違いでしかないことを考
えると，①マーケット・ライフサイクル上は業界が成熟期で，自社のシェアを拡大するために，他社

のシェアを奪う必要があるとしても，そこまでの比較優位を発揮する特徴的なプランが見当たらないこと，②航空業界に新規参入する場合には，巨額の設備投資を回収するまでは撤退が難しい点を踏まえる必要があるが[6]，仮に新規に参入してくる企業があった場合でも，資金面での参入障壁をクリアするのは難しいため，他の業界にあるような，新規参入企業が続々とその業界に入ってきて，競争環境が激しさを増すかを考えると，その可能性は高いとはいえないため[7]，航空業界全体での競争は激しくなるとはいいがたい。それゆえ，航空業界は，FSC，MCC，LCCの分類ごとに見ると，価格・サービス面での差別化は難しく，ターゲットとする層もそれぞれ異なることから，それぞれの分類に属する企業間，同一路線に就航する企業間での競争はあるにしても，全体の評価としては，激しい競争にはさらされないと考える。

② 新規参入の脅威【低い】

　新規参入の脅威では，業界に他社が新たに参入する可能性を評価する。たとえば，規制の存在や，資金力・技術力などに問題がなく，参入障壁が低いと判断されるとき，または，参入障壁がある場合でも，その業界内の企業が魅力的な収益性をあげていれば，この業界には，次々と他社が参入することが予想される。

　航空業界に新規に参入する場合には，作らなければならない規定類，揃えなければならない設備，雇用すべき人材とその訓練など多くの準備が必要である。また，安全で調和した運航が可能なのか，運航管理はできるのか，整備の体制に無理はないか，労働環境は適切か，などの多くの要素が法にもとづき審査され，その審査に合格して初めて許認可が取得できる（https://www.mlit.go.jp/koku/15_bf_000026.html）。それゆえ，航空業界への参入では，許認可を得る前から巨額の費用が必要なうえ，許認可を得たあとも航空機の取得費用のほか，駐機料，整備料などの費用が常に発生する。また，近年では，燃料価格の上昇と為替変動による円安進行の結果（図表11および図表12），燃料の高騰化による費用増が軽視できない問題となっている。

　Skymarkは，会社設立後，しばらくは就航する路線ネットワークの拡大で，経営を上向きにしてきた。これに対してAIRDOは，漠然とした経営目標と社内体制の不備が災いし，現在では，ANAからの経営支援を受けている。SkymarkもAIRDOも，格安運賃の設定にこだわったが，日本の航空市場をめぐる当時の状況では，制度的にそれはほぼ不可能であった。それは，①実績がなく信用の乏しい航空会社が，航空事業を行う上で最も基本的な素材である航空機のリース契約を行う場合，そのリース料は割高になるため，費用を抑制することが難しいこと，②空港使用料や航空機燃料税のような公租公課の存在は，すべての航空業界に平等に課されることに起因する（https://core.ac.uk/download/pdf/59287317.pdf）。

　たとえば，Solaseed Airがレッシーとしてリースする航空機のリース料は，Solaseed Airの2022年6月期発表の有価証券報告書によれば，2020年度と2021年度で，平均約50億円となっている（EDINET提出書類株式会社Solaseed Air有価証券報告書（https://disclosure.edinet-fsa.go.jp/api/v1/documents/S100OITK?type=2）40頁）。そして，Solaseed Airは，ボーイング（BOEING）737-800型機のみを14機保有しているが（https://www.solaseedair.jp/service/inflight/seatmap.html），このうち13機がリース契約

6）この点については，新規参入の脅威の箇所で詳細な分析を行う。
7）ただし，新規参入企業がないわけではない（https://tokiair.com/schedules/）。

図表 11　燃料価格の推移

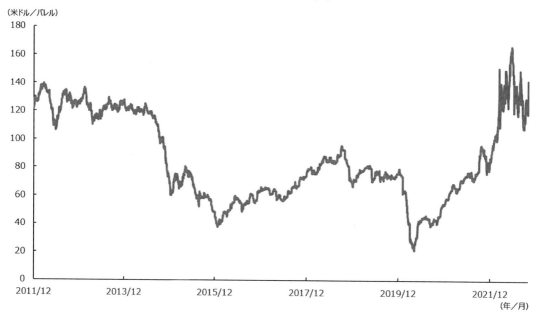

＜出所：http://www.am-one.co.jp/warashibe/article/kakaru-20221202-1.html ＞

図表 12　為替レート（米ドル／円）の推移

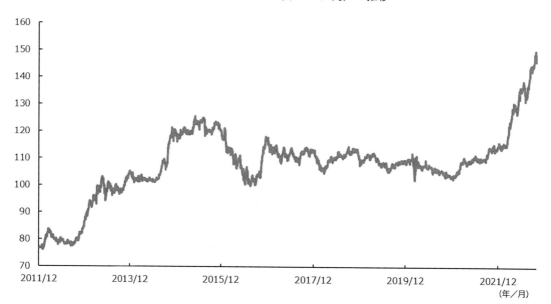

＜出所：http://www.am-one.co.jp/warashibe/article/kakaru-20221202-1.html ＞

となっているため（EDINET 提出書類株式会社 Solaseed Air 有価証券報告書（https://disclosure.edinet-fsa.go.jp/api/v1/documents/S100OITK?type=2）15 頁），機体 1 機あたりのリース料は年間約 3 億 8,500 万円，1 カ月当たりのリース料は約 3,200 万円になる。空港使用料は，空港施設の整備・維持管理などに充てる目的で，対象空港の発着便を利用する旅客が航空運賃とともに支払い，航空会社が空港管理会社へ納

図表 13　航空機燃料税の税率

（1 キロリットル当たり）

		航空機の種類		
		一般国内航空機	沖縄路線航空機	特定離島路線航空機
平成 23 年 3 月 31 日まで（本則税率）		26,000 円	13,000 円	19,500 円
軽減後の税率	平成 23 年 4 月 1 日から令和 3 年 3 月 31 日まで	18,000 円	9,000 円	13,500 円
	令和 3 年 4 月 1 日から令和 4 年 3 月 31 日まで	9,000 円	4,500 円	6,750 円
	令和 4 年 4 月 1 日から令和 7 年 3 月 31 日まで	13,000 円	6,500 円	9,750 円
	令和 7 年 4 月 1 日から令和 9 年 3 月 31 日まで	15,000 円	7,500 円	11,250 円
	令和 9 年 4 月 1 日から令和 10 年 3 月 31 日まで	18,000 円	9,000 円	13,500 円

<出所：https://www.nta.go.jp/information/other/data/r05/kouku/index.htm >

入するものである（https://financial-field.com/living/entry-214243）。その空港使用料は，2021 年度は国がコロナ禍における支援として減額を行ったために約 4 億 7,000 万円になっているが，2020 年度は約 20 億円であった（EDINET 提出書類株式会社 Solaseed Air 有価証券報告書（https://disclosure.edinet-fsa.go.jp/api/v1/documents/S100OITK?type=2）40 頁）。航空機燃料税については，1 キロリットル当たり 26,000 円であるが，現在は，インバウンド需要を国内にも波及させるという目的で減額されている（図表 13）。

　一方，Star Flyer は，航空業界に新規参入する企業の多くが参入障壁の影響を受け，厳しい経営環境に陥るなか，成功した航空会社である。それは，同社が拠点とする北九州空港の存在が非常に大きい。もともと北九州は，製鉄業が盛んで，海路・陸路において九州の玄関口として栄えてきた。しかし，戦後，経済圏の拡大により，空路での交通・物流が主流になった。このとき，北九州には小規模な空港しかなかったため，同地域はその勢いを失った。そこで，北九州では，新たに北九州空港を建設することになり，Star Flyer は，北九州の起死回生の策として，北九州発祥の大手企業をはじめ，北九州市や市内中小企業からの出資を受け，ドル箱路線である羽田空港発着枠の分配に手を挙げるようになり，現在では，航空業界のマーケット・シェアで 6 番目に位置づけられる航空会社となっている。このことは，地方空港がある地域と新規航空会社の共存関係，より具体的には，地域の経済的関係が，これからの地方空港の生き残りのためには重要な策であるということを意味している（https://www.sankei.com/article/20160413-HKJEZFUZAVJJDAEBMDS2QD4TTA/）。

　以上 3 つの会社の事例から，航空業界への新規参入には路線ネットワーク，地方空港との結びつき，そして価格やサービス面での差別化が必要となる。そのため，これらのことを考慮した場合には，参入障壁は高いと考えられるため，新規参入の脅威は小さいと考える。

③　売り手の交渉力【大きい】

　売り手の交渉力では，自社で製造する製品やサービスに必要な製品・原材料の納入業者との力関係を分析し，評価する。

　Solaseed Air が，現在，保有している航空機は ANA のリース機を含め全部で 14 機あり，13 機をリー

図表 14　ジェット機[*1]の受注機数[*2]の変遷

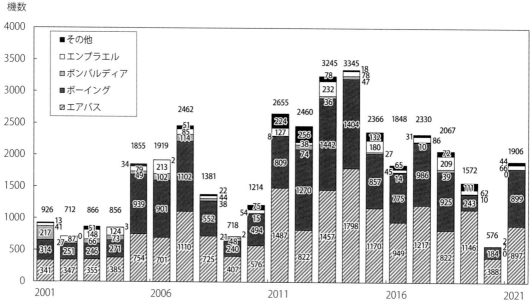

*1) 旅客機（コンビとQCを含む）および貨物機等派生型
*2) ネットオーダーでありキャンセル分は発注年から減じた
Source：Airbus, Boeing, Bombardier, Embraer, Cirium, JADC（一部推定を含む）

＜出所：日本航空開発協会（2022）9頁＞

すしている（EDINET 提出書類株式会社 Solaseed Air 有価証券報告書（https://disclosure.edinet-fsa.go.jp/api/v1/documents/S100OITK?type=2）15 頁）。同社は，ボーイング社の機体を使用しているため（https://www.solaseedair.jp/service/inflight/seatmap.html），修理の際に必要な部品などの航空機材は海外メーカーに頼らざるを得ないのが現状である。航空機の製造・販売を行う代表的な企業は，ボーイングとエアバスの 2 社であり，この 2 社で，2021 年度航空機メーカーの世界市場シェアの 45.7%（ボーイング社 14.8%，エアバス 30.9%）を占めている（https://deallab.info/aircraft/）。そして，航空業界が使用するジェット機の受注数は，この 2 社で大半を占めている（図表14）。また，旅客機の運航機数は，経済規模の拡大と所得の増加に起因する移動や旅行の需要の増加に比例するため，これまで成長顕著であった中国に加え，東南アジアや南アジアなどでも，今後は旅客機需要の増加が起こると予想されている（民間航空機に関する市場予測 2022－2041（http://www.jadc.jp/files/topics/174_ext_01_0.pdf）27 頁）。

　なお，わが国の航空法第 25 条では，国土交通大臣による技能証明（ライセンス）の種類が限定され，たとえば「航空機の種類が飛行機である定期運送用操縦士において，構造上その操縦のために二人を要する航空機（多発機）である『B777』として限定されている場合，同じ二人を要する航空機（多発機）でも『A320 型機』は運航できません。（「型式限定」といいます。）」（https://www.mlit.go.jp/common/001094302.pdf）とあるように，航空会社が使用する航空機を代えると，その航空機を操縦するパイロットや整備士に新たなトレーニングが必要になるだけではなく，新たな整備部品の在庫が必要になるなど，別途コスト（スイッチング・コスト）が必要になる。

　また，航空機を運航するにはジェット燃料が必要となるが，その主原料となる原油のわが国輸入依存率は，1970 年頃から 2021 年度に至るまでの自給率が継続して 0.5%未満の水準にあることから

（https://www.enecho.meti.go.jp/about/whitepaper/2023/html/2-1-3.html），99%を超えている。そして，近年は，落ち込んだ需要が世界的に回復傾向にあることや，多くの産油国に増産余力がないこと，ロシアによるウクライナ侵攻などの不安定な海外情勢が原因でジェット燃料の主な原料の原油の供給が滞っていることなどを背景に（https://business.nikkei.com/atcl/gen/19/00081/052600376/），図表10にあるように，燃料価格は歴史的高騰を記録している。加えて，わが国の為替レートも，図表11から，2022年から急激な円安に振れたため，原料を購入する際に利用する為替の変動リスクの影響も燃料価格の高騰に拍車をかける状況にある。2020年3月期のSolaseed Airの有価証券報告書では，経常利益の減少の原因に事業費の増加が挙げられ，燃料費の増加が事業費を増加させる要因になっているため，燃料費は航空会社の業績を左右する（EDINET提出書類株式会社 Solaseed Air 有価証券報告書（https://disclosure.edinet-fsa.go.jp/api/v1/documents/S100OITK?type=2）6，13・14，40頁）。

　一方，Solaseed Airは，ANAと契約を交わすことで，共同運航（コードシェア）をはじめとして，空港ハンドリング業務の多くを委託し，さらに同社の予約・営業・運航系システムを利用している。また，海外における重整備及びエンジンの計画的メンテナンス・オーバーホール・修理については，それぞれ台湾および中国の特定会社に委託している（EDINET提出書類株式会社 Solaseed Air 有価証券報告書（https://disclosure.edinet-fsa.go.jp/api/v1/documents/S100OITK?type=2）8頁）。そのため，Solaseed Airは，これらの企業に過度に依存する部分があることから，交渉を有利に進めることは難しい。

　これらのことを踏まえると，航空業界では，航空機を確保する際に，価格，数量に対する主導権を握ることは難しく，ジェット燃料の購入時に海外情勢や為替レートの変動の影響を受けやすい。また，業務委託先への過度な依存もあることから，この場合には，売り手の交渉力は大きいと考える。

④　買い手の交渉力【中程度】
　買い手の交渉力では，強大な購買力をもったプレーヤーに対して販売を行っている企業が販売価格を設定する力がどの程度あるのかを分析し，評価する。
　わが国の航空業界における買い手とは我々消費者に加え，企業や旅行代理店を指す。旅行代理店は，航空会社から販売手数料をもらうほか，航空券の価額に一定の利率を上乗せして販売することで利益を得る。販売手数料は，販売額に対して定率で定められ，その率は販売実績によって変動する（https://www.tourism.jp/tourism-database/glossary/commission/）。そのため，航空券の購入には，航空会社の営業所や旅行代理店の窓口等の対面での購入や，WEBでのオンライン購入のほか，航空会社に直接電話して購入する方法が考えられる。
　航空券を購入する購買層は，旅行・観光目的等の一般消費者だけではなく，商談等で現地に赴く企業も考えられることから，相当数の買い手が存在している。また，航空会社は顧客の裾野が広く，特定の顧客に注文が集中するわけではないので，少しの顧客を失っても大きなダメージを受けることはない。しかし，新型コロナウイルスの流行で，ZOOMなどのオンライン会議システムが利用されるようになったのは航空会社にとっては想定外の出来事かもしれない（https://jyosai-smeca.com/info/info-4282/）。これは，物理的移動をとるか，オンライン会議システムで済ますかといった選択肢を買い手企業がもつことを意味するため，買い手の交渉力を上げる要因になる。
　加えて，航空会社のサービスや価格を一括比較し，チケットと同時に宿泊先も格安で予約できる旅行比較サイトの存在は，買い手の交渉力を押し上げる。トリップアドバイザーやトリバゴなどのイン

ターネット予約サイトがこれに該当するサイトであるが，これらのサイトは，旅行者に情報を提供するのみで，旅行代理店からサイト経由で販売した旅行商品の一部手数料を受け取ることで利益を得ている（https://navi.funda.jp/article/travelko-kinkinihontourist）。そして，このようなサイトの運営会社が増えたことで，一般消費者や企業の側には，航空会社の情報を比較しやすい状況がうまれ，近年，これらの旅行比較サイトは，利用者を大幅に獲得する傾向にある[8]。

　買い手に集まる情報が以前より多くなると，買い手はサービスが同質であっても，より安価なサービスを選ぶようになる。そして，就航路線に対する決定権はなくとも，類似のサービスを提供している航空会社で，希望の路線を提供するサービスを選択し，より良い交通手段を選択するようになるため，買い手の交渉力は年々強まっている。したがって，これらのことを踏まえると，買い手の交渉力は中程度になると考える。

⑤　代替品の脅威【大きい】

　代替品の脅威では，既存の商品・サービスが代替品に奪われる可能性を分析し，評価する。

　航空業界は，ある地点から別のある地点まで人・モノを移動するサービスを提供している。そのため，MCC の代替品としてまず考えるべきは，FSC や LCC である（図表8参照）。

　航空業界が提供するサービスを購入する買い手はこれら3つに分類される航空会社のサービスから，買い手自身の経済力，都合に合わせて選択することができるため，移動手段という意味では，同一の就航路線，同一時間帯にある場合，各社の代替品の脅威は大きいと考えられる。

　しかし，それは，別の視点で見た場合，就航路線もしくは就航の時間帯をずらすことができれば，同じ航空会社間での代替品がなくなることを意味する。そして，その点に目をつけ，戦略的に就航路線を選んでいるのが，Jetstar や Peach などの LCC の航空会社だといえよう。とりわけ，Peach は，メガキャリアが重視してこなかった成田空港に拠点を置き，そこから利用頻度が高くない国内各地の空港を結ぶこと，国内でハブとされない空港間を結ぶ便を用意したことで，低価格化だけではなく，利用者の利便性を高めた結果，潜在需要を開拓し，国内のインバウンドをけん引する存在となっている（https://www.flypeach.com/application/files/1314/8834/6727/170301-Press-Release-J2.pdf）。

　一方，リニアモーターカーが移動手段として活用されるようになったとき，航空業界にとっての脅威が増える可能性があることも忘れてはならない。現段階では，まだ運行されていないリニアモーターカーではあるが，それが運行の運びとなったとき，東京－大阪便は，リニアモーターカーとの競合となるはずである。そして，それは，リニアモーターカーの路線が延伸され，航空路線との重複が増えたときには必ず生じる脅威となるはずである。

　したがって，航空業界を見た場合，その脅威は，別のグループに分類される航空会社のサービスだけではなく，新たに生まれる交通機関の存在によるところが大きく，現在の状況では，独自の特徴を見出せない航空会社（MCC）は，その脅威に抗う手段に乏しいと考えられる。

　以上，ファイブ・フォース分析を行うとこのようになる。そして，そこから見えてくることは，国

8）たとえば，2008年にサービスを開始したトリップアドバイザーでは，今現在，ひと月あたりで約4億6千万人のユーザーが同サイトを利用するようになっている（Tripadvisor インバウンドレポート 2020（https://www.tripadvisor.jp/blog/wp-content/uploads/2020/04/JP_InboundReport2020.pdf）4頁）。

内航空業界は，すでに成熟期にあるにもかかわらず，①新規に参入して既存企業と競争をするには，航空機の調達やパイロット・整備士等の訓練，資金循環の目処がたてられるかなど，乗り越えるべきハードルが高いこと，②海外情勢や景気・為替変動のリスクにさらされることを考えると，安定した収益性を確保できない場合，参入障壁が高いことから，③既存の企業は，すでにある競争で，他者に対して比較優位を確保する必要があることである。しかし，1997 年の航空法改正で新規参入できた航空会社の大半が，メガキャリアのいずれかと関係性を維持しなければ，競争に勝ち残ることができない現状を考えると，Solaseed Air は，わが国航空業界でニッチャーとして選択的・集中的に資源を投入する路線等を選ぶことで，収益性を高めることがまず為すべきことなのではないか。また，新規に参入する企業が存在しづらい現状を考えたとき，その代替品となり得るのは，ターゲット層の違いとなるが，どの航空会社も就航している主要路線で，新たに Solaseed Air が独自で勝負をするには，Solaseed Air と他の航空会社との間の差異が少ないため，「労多くして功少なし」という印象がある。そのため，Solaseed Air が代替品の脅威と向き合うためには，Peach が実施している主要都市間を結ぶ戦略ではなく，ハブではない空港間を結ぶ便を効率的に増やす戦略に重点を置く方が，Solaseed Air が飛躍する可能性があるのかもしれない。

　ただ，これらの分析も，売り手の交渉力・買い手の交渉力が弱まり，一般消費者等の購買層が Solaseed Air を積極的に活用する環境が整備されるようにならなければ意味がない。そこで，次節では Solaseed Air の魅力を高めるための戦略の可能性を検討すべく，SWOT 分析をすることにしたい。

（2）Solaseed Air の SWOT 分析

　SWOT 分析は，企業をとりまく環境から「脅威（T：Threats）」と「機会（O：Opportunities）」を把握し，企業内部の資源等を「弱み（W：Weakness）」と「強み（S：Strength）」の観点で評価する手法である。Solaseed Air の「脅威（T：Threats）」と「機会（O：Opportunities）」はすでに，ファイブ・フォース分析でも一部みてきた。しかし，再度確認する意味でも，SWOT 分析にあわせたマトリクスを作成する。

　まず，図表 15 を参照されたい。これは，Solaseed Air の有価証券報告書を読み解くことで見えてくる Solaseed Air の SWOT 分析をまとめたものである。Solaseed Air は，すでに分析してきたように，1997 年の航空法改正を受け，新規に参入してきた比較的新しい航空会社で，九州以南の各空港と東京・沖縄・名古屋，および，沖縄と名古屋・神戸・福岡・石垣を結ぶ路線を就航しているが，ANA との間に契約を交わすことで，コードシェアをはじめ，燃油の共同購入，予約販売業務，整備業務，

図表 15　Solaseed Air の SWOT 分析

	強み（S）	弱み（W）
内部環境	・九州各地と東京，名古屋，神戸を結ぶ便を飛ばしている ・コードシェア便による一定程度の旅客数と売上高の確保 ・採算が期待される独自就航路線の可能性	・座席利用率が他の MCC と比較すると低い ・離着陸数の多い有名空港での離発着枠が少ない ・就航路線のすべてが ANA とのコードシェア便で過度な依存はリスクになる ・活動拠点の経済的魅力度
	機会（O）	脅威（T）
外部環境	・コロナが落ち着くことによる旅客者数の回復 ・リージョナルプラスウイングスによるコストの削減 ・福岡空港および周辺空港の将来性 ・Peach を前例とした単独路線の可能性	・燃料の調達にともなう海外事情および為替変動リスク ・FSC や LCC との競合 ・航空運賃に対する価格競争 ・コードシェアによる活動範囲の制約

旅客ハンドリングおよびグランドハンドリングを含む空港ハンドリング業務の多くを委託するだけではなく，ANAの予約・営業・運航系システムを利用することで企業運営の効率化を図っている（EDINET提出書類株式会社 Solaseed Air 有価証券報告書（https://disclosure.edinet-fsa.go.jp/api/v1/documents/S100OITK?type=2）8頁）。しかし，それは，裏を返せば，Solaseed Airの事業に関わるリスクともなる。

　一方，Solaseed Airは，2022年よりAIRDOと共同持株会社「リージョナルプラスウイングス」を設立し，競合する路線がない両社で，ANAとJALの高位寡占状況にある航空業界で，「地域をつなぐエアラインググループとして，安心な旅と新たな価値の提供を通じて，地域社会の発展に貢献」することを目指している。それは，Solaseed Airが，「グループの経営資源を最大限活用し，業務共有化や知見共有等を通じて経営基盤を強化」するとともに（https://www.regionalplus.co.jp/company/philosophy/），業界内での確たる地位を確保しようとしていると見て取れる。そこで，以下では，SWOT分析の各項目，強み・弱み・機会・脅威のそれぞれの特徴を詳しく見ていくことにする。

『脅威（T：Threats）』

　まずは，脅威についてである。航空業界は，新規参入の脅威こそ高くはないものの，業界で活動する既存企業の競争はそれなりに激しく，Solaseed Airが帰属するMCCは，代替品と位置づけられる，格安路線を売りとするLCCや格安タイムセールを不定期に行うFSCとの間で価格競争を余儀なくされている面もある。また，航空機の運航に必要なジェット燃料は，燃油サーチャージの場合，シンガポールのケロシン市場価格の平均をもとに為替レートを考慮して計算されることから（https://www.nittsu.co.jp/support/words/ha/fuel-surcharge.html），わが国航空業界では，ジェット燃料の調達に，海外事情や為替変動のリスクを受けやすく，売り手への交渉力をもちにくいのが現状である。そのため，ジェット燃料価格の高騰は，座席利用率の上昇でまかなえなければ，業績悪化の可能性が考えられるようになるほか，現在，建設中のリニアモーターカーが開通するようになった場合，東京－大阪間の就航路線は，競合にさらされる危険もある。

　Solaseed Airは，宮崎を拠点とする航空会社であることから，宮崎空港を発着する路線が多いが，その宮崎空港を発着する路線を見た場合，東京（羽田）往復だけではなく，名古屋（中部）往復・沖縄（那覇）往復の便のすべてがANAとのコードシェア便となっている。このことは，Solaseed Airに限ってみれば，他の空港を発着するすべての就航路線でも同様である。しかし，その一方で，宮崎空港発着の東京（羽田）往復便については，ANAが往路で5便（https://www.miyazaki-airport.co.jp/flight/dom_dep），復路で5便（https://www.miyazaki-airport.co.jp/flight/dom_arr）単独で運航する。そして，このことが独自路線の単独での運航を妨げているのであれば，それはSolaseed Airにとって買い手への交渉力を失っていることを意味するので，脅威となる（EDINET提出書類株式会社 Solaseed Air 有価証券報告書（https://disclosure.edinet-fsa.go.jp/api/v1/documents/S100OITK?type=2）7頁）。また，弱み（W：Weakness）の箇所で後述するが，Solaseed Airの座席利用率は（https://www.solaseedair.jp/corporate/report/pdf/report_2023_2311.pdf），MCCのなかでも最も低く，今回の分析で同一のグループに属するとみている Star Flyer とは業績面で対照的となっている（https://www.starflyer.jp/starflyer/ir/traffic_figures/tf_2022.html）。そして，その理由が，両社が拠点とする地域の経済力等にあるのであれば，その観点から分析し，打開策を考察する必要がある。

『機会（O：Opportunities）』

　次に，機会についてである。Solaseed Air は，現在，海外への就航路線をもたないため，国内線に限ってみると，図表 6 から，新型コロナウイルスが感染拡大する前のわが国の旅客数は 831.0 万人（2020年 1 月時点）であった。その後，新型コロナウイルスに対する入国規制が緩和される直前の 2022 年 8月（848.5 万人）まで，この旅客者数を超えることがなかったが，近年は，政府の旅行支援なども相まって，国内の旅客者数はある程度まで回復している。これは，Solaseed Air にとってもリスタートの機会となる。そこで生まれた戦略の 1 つが，「リージョナルプラスウイングス」だと考える。

　繰り返しになるが，リージョナルプラスウイングスは，「人々の豊かな暮らしを支える『地域』・・・に生きる人々の暮らしに，社会に貢献することを大切に」することを目的とする航空会社で（https://www.regionalplus.co.jp/），「地域をつなぐエアライングループとして，安心な旅と新たな価値の提供を通じて，地域社会の発展に貢献」することを経営理念に掲げている。同社は，AIRDO の強みである北海道の翼と Solaseed Air の強みである九州・沖縄の翼をハイブリッド化し，新たな需要を掘り起こすことで，「グループの経営資源を最大限活用し，業務共通化や知見共有等を通じて経営基盤を強化」する（https://www.regionalplus.co.jp/company/philosophy/）。そして，このリージョナルプラスウイングスの設立は，Solaseed Air 単体では難しかった航空関連資材の共通化と，規模の経済性を活かしたコスト削減を達成することを可能にする（https://www.regionalplus.co.jp/newsrelease/pdf/RPW22-001.pdf）。また，福岡空港は，現在，滑走路増設事業を行っており（http://www.qsr.mlit.go.jp/site_files/file/s_top/jigyo-hyoka/191126/shiryo3%20fukuokakuukou.pdf），完成すれば，発着枠が 1 割程度増えるとされるが，発着枠が増えたとしても，福岡空港のニーズに対して，充分な枠を提供できるようになるわけではない（日本経済新聞 2023 年 6 月 27 日付朝刊 13 面）。

　福岡空港は，福岡市営地下鉄で博多駅から 5 分，天神駅から 11 分という極めて優れたアクセスを有し，九州新幹線や高速道路等の交通網とも近接するため，広域からのアクセスも良いとされる。その結果，国内線で 27 路線，国際線で 19 路線のネットワークが現在もあり，国際線は，国内線並みの所要時間で東アジアの主要都市への移動が可能であることから，ASEAN やインド，中東など，さらなる路線開拓の可能性がある。福岡県の空港の将来構想では，福岡空港は，「国内外の多彩なネットワークを活用した国際展開により，九州，西日本，アジアの拠点空港として発展することを目指し・・・，北九州空港は，九州唯一の 24 時間空港であり，企業・住民ニーズの高い路線展開，福岡空港で対応できない早朝・深夜便の誘致，貨物拠点空港として発展することを目指していく」としている（https://www.pref.fukuoka.lg.jp/uploaded/life/620467_61145759_misc.pdf）。ここに，佐賀空港も，「福岡空港の補完」を視野に滑走路の延伸等の働きかけを国などに行っていることを考えると（2023 年 8月 8 日付日経速報ニュースアーカイブ），Solaseed Air が福岡枠の追加を目指すこともうなずける（2022年 5 月 30 日付日経速報ニュースアーカイブ）。そして，これらの空港に発着枠を確保でき，独自路線を運航できれば，それは，Solaseed Air がマーケット・シェアを向上させるきっかけになる。

　前述のように，Peach は，2021 年 8 月 27 日より，ANA とのコードシェア便を用意していたが（https://www.anahd.co.jp/group/pr/202107/20210728.html），2022 年 10 月 30 日には，そのコードシェア便を休止し，すべての路線を単独で運航している（https://www.anahd.co.jp/group/pr/202208/20220822.html?_gl=1*pakhth*_ga*MTA0MjA4MTY2NC4xNjk5ODg3NDI3*_ga_32F297W9WL*MTcwMDI1MzEyNS4xLjEuMTcwMDI1MzM1MS42MC4wLjA.）。2019 年 3 月期の Vanilla Air との経営統合以来，Peach の財務状況は，

5期連続で赤字であるが，過去最大の赤字535億円を計上した2022年3月期と比べ（https://www.nikkei.com/article/DGXZQOUC301530Q2A630C2000000/），2023年3月期は，旅客数が戻りつつある効果の面はあるとはいえ，赤字幅を411億円圧縮することに成功し，124億円となったことを考えると（https://www3.nhk.or.jp/kansai-news/20230629/2000075239.html），就航路線選びを間違えなければ，仮に，Solaseed Airがコードシェア便の運航便数を減らすようになったとしても，業績面での効果の期待ができるのではないかと考える。

『弱み（W：Weakness）』

　では，弱みはどうであろう。Solaseed Airは，同社と同じサービス・価格帯の企業であるMCCと比べて，（有償）座席利用率が低い。総座席数に対する有償旅客の搭乗割合を示すこの数値は（https://www.anahd.co.jp/investors/data/annual/pdf/13/13_30.pdf），企業の売上に貢献する比率を意味するため，企業の売上高を確保する観点からは高いことが望まれるが，2022年度の年間座席利用率は，Solaseed Airが60.5%であるのに対し（https://www.solaseedair.jp/corporate/report/pdf/report_2023_2311.pdf），MCCのその他の企業，すなわち，Skymark，AIRDO，Star Flyerは，それぞれ，74.3%（https://www.skymark.co.jp/ja/company/investor_loadfactor/__icsFiles/afieldfile/2023/11/10/20231110_investor_loadfactor.pdf），69.7%（https://www.airdo.jp/corporate/release/2023/release-9466.html），68.2%となっているため（https://www.starflyer.jp/starflyer/ir/traffic_figures/tf_2022.html），Solaseed Airはその他3社の最低値であるStar Flyerと比べても，約8%も低い状態である。また，MCC各社の直近5年の座席利用率を比較しても，Solaseed Airはコロナ以前・コロナ禍・コロナ以降のどの年度においても他社よりも低い（図表16）。

　これには，宮崎県の経済力や航空機を利用する機会の多い企業数が起因するのかもしれない。内閣

図表16　MCC企業の座席利用率（%）

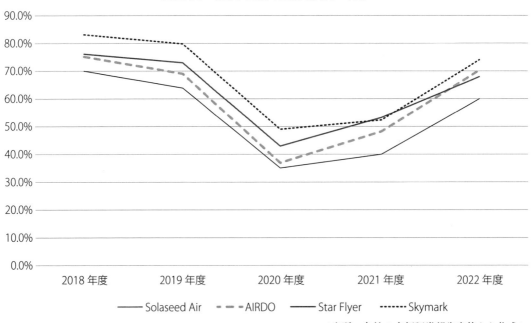

＜出所：各社の有価証券報告書等から作成＞

府の県民経済計算によれば，宮崎県の都道府県別の GDP は，全国 39 位で（https://www.esri.cao.go.jp/jp/sna/data/data_list/kenmin/files/contents/main_2020.html），神戸拠点の Skymark（6 位），北海道拠点の AIRDO（8 位），北九州拠点の Star Flyer（9 位）と比べ，明らかに低い。また，宮崎県の都道府県別の企業数は，全国 33 位である（http://databasejapan.com/?p=1389）。これも，神戸拠点の Skymark（6 位），北海道拠点の AIRDO（7 位），北九州拠点の Star Flyer（8 位）と比べ，明らかに低い。そのため，たとえば，座席利用率が Solaseed Air と最も近い Star Flyer と比較してみた場合には，同社が拠点とする北九州空港は，九州唯一の 24 時間空港であることを活かし，羽田―北九州便において早朝・深夜の発着便を運航しているが，Solaseed Air はその環境を用意しても利用者はそれほど多くはないものと考えられる。そして，北九州空港では，早朝・深夜の発着便を利用する旅客向けの交通手段として，早朝であれば，天神高速バスターミナル前 1C，博多駅前 A，博多駅筑紫口と空港を結ぶ区間，深夜であれば，空港と直方 PA，若宮 IC，上の府太郎丸，御幸町，呉服町，博多駅前 A，天神高速バスターミナル前 1C を結ぶ区間を運行しており（https://www.starflyer.jp/campaign/2016/fukuhoku/），福岡空港が利用できない時間帯の早朝・深夜発着便の利用者に向けた交通アクセスが用意されるが，宮崎空港では，近隣に利用客の多い空港がないため，それを用意するほどのメリットに乏しいことが予想される。これらの違いが，Solaseed Air と Star Flyer の座席利用率の差を生み出しているのかもしれない。

　また，Solaseed Air は，各空港の利用枠で比較すると他の航空会社よりも，圧倒的に多い路線，1 社だけで就航している路線がない（図表 17）。そればかりか，羽田空港や福岡空港といった利用者数の多い空港の利用枠が少なく，Skymark と羽田－那覇便と福岡－那覇便で就航路線が重複している。このことは，現在，座席利用率が圧倒的に低い Solaseed Air が利用枠を増やしても，利用率の改善をはかれなければ，効果は薄いが，有償旅客が多く存在する地域に就航路線を用意できれば，利用率を改善できるかもしれないことを考えると，この点は考慮すべき点となる。

　Solaseed Air では，その就航路線のすべてが ANA とのコードシェア便となっている。これは，一定数の搭乗客を ANA というブランドの効果で引き寄せ，一度航空機を運航すれば，当然にかかる費用を圧縮することに相当程度の効果をもつ。しかし，この点は，同社の有価証券報告書の「事業等のリスク」でも記載があるように（EDINET 提出書類株式会社 Solaseed Air 有価証券報告書（https://disclosure.edinet-fsa.go.jp/api/v1/documents/S100OITK?type=2）7 頁），過度の依存はリスクとなる。それゆえ，この

図表 17　MCC 各社の着陸回数上位 8 空港の利用便数

（出発）	羽田	成田	関空	福岡	那覇	新千歳	伊丹	中部国際
Solaseed Air	26	0	0	1	13	0	0	5
AIRDO	25	0	0	1	0	19	0	2
Star Flyer	26	0	4	14	0	0	0	6
Skymark	44	0	0	21	21	22	0	12
（到着）	羽田	成田	関空	福岡	那覇	新千歳	伊丹	中部国際
Solaseed Air	26	0	0	1	13	0	0	5
AIRDO	25	0	0	1	0	19	0	2
Star Flyer	26	0	4	14	0	0	0	6
Skymark	44	0	0	21	21	22	0	11

＊宮古島―中部の便は中部からの便のほうが2便多く，重複しない便が1便あるため出発側の中部国際の数値が1多い

<出所：MCC 各社の時刻表を参考に筆者作成>

場合には，たとえば Star Flyer のように，拠点とする地域の地元企業や経済力を勘案し，状況に応じては少し単独の路線を就航させてみる，Peach のように，他社があまり活用していない空港との路線を用意して，独自の路線を就航させるなどの対策を練る必要があるだろう。

『強み（S：Strength）』

　Solaseed Air は，他の MCC の多くと同様，地域経済に貢献する意図で，拠点とする空港とその周辺空港から，ハブといわれる空港，大都市圏の空港に，就航路線を有している。そして，ANA とのコードシェアがあることで，一定程度の旅客数とそれにともなう売上高の確保ができている。しかし，そのことが就航路線の選択に制約が働いている可能性があることはすでに述べた通りである。そのため，仮に採算が期待される就航路線を独自に設定することができ，運航することができるなら，それは，Solaseed Air にもたらされる強みとなる。また，2022 年 10 月 3 日より設立した「リージョナルプラスウイングス」は，新たな就航路線を選択する際，選択の幅を広げるのに貢献する可能性を有している（図表 9）。

　MCC に分類される Solaseed Air は，業界で活動する既存企業同士の競争にそれなりにさらされ，格安路線を売りとする LCC や格安タイムセールを不定期に行う FSC との間で価格競争を余儀なくされている。また，近年の航空業界をとりまく状況から，ジェット燃料の調達に，海外事情や為替変動のリスクを受けやすくなっているため，経営に難しい判断が要請されるようになっている。現在は，ANA とのコードシェア便で，一定水準の経営成果をあげているが，そのコードシェアがすべての便で設定されていることを考えると，Solaseed Air の活動を制限する可能性がある点は，脅威として認識すべきである。そして，Solaseed Air は，独自の路線を就航する 1 つの方策として，AIRDO との共同持株会社「リージョナルプラスウイングス」を設立したと考えられる。「リージョナルプラスウイングス」は，お互いに競合する路線がない Solaseed Air と AIRDO とが企業運営の効率性を果たすため，協業する目的で設立した会社である。そのため，旅行需要が増えた今，新たな道を模索する上では，良いタイミングでの船出だと思われる。また，福岡空港の滑走路が増設され，その発着枠を確保できた場合には，企業の新たなシェアを確保する可能性も生まれてくる。

　Solaseed Air は，MCC に属するその他の航空会社に比べ，座席利用率が低い。この点は，ANA とのコードシェア便で相当程度補えていると考えられるが，すべてがコードシェアの現状は，企業にとってはリスクであるため，潜在的な旅客利用が考えられる地域に独自路線を就航できる可能性があるのであれば，一部の路線はコードシェアではなく，単独で運航し，業界内での市場シェアを向上させる必要があるのではないか，これが SWOT 分析をした結果，考えられる結論である。

　そこで，以下では，クロス SWOT 分析をしてみたい。クロス SWOT 分析は，SWOT 分析の結果，分析対象企業の保有する内部資源に強さがない場合には，その市場から撤退すべきか（W × T），撤退せずに機会を活かして改善する戦略を段階的に打っていくか（W × O）を判断する。また，企業の保有する内部資源に強さがあると判断できる場合には，競合他社との間に差別化を図り，業界のなかで独特の強さをもつ戦略を採るか（S × T），現状以上の業績を確保するため，機会をより有効に活用する積極策に打って出るか（S × O）の戦略を立案する際のヒントを得る方法である（図表 18）。

図表 18　Solaseed Air のクロス SWOT 分析

		内部要因	
		強み（S）	弱み（W）
外部要因	機会（O）	積極戦略（S×O）	改善戦略（W×O）
		・ANA とのコードシェア便を一部解消し，独自路線を就航させる	・団体割引等の顧客戦略による座席利用率の改善 ・主要空港での発着枠が少ない欠点を空港の発着枠拡張の機会で改善
	脅威（T）	差別化戦略（S×T）	専守防衛戦略（W×T）
		・リージョナルプラスウイングスによる，FSC 以外にはない日本の南北の観光地をスムーズにつなぐ路線の就航 ・あまり重複しない就航路線において，LCC と被らない時間帯・FSC より安い FSC 並みのサービス	・リージョナルプラスウイングスによる売上高規模の向上から燃料費高騰等の問題を対処する可能性 ・ナッシーとアローラナッシーとコラボしたナッシージェット宮崎の運行による企業認知度の向上

図表 19　航空会社を選ぶ際に重要視するポイントランキング

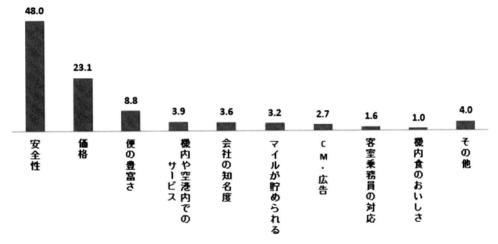

『専守防衛戦略（W×T）』

　まずは，企業にとっての致命傷回避を目的とした専守防衛戦略を考えてみたい。通常，顧客が航空会社を選ぶ際は，安全性，価格，便の豊富さを重視する（図表 19）。Solaseed Air は，ANA とのコードシェア便を運航している関係上，FSC ほどではないにせよ，ある程度の価格設定が求められる。そのため，大半のサービスを有料化し，旅客を運ぶことに特化した LCC 並みの価格設定を行うことは難しい。また，同社は，資金面や人材面で FSC 程の経営資源を持たず，地域特化型企業として運営している関係上，FSC 並みの就航路線はおろか，同じ MCC に分類される Skymark までの就航路線を有するには至っていない。

　Solaseed Air は，競合他社と競争する必要があることから，採算を度外視することはできない。そのため，収益性が見込めなければ，撤退を考える必要がある。しかし，航空業界は，参入時にかかるコストが莫大なため，撤退時にかかる損失額も尋常ではないことが予想される結果，撤退する場合には，損失額をいかに少なくするかなどの判断が難しいと思われる。幸い，現在の Solaseed Air は，業界 5 位の企業である（図表 1）。そして，2022 年 10 月 3 日に設立された「リージョナルプラスウイン

グス」が，業界 4 位の AIRDO との共同持株会社であることを考えると，単純計算では，この共同持株会社は，業界 3 位の Skymark より，売上高規模を上回るだけではなく，航空業界で懸案事項になっている燃料の高騰等の問題に対処できる可能性も生まれている。

　Solaseed Air を含む MCC の問題は，Skymark を除いて，ANA・JAL ほどの認知度がないことにある。この点につき，同社は，「『日本のひなた』とも呼ばれ，温暖な気候で一年中温かい宮崎県は，ヤシ科の「フェニックス」を県の木として制定して」いること，「ヤシの木のような見た目で『歩く熱帯雨林』と呼ばれるナッシーは，宮崎県のイメージにピッタリということで，アローラナッシーと共に『宮崎だいすきポケモン』に任命され」たことを受け，「Solaseed Air の機体デザインとして，ナッシーとアローラナッシーが大きく描かれた南国の雰囲気たっぷりの『ナッシージェット宮崎』」を誕生させ，運航することで（https://www.solaseedair.jp/nassy-jet/），企業認知度の高揚に努めている。そのため，本件も含め，「リージョナルプラスウイングス」の効果が見られるようになるまでには，もう少しの時間がかかるものと思われる。したがって，本分析では，本戦略を考えるのは保留とすることにしたい。

『改善戦略（W × O）』

　次に，弱みを強みに改善する改善戦略を考えてみたい。Solaseed Air の最大の弱みは座席利用率の低さである。既述のように，同社が拠点とする宮崎県の都道府県別の GDP が全国 39 位で，神戸拠点の Skymark（6 位），北海道拠点の AIRDO（8 位），北九州拠点の Star Flyer（9 位）と比べ，明らかに低いことに起因する部分が多分にある（https://www.esri.cao.go.jp/jp/sna/data/data_list/kenmin/files/contents/main_2020.html）。そして，この都道府県別の GDP の結果は，各県の人口数，生産年齢人口の割合とほぼ同様の結果となる。しかし，15 歳未満の人口割合は，MCC のなかでは 1 番多い割合を占めている（https://www.stat.go.jp/data/jinsui/2022np/index.html）。そのため，Solaseed Air は，15 歳未満をターゲットにした顧客獲得のための戦略を立案する必要がある。15 歳未満は単独で航空機を利用することは少ないと考えられるため，ここで考えるべきは，団体利用の客に向けたサービス，すなわち団体割引であると考える。たとえば，修学旅行生向けのサービスを用意することのほか，15 歳未満の子供がいる家族向けの二世帯割引，15 歳未満の子供を連れた大規模な社員旅行を奨励する割引制度などの企画を用意することができれば，座席利用率の改善が見られるようになるかもしれない。

　Solaseed Air は，わが国で主要空港とされる空港への発着枠が少ないほか，就航している路線すべてが ANA とのコードシェア便となっているため，この点を改善し，独自路線の就航で，一定水準以上の収益を確保することが望まれる。既述のように，同社は，福岡空港の滑走路増設にともなう発着枠の確保を目論むが，仮に発着枠が確保できた場合でも，その発着枠で座席利用率を一定水準以上確保することができなければ意味がない。そのため，Solaseed Air は，その前に座席利用率を上昇させる意味でも，ターゲットにあわせた戦略を立てるほか，団体利用客が希望する地域への路線の就航等を考えることで，ANA とのコードシェア便に頼りすぎない独自路線を模索する必要があるだろう。

『差別化戦略（S × T）』

　では，競合他社との間に差別化を図り，業界のなかで独特の強さをもつための差別化戦略はどうであろう。繰り返しになるが，AIRDO とともに設立した共同持株会社「リージョナルプラスウイングス」は，Solaseed Air が持ち合わせなかった東日本・北日本への展開をそこまでのコストをかけずに実現

する可能性をもつ機会となる。そして，それは，今までは持ち合わせなかった就航路線の拡大を意味するだけではなく，九州南部と北海道に拠点をもつ航空会社の成立を意味し，コスト削減だけではなく，スケールメリットを活かした活動ができる可能性を持ち合わせる。わが国には，国土の北と南に魅力的な観光地を有している。それをスムーズに繋ぐ路線の就航は，現在，各地から九州・北海道の各地に就航路線を有しているのが，ANA・JAL のような FSC しかない状況を考えると，この共同持株会社が乗り継ぎ等の時間も考慮し，スムーズに北と南を繋ぐ路線を用意できれば，競合する他社にはない強みを生み出せるのかもしれない（RPW 広報第 22−001（https://www.regionalplus.co.jp/newsrelease/pdf/RPW22-001.pdf）3 頁）。

　また，ANA とのコードシェア便を運航する Solaseed Air の就航路線は，他の MCC と大差のない地域を飛んでいる。そして，LCC は，FSC や MCC とあまり重複しない地域に就航路線をもつことで，それなりの成果をあげている。そうであるなら，Solaseed Air は，LCC の就航路線を検討し，同様の便を時間帯をずらして設定することで，集客する方法も考えられないことはない。たとえば，近年は，海外旅行者の発着空港の選択肢に羽田空港が加えられたことで（https://toyokeizai.net/articles/-/704491），以前ほど，その存在意義をもたなくなった成田空港や，MCC があまり就航していない関西国際空港を考えた場合（https://www.kansai-airport.or.jp/flyfromkansai/info/domestic-flight/），出国や入国の際の利用空港が国内線の利用空港と異なることは，利用客にとっては不便となる。そこに，Solaseed Air が就航路線を設定し，海外に向かう旅客や海外からの旅客が多く利用する国際線の発着にあわせた便を用意できれば，利用客も一定程度確保できるのではなかろうか。2019 年 3 月期の Vanilla Air との経営統合以来，現在のコロナ禍によるマイナスまで，5 期連続で赤字を計上している Peach が，繰り替えにしなるが，過去最大の赤字 535 億円を計上した 2022 年 3 月期と比べ（https://www.nikkei.com/article/DGXZQOUC301530Q2A630C2000000/），入国制限が緩和され，旅行者が増えたという要因はあるにせよ，赤字幅を大幅に減らし，黒字化できるところまで改善している現状を考えると（https://www3.nhk.or.jp/kansai-news/20230629/2000075239.html），国内線と国際線の繋ぎを良くし，航空会社が違う場合でも FSC よりも安価で，FSC 並みのサービスを受ける航空会社を利用できる環境が整えば，可能性は少なくないものと考える。

『積極戦略（S × O）』
　最後に，現状以上の業績を確保するための積極戦略を考える。AIRDO との共同持株会社「リージョナルプラスウイングス」は，Solaseed Air の就航路線の選択の幅を広げた。そして，現在，滑走路増設事業を行っている福岡空港の発着枠を 1 つでも確保することができ，懸案となっている座席利用率を改善できれば，それは，同社が飛躍する可能性を秘めている。

　このとき，Solaseed Air の就航路線の選択の足枷となるのは，Solaseed Air の便のすべてが ANA とのコードシェア便であることである。ANA とのコードシェア便によって一定程度の乗客を確保できていることも否定できない Solaseed Air にとって，ここをどのように考え，戦略を練っていくかが，Solaseed Air にとっては重要となるはずである。そこで考えられるのが，Star Flyer のような位置づけで企業運営をしていくこと，すなわち，すべてを ANA に頼るのではなく，一部は独自で採算がとれる方法を模索していく道ではなかろうか。

　この方法では，一定程度確保されていた搭乗者が減少するリスクもある。ただ，今回，Solaseed

Air が AIRDO との共同持株会社を設立したことは，単独では負担しきれなかったコスト部分を，規模の経済性を利用することで一定水準下げることを可能にする可能性もある。そして，仮にそれができるのであれば，今のタイミングが，戦略を実行に移すチャンスとなる。したがって，本分析では，積極戦略として，一部路線を ANA とのコードシェア便から脱却して，採算がとれそうな路線を独自に模索していくことと提言したいと考える。

（3）小　括

　本分析では，これまで，Solaseed Air が活動する航空業界の業界分析，Solaseed Air 自体の経営分析を通じて，Solaseed Air をとりまく競争環境を明らかにし，Solaseed Air がとるべき戦略について検討を加えてきた。

　Solaseed Air は，航空業界全体の売上高の規模でいえば，業界第 5 位にあるものの，メガキャリアと比べると，その規模は圧倒的に小さい。これは，業界内で蓄積した経験の違いと資金面・人材面の差によるところが大きく，Solaseed Air は，ANA との間に契約を交わすことで，コードシェアをはじめ，燃油の共同購入，予約販売業務，整備業務，旅客ハンドリングおよびグランドハンドリングを含む空港ハンドリング業務の多くを委託するだけではなく，ANA の予約・営業・運航系システムを利用することで企業運営の効率化を図っている（EDINET 提出書類株式会社 Solaseed Air 有価証券報告書（https://disclosure.edinet-fsa.go.jp/api/v1/documents/S100OITK?type=2）8 頁）。

　ANA とのコードシェア便は，Solaseed Air にとって，一定程度の旅客数を確保することによる座席利用率の改善と，売上高の向上に貢献する。しかし，すべての就航路線の便が ANA とのコードシェア便となっている Solaseed Air の場合は，活動のすべてが ANA なしにはなしえないという評価もできる現在の状況は，リスクともなることを考えると，就航路線を一部見直し，独自の路線を模索する必要がある。その意味で，AIRDO との共同持株会社「リージョナルプラスウイングス」の設立は，Solaseed Air にとって，懸案となっている燃料の高騰等の問題を改善するだけではなく，高い水準で依存しすぎていた ANA との関係を改善し，業界内の市場シェアを拡大する契機となるかもしれない。

　リージョナルプラスウイングスは，AIRDO と Solaseed Air が，「新型コロナウイルス感染症の影響による将来の不確実性，働き方や暮らしの多様化，デジタル技術の進展によるお客様の価値観の変容やマーケットの変化による航空需要への影響，地域・環境が抱える普遍的な課題への対応などに直面しており，両社の事業展開もその対応に向けた大きな変革が求められ」るようになった結果，成立した会社である。そこには，「両社の毀損した財務基盤を早期に回復させ再生復活を果たし，また事業環境を生き抜いて，お客様への一層の付加価値提供および持続的な成長を果たす」べく，「両社が有する経営資源（人財・技術・施設等）を効率的に活用し，スケールメリットを最大限発揮させる」意図がある。そして，それは，リージョナルプラスウイングスの両社が，地域に寄り添い続け，"北海道の翼" "九州・沖縄の翼" の 2 つの翼で新たな需要と価値を創出する可能性を秘めている（https://www.regionalplus.co.jp/newsrelease/pdf/RPW22-001.pdf）。

　ただし，リージョナルプラスウイングスを設立し，さらなる可能性を Solaseed Air が確保できた場合でも，Solaseed Air は座席利用率の改善が急務である。そのため，現在の Solaseed Air が主に注力すべきは，まず，「ナッシージェット宮崎」等を活用して，Solaseed Air そのものの企業認知度を高揚させること（専守防衛戦略），座席利用率改善のため，15 歳未満をターゲットとする団体割引の方法

で収益源の確保に努めることである（改善戦略）。そして，一部路線は，いままで MCC 等が就航していない路線に時間帯を考慮した便を用意することで，海外等へ向かう利用客の利便性を高めることである（差別化戦略）。その際，問題となるのは，ANA とのコードシェア便の関係かもしれないが，ANA の関係会社である他の航空会社が，一部路線を独自で運航していることを考えると，この点は，クリアできる可能性が高い。そのため，座席利用率を改善できる場合には，Solaseed Air も ANA とのコードシェア便を一部解消し，独自路線を就航させることを考えるべきである（積極戦略）。

　しかし，一部路線に限った場合でも，差別化戦略・積極戦略を実践する場合の独自路線の就航には，財務面での分析が不可欠となる。それは，現在の収益性が如何にあり，財務健全性が保てるかなどの安全性を確認して，行動を起こさなければ，行動を起こしたは良いが，「労多くして功少なし」の状況になりかねないからである。そこで，次節では，Solaseed Air の財務面を検討して，その可能性を探ってみることにしたい。

４．Solaseed Air の財務分析

　企業が将来に関する重要な意思決定を下す時には，常に財務の観点からの分析が必要になる。このことは，すなわち，これまでの業界分析と経営分析の結果として示した Solaseed Air の進むべき方向性が，財務的に達成可能なものなのかどうかを検討することを意味する。そこで，以下では，収益性と安全性に焦点を当て，Solaseed Air の 2018 年 3 月期（2017 年度）から 2023 年 3 月期（2022 年度）までの 6 期分の財務諸表を用いた財務分析を行う。また，Solaseed Air の収益性と安全性の特徴を明確にするために，MCC のその他 3 社の財務指標を適宜取り上げ，分析を進めていく。なお，Solaseed Air は金融商品取引法の適用を受けていないため，セグメント情報を開示していない。そのため，本分析では，セグメント情報を用いた分析を除外する。

（1）収益性の分析
　まずは，Solaseed Air の収益性を分析する。この分析では，Solaseed Air が今度採るべき戦略で必要となる資金を安定的に確保し続けることができるのかが予測できることになる。今回の分析では，Solaseed Air が，現在，財務諸表に計上している利益を根拠にした収益性の指標として総資産利益率（ROA：Return on Asset，以下，ROA と称することにする）を分析する。

① 　総資産利益率（ROA）
　企業が経営活動で使用する資本の全体から生み出された利益額を，調達した資本の総額（総資本）で除することで，総資本を使ってどれだけの利益をもたらしたかを測定する際，利用される指標のことを ROA という（桜井久勝［2020］166 頁）[9]。図表 20 は，Solaseed Air の ROA とその構成要素を時系列で計算した結果，図表 21 は，比較対象とする MCC のその他 3 社の ROA の推移をあわせて示したものである。なお，本分析では，利益に当期純利益を用いている[10]。
　航空業界上位 6 社，すなわち，ANA と JAL のメガキャリアと MCC4 社の ROA の平均は，コロナ禍前まで，7.2%（2017 年度），5.8%（2018 年度）である。これは，Solaseed Air の ROA の推移，9.4%（2017 年度），7.0%（2018 年度）と比べ，Solaseed Air の数値の方が，2017 年度は 2.2%，2018 年度は 1.2%

図表20　Solaseed Air の ROA とその構成要素

	2017 年度	2018 年度	2019 年度	2020 年度	2021 年度	2022 年度
ROA（%）	9.4	7.0	3.1	-18.6	-6.7	1.6
売上高当期純利益率（%）	6.3	5.0	2.4	-38.0	-11.3	1.8
総資本回転率（回）	1.49	1.38	1.32	0.49	0.60	0.89

<出所：Solaseed Air の有価証券報告書等から筆者作成>

図表21　MCC4 社の ROA の推移

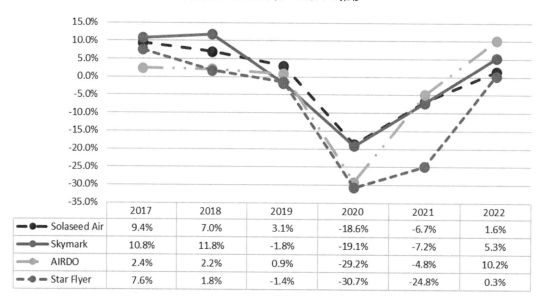

	2017	2018	2019	2020	2021	2022
Solaseed Air	9.4%	7.0%	3.1%	-18.6%	-6.7%	1.6%
Skymark	10.8%	11.8%	-1.8%	-19.1%	-7.2%	5.3%
AIRDO	2.4%	2.2%	0.9%	-29.2%	-4.8%	10.2%
Star Flyer	7.6%	1.8%	-1.4%	-30.7%	-24.8%	0.3%

<出所：各社の有価証券報告書等から筆者作成>

上回っていることから，Solaseed Air は，コロナ禍前まで，問題なく平均以上の利益を上げることができていた。

　しかし，その ROA は，新型コロナウイルスの蔓延が疑われるようになりはじめた 2019 年度からは下落し（3.1%），コロナ禍の 2020 年度はマイナス 18.6%と前年度比 21.7%ポイントの大幅な下落となっている。2021 年度は，前年度の途中から政策として実施してきた旅行支援等の補助が充実したことを受け，マイナス 6.7%と多少の回復は見せているが，依然としてマイナスのままであった。

9）　なお，ROA は，総資産利益率の呼称よりも，総資本利益率とする方が一般的との見方もある。これは，「企業は・・・自己資本または他人資本として調達された資本を，各種の資産へ投資し，利益を獲得しようとする。そのような資本の利用者としての企業の立場からすれば，自己資本と他人資本を区別することは無意味であり，自己資本と他人資本を合計した使用総資本の利益率こそが重要である」とする考えに依拠するもので，本分析でも同様の立場で分析を行うが，「企業が使用する総資本は，具体的には資産の形態で運用されており［総資産＝総資本］であることから，この比率は『総資産利益率』ともよばれ，rate of return on asset の頭文字をとって ROA とも略称される」とする表記にしたがい（桜井久勝［2020］166 頁），総資産利益率とよぶことにする。

10）　なお，ROA の算定の際，分子には経常利益が用いられることがあるが，経常利益は他人資本で生じる支払利息を控除したあとの利益であるため，総資産（＝使用総資本）の利益として，経常利益は不十分であるとされ，総資産（使用総資本）と「理論的に首尾一貫する利益概念は，支払利息などの金融費用控除前の事業利益である」とする見解がある。ただ，その計算は，損益計算書に計上された数値を，別途，再計算する必要が生じることから，本分析では，計算の簡便化のため，最終的に算出される当期純利益を用いることにした。

　2022 年度は，年末に入国規制が緩和されたことを受け（図表6），1.6％まで上昇し，2017 年度の業界平均を上回ることはできていないものの，回復傾向の兆しが見えてきたとも考えられるが，これは 2020 年度の売上高の大幅な減少を受け，「安定的な航空ネットワークと顧客利便性の維持を前提に，需要に応じた生産量の弾力的な運用」，すなわち，就航路線の便数を調整することで，変動費の最小化を図るとともに，固定費に対する徹底した経費削減の施策の取り組みを継続したこと（EDINET 提出書類株式会社 Solaseed Air 有価証券報告書（https://disclosure.edinet-fsa.go.jp/api/v1/documents/S100OITK?type=2）8 頁），および「ワクチン接種の進捗や政府の各種施策の効果により行動制限全面解除にともなう経済活動の正常化，全国旅行支援の効果もあいまって，国内線の需要はコロナ禍前の水準近くまで回復して」きた結果（EDINET 提出書類株式会社 Regional Plus Wings 有価証券報告書（https://disclosure2.edinet-fsa.go.jp/WZEK0040.aspx?S100R6HD,,）13 頁），Solaseed Air 単体でも，当期純利益を計上できるようになったことに起因する（Solaseed Air 広報 23-010（https://www.solaseedair.jp/corporate/pdf/press20230529.pdf）6 頁）。しかし，依然として，当期純利益は 2019 年度の水準にすら戻っていないことを考えると，以前のような状況に Solaseed Air が回復するにはまだ道半ばだといえよう。

　次に，Solaseed Air の ROA が大幅に低下した原因を売上高に占める利ザヤの大きさを表す売上高当期純利益率と営業循環の回数を表す総資本回転率とに分解して検討することにしたい（桜井久勝［2020］178 頁）[11]。図表 22 は，Solaseed Air の売上高当期純利益率，図表 23 は，同社の総資本回転率を比較対象とする MCC のその他 3 社の推移とともに示したものである。

　Solaseed Air の 2019 年度までの ROA の下落は，売上高当期純利益率と総資本回転率の両指標がともに緩やかに低下していることに起因するが，売上高当期純利益率の下落に起因するところが大きい。すなわち，Solaseed Air の売上高当期純利益率が 2019 年度まで減少している主な原因は，事業

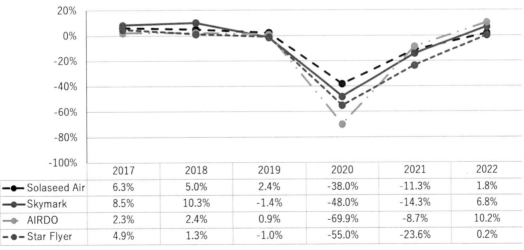

図表 22　売上高当期純利益率

	2017	2018	2019	2020	2021	2022
Solaseed Air	6.3%	5.0%	2.4%	-38.0%	-11.3%	1.8%
Skymark	8.5%	10.3%	-1.4%	-48.0%	-14.3%	6.8%
AIRDO	2.3%	2.4%	0.9%	-69.9%	-8.7%	10.2%
Star Flyer	4.9%	1.3%	-1.0%	-55.0%	-23.6%	0.2%

＜出所：各社の有価証券報告書等から筆者作成＞

11）　なお，ここでいう，売上高当期純利益率とは，企業活動の結果として算出される当期純利益を当期の売上高で除した値で，企業の売上に対する収益力を示す指標であり（https://mba.globis.ac.jp/about_mba/glossary/detail-12455.html），総資本回転率とは，企業の当期の売上高を企業の総資本額で除した値で，企業の売上に対する効率性を示す指標である（https://mba.globis.ac.jp/about_mba/glossary/detail-12375.html）。

図表 23　総資本回転率

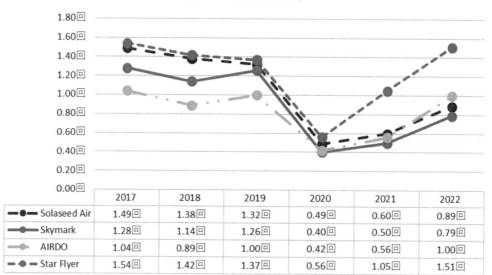

	2017	2018	2019	2020	2021	2022
──●── Solaseed Air	1.49回	1.38回	1.32回	0.49回	0.60回	0.89回
──●── Skymark	1.28回	1.14回	1.26回	0.40回	0.50回	0.79回
──●── AIRDO	1.04回	0.89回	1.00回	0.42回	0.56回	1.00回
──●── Star Flyer	1.54回	1.42回	1.37回	0.56回	1.05回	1.51回

＜出所：各社の有価証券報告書等から筆者作成＞

費の増加であり，原油価格の高騰にともなう燃料費の増加が事業費を増加させている（EDINET 提出書類株式会社 Solaseed Air 有価証券報告書（https://disclosure2.edinet-fsa.go.jp/WZEK0040.aspx?S100G7NZ,,）12 頁，および（https://disclosure2.edinet-fsa.go.jp/WZEK0040.aspx?S100IWYY,,）12 頁）。このことは，これまでに分析してきたように，Solaseed Air の弱みである有償座席利用率の低さも相まって，費用のみが増加する状態を生み出し，ROA にマイナスの影響を及ぼしたと考えられるが，2020 年度の大幅な下落では，両指標とも大幅に下がっているため，両指標がそろって ROA にマイナスの影響を大きく及ぼしたと考える。そして，それは，コロナ禍で人の移動が制限され，航空需要が大幅に減少した結果，売上高が大きく減少したにもかかわらず，航空機等を維持・管理するための費用，すなわち，航空機材費やそれらの整備費，航空事業費，空港使用料などが，使用・利用には関係なく発生し，固定費として重くのしかかったことで，当期純損失を計上するに至った点が大きく影響している（EDINET 提出書類株式会社 Solaseed Air 有価証券報告書（https://disclosure2.edinet-fsa.go.jp/WZEK0040.aspx?S100LSBT,,）12 頁）。

　同様の現象は MCC の比較 3 社も示しているため，本分析では，異常値として分析から除外するのが良いのかもしれない。事実，Solaseed Air のその後は両指標とも少しずつ改善を見せ，2022 年度には売上高当期純利益率がコロナ禍前の 2019 年度に近い水準まで戻しつつある。しかし，同社の総資本回転率はいまだ同年度の水準には遠く及ばない状況にあり，早急に回復した Star Flyer，少し遅れて回復した AIRDO と比べるまでもなく，対策が検討されるべきである。そのため，今後は，総資本回転率に注視して，業績の改善を図ることが望まれよう。

　したがって，このような認識に立つ場合には，Solaseed Air が，ANA のコードシェア便の運航を一部取りやめ，独自の就航路線を運航するには，ROA の回復が急務であり，資本回転率などの効率性を図ることが必要となっているといえるだろう[12]。

（2）安全性の分析

次に，Solaseed Air の財務基盤の安定性を分析する。

この分析では，Solaseed Air にどれだけの債務返済能力があるのか，財務健全性があるかどうかを確認できる。一般に，前者（債務弁済能力の評価）が短期的な視点，後者（財務健全性の評価）が長期的な視点に立つ安全性の分析であるとされる。本分析では，短期的な安全性の指標として，流動比率と当座比率，長期的な安全性の指標として，自己資本比率と固定比率の各指標を用いて分析する。

①　流動比率

1 年以内ないし通常の営業循環のなかで返済すべき流動負債に対し，1 年以内ないし通常の営業循環のなかで現金化して流動負債の返済に充当しうる流動資産の倍率で，流動負債の短期的な支払能力，債務返済能力を測定する際，利用される指標を流動比率という（桜井久勝［2020］214 頁）。図表 24 は，Solaseed Air の流動比率を比較対象の MCC のその他 3 社の流動比率の推移とあわせて示したものである。

流動比率は，一般的に，200％を超えていることが理想である。これは，「流動資産の換金を急いだために，換金額が，貸借対照表計上額の半分になったとしても，返済すべき流動負債と同額の資金が確保できることを念頭においたものである」ためであるが，「現在では売上債権や棚卸資産の管理技法が進歩してこれらの金額が抑制されているため，200％もの高い比率は」必要とせず，「流動負債と同額以上の流動資産が保有されているという意味で，流動比率は 100％を超えている必要が」

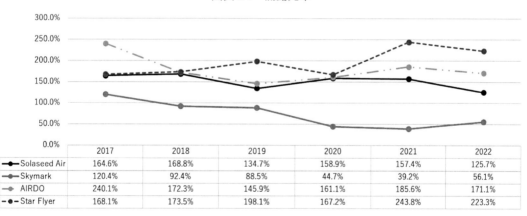

図表 24　流動比率

	2017	2018	2019	2020	2021	2022
Solaseed Air	164.6%	168.8%	134.7%	158.9%	157.4%	125.7%
Skymark	120.4%	92.4%	88.5%	44.7%	39.2%	56.1%
AIRDO	240.1%	172.3%	145.9%	161.1%	185.6%	171.1%
Star Flyer	168.1%	173.5%	198.1%	167.2%	243.8%	223.3%

＜出所：各社の有価証券報告書等から筆者作成＞

12）なお，収益性の分析指標には，ROA のほかに自己資本利益率（ROE：Return on Equity，以下，ROE と称することにする）がある。ROE は，企業全体の観点からの収益性を見る ROA に対し，出資者たる株主に帰属する自己資本からどれだけ利益を生み出したか，すなわち，自己資本とそこから生み出された利益を対比することで，投資効率を測定する指標である（桜井久勝［2020］168 頁）。ROE は，「企業が使用する総資本額が自己資本の何倍に達しているかを表す尺度」，すなわち，財務レバレッジを反映した指標となるため，他人資本（負債）による資金調達額が存在すれば，この数値は 1.0 よりも大きくなり，計算結果を拡大する効果をもつ（桜井久勝［2020］181 頁）。航空業界は，航空機等の調達に巨額の設備投資が必要で，負債に依存する傾向にあることから，負債の金額が大きくなれば ROE の計算結果も大きくなることが予想されるが，本分析では，企業全体の収益性を見ることが重要であると考えるため，ROE の分析は別に譲ることにしたい。

あるとされる（桜井久勝［2020］214-215頁）。しかし，実際には，120〜150％程度あれば健全であり（https://www.y-itax.com/keiri/15006/210617-ryuudohiritsu-gyoushu#:~:text=），企業の短期的な債務弁済能力に問題はない。航空業界上位6社の流動比率の平均は，コロナ禍前まで，163.7％（2017年度），146.1％（2018年度）である。これは，Solaseed Air の流動比率の推移，164.6％（2017年度），168.8％（2018年度）と比べた場合，2017年度は，航空業界上位6社平均とほぼ同じであるが，2018年度は，22.7％高くなっていることから，Solaseed Air は，コロナ禍前まで，短期的な債務弁済能力が業界内でも高い企業であったと考えられる。

　しかし，Solaseed Air の流動比率は，新型コロナウイルスの蔓延が疑われるようになりはじめた2019年度には134.7％と減少している。ただ，その後は，158.9％（2020年度），157.4％（2021年度）とあることから，流動比率の点からすれば，Solaseed Air は，一見，コロナ禍の影響は受けていないようである[13]。また，同社の流動比率が，2019年度に減少したことについては，現金及び預金，営業未収入金，貯蔵品などの流動資産が減少した一方で，未払法人税等の減少，デリバティブ債務が増加したことに起因する（EDINET提出書類株式会社 Solaseed Air 有価証券報告書（https://disclosure2.edinet-fsa.go.jp/WZEK0040.aspx?S100IWYY„）12頁）。なお，2022年度は，125.7％と本分析期間のなかで，最低の比率を計上している。これは，デリバティブ債権の大幅な減少に起因するものであることから，今後は推移を注視する必要があるが，そのような状況においても Solaseed Air の流動比率は，一般的に健全だとされる水準から外れてはいない。そのため，同社の短期的な債務返済能力は，Star Flyer，AIRDO に比べると低い状況，2022年度の減少には注意が必要であるものの，現時点では問題はないといえる[14]。ただし，同社の流動比率の減少が今後も続き，120％を割り込む事態が生じたときは，資金面での問題が生じるおそれがあることから，現時点では，来年度以降の状況がわかるまで，積極的に戦略を打つタイミングではないという判断をせざるを得ないのかもしれない。

② 当座比率
　1年以内ないし通常の営業循環のなかで返済すべき流動負債に対し，流動資産のなかでも特に早期に換金できる一連の資産，すなわち，流動資産から棚卸資産を控除した当座資産（現金預金・受取手形・売掛金・有価証券）の倍率で，短期間に返済すべき流動負債に対して，換金性の極めて高い当座資産を何倍もっているか，流動負債のより正確な支払能力，短期的な債務返済能力を測定する際，利用される指標で，流動比率の補助的指標を当座比率という（桜井久勝［2020］215頁）。図表25は，Solaseed Air の当座比率を比較対象の MCC のその他3社の流動比率の推移とあわせて示したもので

13）なお，2020年度の流動比率の改善には，コロナ禍の売上高の大幅な減少を危惧した Solaseed Air が，過去に類のない経営環境に対応すべく，一時的な借入で，運転資金を増やしたことと，空港使用料や航空機燃料税等の支払猶予で営業未払金が増加し，本来，減少するはずの現金及び預金が残ったことが原因であると考えられる（EDINET提出書類株式会社 Solaseed Air 有価証券報告書（https://disclosure2.edinet-fsa.go.jp/WZEK0040.aspx?S100LSBT„）5頁および12頁）。
14）流動比率に関する MCC の分析としては，Skymark が2017年度の120.4％以降，2021年度の39.2％まで減少傾向にあり，2022年度の56.1％にやや回復した場合でも，短期的な債務弁済能力は健全とはいえないため，同社のキャッシュ・フローには注意が必要であること，Star Flyer は分析対象期間を通して，2020年度の167.2％を最低値として，2021年度の243.8％（最高値）まで，一貫して高水準にあることから，短期的な債務弁済能力に問題はまったくないこと，AIRDO は，2017年度に240.1％の最高値を記録したあとは，145.9％（2019年度）から185.6％（2021年度）の間で増減を繰り返しているが，Star Flyer ほどではないにせよ，一貫して高水準を維持していることから，短期的な債務弁済能力に問題はないことがいえるだろう。

図表 25　当座比率

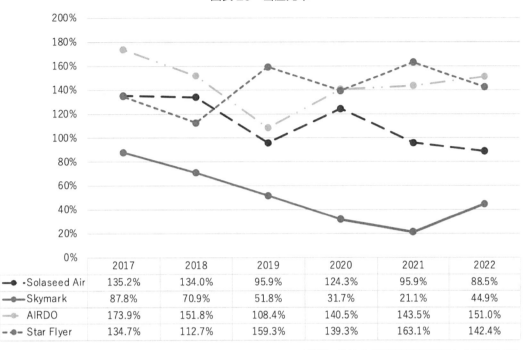

	2017	2018	2019	2020	2021	2022
Solaseed Air	135.2%	134.0%	95.9%	124.3%	95.9%	88.5%
Skymark	87.8%	70.9%	51.8%	31.7%	21.1%	44.9%
AIRDO	173.9%	151.8%	108.4%	140.5%	143.5%	151.0%
Star Flyer	134.7%	112.7%	159.3%	139.3%	163.1%	142.4%

<出所：各社の有価証券報告書等から筆者作成>

ある。

　当座比率は，一般的に，100 〜 120％以上あれば理想的だとされるが（https://www.yayoi-kk.co.jp/kaikei/oyakudachi/tozahiritsu/），実際には，70~90％程度あれば安全であると捉えられ，70％を切り，支払能力に問題があるとされる水準に陥らなければ，企業の短期的な債務弁済能力に問題はないとされている（https://freeway-keiri.com/blog/view/179）。航空業界上位 6 社の当座比率の平均は，コロナ禍前まで，128.2％（2017 年度），114.5％（2018 年度）である。これは，Solaseed Air の当座比率の推移，135.2％（2017 年度），134.0％（2018 年度）と比べ，Solaseed Air の数値の方が，2017 年度は 7.0％，2018 年度は 19.5％上回っていることから，ここでも，Solaseed Air は，コロナ禍前まで，短期的な債務弁済能力が業界内でも高い企業であったと考えられる。

　しかし，Solaseed Air の当座比率は，新型コロナウイルスの蔓延が疑われるようになりはじめた2019 年度には 95.9％と減少している。ただ，その後は，124.3％（2020 年度），95.9％（2021 年度）と増減を繰り返していることから，当座比率の点からも，Solaseed Air は，一見，コロナ禍の影響は受けていないようである[15]。また，同社の当座比率が，2019 年度に減少したことについては，現金及び預金，営業未収入金が減少した一方で，未払法人税等の減少，デリバティブ債務が増加したことに起因するのは（EDINET 提出書類株式会社 Solaseed Air 有価証券報告書（https://disclosure2.edinet-fsa.go.jp/WZEK0040.aspx?S100IWYY,,）12 頁），流動比率の箇所でも述べたとおりである。なお，2022 年度は，88.5％と本分析期間のなかで，最低の比率を計上しているが，これも流動比率の箇所で述べたとおり

15）なお，2020 年度の当座比率の改善については，流動比率の改善と同様の理由が該当すると考える。脚注 13
　を参照されたい。

であることから，該当箇所を確認されたい。当座比率の分析でも，Solaseed Air の当座比率は，一般的に安全だとされる水準から外れてはいない。そのため，同社の短期的な債務返済能力は，流動比率のときと同様，Star Flyer，AIRDO に比べると低い状況，2022 年度の減少には注意が必要であるものの，現時点では問題はないといえる[16]。ただし，当座比率の減少が今後も続き，70％を割り込む事態が生じたときは，資金繰りに行き詰まるおそれが生じることから，現時点では，来年度以降の状況がわかるまで，積極的に戦略を打つタイミングではないという判断をせざるを得ないのかもしれないという点も流動比率のときと同様の結論といえるだろう。

③ 自己資本比率

　企業活動のため，「自己資本と他人資本の合計によって調達された資産が返済に充当されるとき，他人資本の返済に優先順位が与えられていること」を考慮し，運用している資本総額に占める自己資本の割合を自己資本比率といい，長期的な観点から他人資本の安全性・財務健全性を測定する際，利用される指標となる（桜井久勝［2020］216 頁）。図表 26 は，Solaseed Air の自己資本比率を比較対象とする MCC のその他 3 社の自己資本比率の推移とあわせて示したものである。

　自己資本比率の分析では，財務リスクの源泉となる他人資本をどう捉えるかが重要で，財務レバレ

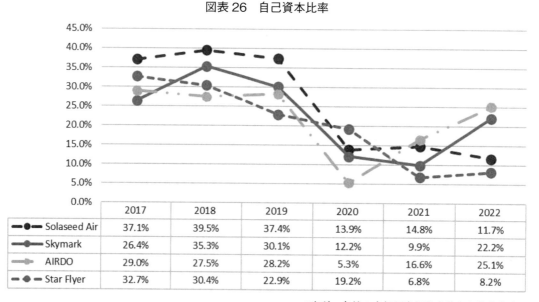

図表 26　自己資本比率

	2017	2018	2019	2020	2021	2022
●Solaseed Air	37.1%	39.5%	37.4%	13.9%	14.8%	11.7%
●Skymark	26.4%	35.3%	30.1%	12.2%	9.9%	22.2%
AIRDO	29.0%	27.5%	28.2%	5.3%	16.6%	25.1%
●Star Flyer	32.7%	30.4%	22.9%	19.2%	6.8%	8.2%

<出所：各社の有価証券報告書等から筆者作成>

---

16)　当座比率に関する MCC の分析としては，Skymark が 2017 年度の 87.8％以降，2021 年度の 21.1％まで減少傾向にあり，2022 年度の 44.9％にやや回復した場合でも，資金繰りに行き詰まるおそれを拭えない状況にあることから，同社のキャッシュ・フローには注意が必要であること，Star Flyer は分析対象期間を通して，2018 年度の 112.7％を最低値として，2021 年度の 163.1％（最高値）まで，一貫して高水準にあることから，財務安全性に問題はまったくないこと，AIRDO は，2017 年度に 173.9％の最高値を記録したあとは，108.4％（2019 年度）まで減少させたが，その後，151.0％（2022 年度）まで増加傾向にあり，2019 年度と 2021 年度を除いて，Star Flyer を上回る当座比率を有することから，Star Flyer 以上に，財務安全性に問題はまったくないといえる。なお，AIRDO の資金繰りに関する余裕は，将来的にリージョナルプラスウイングスのグループ企業 Solaseed Air が安全性の観点で調整が必要になったとき，助けることになるのかもしれないと考える。

ッジがはたらくことで業績変動を増幅する効果をもつ他人資本の存在は，「ROA が他人資本の利子率を上回る好況時には，ROA より ROE の方が大きくなる反面，逆に不況時に他人資本の利子率が ROA を超えて上昇すると，ROE は ROA より小さくな」るが，それは，「支払利息を控除したあとの利益によって把握される将来の業績予測が著しく困難になる」ばかりか，「業績変動がマイナス側へ作用するとき，企業の利益が激減して損失が生じ，その極端においては企業が倒産の危機に直面することにもなる」ことから，「自己資本比率は，企業業績に不確実性をもたらす財務リスクの尺度であるだけでなく，デフォルト・リスクに関する安全性の尺度としても用いられ」る（桜井久勝［2020］248-251頁）。その結果，運用している資本総額のうち，どのくらいの割合を返済義務のない自己資本で調達しているのかを表す自己資本比率では，この比率が高いほど，借入金の返済やその利息の支払いなどで資金繰りに困る可能性が低くなるため，企業の財務健全性は高いことになる。

　自己資本比率は，一般的に，50%以上であることが，安全性を評価するための一応の目安とされる（桜井久勝［2020］216-217頁）。航空業界上位 6 社の自己資本比率の平均は，コロナ禍前まで，36.8%（2017年度），39.1%（2018年度）である。この数値は，Solaseed Air の自己資本比率の推移，37.1%（2017年度），39.5%（2018年度）と同程度であることから，Solaseed Air は，コロナ禍前まで，航空業界上位 6 社の平均的な自己資本比率ではあるものの，安全とは言いきれない状態である。

　Solaseed Air の自己資本比率は，新型コロナウイルスの蔓延が疑われるようになりはじめた 2019年度も 37.4% と 2017 年度・2018 年度と同程度の水準にあったが，コロナ禍の 2020 年度には 13.9%へと大きく減少させている。同社の自己資本比率は，2021 年度には 14.8% となり，一時的にやや回復したが，2022 年度には 11.7% とさらに減少させ，分析対象年度のなかでの最低値を記録するなど，依然として低い状態にある。

　なお，2020 年度の自己資本比率の大幅な下落は，同年度の Solaseed Air が，繰延ヘッジ損益を約 16 億 2,500 万円計上したものの，当期純損失を約 76 億 9,400 万円計上するなど，十分な利益を確保できなかったことによる純資産の減少（約 60 億 7,900 万円）があったことに加え，コロナ禍による売上高の大幅な減少（約 215 億 9,500 万円）を受け，運転資金を確保するための緊急対策として，借入による手元資金の増額を企図したことに起因する（EDINET 提出書類株式会社 Solaseed Air 有価証券報告書（https://disclosure2.edinet-fsa.go.jp/WZEK0040.aspx?S100LSBT,,）12 頁）。そして，同社は，2022 年頃から財務基盤安定化に向けた施策を行ってきた結果（https://www.solaseedair.jp/corporate/pdf/press_220530_3.pdf），2023 年度以降，自己資本比率は改善傾向にある（https://www.solaseedair.jp/corporate/pdf/20231201.pdf）。ただし，自己資本比率そのものの観点からすれば，Solaseed Air の同比率は，一度として分析対象期間で 50% を超えていないため，安全であるとはいいがたく，分析結果をそのまま解釈した場合，財務健全性の点においては明らかに劣っている。しかし，「調達から生じる資本コスト・・・について，他人資本の方が自己資本よりも低い」場合，すなわち「収益性を重視すれば，安全性を害さない範囲で，他人資本の割合を高めるのが得策である」という見解も存在する（桜井久勝［2020］217 頁）。したがって，このような認識に立つ場合には，自己資本比率の改善は，今後必要であるとはいえ，まずはコロナ禍前の収益性の水準に戻すことができれば，自己資本比率の問題はクリアできる可能性があると考える[17]。

④　固定比率

　自己資本が固定資産への投資額のどの程度を賄えるか，自己資本がどれだけ長期間使用する固定資産に投入されているかについて，固定資産の金額を自己資本（長期資金）で除することで算定される比率を固定比率といい，長期的な観点から，企業の財務構造を分析する際，利用される指標となる（桜井久勝［2020］217-218頁）。図表27は，Solaseed Airの固定比率を比較対象とするMCCのその他3社の固定比率の推移とあわせて示したものである。

　固定比率を分析する際，検討すべき課題は，「固定的ないし長期的な源泉から調達されている資金と，その資金の投下先としての固定的な資産の関係」であり，「返済期限のある他人資本とは異なり，返済の必要のないいわば永久的な資金」とされる自己資本の範囲内で「固定資産・・・の形で長期的に拘束される資金額は」賄われることが望ましいため，「固定的な資産の金額は，少なくとも自己資本・・・より小さくなければ・・・資金繰りが不安定になる」（桜井久勝［2020］217頁）。

　また，一般的に，「固定比率の評価は，100%以内が一応の目安とされている」が，わが国の場合は，「高度経済成長期に銀行借入に依存して積極的な設備投資を行ってきた結果として」，固定比率が100%を上回っていることが多いとされる（桜井久勝［2020］219頁）。このことは，航空業界も例外ではなく，航空業界上位6社の固定比率の平均は，コロナ禍前まで，161.9%（2017年度），171.0%（2018年度）である。そして，これは，Solaseed Airの固定比率の推移，168.1%（2017年度），155.9%（2018年度）と比べ，2017年度は航空業界上位6社の平均値を6.2%分上回っているが，2018年度は15.1%分下回っていることから，Solaseed Airは，コロナ禍前まで，業界の平均的な水準にあると思

図表27　固定比率

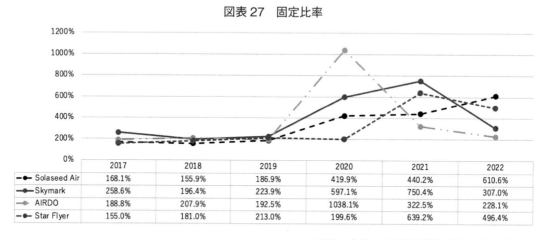

	2017	2018	2019	2020	2021	2022
Solaseed Air	168.1%	155.9%	186.9%	419.9%	440.2%	610.6%
Skymark	258.6%	196.4%	223.9%	597.1%	750.4%	307.0%
AIRDO	188.8%	207.9%	192.5%	1038.1%	322.5%	228.1%
Star Flyer	155.0%	181.0%	213.0%	199.6%	639.2%	496.4%

<出所：各社の有価証券報告書等から筆者作成>

---

17)　自己資本比率に関するMCCの分析では，各社とも，概ね似た傾向を示している。ただし，この分析では，Star Flyerは2017年度の32.7%から2021年度の6.8%まで大幅な減少傾向にあり，2022年度こそ8.2%に多少改善しているが，資金の多くを負債で賄っていることがわかる。一方，AIRDOは，2020年度こそ，5.3%と大幅な下落をしているが，その後は順調に回復し，2022年度にはコロナ禍前の水準近くまで戻りつつある。このことは，時期はずれるが，Skymarkも同様で，2020年度・2021年度に下落させた同比率は，2022年度にはコロナ禍前の水準近くまで回復している。そのため，これまでの分析からわかることは，Star Flyerは資金調達の源泉を，他社と比べて，他人資本に頼りすぎていることであり，財務レバレッジが大きくなるため，財務リスクに注意する必要があることだと思われる。

われる。

　Solaseed Air の固定比率は，新型コロナウイルスの蔓延が疑われるようになりはじめた 2019 年度に 186.9％と悪化させ，それ以降は，419.9％（2020 年度），440.2％（2021 年度），610.6％（2022 年度）と年々悪化させている。これは，航空業界は，事業を営むために必要な機材が高額なため，基本的に固定比率の高い業界であること（林慶雲［2019］（https://nufs-nuas.repo.nii.ac.jp/record/1248/files/B-NUFS04_02.pdf）18・19 頁），コロナ禍の影響を受け，2020 年度と 2021 年度に当期純損失を計上した結果，自己資本を減らす事態になっていることを考慮する必要があるとはいえ，100％を大幅に超え悪化させ続けているため，株式発行による資金調達をすることで自己資本の増額を図るという直接的な方法のほか，業績を改善させ，安定して利益を計上できるような対策を講じることで自己資本の増額を図る，新規の設備投資を控えることで固定比率を下げる策を講じるなどの判断が必要である。

　そのため，このような認識に立つ場合，Solaseed Air が，固定比率を改善するには，まず，新規の設備投資が必要であるかを判断し，設備投資にかかるコストを削減するだけではなく，業績を改善させ，安定して利益を計上できるよう対策を講じることが必要である。このことは，すなわち，ROAの箇所でも述べたとおり，ROA 回復が急務であることを意味しており，資本回転率などの効率性を図ることが必要となるといえるだろう[18]。

（3）小　括

　財務分析では，業界分析・経営分析の結果導き出された Solaseed Air が今後とるべき戦略のうち，座席利用率を改善できるとした場合に，Solaseed Air が，他の MCC 等が就航していない路線に時間帯を考慮した便を用意し，海外等への利用客の利便性を高めることで，座席利用率を改善し，収益性を高めることができるか（差別化戦略の視点），ANA とのコードシェア便を一部解消し，独自路線を就航させることができるかを（積極戦略の視点），収益性と安全性の各指標から分析してきた。それは，現在の収益性がいかにあり，財務健全性が保てるかなどの安全性を確認して，行動を起こさなければ，行動を起こしたは良いが，「労多くして功少なし」の状況になりかねないことに起因する。

　分析の結果は，Solaseed Air が，ANA のコードシェア便の運航を一部取りやめ，独自の就航路線を運航するには，まず，ROA の回復が急務であり，航空需要の回復を受け，多少，回復の兆しが見えつつある売上高当期純利益率よりも，コロナ禍を受け，実施された多額の銀行借入れ等で悪化した資本回転率などの効率性を改善することが必要であるというものである。それは，同社の流動比率・当座比率が，2020 年度以降，安全とされる水準は超えているとはいえ，徐々に悪化していること，自己資本比率が，分析対象期間で一度も 50％を超えていない点から，安全性・財務健全性に注視する

18）固定比率に関する MCC の分析で，Star Flyer を除く 3 社が 2020 年度に固定比率を大きく悪化させた要因は，Solaseed Air の場合は，工具器具及び備品等の有形固定資産，航空機整備保証金の影響で増加していることのほか，自己資本比率の箇所でも分析したように，繰延ヘッジ損益の増加は約 16 億 2,500 万円あったものの，当期純損失を約 76 億 9,400 万円計上した結果，純資産を約 60 億 7,900 万円減少させたこと（EDINET 提出書類株式会社 Solaseed Air 有価証券報告書（https://disclosure2.edinet-fsa.go.jp/WZEK0040.aspx?S100LSBT,,）12 頁），AIRDO の場合は，当期純損失を計上したことにともなう，利益剰余金の減少が挙げられる（EDINET 提出書類株式会社 AIRDO 有価証券報告書（https://disclosure2.edinet-fsa.go.jp/WZEK0040.aspx?S100LTIM,,）12 頁および 31 頁）。また，Skymark の場合は，有形固定資産の航空機材の増加，資本金・利益剰余金の大幅な減少が原因として考えられる（https://www.skymark.co.jp/ja/company/koukoku/02/__icsFiles/afieldfile/2021/06/14/2021_0628_accountsettlement_1.pdf）。

必要が生じても,「収益性を重視すれば,安全性を害さない範囲で,他人資本の割合を高めるのが得策である」とする見解からも明らかである（桜井久勝［2020］217頁）。ただ,著しく悪化している固定比率を考えた場合は,急務となったROA回復と並行して,その比率を改善するため,まず,新規の設備投資が必要であるかを判断し,設備投資にかかるコストを削減するだけではなく,業績を改善させ,安定して利益を計上できるよう対策を講じることが必要であるとも考えられる。

　現在のSolaseed Airは,収益性が高いとはいえない状況にある。それは,航空機材費やそれらの整備費,航空事業費,空港使用料など航空会社である以上削減が難しい事業費や販売費及び一般管理費などに含まれている固定費が下がらなかったこと,輸入に依存している燃料費が高騰したことなどに起因する。ここから,収益性を改善するには,売上高を増加する施策をとることや,遊休資産を処分することで総資本回転率を上昇させる必要がある。Solaseed Airは,企業活動で必要とされる費用に対する固定費の占める割合が大きい分,販売費及び一般管理費にある項目でコスト削減をしたうえで,売上高を増加させることができれば,利益率も大きく改善する可能性が高い。そして,Solaseed Airの場合には,共同持株会社の設立で固定費部分を見直し,効率化を図れれば,一部削減できる可能性を秘めている。

　コロナ禍を受け,同社の財務構造は,自己資本比率・固定比率を悪化させ,航空業界が設備投資に莫大な資金を必要とするにしても,「固定的ないし長期的な源泉から調達されている資金と,その資金の投下先としての固定的な資産の関係」は懸念すべき点となっている（桜井久勝［2020］217頁）。

　したがって,財務分析から得られた知見は,企業の戦略として考えられた差別化戦略・積極戦略は,資金面で問題が生じるおそれがあることから,現時点では,戦略を打つタイミングではないという判断をせざるを得ないのが実情であり,今は,コロナ禍で調達した巨額の銀行借入を返済すべく,座席利用率を改善させ,収益性の向上を図る時期であると考える。そのため,次節では,座席利用率の改善のため,15歳未満をターゲットとする団体割引の方法で収益源の確保に努める戦略（改善戦略）を考えることで本分析の結びとすることにしたい。

5．Solaseed Airの今後の戦略

　本分析では,これまで,都道府県別のGDPが全国39位,企業数が全国33位の宮崎県を拠点とするSolaseed Airの弱みを有償座席利用率の低さと捉え,その利用率を改善する方策についてさまざまな視点から検討してきた。そして,その改善戦略では,MCCのなかでは1番多い割合を占める県別の15歳未満の人口割合に注目し,15歳未満をターゲットにした顧客獲得のための方策として,修学旅行生向けのサービスを用意することのほか,15歳未満の子供がいる家族向けの二世帯割引,15歳未満の子供を連れた大規模な社員旅行を奨励する割引制度などの企画を用意することができれば,座席利用率の改善が見られるようになるかもしれないとし,団体での割引運賃の導入を提言している。

　しかし,本分析では,これらの提言について,詳細には検討してこなかった。それは,団体割引運賃が,一般的に,旅行代理店がなすべき業務と考えられており,航空会社で航空券を購入する場合には,ある程度の団体予約はできたとしても,その割引には対応していないことに起因する[19]。ただし,「旅行の重要な要素である航空券・・・の予約は,それぞれの会社が直接販売する比率が高まって」おり,ANA・JALのような「大手航空会社はすでに国内航空券の7割程度をインターネットサイ

トなどを通じて直接販売している」ことを考えると，ホテルや観光チケット，交通手段などを組み合わせたパッケージツアーを企画し，代金を安くすることで，団体を募り顧客から旅行代金を得ていた「旅行会社は需要を取り込めきれていない」のが現状である（日経産業新聞 2021 年 7 月 26 日付第 11 面）。また，収益管理ソリューションなどを世界 250 社超の航空会社に提供するインド企業アクセリアが航空会社の経営者，役員に対して行ったアンケート調査によると，航空券流通における GDS（Global Distribution System）の比率，すなわち，航空会社やホテル等の販売元と旅行会社とを仲介する企業が運営するシステムで販売される航空券の割合が，全体の 42％あった 2020 年から，31％に 2023 年は下落するとの予想もある（https://www.travelvision.jp/news/detail/news-91583）。

　ANA は，自社のホームページで，団体旅行のサービスを用意し，旅行客の取り込みを図っている。これは，近年の航空券の購入者が，航空会社から直販で入手する割合が増えているということを考慮したものと考えられ，旅行代理店で購入する場合に生じる問題点，すなわち，予約時に飛行機が未確定のツアーで航空会社が希望通りにならない場合は，希望のマイルが貯められないことや，欠航等緊急時の対応手続きに手間がかかること，座席の指定ができない場合があることを解消するプランを用意することで，サービスの拡充を図っている。そして，ANA のこの取組は，団体旅行希望者が，行き先の相談からプラン作成，旅行代金の見積もりのほか，希望する場合には，添乗までを，添乗経験のあるスタッフが国内外の航空ネットワークを活かして提案するものとなっており，いくつかの事例も紹介されているため，利用者も相当数いるものと考えられる（https://www.ana.co.jp/ja/jp/brand/travel/info/group/）。そのため，この点では，Solaseed Air も ANA のコードシェア便を運航している関係で恩恵を受けている可能性があるが，これを活かした方法を Solaseed Air のなかで実現し，たとえば下記のような方法を実現できれば，座席利用率の低さも改善できるのではなかろうか。

　すなわち，これまでに分析してきたように，コロナがある程度収束し，航空機を利用する旅客需要が回復した結果，Solaseed Air の 2022 年度の当期純利益は 3 年ぶりに黒字となり，座席利用率は 60.5％まで回復している。これは，Solaseed Air の場合は，6 割の座席利用率を確保できれば，収益性（ROA）を正の値にすることができることを意味するため，コロナ禍前の 2018 年度の座席利用率（70.0％）を達成できれば，ROA のさらなる上昇が期待できる。無論，収益性の観点からすると，有償座席利用率は，高ければ高い程，望ましいが，ここでは，2018 年度の座席利用率を 2022 年度の財務数値で計算した場合にどうなるのかについて考えてみることにしたい [20]。

　まず，Solaseed Air の 2022 年度の事業費は約 354 億円である [21]。また，中間管理職の給与，減価償却費等の販売費及び一般管理費は約 37.6 億円である。この項目には，航空事業と直接関係しない項目も存在するが，航空事業で得た収益でまかなう必要があるため考慮に加えることにする。その結果，事業費と販売費及び一般管理費の合計となる 391.6 億円を 2022 年の運航便数 27,862 で割ると，

19）たとえば，Peach の問い合わせ・サポートには団体予約に対する質問に答えたサイトがあり（https://support.flypeach.com/hc/ja/articles/115001273834-団体予約はできますか-），団体運賃は，航空会社ではなく旅行会社に問い合わせるよう，促している。

20）なお，財務数値については，Solaseed Air の広報 23-010「2023 年 3 月期決算について」（https://www.solaseedair.jp/corporate/pdf/press20230529.pdf）の記載データを用いている。

21）なお，事業費は，本来，航空事業費とその他事業費の 2 つから構成されるが，Solaseed Air の広報第 23-010 では，それぞれの項目が詳細に示されていないうえ，その他事業費は過去の有価証券報告書を見ても毎年ごくわずかな数値であることから，本分析では，全体の事業費で考えることとする。

1フライト当たり約1,406,000円の費用がかかることがわかる。

　Solaseed Air の使用機材である B737-800 機は，174 席のものと 176 席のものがあるので，間をとって 175 席とし，座席利用率を 70.0％とした場合，1 フライトでは，122.5 席が埋まる計算となる。そのため，1 フライトにかかる費用約 1,406,000 円を 122.5 席で割ると，1 席あたり 11,473 円で販売できれば，2018 年度の水準の ROA が達成されることになる。無論，Solaseed Air の理想の利益は，ハイシーズンではない宮崎－東京（羽田）の路線を例にすると，正規運賃が 44,370 円であることから，その金額で，175 席すべて埋まる場合に計算される売上高 7,764,750 円と，1 フライトあたりに必要な費用約 1,406,000 円を控除した 6,358,750 円となる。

　ただし，Solaseed Air を利用する旅客のうち，正規運賃で利用する顧客は，そこまで多いとはいえず，多くの利用者は，航空会社が導入する早期購入者に対する割引制度を利用する顧客である。また，宮崎－東京（羽田）の座席利用率はコロナ禍前の 2018 年度は約 65％（EDINET 提出書類株式会社 Solaseed Air 有価証券報告書（https://disclosure.edinet-fsa.go.jp/api/v1/documents/S100OITK?type=2）10 頁），コロナ禍後の 2022 年度は約 50％であることを考えると（Solaseed Air 広報 23-010（https://www.solaseedair.jp/corporate/pdf/press20230529.pdf）4 頁），常に満席にすることは不可能である。

　Solaseed Air の宮崎－東京（羽田）便は，正規運賃（最高値）の 44,370 円からバーゲン 75 の最安値の 10,700 円と多岐にわたるが，バーゲン 75 の多くは 11,900 円となっている（https://www.solaseedair.jp/fare/rute/pdf/bargain240201-240229_231130.pdf）。そこで最安値の運賃を 11,900 円とし，同便の利用者が，座席数 175 席を正規運賃 3 割，最安値 7 割の割合で搭乗するとした場合，座席利用率が 65％であれば，1 フライトあたりの売上高は 2,461,664 円となる。ここから 1 フライトあたりに必要な費用約 1,406,000 円を控除すると，1 フライトあたりの利益は 1,055,664 円となる。なお，2018 年度の Solaseed Air は，1 フライトあたり 1,634,567 円を売り上げているため，宮崎－東京（羽田）便は，十分に利益が出せている。そして，団体割引を導入する場合には，十分な利益を確保するため，この程度の条件を満たせるようにする必要がある。

　団体割引を少人数から適用し，大幅な割引をすることは，前述した条件を満たせない可能性が高くなる。そのため，現段階では適用人数を 20 人からと設定する。そうすると，宮崎－東京（羽田）便の搭乗率 65％は 114 席になるが，20 人の団体が一組予約するだけで約 18％の座席を埋めることができる。

　また，現在の Solaseed Air の割引制度には，バーゲン 75 のほか，バーゲン 60，バーゲン 35，バーゲン 14 など，早期で購入する旅客に購入時点での最安値の販売価格を用意する。これらは，予約日がフライト日に近くなるにつれて割引率が下がっていくものではあるが，早い段階で旅客を確保し，1 フライトあたりにかかる費用を早期に埋めるという意味では効果的な方法である。そして，団体割引では，このバーゲンシリーズのように期間で区切った価格を調整することで，旅客を取り込める可能性がないかを考える必要がある。

　すなわち，団体旅行客が 75 日前までの予約で，このバーゲン 75 よりも安価な価格で予約できるようにした場合には，団体という大人数が最安値以下の価格で予約できてしまうことになるため，Solaseed Air が適切な利益を出すのが難しくなる可能性が高くなる。一方，割引率が低くなると団体客をうまく取り込めなくなるおそれもある。そのため，適切な割引率の範囲は，たとえば，バーゲン 60 の販売期間に団体予約をする旅客には，バーゲン 60 よりは安くするが，バーゲン 75 の販売価格

を超えない価格，バーゲン 35 の販売期間に団体予約をする旅客には，バーゲン 35 よりは高くするが，バーゲン 60 の販売価格を超えない価格というように販売価格を調整できれば，より安価で充実したサービスを求める顧客を確保できる可能性が生まれるものと思われる。そして，この団体割引が功を奏し，現在，Solaseed Air で懸案となっている有利子負債を返済し，財務基盤が安定したら，適用人数を 20 人から 18 人に下げた場合でも対応可能になると考えられる。また，その場合には，予約内容の変更手数料およびキャンセル料の減額を行うなどさらなる差別化をすることで，予定が変わる可能性がある顧客を他社より取り込むことができる可能性も生まれるのかもしれないし，ANA・JAL のようなメガキャリアで実施しているタイムセールなども展開できる可能性も開けるだろう。

　そのようなことが実践できるようになったとき，はじめて本分析では断念せざるを得なかった積極戦略の道も開かれる。そして，その場合には，本分析で，当初は競争相手に考えていた Skymark は財務面での問題が多々あることを考慮して，同社を競争相手とするのではなく，Peach を競争相手とし，その運営を分析するとともに，棲み分けを図りつつ，Peach よりは高いサービスを提供する MCC としての地位を確立できれば，Solaseed Air は航空業界での地位を飛躍させる可能性が高いと考える。

引用・参考資料

ANA ホールディングス株式会社 HP（https://www.ana.co.jp/）
　—（2023）「ANA 旅のブランド：group」（https://www.ana.co.jp/ja/jp/brand/travel/info/group/）
アセットマネジメント One 株式会社（2022）「燃油サーチャージとは？なぜ高騰するの？仕組みをわかりやすく解説」『わらしべ瓦版』（https://www.amone.co.jp/warashibe/article/kakaru-20221202-1.html）
info@irbank.net『IR BANK』HP（https://irbank.net/）
　—（2023a）「日本企業統計：売上高」（https://irbank.net/stat/ns）
　—（2023b）「日本企業統計：利益の統計情報」（https://irbank.net/stat/pf）
　—（2023c）「日本企業統計：株主資本の統計情報」（https://irbank.net/stat/se）
　—（2023d）「日本企業統計：キャッシュ・フローの統計情報」（https://irbank.net/stat/cf）
EDINET HP（https://disclosure2.edinet-fsa.go.jp/）
EY 新日本有限責任監査法人 HP（https://www.ey.com/ja_jp）
　—（2023）『企業会計ナビ』「リース取引」
　（https://www.ey.com/ja_jp/corporate-accounting/glossary/glossary-ra/lease-torihiki）
大﨑孝徳（2017）「航空業界における差別化戦略—フジドリームエアラインズのケース—」『名城論叢』（https://wwwbiz.meijo-u.ac.jp/SEBM/ronso/no18_1/08_OSAKI.pdf）
岡本一道（2021）「コロナ禍で航空業界に異変⁉　AIRDO とソラシドエアの経営統合は氷山の一角か」『THE OWNER』（https://the-owner.jp/archives/5844）
格安航空券センター HP（https://www.airticket-center.com/）
　—（2022a）「ソラシドエアは機内サービスが充実！無料のドリンクやアメニティが魅力！」（https://www.airticket-center.com/solaseedair/blog/about_in-flight-service/）
　—（2022b）「【ジェットスター】マイルを上手に使う方法｜貯め方や特典交換についてわかりやすく解説」（https://www.airticket-center.com/jetstar/blog/about_earn-miles/）
株式会社エアトリ（2022）「飛行機に荷物は無料で預けられる？」『エアトリ』（https://www.airtrip.jp/travel-column/21135）
株式会社オープンスマイル（2023）「LCC でマイルは貯まる？マイルを 2 重取りする裏技もご紹介」『ポイ活 Style』（https://www.warau.jp/style/）

株式会社 スターフライヤー HP（https://www.starflyer.jp/）
　—（2023）『運航・輸送実績（2022 年度）』（https://www.starflyer.jp/starflyer/ir/traffic_figures/tf_2022.html）
　—（2022）『2022 年 3 月期決算短信』（https://ssl4.eir-parts.net/doc/9206/tdnet/2111434/00.pdf）
　—（2021）『2021 年 3 月期決算短信』（https://ssl4.eir-parts.net/doc/9206/tdnet/1959892/00.pdf）
　—（2020）『2020 年 3 月期決算短信』（https://ssl4.eir-parts.net/doc/9206/tdnet/1821369/00.pdf）
　—（2019）『2019 年 3 月期決算短信』（https://ssl4.eir-parts.net/doc/9206/tdnet/1698478/00.pdf）
株式会社ソラシドエア HP（https://www.solaseedair.jp/）
　—（2023a）『ナッシージェット宮崎運航』（https://www.solaseedair.jp/nassy-jet/）
　—（2023b）『地域振興・機体活用プロジェクト「空恋〜空で街と恋をする〜」』（https://www.solaseedair.jp/campaign/sorakoi/）
　—（2023c）『会社案内』（https://www.solaseedair.jp/corporate/press/2023/）
　—（2023d）『2023 年 3 月決算について』（https://www.solaseedair.jp/corporate/pdf/press20230529.pdf）
　—（2022a）『2022 年 3 月期決算短信』（https://www.solaseedair.jp/corporate/pdf/press_220530_2.pdf）
　—（2022b）「2022 〜 2026 年度 中期経営計画について」『News Release』（https://www.solaseedair.jp/corporate/pdf/press_220530_3.pdf）
　—（2021）『2021 年 3 月期 決算短信』（https://www.solaseedair.jp/corporate/pdf/press210531-1-2.pdf）
　—（2020）『2020 年 3 月期 決算短信』（https://www.solaseedair.jp/corporate/pdf/press200527_1_1.pdf）
　—（2019）『2019 年 3 月期 決算短信』（https://www.solaseedair.jp/corporate/pdf/press190529-1_attachment.pdf）
株式会社 MATCHA（2022）「日本の空を旅しよう！国内線の航空会社 9 社を比較〜サービス・料金・オンライン予約・注意点など」『MATCHA』（https://matcha-jp.com/jp/11230）
株式会社メディア・ヴァーグ（2019）「【「平成」と乗りもの】規制だらけ，競争ナシだった日本の空に LCC が羽ばたくまで 次なる課題も」『乗り物ニュース』（https://trafficnews.jp/post/85016）
観光経済新聞社（2017）「航空会社を選ぶポイントは，1 位安全性，2 位価格，3 位便の豊富さ」『Kankoukeizai.com』（https://www.kankokeizai.com/）
経済産業省 HP（https://www.meti.go.jp/）
　—（2023）「石油統計速報　令和 5 年 10 月分」（https://www.meti.go.jp/statistics/tyo/sekiyuso/result.html）
Creative Innovation 合同会社（2020）「飛行機の座席幅を徹底比較！エコノミーでおすすめの航空会社は？」『飛行機の神様』（https://hikouki-kamisama.com/seat/haba/）
国税庁 HP（https://www.nta.go.jp/）
　—（2022）「航空機燃料税の軽減措置について」『その他お知らせ』（https://www.nta.go.jp/information/other/data/r04/kouku/index.htm）
国土交通省（2023）「特定本邦航空運送事業者に関する情報」（https://www.mlit.go.jp/koku/content/001632069.pdf）
桜井久勝（2020）『財務諸表分析（第 8 版）』中央経済社。
公益財団法人日本生産性本部サービス産業生産性協議会（2023）「2023 年度 JCSI（日本版顧客満足度指数）第 3 回調査結果発表」（https://www.jpc-net.jp/research/assets/pdf/honbun2023_03.pdf）
スカイマーク株式会社 HP（https://www.skymark.co.jp/ja/）
　—（2023）『搭乗実績』（https://www.skymark.co.jp/ja/company/investor_loadfactor/__icsFiles/afieldfile/2023/09/08/20230908_investor_loadfactor.pdf）
　—（2022）『有価証券報告書』（https://contents.xj-storage.jp/xcontents/AS92008a/4d91bacf/1902/4a96/9961/93e5f838aabd/S100R69Y.pdf）
　—（2021）『25 期決算公告』（https://www.skymark.co.jp/ja/company/koukoku/02/__icsFiles/afieldfile/2021/06/14/2021_0628_accountsettlement_1.pdf）
　—（2020）『24 期決算公告』（https://www.skymark.co.jp/ja/company/koukoku/02/__icsFiles/afieldfile/2020/07/07/2020_0331_accountsettlement_1.pdf）

── （2019）『23 期決算公告』（https://www.skymark.co.jp/ja/company/koukoku/02/__icsFiles/afieldfile/2019/06/17/2019_0627_accountsettlement.pdf）

ドットマネー編集部（2020）「Peach 航空はマイレージ制度がない？お得に搭乗するには？」『ドットマガジン』（https://d-money.jp/dotmagazine/articles/852389672360620952/）

日本経済新聞社『日本経済新聞』日本経済新聞社
── 『日経産業新聞』日本経済新聞社

日本航空株式会社 HP（https://www.jal.com/ja/）
── （2023）「JAL グループの事業・サービスについて」（https://www.jal.com/ja/outline/corporate/）

YAHOO JAPAN（2021）「実は日本でも原油は採れる，その量は 2019 年度で 52.4 万キロリットル（不和雷蔵）」『YAHOO JAPAN ニュース』LINE ヤフー株式会社（https://news.yahoo.co.jp/expert/articles/034af7412c62257035f0ab389adfeca0d4cfc955）

林慶雲（2019）「航空会社におけるコストマネジメント」『名古屋外国語大学論集』第 4 号（https://nufs-nuas.repo.nii.ac.jp/record/1248/files/B-NUFS04_02.pdf）。

＜執筆者＞

西南学院大学　髙橋　聡ゼミ
中村太陽・岩橋寛多・山﨑一世・矢ヶ部瑞樹・池田雄太
下久保瑠莉・江熊航平・津守未央梨・入倉公望弥・宗近優菜
榎並桃子・岡部美沙希・竹藤里可子・釘宮彩吏

沖縄国際大学　鵜池幸雄ゼミ
嘉数　唯・高良美早紀・比嘉建人

九州産業大学　田中　勝ゼミ
石橋泰征・戸次魁斗・山本伊吹

松山大学　溝上達也ゼミ
浅井端希・大西　丞・近藤香菜・二神亜衣・松岡蒼大・山本恭平

熊本学園大学　小谷　学ゼミ
安住真南・江頭萌花・金森美咲・北野隼大

索　引

《著者紹介》（執筆順）

髙橋　聡（たかはし・さとし）担当：Chapter 1
　※編著者紹介参照

小沢　浩（おざわ・ひろし）担当：Chapter 2
　最終学歴：名古屋大学大学院経済学研究科博士後期課程満期退学，博士（経済学）
　現　　　職：名古屋大学大学院経済学研究科教授

溝上達也（みぞがみ・たつや）担当：Chapter 3
　最終学歴：一橋大学大学院商学研究科博士後期課程単位修得退学，博士（商学）
　現　　　職：松山短期大学教授

田中　勝（たなか・まさる）担当：Chapter 4 − 1 〜 7，9
　最終学歴：神戸大学大学院経営学研究科博士後期課程修了，博士（経営学）
　現　　　職：九州産業大学商学部教授

鵜池幸雄（ういけ・ゆきお）担当：Chapter 4 − 8
　最終学歴：大阪市立大学大学院経営学研究科後期博士課程単位取得退学
　現　　　職：沖縄国際大学産業情報学部教授

福川裕徳（ふくかわ・ひろのり）担当：Chapter 5
　※編著者紹介参照

岩崎瑛美（いわさき・えみ）担当：Chapter 6
　最終学歴：神戸大学大学院経営学研究科博士後期課程修了，博士（経営学）
　現　　　職：松山大学経営学部准教授

窪田嵩哉（くぼた・たかや）担当：Chapter 7 − 1
　最終学歴：名古屋大学大学院経済学研究科博士後期課程満期退学，博士（経済学）
　現　　　職：東北学院大学経営学部准教授

望月信幸（もちづき・のぶゆき）担当：Chapter 7 − 2
　最終学歴：横浜国立大学大学院国際社会科学研究科博士後期課程修了，博士（経営学）
　現　　　職：熊本県立大学総合管理学部教授

森口毅彦（もりぐち・たけひこ）担当：Chapter 7 − 3
　最終学歴：東北大学大学院経済学研究科博士後期課程中退
　現　　　職：富山大学学術研究部社会科学系教授

小形健介（おがた・けんすけ）担当：Chapter 8 − 1
　最終学歴：神戸商科大学大学院経営学研究科博士後期課程修了，博士（経営学）
　現　　　職：大阪公立大学大学院経営学研究科准教授

中村亮介（なかむら・りょうすけ）担当：Chapter 8 − 2
　最終学歴：一橋大学大学院商学研究科博士後期課程修了，博士（商学）
　現　　　職：筑波大学ビジネスサイエンス系准教授

三浦　敬（みうら・たかし）担当：Chapter 9
　※編著者紹介参照

《編著者紹介》

髙橋　聡（たかはし・さとし）担当：Chapter 1
　　最終学歴：神戸大学大学院経営学研究科博士後期課程修了
　　現　　　職：西南学院大学商学部教授

【主要業績】
　　髙橋　聡「現行企業会計制度と利益概念」『財務会計研究』第14号，財務会計研究学会，2020年8月，31-71頁。「査読付」
　　髙橋　聡「井尻雄士の因果的複式簿記」上野清貴編『簿記の理論学説と計算構造』中央経済社，2019年9月，61-74頁。
　　髙橋　聡「物価変動会計と簿記の計算構造」上野清貴編『簿記の理論学説と計算構造』中央経済社，2019年9月，132-146頁。

福川裕徳（ふくかわ・ひろのり）担当：Chapter 5
　　最終学歴：一橋大学大学院商学研究科博士後期課程単位修得退学
　　現　　　職：一橋大学大学院経営管理研究科教授

【主要業績】
　　福川裕徳『監査判断の実証分析』国元書房，2012年。
　　Theodore J. Mock and Hironori Fukukawa. 2016. Auditors' risk assessments: The effects of elicitation approach and assertion framing. *Behavioral Research in Accounting* 28(2): 75-84.
　　Hironori Fukukawa and Hyonok Kim. 2017. Effects of audit partners on clients' business risk disclosure. *Accounting and Business Research* 47(7): 780-809.

三浦　敬（みうら・たかし）担当：Chapter 9
　　最終学歴：一橋大学大学院商学研究科博士後期課程単位修得満期退学
　　現　　　職：横浜市立大学大学院国際マネジメント研究科教授

【主要業績】
　　三浦　敬・張　櫻馨『現代財務会計基礎講義（第6版）』デザインエッグ株式会社，2024年4月，第1章～第4章，第8章。
　　渡部裕亘・片山　覚・北村敬子編著『日商検定簿記講義2級商業簿記（2024年度版）』（共同執筆）中央経済社，2024年3月。
　　三浦　敬・張　櫻馨「対応原則の変化が利益の質に与える影響の史的分析」『横浜市立大学論叢―社会科学系列―』第75巻第1号，2023年12月，27-56頁。

（検印省略）

2020年12月10日　初版発行
2024年3月10日　改訂版発行　　　　　　　　　　　　　　　略称―企業分析

学部生のための
企業分析テキスト［改訂版］
―業界・経営・財務分析の基本―

編著者　髙橋　聡・福川裕徳・三浦　敬
発行者　塚田尚寛

発行所　東京都文京区　　　株式会社　創成社
　　　　春日2-13-1
　　　　電　話　03（3868）3867　　ＦＡＸ　03（5802）6802
　　　　出版部　03（3868）3857　　ＦＡＸ　03（5802）6801
　　　　http://www.books-sosei.com　振　替　00150-9-191261

定価はカバーに表示してあります。

©2020, 2024 Satoshi Takahashi　　組版：ワードトップ　印刷：エーヴィスシステムズ
ISBN978-4-7944-1590-5 C3034　　製本：エーヴィスシステムズ
Printed in Japan　　　　　　　　落丁・乱丁本はお取り替えいたします。

─────────── 簿記・会計選書 ───────────

学部生のための 企業分析テキスト ―業界・経営・財務分析の基本―	髙 橋　　　聡 福 川 裕 徳 三 浦　　　敬	編著	3,600 円
日 本 簿 記 学 説 の 歴 史 探 訪	上 野 清 貴	編著	3,000 円
全 国 経 理 教 育 協 会 公式 簿記会計仕訳ハンドブック	上 野 清 貴 吉 田 智 也	編著	1,200 円
企 業 簿 記 論	中島・髙橋・柴野	著	2,300 円
初 級 簿 記 教 本	海 老 原　　諭	著	2,700 円
ニ ュ ー ス テ ッ プ ア ッ プ 簿 記	大 野 智 弘	編著	2,700 円
管 理 会 計 っ て 何 だ ろ う ―町のパン屋さんからトヨタまで―	香 取　　　徹	著	1,900 円
原 価 会 計 の 基 礎 と 応 用	望 月 恒 男 細 海 昌 一 郎	編著	3,600 円
政策評価におけるインパクト測定の意義	宮 本 幸 平	著	2,500 円
非 営 利・政 府 会 計 テ キ ス ト	宮 本 幸 平	著	2,000 円
税 務 会 計 論	柳　　　裕 治	編著	2,800 円
ゼ ミ ナ ー ル 監 査 論	山 本 貴 啓	著	3,200 円
内 部 統 制 監 査 の 論 理 と 課 題	井 上 善 博	著	2,350 円
コ ン ピ ュ ー タ 会 計 基 礎	河 合・櫻 井 成 田・堀 内	著	1,900 円
は じ め て 学 ぶ 国 際 会 計 論	行 待 三 輪	著	1,900 円
私 立 大 学 の 会 計 情 報 を 読 む ―成 長 の 源 泉 を 求 め て―	小 藤 康 夫	著	2,000 円

(本体価格)

─────────── 創 成 社 ───────────